高等职业教育系列教材

机 械 制 图

第 2 版

主　编　吴世俊
副主编　邓　陶　章　鸿　王春华
参　编　何彩颖　刘卫萍　杨入稳　唐琼英
主　审　李　勇

机械工业出版社

本教材从高等职业教育培养目标和特色、生源素质等角度出发，以教育部《职业教育专业教学标准—2025年修（制）订》的基本要求为依据，总结各高职院校同类课程的教学实践经验，按照立体化教材的建设思路编写而成。

本教材着重培养学生识图和绘图的能力。全书共分为9章，具体内容包括：制图基本知识与技能、正投影基础、立体及其表面的交线、轴测图、组合体、机件的表达方法、标准件及常用件画法、零件图和装配图。

本教材起点较低，实践性和实用性较强，适合高职高专院校的机械类和近机类专业的教师和学生使用，也适合有志于从事制造业工作的自学者使用。

本教材配有动画、视频等资源，可扫描书中二维码直接观看，还配有授课电子课件、习题答案等，需要的教师可登录机械工业出版社教育服务网 www.cmpedu.com 免费注册后下载，或联系编辑索取（微信：13261377872，电话：010-88379739）。

图书在版编目（CIP）数据

机械制图 / 吴世俊主编. -- 2版. -- 北京：机械工业出版社，2025.9. -- （高等职业教育系列教材）.
ISBN 978-7-111-79006-8

Ⅰ. TH126

中国国家版本馆 CIP 数据核字第 2025GZ7455 号

机械工业出版社（北京市百万庄大街22号　邮政编码100037）
策划编辑：曹帅鹏　　　　　　　　　责任编辑：曹帅鹏　戴　琳
责任校对：王　捷　王小童　景　飞　责任印制：邓　博
北京中科印刷有限公司印刷
2025年10月第2版第1次印刷
184mm×260mm・16.75印张・413千字
标准书号：ISBN 978-7-111-79006-8
定价：69.00元

电话服务　　　　　　　　　　　网络服务
客服电话：010-88361066　　　　机　工　官　网：www.cmpbook.com
　　　　　010-88379833　　　　机　工　官　博：weibo.com/cmp1952
　　　　　010-68326294　　　　金　书　网：www.golden-book.com
封底无防伪标均为盗版　　　　　机工教育服务网：www.cmpedu.com

前　言

本教材从高等职业教育培养目标和特色、生源素质等角度出发，以教育部《职业教育专业教学标准—2025 年修（制）订》的基本要求为依据，总结各高职院校同类课程的教学实践经验，按照立体化教材的建设思路编写而成。

本教材从工程制图实际应用和学生就业技能实际需求出发，依据"少而精"的原则确定编写内容，以"够用为度"的原则处理投影理论知识与实践知识分配比例。

本教材着重培养学生识图和绘图的能力。在具体内容安排上，考虑到高职高专学生的学习能力和学习特点，并遵循制图学习规律，以三视图的投影理论为主线，以绘图和识图为重点，先讲解基础知识和原理，再深入讲解物体的切割，最后将之前所学的知识综合到若干个案例中进行全面分析。本教材选取的图形结构难易适度，为方便学生实际操作，降低学习难度，在进行案例分析时，作图步骤力求做到详细、清楚。在投影理论和视图部分，由浅入深地安排教学内容，将三视图投影规律和空间思维能力的培养融入教学内容的各个阶段，将绘图技能的训练融入整个教学内容中进行。教材中涉及国家标准的部分均采用现行的国家标准，在上一版教材的基础上优化了内容和图形。本教材主要特点有：

1. 内容适度，层次清晰。教材中展现常用和重要的知识点，章节前后排序符合制图学习规律。

2. 案例恰当，操作性强。投影基础和三视图中的图形结构难易适度，案例的作图方法按手工绘图步骤进行，实践操作性强。

3. 微课讲解，实体展现。教材中的重点内容插入了微课讲解，使学生更好地理解教材内容，同时插入三维模型，促进其空间思维的建立。

4. 归纳总结性强。教材每节结尾处都有本节知识的"学习指引"和"关键点拨"，帮助学生加深对知识的理解和运用。

5. 配套三维实体模型多。为方便教师讲课和学生自学，教材资源中提供了大量的实体模型。

本教材起点较低，实践性和实用性较强，适合高职高专院校的机械类和近机类专业的教师和学生使用，也适合有志于从事制造业工作的自学者使用。

本教材由四川信息职业技术学院吴世俊任主编，四川信息职业技术学院邓陶、章鸿和王春华任副主编，参与编写的还有四川信息职业技术学院何彩颖、刘卫萍、杨入稳、唐琼英。

本教材由全国技术能手、全国劳动模范李勇主审。

由于编者水平有限，书中难免存在疏漏和错误，恳请广大读者批评、指正，以便及时调整和补充！

编　者

二维码资源索引

序号	名称	页码	序号	名称	页码
1	绘图工具的使用	5	32	平面体正等测图的画法（叠加法）	104
2	比例	11	33	形体分析法画图	114
3	圆的等分及圆内接正多边形的画法	19	34	切割式组合体三视图的画法	116
4	斜度和锥度	20	35	轴承座的尺寸标注	122
5	圆弧连接	22	36	叠加式组合体读图	130
6	平面图形的绘制	24	37	运用形体分析法补画组合体视图	133
7	正投影特性	28	38	切割式组合体读图	134
8	点的投影规律	33	39	补画组合体视图中的漏线	137
9	直线上的点	40	40	基本视图	139
10	平面内的直线和点	47	41	向视图	140
11	三视图	50	42	局部视图	141
12	棱柱的三视图	54	43	斜视图	142
13	棱柱的表面取点	55	44	压紧杆方案选择	142
14	棱锥三视图	56	45	剖视图的形成	143
15	棱锥表面取点	58	46	剖视图的画法与标注	144
16	四棱柱的切割	63	47	全剖视图	145
17	六棱柱开槽	66	48	半剖视图	147
18	圆柱的三视图	70	49	局部剖视图	147
19	圆柱表面取点	71	50	单一剖切面	149
20	圆锥的三视图	72	51	平行剖切平面	150
21	圆锥表面取点	73	52	相交剖切面	151
22	圆球的三视图	76	53	移出断面图	152
23	圆球表面上的点	76	54	局部放大图	155
24	圆柱的斜切	78	55	内外螺纹的画法	165
25	圆柱的切割开槽	80	56	螺栓联接	170
26	圆球的开槽	88	57	键联接	176
27	正交两圆柱相贯线的类型及画法	91	58	典型零件的视图表达	192
28	正交两圆柱相贯线画法举例	92	59	有关尺寸偏差和公差的基本数和定义	203
29	平面体正等轴测图的画法	100	60	有关尺寸的基本术语和定义	203
30	轴测图-曲面立体和组合体的正等轴测图画法	101	61	装配图的表达方法	221
31	圆柱、圆角的正等轴侧图	102	62	装配工艺结构	225

目 录

前言
二维码资源索引
绪论 ································ 1
第1章 制图基本知识与技能 ········· 4
1.1 常见绘图工具和仪器的使用 ······ 4
1.1.1 图板和丁字尺、三角板 ······ 4
1.1.2 铅笔 ···························· 5
1.1.3 圆规与分规 ················· 5
1.1.4 其他常用绘图工具和用品 ··· 6
1.2 国家标准《机械制图》的基本规定 ······ 7
1.2.1 图纸幅面与格式（GB/T 14689—2008） ················· 7
1.2.2 比例（GB/T 14690—1993） ··· 10
1.2.3 字体（GB/T 14691—1993） ··· 10
1.2.4 图线（GB/T 17450—1998、GB/T 4457.4—2002） ······ 12
1.3 尺寸注法 ······················ 14
1.3.1 尺寸注法的基本规定 ······ 14
1.3.2 标注尺寸的三要素 ········· 15
1.3.3 其他常用尺寸的注法 ······ 17
1.4 几何作图 ······················ 19
1.4.1 基本作图方法 ·············· 19
1.4.2 圆弧连接 ················· 21
1.5 平面图形的画法 ················ 23
1.6 徒手画图 ······················ 25
第2章 正投影基础 ··················· 27
2.1 投影法及三面投影体系 ········· 27
2.1.1 投影法 ····················· 27
2.1.2 正投影的投影特性 ········· 28
2.1.3 三投影面体系 ·············· 29
2.2 点、直线、平面的投影 ········· 30
2.2.1 点的投影 ················· 30
2.2.2 直线的投影 ·············· 36
2.2.3 平面的投影 ·············· 42
第3章 立体及其表面的交线 ········· 49
3.1 三视图 ························· 49
3.2 平面立体及其表面交线 ········· 52

3.2.1 平面立体的三视图及其表面取点 ··············· 53
3.2.2 平面立体的截交线 ········· 58
3.3 回转体及其表面交线 ············ 68
3.3.1 回转体的三视图及其表面取点 ··· 68
3.3.2 回转体的截交线 ············ 77
3.4 相贯线 ························· 88
3.4.1 相贯线的性质 ·············· 89
3.4.2 立体表面的相贯线画法 ····· 89
3.4.3 相贯线的特殊情况 ········· 93
3.4.4 组合相贯线的画法 ········· 94
第4章 轴测图 ························ 97
4.1 轴测图的基本知识 ·············· 97
4.1.1 轴测图的形成 ·············· 97
4.1.2 轴测图的基本性质 ········· 98
4.2 正等轴测图 ···················· 98
4.2.1 正等轴测图的形成及参数 ··· 98
4.2.2 平面立体的正等轴测图画法 ··· 99
4.2.3 曲面立体的正等轴测图画法 ··· 100
4.2.4 组合体的正等轴测图 ······ 103
4.3 斜二等轴测图 ·················· 105
4.3.1 斜二等轴测图的形成及参数 ··· 105
4.3.2 斜二测图的画法 ············ 106
4.3.3 正等轴测图和斜二测图的优缺点 ··················· 108
第5章 组合体 ························ 109
5.1 组合体的组合形式及其表面连接关系 ························· 109
5.1.1 组合体的组合形式 ········· 109
5.1.2 表面连接关系 ·············· 110
5.2 组合体三视图的画法 ············ 111
5.2.1 形体分析法 ················ 111
5.2.2 形体分析法的画图方法和步骤 ··· 112
5.2.3 线面分析法的画图方法和步骤 ··· 115
5.3 组合体的尺寸标注 ·············· 119
5.3.1 基本体、切割体及相贯体的尺寸注法 ··················· 119

5.3.2 组合体的尺寸注法 ………………… 121
5.4 读组合体视图 ……………………………… 124
　5.4.1 读图的基本要领 ……………………… 124
　5.4.2 叠加式组合体的读图方法 …………… 129
　5.4.3 切割式组合体的读图方法 …………… 133

第6章 机件的表达方法 ……………………… 139
6.1 视图（GB/T 17451—1998） ……………… 139
　6.1.1 基本视图 ……………………………… 139
　6.1.2 向视图 ………………………………… 140
　6.1.3 局部视图 ……………………………… 141
　6.1.4 斜视图 ………………………………… 141
6.2 剖视图 ……………………………………… 143
　6.2.1 剖视图的形成 ………………………… 143
　6.2.2 剖视图的画法 ………………………… 144
　6.2.3 剖视图的种类 ………………………… 146
　6.2.4 剖切面的种类 ………………………… 149
6.3 断面图 ……………………………………… 152
　6.3.1 断面图的概念和分类 ………………… 152
　6.3.2 移出断面图 …………………………… 152
　6.3.3 重合断面图 …………………………… 154
6.4 其他表达方法 ……………………………… 154
　6.4.1 局部放大图 …………………………… 155
　6.4.2 常用简化画法 ………………………… 155
6.5 第三角画法 ………………………………… 157
　6.5.1 第一、三分角的三视图的形成 ……… 157
　6.5.2 第一、三角画法的配置 ……………… 158
　6.5.3 第一角画法与第三角画法的投影
　　　　识别符号（GB/T 14689—
　　　　2008） ………………………………… 160

第7章 标准件及常用件画法 ………………… 161
7.1 螺纹及螺纹紧固件 ………………………… 161
　7.1.1 螺纹的规定画法和标注 ……………… 161
　7.1.2 螺纹紧固件（GB/T 4459.1—
　　　　1995） ………………………………… 169
7.2 直齿圆柱齿轮的画法 ……………………… 172
7.3 键联接和销联接 …………………………… 176
　7.3.1 键联接 ………………………………… 176
　7.3.2 销联接 ………………………………… 178
7.4 滚动轴承 …………………………………… 178
　7.4.1 滚动轴承的结构和类型 ……………… 178
　7.4.2 滚动轴承的代号 ……………………… 179
　7.4.3 滚动轴承的画法 ……………………… 180
7.5 弹簧 ………………………………………… 181

　7.5.1 圆柱螺旋压缩弹簧各部分的
　　　　名称 …………………………………… 182
　7.5.2 圆柱螺旋压缩弹簧的标记 …………… 182
　7.5.3 圆柱螺旋压缩弹簧的规定画法 ……… 182

第8章 零件图 ………………………………… 184
8.1 零件图的作用和内容 ……………………… 184
8.2 零件上常见的工艺结构 …………………… 185
　8.2.1 铸造工艺结构 ………………………… 185
　8.2.2 机械加工工艺结构 …………………… 187
8.3 典型零件的视图表达方法 ………………… 189
　8.3.1 轴套类零件 …………………………… 190
　8.3.2 轮盘类零件 …………………………… 191
　8.3.3 叉架类零件 …………………………… 191
　8.3.4 箱壳类零件 …………………………… 193
8.4 零件图的尺寸标注 ………………………… 195
8.5 零件图中的技术要求 ……………………… 199
　8.5.1 表面结构的表示法（GB/T 131—
　　　　2006） ………………………………… 199
　8.5.2 极限与配合 …………………………… 203
　8.5.3 几何公差 ……………………………… 206
8.6 零件图的读图 ……………………………… 210
8.7 零件的测绘 ………………………………… 213

第9章 装配图 ………………………………… 218
9.1 装配图的作用和内容 ……………………… 218
9.2 装配图的视图表达方法 …………………… 220
　9.2.1 装配图中的规定画法 ………………… 220
　9.2.2 装配图中特有的表达方法 …………… 221
9.3 装配图的尺寸标注、技术要求、序号及
　　 明细栏 ……………………………………… 222
　9.3.1 装配图的尺寸标注 …………………… 222
　9.3.2 技术要求 ……………………………… 223
　9.3.3 装配图的零件序号和明细栏 ………… 223
9.4 常见装配工艺结构 ………………………… 225
　9.4.1 装配工艺结构 ………………………… 225
　9.4.2 机器上的常见装置 …………………… 226
9.5 读装配图 …………………………………… 228
　9.5.1 读装配图的方法和步骤 ……………… 228
　9.5.2 由装配图拆画零件图 ………………… 230
9.6 画装配图的方法和步骤 …………………… 233
　9.6.1 了解装配体 …………………………… 233
　9.6.2 确定表达方案 ………………………… 235
　9.6.3 画装配图的步骤 ……………………… 235
9.7 装配体测绘 ………………………………… 238

9.7.1　了解和分析测绘对象 …………… 238
9.7.2　画装配示意图、拆卸装配体 …… 239
9.7.3　画零件草图 …………………… 240
9.7.4　画装配图 ……………………… 240
9.7.5　画零件图 ……………………… 240
附录 ………………………………………… 241
　附录A　螺纹 ………………………… 241
附录B　螺纹紧固件 …………………… 243
附录C　键与销 ………………………… 249
附录D　滚动轴承 ……………………… 252
附录E　中心孔 ………………………… 254
附录F　极限与配合 …………………… 256
参考文献 …………………………………… 260

绪　论

1. 课程的性质与地位

在工程技术中，为了准确地表达物体的形状、结构和大小，根据投影原理、国家标准和有关规定绘制的图，称为图样。

图样是设计者表达设计意图，制造者组织和指导生产的依据，也是使用者了解机器结构、性能、操作和维护方法的重要技术文件。

图样是现代工业生产中的重要技术文件。统计数字表明：葛洲坝水利枢纽工程所用的图纸重达100多吨。法国生产的幻影飞机的图纸要装一火车皮，仅发动机部分就超过4.5万张。正是由于图样应用的重要性和广泛性，因此图样被人们喻为"工程上的语言学"。凡从事工程技术的人员都应掌握这门"语言学"。

图样根据行业标准、专业特点以及图形使用规范分为：机械图样、建筑图样、电气图样、园林图样、家具图样等。机械制图是研究绘制和阅读机械图样的技术基础课。机械行业中普遍采用零件图和装配图两类图样。零件图是用来表达机械零件的结构形状、尺寸大小和技术要求的图样，是生产中用以指导加工和检验零件的重要技术文件。装配图是用来表达部件的工作原理、传动路线、连接方式的图样。图0-1是端盖零件图，图0-2是钻模装配图。

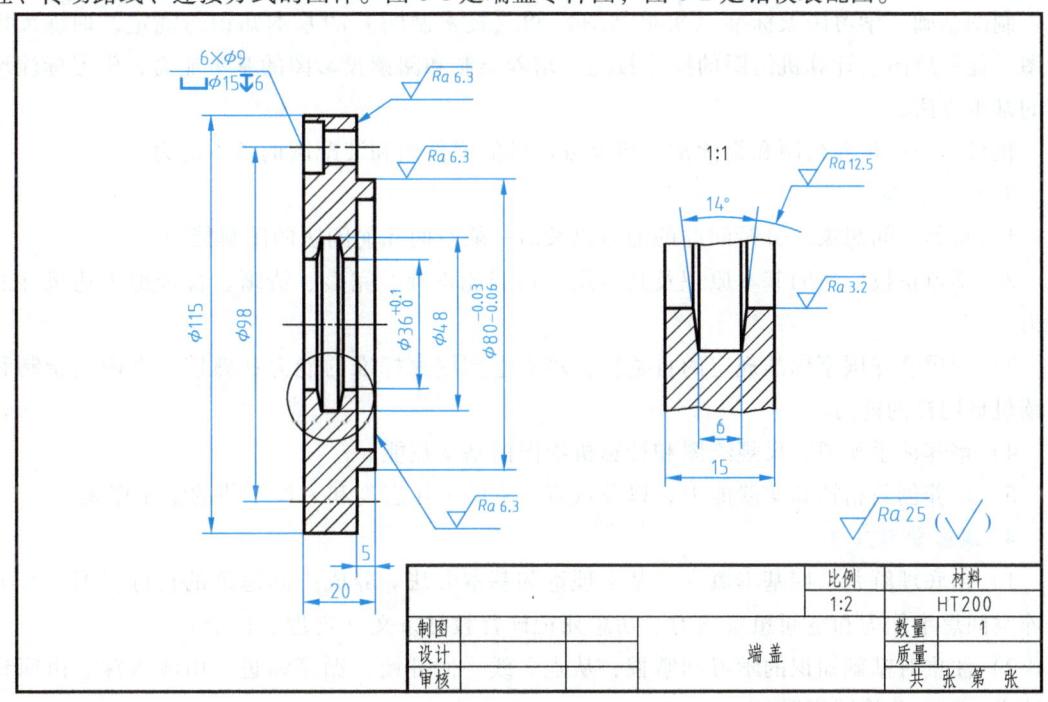

图0-1　端盖零件图

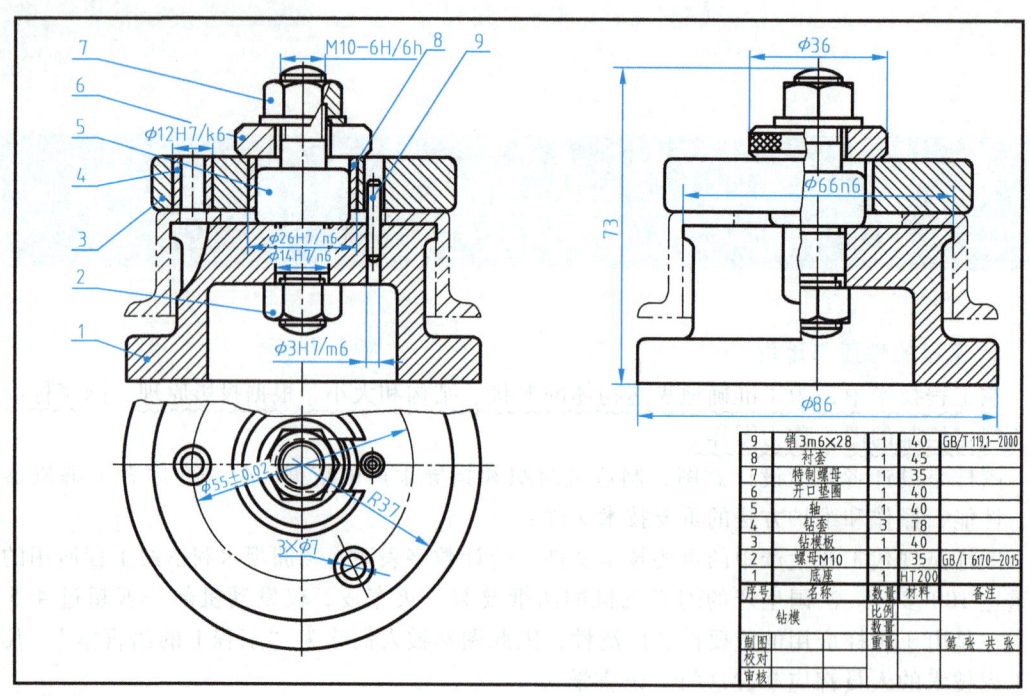

图 0-2 钻模装配图

2. 课程内容

画法几何：学习用正投影法来研究图示空间几何形体和图解简单空间几何问题的基本原理和方法。

制图基础：学习国家标准《机械制图》和《技术制图》的基本知识与规定，训练尺规绘图、徒手绘图、计算机绘图的操作技能，培养绘制和阅读投影图的基本能力，学习标注尺寸的基本方法。

机械制图：培养绘制和阅读常见机器或部件的零件图和装配图的基本能力。

3. 课程任务

1）培养空间想象、分析问题的能力以及对一般空间几何问题的图解能力。

2）学习正投影法的基本原理及其应用，培养能正确、完整、清晰、合理地表达机件的能力。

3）养成遵守国家标准规定的自觉性，培养查阅国家标准的能力和熟练、准确地绘制和识读机械图样的能力。

4）培养徒手绘图、尺规绘图和计算机绘图的基本技能。

5）培养创新精神和实践能力，以及认真负责的工作态度和一丝不苟的工作作风。

4. 课程学习方法

1）彻底理解并掌握基本概念、基本理论和基本方法。养成空间思维的良好习惯，努力培养空间思维能力和空间想象能力。切忌死记硬背教材条文（定理、标准）。

2）注重对基础知识的学习和掌握，从点、线、面开始，循序渐进，由浅入深、由简到繁地进行绘图和读图实践。

3）掌握绘图和读图所运用的"线面分析法"和"形体分析法"两种分析方法。画图和读图相结合，多看、多想、多画、多记。逐渐实现"从空间形体到投影图"和"从投影图到空间形体"的顺利转化。

4）注重作图实践，制图是一门实践性很强的课程。只有认真、及时、独立地完成一定数量的习题才能学好这门课程，也才能圆满完成绘制和阅读零件图、装配图这项终极任务。

5）确立标准意识，严格执行制图国家标准。机械制图中有关图线的画法、尺寸标注、视图的表达、螺纹画法等内容都是按照国家标准执行的，因此图样绘制是否正确的首要前提是各项内容是否符合国家标准规定。

第1章

制图基本知识与技能

◆ **本章重难点**

重点：比例的含义、尺寸标注以及图线。

难点：圆弧连接。

◆ **能力目标**

1. 正确地使用绘图工具和仪器。
2. 正确地绘制各类图线。
3. 正确地进行尺寸标注。
4. 选择适当的比例，正确地进行平面图形的绘制。

1.1 常见绘图工具和仪器的使用

在图样绘制的过程中，要想快速、准确地绘制出高质量的图样，必须了解绘图工具和仪器的结构、性能和使用方法，并培养正确使用、维护绘图工具和仪器的作图习惯。本节只介绍手工绘图中常用的一些工具和仪器。

1.1.1 图板和丁字尺、三角板

1. 图板

图板是用来铺放、固定图纸用的矩形木质平板，板面应平整光洁，软硬适中。绘图时图板横放，短边为图板的工作边，即丁字尺的导向边。绘图时，应先用胶带将图纸固定在图板上，如图1-1a所示。图板有A0、A1、A2三种规格，使用时根据实际需要进行选用。

2. 丁字尺

丁字尺由有机玻璃制成，分为尺头和尺身两个部分。绘图时，尺头内侧（导边）必须贴紧图板的左侧边缘，用手推动丁字尺上、下移动，可以画出一系列水平线，如图1-1a所示。画较长水平线时，应用左手按住尺身，以免丁字尺发生偏移或尺尾翘起。丁字尺不使用时，应悬挂放置，以免尺身弯曲变形或折断。

3. 三角板

一副三角板由45°和30°—60°两块直角三角板组成，如图1-2a所示。三角板与丁字尺配合使用，可作出竖直线、斜线，如图1-1b、c所示。两块三角板配合使用可以画出与15°成倍数的各种斜线，如图1-2a所示，也可作垂直线和平行线，如图1-2b、c所示。

★ **学习指引**　画直线时，铅笔应垂直纸面并与铅笔前进的方向成30°角。画水平线时，从左至右画出；画垂直线时，应该从下向上画出；画斜线时，从左下至右上画出。

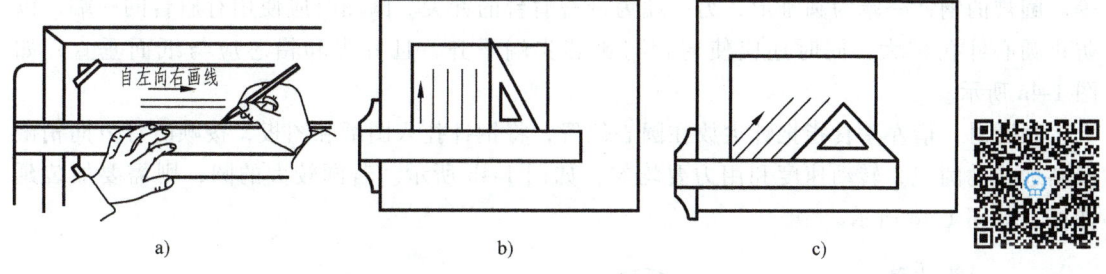

图 1-1 图板、丁字尺、三角板配合用法
a）画水平线 b）画竖直线 c）画斜线

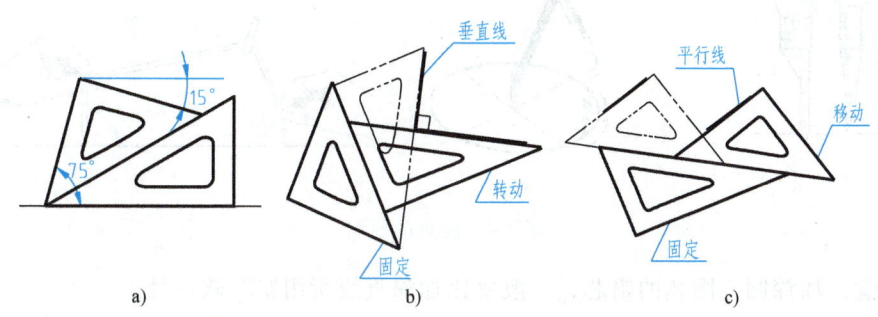

图 1-2 三角板及其用法

★**关键点拨** 利用丁字尺和三角板将图纸水平固定在图板上，不可目测完成；图板是木质物品，注意防潮、防压；丁字尺和三角板是有机玻璃制品，注意防摔、防热。

1.1.2 铅笔

绘图铅笔的铅芯有软硬之分，用标号 B 或 H 来表示铅芯的软硬，B 或 H 前的数字表示铅芯的软硬程度。B 表示软性铅笔，B 前数字越大铅芯越软且黑；H 表示硬性铅笔，H 前数字越大则铅芯越硬且淡。H 或 2H 铅笔常用于打底稿，并削成圆锥形；B 或 2B 铅笔常用于加深描粗图线，削磨成四棱柱形，用铅芯的厚度控制线宽。HB 铅笔，其铅芯软硬适中，常用于写字、标注尺寸和徒手画图。铅笔的削法如图 1-3 所示。

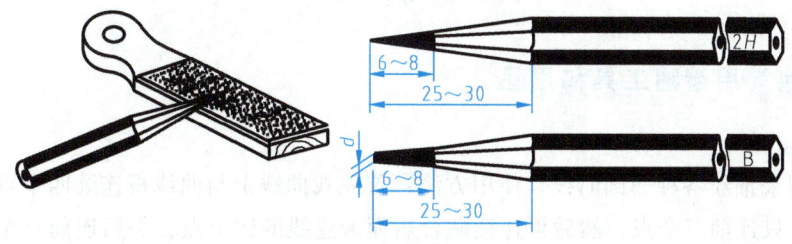

图 1-3 铅笔的削法

需注意铅笔应从没有标号的一端开始使用，以便保留软硬的标号方便辨识。

1.1.3 圆规与分规

1. 圆规

圆规主要用来画圆或圆弧。圆规的附件有钢针插脚、铅芯插脚、鸭嘴插脚和延伸插杆等。圆规的钢针一端为圆锥形，另一端为带有肩台的针尖。画图时应使用有肩台的一端，以防止圆心针孔扩大。同时还应使肩台与铅芯尖端平齐，且针尖和铅芯应与纸面垂直，如图 1-4a 所示。

画圆时，借左手食指把针尖放在圆心位置，将钢针扎入图纸和图板，按顺时针方向稍微倾斜地转动圆规，转动速度和用力要均匀，如图 1-4b 所示。若画较大的圆，则需要加装延伸杆，如图 1-4c 所示。

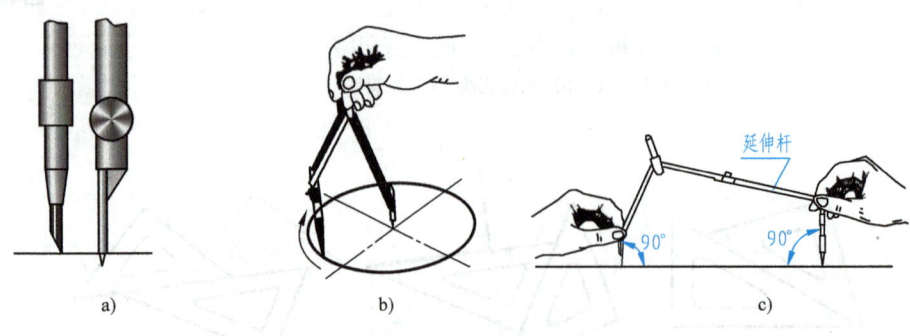

图 1-4 圆规的使用

需注意，加深圆、圆弧的铅芯，一般要比加深直线所用铅芯软一号。

2. 分规

分规是用来量取尺寸、等分线段或圆周的工具。分规的两条腿均安有钢针，当两条腿并拢时，分规的两个针尖应对齐。分规的用法如图 1-5 所示。

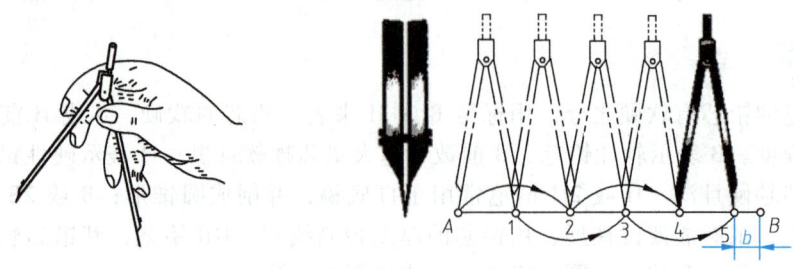

图 1-5 分规的使用

1.1.4 其他常用绘图工具和用品

1. 曲线板

曲线板用来描绘各种非圆曲线。使用方法：首先找曲线上与曲线板连续四个点贴合最好的轮廓，画线时只连前三个点，然后再连续贴合后面未连线的四个点，仍然连前三个点。这样中间有一段前后重复贴合两次，如此依次逐段描绘，以便使整条曲线光滑，如图 1-6 所示。

2. 擦图片

如图 1-7 所示，擦图片上有许多不同形状的小孔，将小孔对准需擦去的线条，用橡皮擦拭，这样可保证相邻图线不会被误擦，也可保证图面上图线不被污损。

绘图时，除了上述工具外，还需准备图纸、胶带、削笔刀、橡皮、砂纸板、软毛刷等用品。

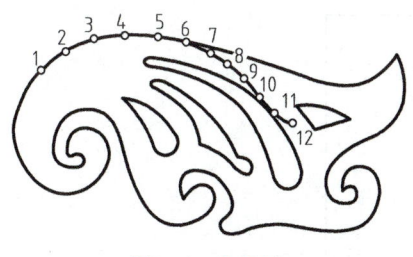

图1-6 曲线板

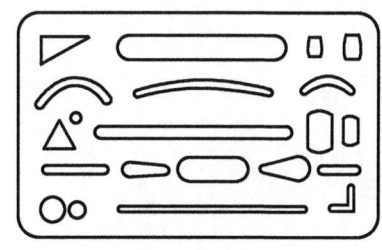

图1-7 擦图片

★ 学习指引　绘图时应选用对应型号的铅芯，并将笔芯尖端削成合适的形状。

★ 关键点拨　无论绘制直线还是曲线，铅芯应沿着一个方向进行，不能来回画线。

1.2　国家标准《机械制图》的基本规定

图样是交流工程技术的一种语言，为了便于技术管理、国内国际的技术交流和贸易往来，我国发布了《技术制图》和《机械制图》国家标准，主要有图纸幅面和格式、比例、字体、图线、尺寸标注等。我国国家标准（简称国标）的代号为"GB"，"GB"为"国标"两字汉语拼音的第一个字母；"GB/T"为推荐性国家标准，"T"为推荐性"推"的汉语拼音的首字母。字母后面的两组数字，分别表示标准顺序号和标准批准的年份，例如"GB/T 17451—1998《技术制图　图样画法　视图》"即表示制图标准：图样画法的视图部分，顺序号为17451，标准颁布的年份为1998年。

1.2.1　图纸幅面与格式（GB/T 14689—2008）

1. 图纸幅面

绘制图样时，应优先采用表1-1所规定的5种基本幅面，其尺寸关系如图1-8a所示。必要时，也允许选用国家标准所规定的加长幅面。这些幅面的尺寸由基本幅面的短边成整数倍增加后得出，如图1-8b所示。

表1-1　图纸幅面代号和尺寸　　　　　　　　　　　　（单位：mm）

幅面代号	A0	A1	A2	A3	A4
$B×L$	841×1189	594×841	420×594	297×420	210×297
a（装订边）	25				
c	10			5	
e	20		10		
a,c,e 为留边宽度					

2. 图框格式

在图纸上，图框线必须用粗实线画出。图框格式分为不留装订边和留装订边两种，如图1-9和图1-10所示。但同一产品的图样只能采用同一种格式，图样必须画在图框之内。

3. 标题栏（GB/T 10609.1—2008）

每张技术图样中均应画出标题栏。国家标准对标题栏的内容、格式与尺寸作了规定，如

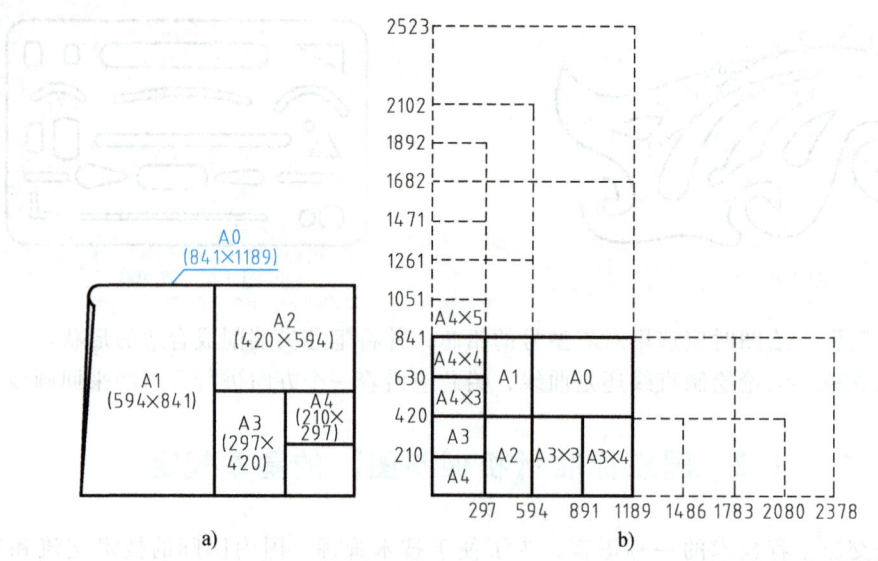

图 1-8 幅面尺寸
a) 基本幅面　b) 图纸幅面

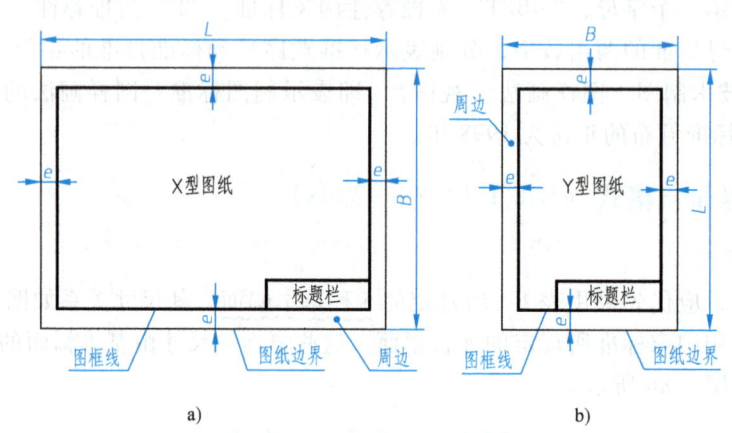

a)　　　　　　　　　b)

图 1-9 不留装订边格式

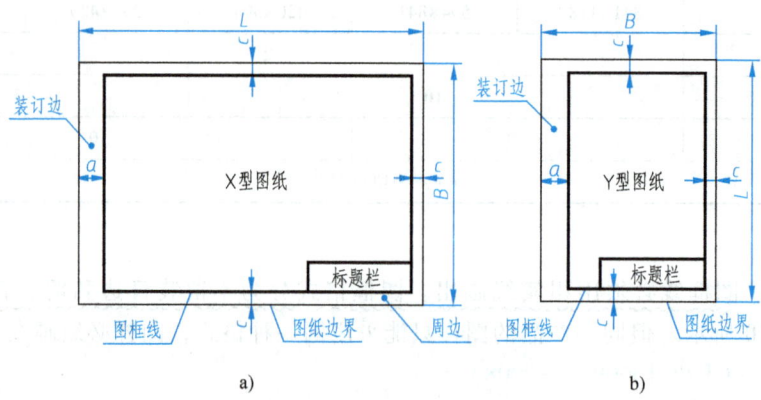

a)　　　　　　　　　b)

图 1-10 留装订边格式

图 1-11 所示。在学生制图作业中建议采用图 1-12 所示的简化标题栏。

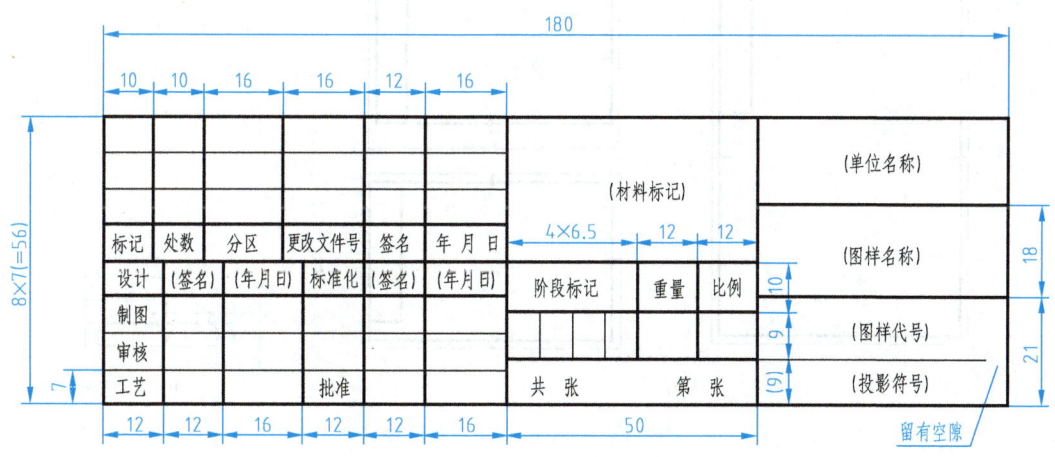

图 1-11 标题栏格式

标题栏一般应位于图框的右下角，如图 1-9 和图 1-10 所示。当标题栏的长边置于水平方向并与图纸的长边平行时，则构成 X 型图纸，如图 1-9a 和图 1-10a 所示。当标题栏的长边与图纸的长边垂直时，则构成 Y 型图纸，如图 1-9b 和图 1-10b 所示。在此情况下，看图的方向与看标题栏的方向一致，即标题栏中的文字方向为看图方向。有时为了利用预先印制的图纸，允许将图 1-9、图 1-10 所示的图纸逆时针旋转 90°后画图，此时必须用方向符号指示看图方向，方向符号是用细实线绘制的等边三角形，放置在图纸下端对中符号处，如图 1-13a 所示。方向符号的画法如图 1-13b 所示。此外，标题栏的线型、字体（签字除外）和年、月、日的填写格式均应符合相应国家标准的规定。

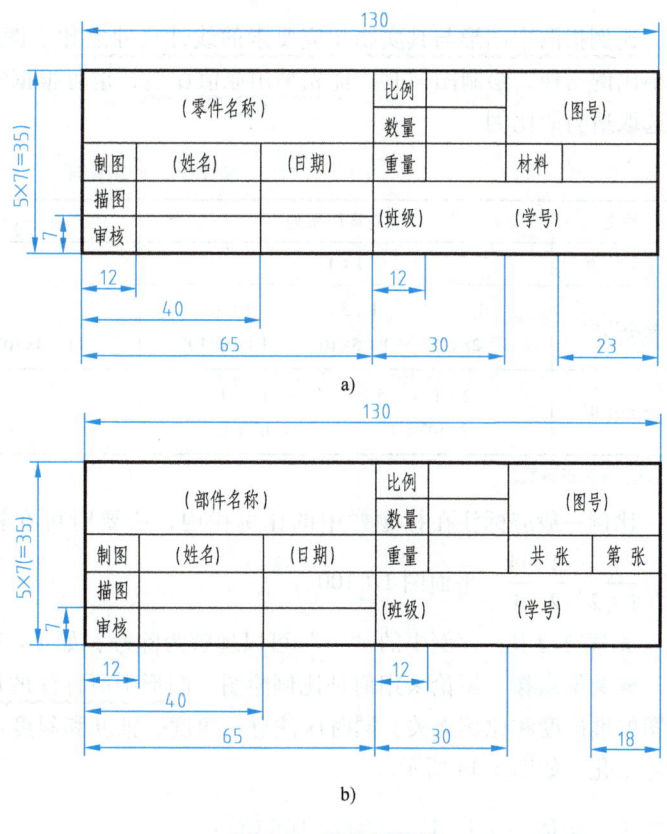

图 1-12 简化标题栏
a) 零件图用标题栏 b) 装配图用标题栏

需注意，标题栏的外框线用粗实线绘制，内部线条用细实线绘制。

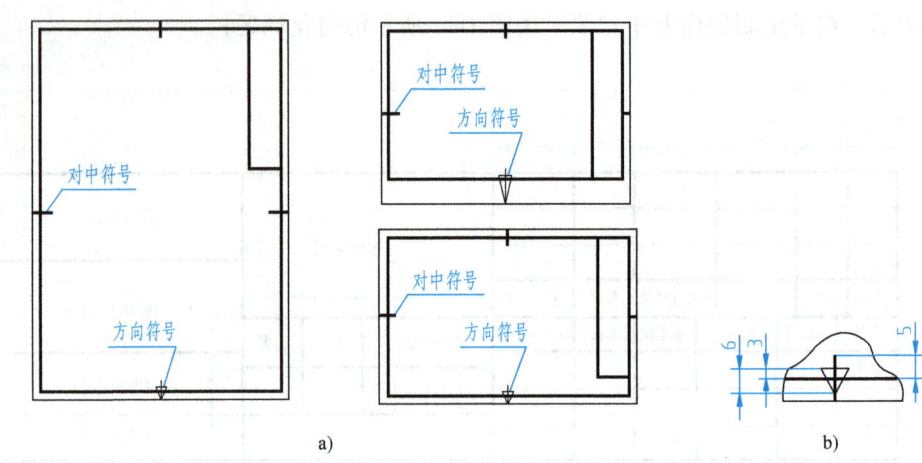

图 1-13 对中符号、方向符号

a) 有方向符号和对中符号的图纸　b) 方向符号的画法

1.2.2　比例（GB/T 14690—1993）

比例指图中图形与其实物相应要素的线性尺寸之比。图样比例分为原值比例、放大比例、缩小比例三种，绘制图样时，优先采用原值比例，也可根据实际需要按表 1-2 中规定的比例系列选取适当的比例。

表 1-2　比例系列

种类	优先选用系列	允许选用系列
原值比例	1∶1	—
缩小比例	1∶2　　1∶5　　1∶10 1∶2×10^n　1∶5×10^n　1∶10×10^n	1∶1.5×10^n　　1∶2.5×10^n 1∶3×10^n　　1∶4×10^n　　1∶6×10^n
放大比例	2∶1　　5∶1　　1×10^n∶1 2×10^n∶1　　5×10^n∶1	4∶1　　　　2.5∶1 4×10^n∶1　　2.5×10^n∶1

注：n 为正整数。

比例一般应标注在标题栏中的比例栏内，必要时可在视图名称的下方或右侧标注比例，如：$\dfrac{I}{1∶2}$、$\dfrac{A—A}{2∶1}$、平面图 1∶100。

★学习指引　比例中的"∶"可以理解为除号，如 1∶2=1/2，5∶1=5。

★关键点拨　不论采用何种比例绘图，图形中所标注的尺寸数值均为物体的实际大小，与绘图的准确度和比例无关。同时应注意，角度、锥度和斜度不属于线性尺寸，其大小不随比例发生变化，如图 1-14 所示。

1.2.3　字体（GB/T 14691—1993）

图样中书写的字体必须做到字体工整、笔画清楚、间隔均匀、排列整齐。字体的高度（用 h 表示，单位为 mm），公称尺寸系列为 1.8、2.5、3.5、5、7、10、14、20。如需要书写更大的字时，其字体高度应按 $\sqrt{2}$ 的比率递增。字体高度代表字体的字号。

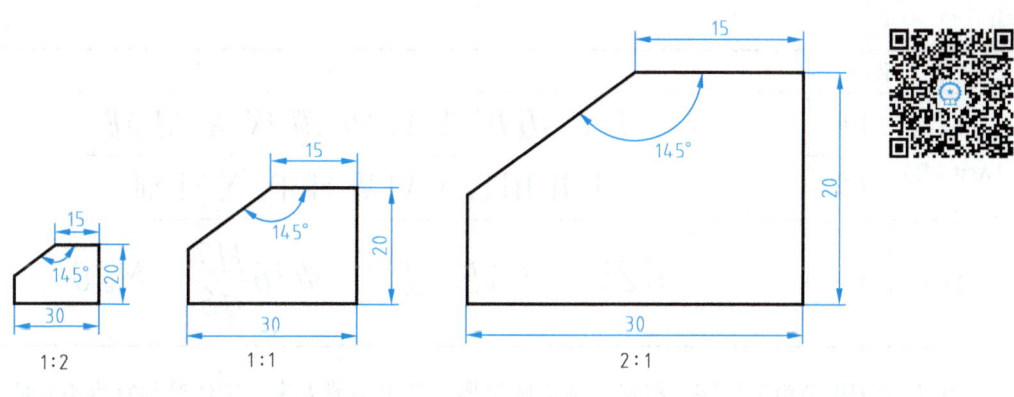

图 1-14　不同比例绘制的图形

1. 汉字

汉字应写成长仿宋体，并应采用中华人民共和国国务院正式公布推行的《汉字简化方案》中规定的简化字。汉字的高度 h 不应小于 3.5mm，其字宽一般为 $h/\sqrt{2}$。书写长仿宋体汉字的要领是：横平竖直，起落分明，结构均匀，粗细一致，呈长方形。

2. 字母和数字

字母和数字分 A 型和 B 型两类，其中 A 型字体的笔画宽度（d）为字高的 1/14，B 型字体的笔画宽度（d）为字高的 1/10，在同一张图样上，只允许选用一种类型的字体。

字母和数字可写成斜体或直体，一般采用斜体。斜体字的字头向右倾斜，与水平基准线成 75°角。技术图样中常用的字母有拉丁字母和希腊字母两种，常用的数字有阿拉伯数字和罗马数字两种，字母和数字的示例见表 1-3。

表 1-3　字体及应用

字体			示　　例
长仿宋体	10 号		字体工整笔画清楚间隔均匀排列整齐
	7 号		横平竖直注意起落结构均匀填满方格
	5 号		字体工整笔画清楚间隔均匀排列整齐
拉丁字母（A 型 7 号）	大写字母	斜体	*ABCDEFGHIJKLMNOPQRSTUVWXYZ*
		直体	ABCDEFGHIJKLMNOPQRSTUVWXYZ
	小写字母	斜体	*abcdefghijklmnopqrstuvwxyz*
		直体	abcdefghijklmnopqrstuvwxyz
阿拉伯数字（A 型 7 号）	斜体		*1234567890*
	直体		1234567890

(续)

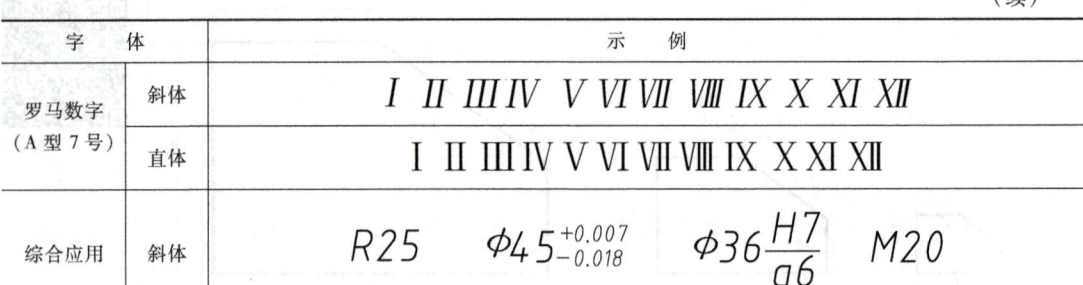

用 H 或 HB 型铅笔写字,将铅笔削成圆锥形,笔尖不能太尖。字体笔画宜直不宜曲,字体结构均匀饱满。

★**学习指引** 工程制图中常采用 5 号字体和 7 号字体,练习中应掌握这两种字号的书写。
★**关键点拨** 用作指数、分数、极限偏差、注脚等的数字及字母,一般应采用小一号的字体。

1.2.4 图线(GB/T 17450—1998、GB/T 4457.4—2002)

国家标准规定了技术制图所用图线的名称、形式、结构、标记及画法规则。它们适用于各种技术图样,如机械、电气、土木工程图样等。

1. 线型

国家标准规定了绘制各种技术图样的 9 种基本线型,见表 1-4。

表 1-4 图线及其应用

名称	线型	线宽	一般应用
粗实线	———————	d	可见轮廓线、相贯线、移出断面图的轮廓线、螺纹牙顶线、螺纹终止线
细实线	———————	$d/2$	辅助线、尺寸线、尺寸界线、投影线、过渡线、重合断面图的轮廓线、螺纹牙底线、指引线、不连续同一表面连线、成规律分布的相同要素连线
细虚线	- - - - - - -	$d/2$	不可见轮廓线
细点画线	—·—·—·—	$d/2$	轴线、对称中心线、分度圆(线)、剖切线、孔系分布的中心线
波浪线	～～～～～	$d/2$	断裂处的边界线、视图与剖视图的分界线
双折线	—⋀—⋀—	$d/2$	断裂处的边界线、视图与剖视图的分界线

（续）

名称	线型	线宽	一般应用
细双点画线	≤0.5d 3d 24d	d/2	轨迹线、中断线、相邻辅助零件的轮廓线、可动零件的极限位置的轮廓线、剖切面前的结构轮廓线
粗虚线	≤0.5d 12d	d	允许表面处理的表示线
粗点画线	≤0.5d 3d 24d	d	限定范围的表示线

在机械图样中采用粗细两种线宽，它们的线宽比例为 2∶1。粗线线宽数系为 0.25、0.35、0.5、0.7、1、1.4 和 2mm，细线线宽数系为 0.13、0.18、0.25、0.35、0.5、0.7 和 1mm。粗线优先选用 0.5、0.7mm，细线优先选用 0.25、0.35mm。图线的宽度 d 应根据图样类型和尺寸大小进行选择。在同一图样中，同类图线的宽度应一致。图线的应用如图 1-15 所示。

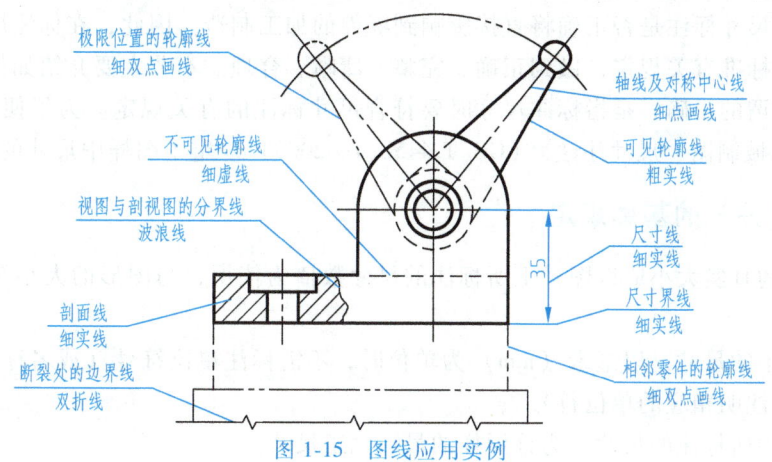

图 1-15 图线应用实例

2. 图线画法注意事项

1）点画线和双点画线的首末端一般应是长画而不是点，点画线应超出图形轮廓 2~5mm。当图形较小难以绘制点画线时，可用细实线代替点画线，如图 1-16 所示。

2）当不同图线互相重叠时，应按粗实线、虚线、细点画线的先后顺序，只画前一种图线。点画线或虚线与粗实线、虚线、点画线相交时，应相交于长画线处；当虚线是粗实线的延长线时，虚线与粗实线的分界处应留出间隙，如图 1-17 所示。

3）两平行线之间最小间隙不得小于 0.7mm。

★**学习指引**　绘制细线采用 H 或 HB 型号的铅笔，绘制粗线应该采用 B 或 2B 型号的铅笔。绘制粗实线时，应该从起点画至终点，加深时，必须朝一个方向画线，不能来回画，否则图线粗细不均。

★**关键点拨**　线型粗细应明显。无论粗线还是细线，画线时，用力要均匀，以保证图线颜色深浅一致，均呈黑色，而不是灰色；用圆规画细点画线时，长画和短画应一次性画出，不应该先画长画后画短画。

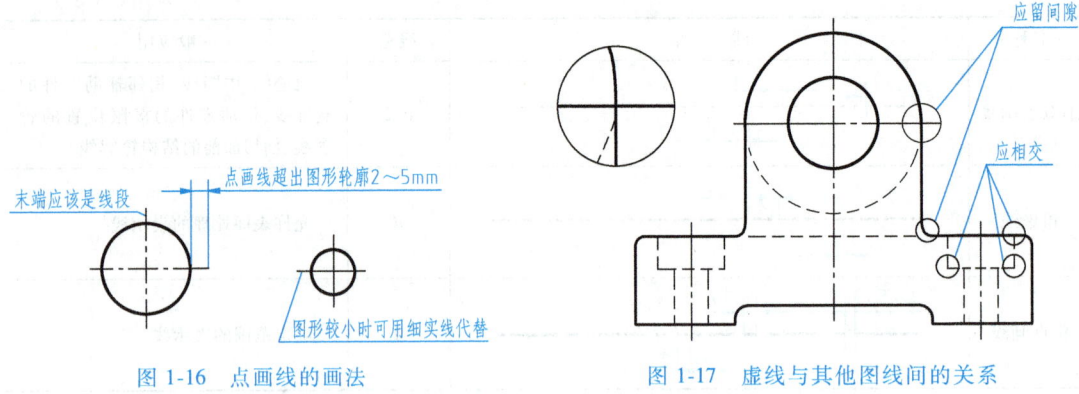

图 1-16 点画线的画法　　　　图 1-17 虚线与其他图线间的关系

1.3 尺寸注法

在图样中，图形只能表达零件的结构形状，而零件的大小，则需要通过图样中所标注的尺寸来确定。尺寸标注是否正确将直接影响到零件的加工制造。因此，在标注尺寸时，必须严格遵守国家标准有关规定，做到正确、完整、清晰、合理。本节主要介绍如何做到正确地标注尺寸。所谓的正确，是指标注尺寸时要符合尺寸标注的有关规定。为了便于技术交流，国家标准《机械制图 尺寸注法》（GB/T 4458.4—2003）规定了图样中尺寸的注法。

1.3.1 尺寸注法的基本规定

1）机件的真实大小应以图样上所标注的尺寸数值为依据，与图形的大小及绘图的准确度无关。

2）图样中的尺寸，以毫米（mm）为单位时，不需标注单位符号（或名称），若采取其他单位，则应注明相应的单位符号。

3）图样中所标注的尺寸，为该图样的最后完工尺寸。

4）机件上的每一个尺寸，一般只标注一次，并应标注在反映该结构最清晰的图形上。

5）标注尺寸时，应尽可能使用符号或缩写词。常用的符号或缩写词见表 1-5。

表 1-5 常用的符号或缩写词

序号	含义	符号或缩写词	序号	含义	符号或缩写词	序号	含义	符号或缩写词
1	直径	ϕ	6	均布	EQS	11	埋头孔	∨
2	半径	R	7	45°倒角	C	12	弧长	⌒
3	球直径	$S\phi$	8	正方形	□	13	斜度	∠
4	球半径	SR	9	深度	↓	14	锥度	◁
5	厚度	t	10	沉孔或锪平	⊔			

注：符号的线宽为 $h/10$（h 为字高）。

符号的比例画法，如图 1-18 所示。

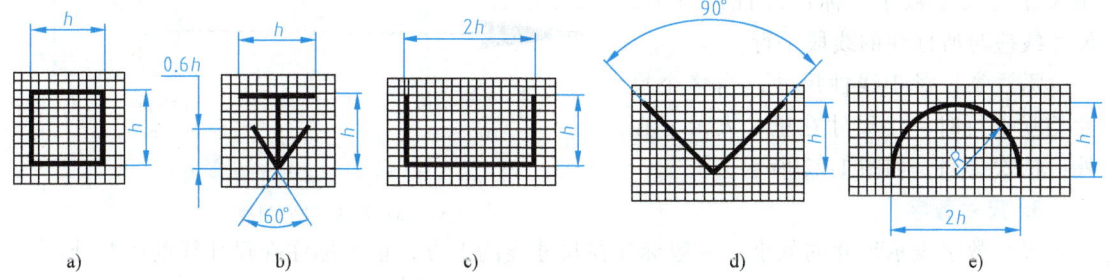

图 1-18 符号的比例画法

a) 正方形符号 b) 深度符号 c) 沉孔或锪平符号 d) 埋头孔符号 e) 弧长符号

1.3.2 标注尺寸的三要素

一个完整的尺寸一般应包括尺寸数字、尺寸线和尺寸界线三要素，如图 1-19 所示。

1. 尺寸界线

尺寸界线用细实线绘制，它表示尺寸的度量范围。通常由图形的轮廓线、轴线或对称中心线处引出，也可用轮廓线、轴线或对称中心线作为尺寸界线。尺寸界线一般应与尺寸线垂直并略超出尺寸线 3~5mm，如图 1-19 所示。必要时才允许倾斜，但两尺寸界线必须平行，如图 1-20 所示。

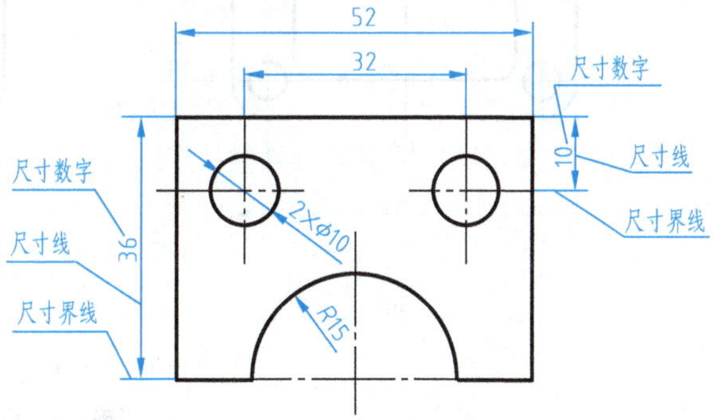

在光滑过渡处标注尺寸时，应用细实线将轮廓线延长，从它们的交点处引出尺寸界线，如图 1-20 所示。

图 1-19 尺寸的组成

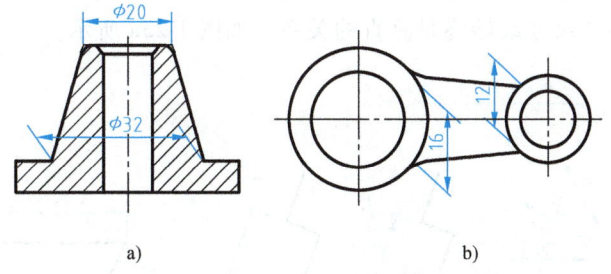

图 1-20 尺寸界线的画法

2. 尺寸线

尺寸线用细实线绘制，它表示尺寸的度量方向，它的终端形式可以有箭头或 45°细斜线两种形式。箭头尖端与尺寸界线要接触，不得超出也不得分开。箭头适用于各种图样，机械图样中一般采用箭头，而建筑图样中一般采用斜线，如图 1-21 所示。

尺寸线必须单独画出。不能用其他图线代替，也不能与其他图线重合或画在其他图线的延长线上。通常画在两尺寸界线之间,用来注写尺寸数字。标注线性尺寸时,尺寸线应与所标注的线段平行。

需注意,对于线性尺寸,当多个尺寸相互平行时,小尺寸在里,大尺寸在外,依次排列,如图1-22所示。

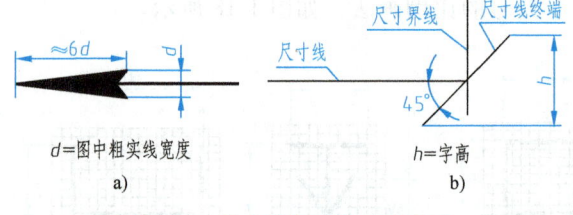

图1-21 尺寸线终端的两种形式
a) 箭头　b) 斜线

3. 尺寸数字

尺寸数字表示尺寸的大小。一般标注在尺寸线的上方,也可标注在尺寸线的中断处。

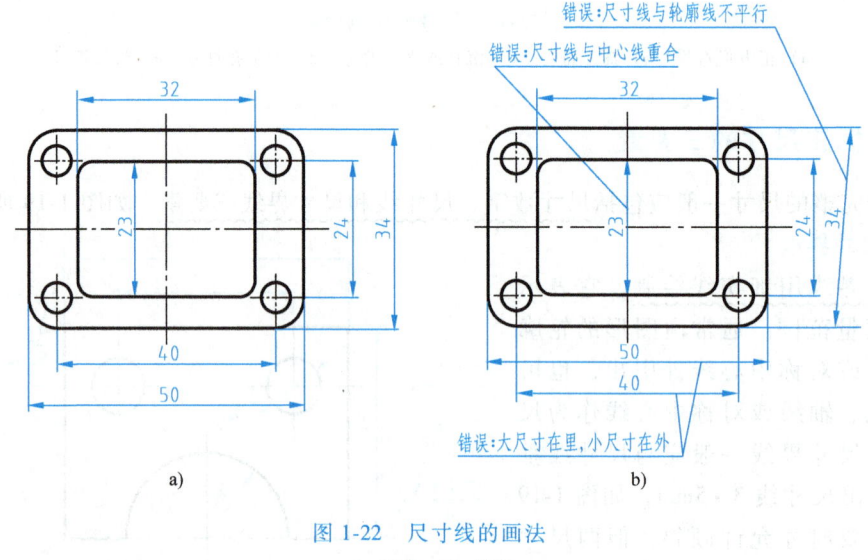

图1-22 尺寸线的画法
a) 正确　b) 错误

1) 线性尺寸的数字方向一般应随尺寸的度量方向而变化。水平方向标注尺寸时,尺寸数字在尺寸线的上方,字头朝上;铅垂方向标注尺寸时,尺寸数字在尺寸线的左方,字头应朝左;倾斜方向标注尺寸时,尺寸数字在尺寸线的上方,字头具有朝上的趋势。无论哪个方向的尺寸数字,数字与尺寸线始终是垂直的关系,如图1-23a所示。

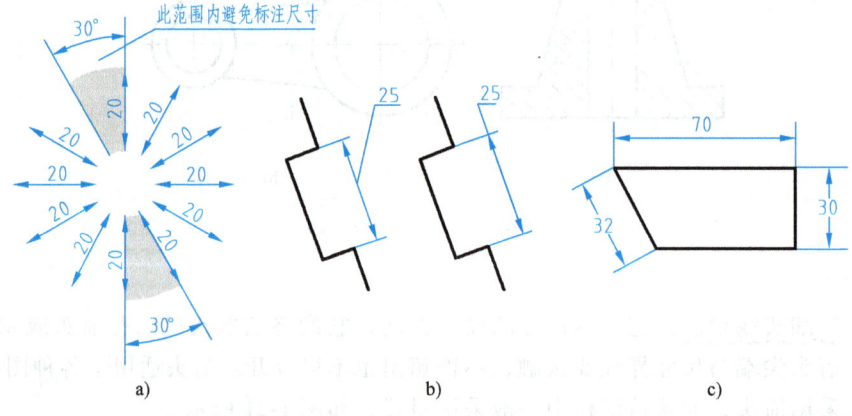

图1-23 尺寸数字的注写方法(一)

2）尽可能避免在图 1-23a 所示的 30°范围内标注尺寸，无法避免时，应按图 1-23b 所示的形式引出标注。

3）在不致引起误解的情况下，非水平方向的尺寸数字可水平注写在尺寸线的中断处，如图 1-23c 所示。但在同一张图样中，应尽可能采用同一种形式。

4）尺寸数字不允许被任何图线穿过。当不可避免时，必须将图线断开，以使一组尺寸数字保持完整，如图 1-24 所示。

1.3.3 其他常用尺寸的注法

1. 角度尺寸的注法

标注角度尺寸时，尺寸界线必须沿径

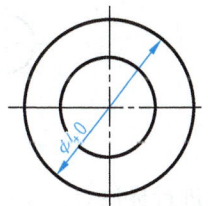

图 1-24 尺寸数字的注写方法（二）

向引出，尺寸线应画成圆弧，其圆心是该角的顶点。角度数字一律水平书写，一般注写在尺寸线的中断处，如图 1-25a 所示。必要时允许写在尺寸线的上方或外面，也可引出标注，如图 1-25b、图 1-25c 所示。

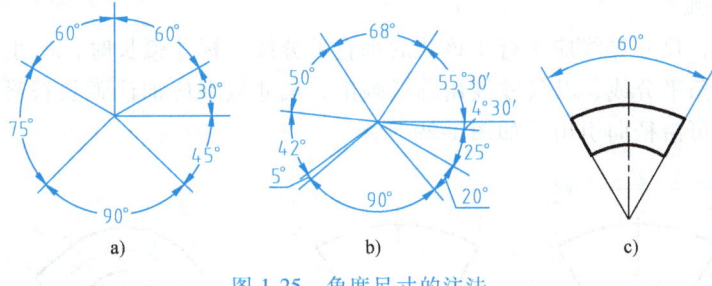

图 1-25 角度尺寸的注法

2. 圆、圆弧的注法

圆的直径和圆弧半径的尺寸线终端应画成箭头，并且箭头尖端应与轮廓线接触。标注直径尺寸时，应在数字前加注直径符号"ϕ"；标注半径尺寸时，应在数字前加注半径符号"R"。

通常整圆和大于 180°的圆弧，应标注直径，并且尺寸线要穿过圆心，如图 1-26a 和图 1-26b 所示；而小于 180°的圆弧应标注半径，且尺寸线不得穿过圆心，如图 1-26c 所示。当圆弧半径过大或在图纸范围内无法标出圆心位置时，可按图 1-26d 所示标注；当不需标出圆心位置时，可按图 1-26e 所示标注。

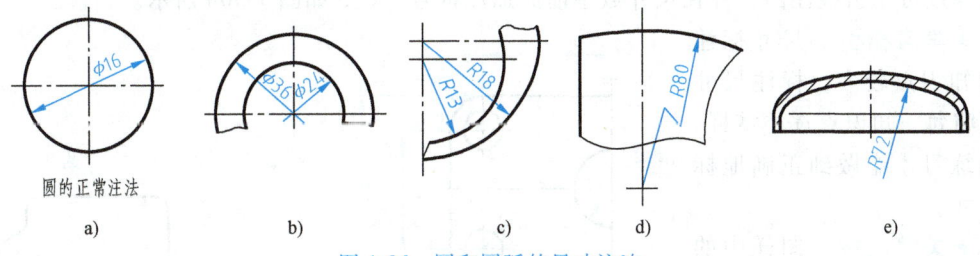

图 1-26 圆和圆弧的尺寸注法

3. 小尺寸的注法

（1）较小圆和圆弧

当圆的直径或圆弧的半径较小，没有足够的空间画箭头或注写数字时，可按图 1-27 所

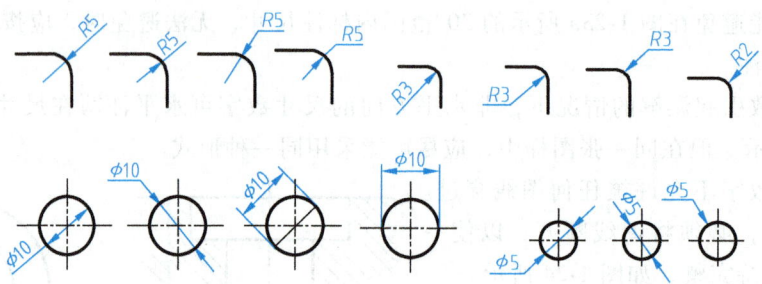

图 1-27 较小圆和圆弧的注法

示进行标注。

(2) 小的线性尺寸

当尺寸较小没有足够的位置画箭头或注写数字时，可按图 1-28 所示进行标注。

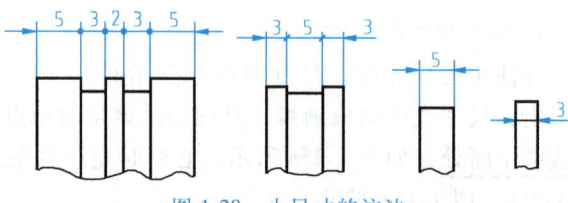

图 1-28 小尺寸的注法

(3) 弦长与弧长

标注弦长时，尺寸界线应平行于该弦的垂直平分线。标注弧长时，尺寸界线应平行于该弧所对圆心角的角平分线，其尺寸线用圆弧画出，尺寸数字应加注弧长符号"⌒"。弧度较大时，尺寸界线可沿径向引出，如图 1-29 所示。

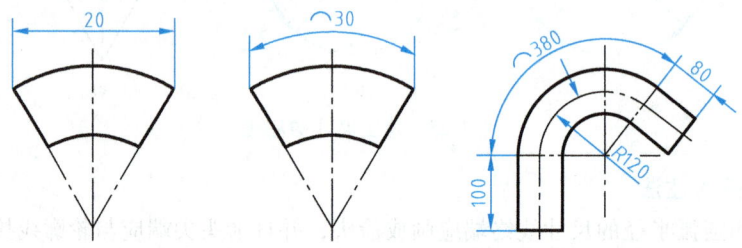

图 1-29 弦长和弧长的注法

(4) 对称结构及薄板零件

当对称机件的图形只画出一半或一半多时，尺寸标注中尺寸线应略超出对称中心线或断裂处边界线，且只在有尺寸界线的一边画出箭头，如图 1-30a 中尺寸 26、34 和 φ11。薄板零件的厚度可用引线注出，并在尺寸数字前面加注符号"t"，如图 1-30b 所示。

★**学习指引** 尺寸标注中的知识点较多，标注尺寸时要将每一知识点逐一掌握，勤加练习才能做到正确地标注尺寸。

★**关键点拨** 图样中的尺寸数字表示机件的实际大小，与比例无关。因此无论比例为多少，尺寸数字始终保持不变。进行尺寸标注时，

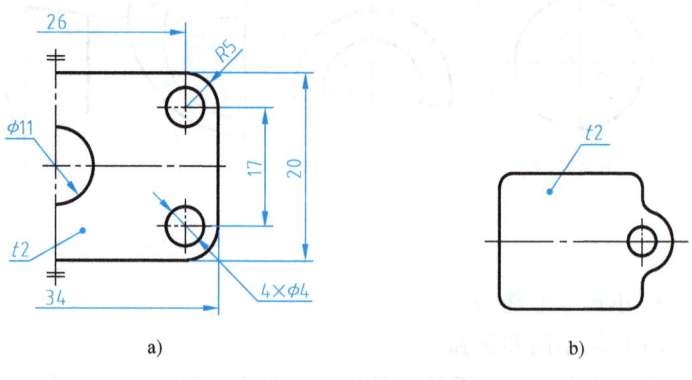

图 1-30 对称机件及薄板的注法

应用 H 或 HB 型铅笔绘制图线和书写数字。

1.4 几 何 作 图

机械图样中机件的形状多种多样，无论机件多么复杂，其都是由一些直线、圆弧或其他曲线围成的平面图形，这些平面图形都由一些基本的几何图形所组成。因此，学习绘制机械图样应先掌握基本几何图形的作图原理、方法和步骤。

1.4.1 基本作图方法

1. 等分直线段

将已知线段 AB 分成四等分。

作图步骤：如图 1-31 所示。

1）过点 A、B 任意一点作一射线 AC。

2）用分规以适当长度为一个单位在直线 AC 上，从点 A 出发截取 Ⅰ、Ⅱ、Ⅲ、Ⅳ 四等分点。

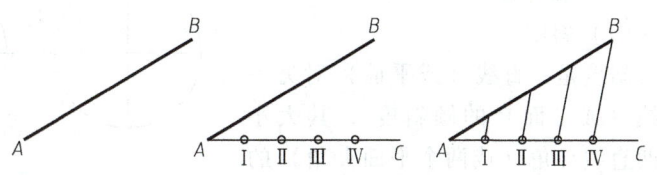

图 1-31　等分已知线段

3）将射线 AC 上的点 Ⅳ 与已知线段 AB 的 B 点相连，再过 Ⅰ、Ⅱ、Ⅲ 这 3 个点作 BⅣ 的平行线与 AB 相交，获得 3 个交点，这些交点将直线 AB 四等分。

2. 等分圆周和作正多边形

（1）圆周的四、八等分

用 45°三角板和丁字尺配合作图，可直接将圆周进行四、八等分，如图 1-32 所示。

（2）圆周的三、六、十二等分

可以利用圆规画弧作图，如图 1-33 所示，也可用三角板和丁字尺配合作图，如图 1-34 所示。

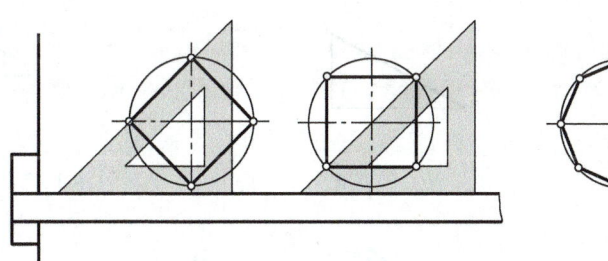

图 1-32　圆周的四、八等分

（3）圆周五等分

1）作半径 OF 的等分点 G，以 G 为圆心，AG 为半径画圆弧交水平直径线于 H。

2）以 AH 为半径，分圆周为五等分，顺次连接各等分点即成。如图 1-35

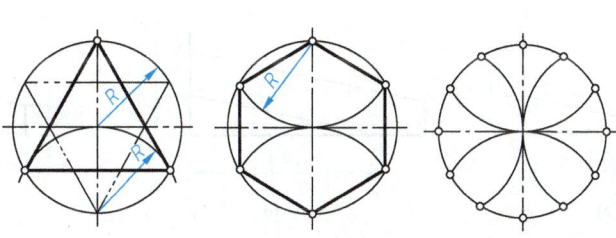

图 1-33　用圆规将圆周三、六、十二等分

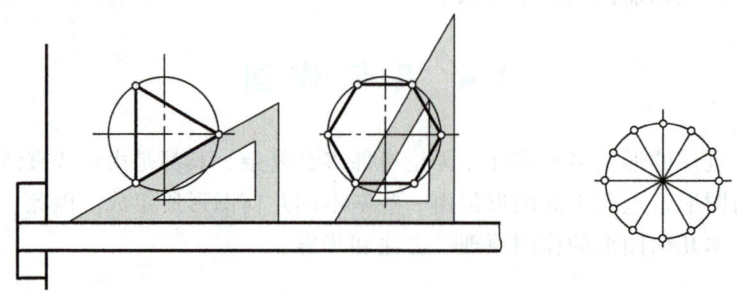

图 1-34 用三角板与丁字尺将圆周三、六、十二等分

所示。

3. 斜度和锥度

（1）斜度

斜度是一直线（或平面）对另一直线（或平面）的倾斜度，其大小用两直线夹角（或两个平面夹角）的正切来表示，如图 1-36 所示，其中

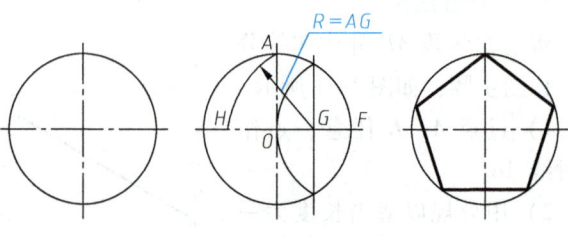

图 1-35 圆周五等分

BC 的斜度 $=\tan\alpha=H/L$。在图样中用 ∠1∶n 来标注。斜度符号的画法如图 1-37 所示，h 为字体高度。注意：斜度符号的方向应与物体的斜度方向一致，如图 1-38 所示。

图 1-39 为斜度 1∶5 的画法与标注，作图时先在对边以适当长取 1 个单位长度，然后在邻边取 5 个单位的长度，连接 B、C 两点即得到斜度为 1∶5 的斜度线。最后，过尺寸 10 的点作出辅助线 BC 的平行线，即完成图形绘制。

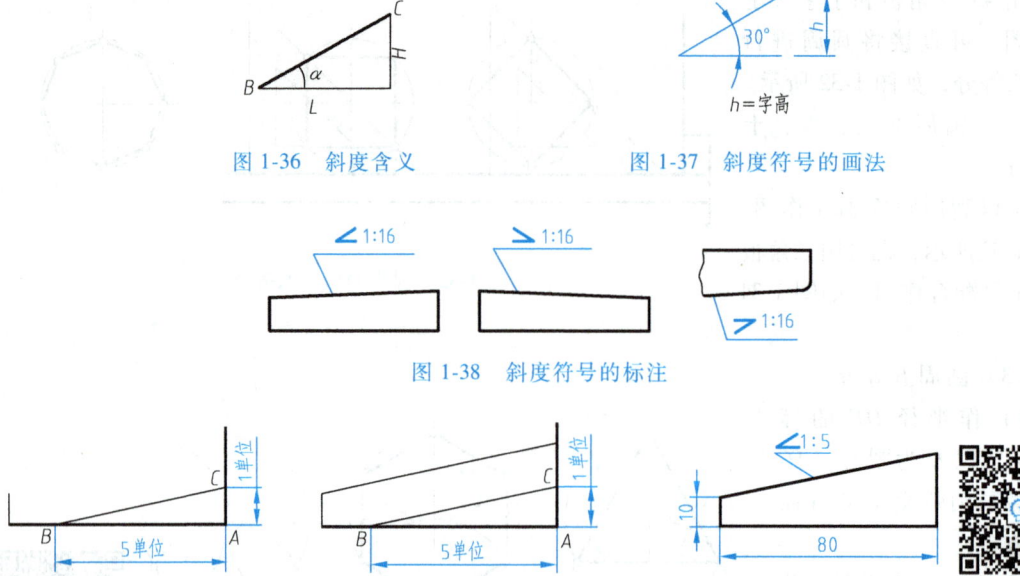

图 1-36 斜度含义　　图 1-37 斜度符号的画法

图 1-38 斜度符号的标注

图 1-39 斜度的画法及标注

（2）锥度

正圆锥体的锥度指锥体底圆直径与其高度之比。圆台的锥度为其上、下底圆直径之差与圆台高之比，如图 1-40 所示，即圆台的锥度 $=(D-d)/L=2\tan\alpha/2$，其中 α 为锥度。锥度在图样上用 $1:n$ 形式标注。锥度符号的画法如图 1-41 所示。锥度的画法及标注如图 1-42 所示。

注意：锥度符号的方向应与物体的圆锥方向一致。

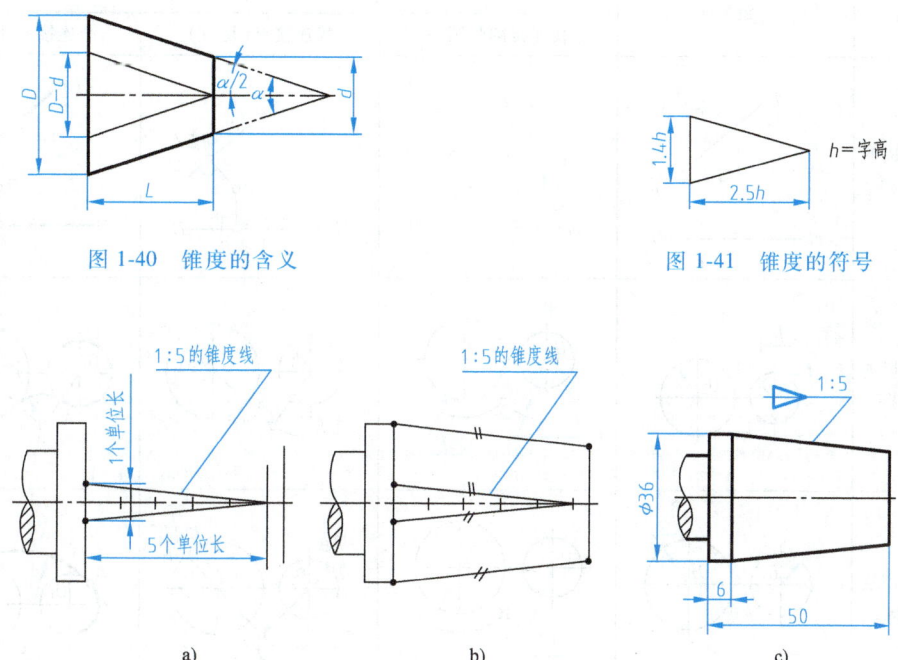

图 1-40　锥度的含义　　　　图 1-41　锥度的符号

图 1-42　锥度的画法及标注

1.4.2　圆弧连接

用一圆弧光滑地连接相邻两已知线段（直线或圆弧）的作图方法，称为圆弧连接。圆弧连接的作图原理和基本情况如图 1-43 所示。

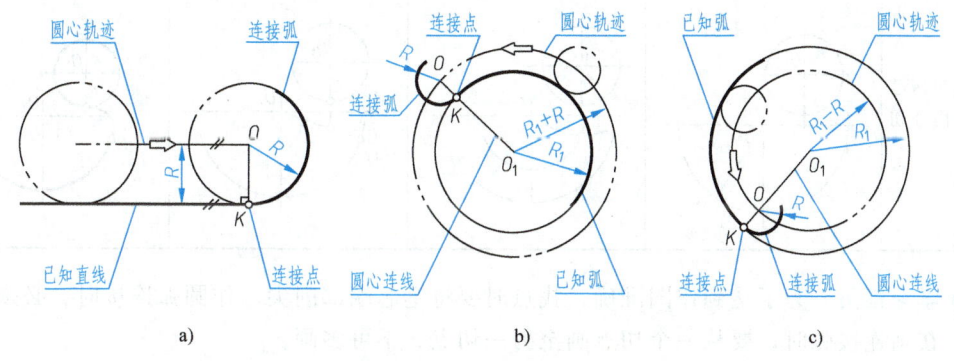

图 1-43　圆弧连接的作图原理和基本情况

a）圆弧与直线相切　b）两圆外切　c）两圆内切

圆弧连接的作图关键：
1) 确定连接弧的圆心位置。
2) 确定连接弧与已知线段的连接点（即切点）。
圆弧连接的作图举例见表1-6。

表1-6 圆弧连接作图举例

连接方式	已知条件	作图方法和步骤		
		找连接圆弧圆心	找连接点（切点）	画连接弧并加粗
圆弧连接两已知直线				
圆弧外切连接两已知圆				
圆弧内切连接两已知圆				
圆弧连接已知直线和圆				
圆弧与两已知圆弧内外切连接				

★ **学习指引** 为了达到作图准确，找点时要将笔芯端部削尖。作圆弧连接时，必须找到切点，在画连接弧时，要从一个切点画至另一切点，不可多画。

★ **关键点拨** 作圆弧连接时，先分析连接弧与已知线段属于哪种基本情况，然后根据作图原理找到连接弧圆心和连接弧与已知线段的切点。

1.5 平面图形的画法

平面图形是由若干直线和曲线组合而成的封闭图形。绘制平面图形前需要分析清楚这些直线或曲线的尺寸及它们之间的连接关系,明确作图顺序,确定作图步骤,从而才能正确地绘制出平面图形。

1. 尺寸分析

平面图形的尺寸按其作用可分为定形尺寸和定位尺寸。

(1)定形尺寸　指确定平面图形中几何元素形状和大小的尺寸,如图1-44中的尺寸80、10、$\phi 15$、$\phi 30$、$R30$、$R50$、$R18$。

(2)定位尺寸　指确定平面图形中几何元素相对位置的尺寸,如图1-44中的尺寸50、70、80。

有的尺寸既有定形尺寸的作用,又有定位尺寸的作用,如图1-44中的尺寸80。

2. 线段分析

在平面图形的各个线段中,定形、定位尺寸齐全的,可以根据尺寸直接作图画出;只有定形尺寸,无定位尺寸或定位尺寸不全的,必须根据其与相邻线段的连接关系,通过几何的方法画出。按尺寸是否齐全线段分为三类:

(1)已知线段　指定形、定位尺寸齐全的线段,如图1-45中$\phi 15$的圆、$\phi 30$的圆、$R18$的圆弧等。

(2)中间线段　指只有定形尺寸和一个定位尺寸,而缺少另一定位尺寸的线段。这类线段要在其相邻一端的线段画出后,再根据连接关系(如相切),通过几何作图的方法画出,如图1-45中$R50$的圆弧。

(3)连接线段　指只有定形尺寸而缺少定位尺寸的线段,如图1-45中两处$R30$的圆弧。

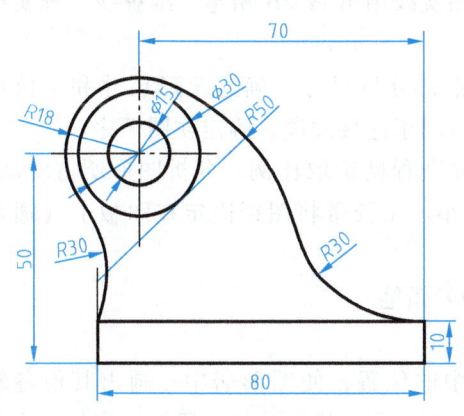
图1-44　平面图形的尺寸分析

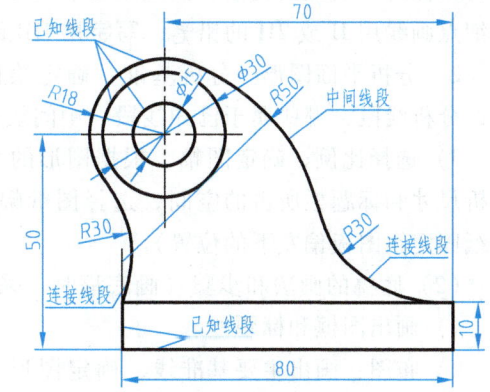
图1-45　平面图形的线段分析

3. 平面图形的作图步骤

平面图形的作图步骤如图1-46所示:

1)根据定位尺寸画出所有的作图基准线和定位线。

2)根据定形尺寸和定位尺寸画出已知线段。

3）分析线段间的几何关系，依据定形尺寸和已知的定位尺寸画出中间线段。

4）分析线段间的几何关系，依据定形尺寸画出连接线段。

5）检查、加深图线，标注尺寸。

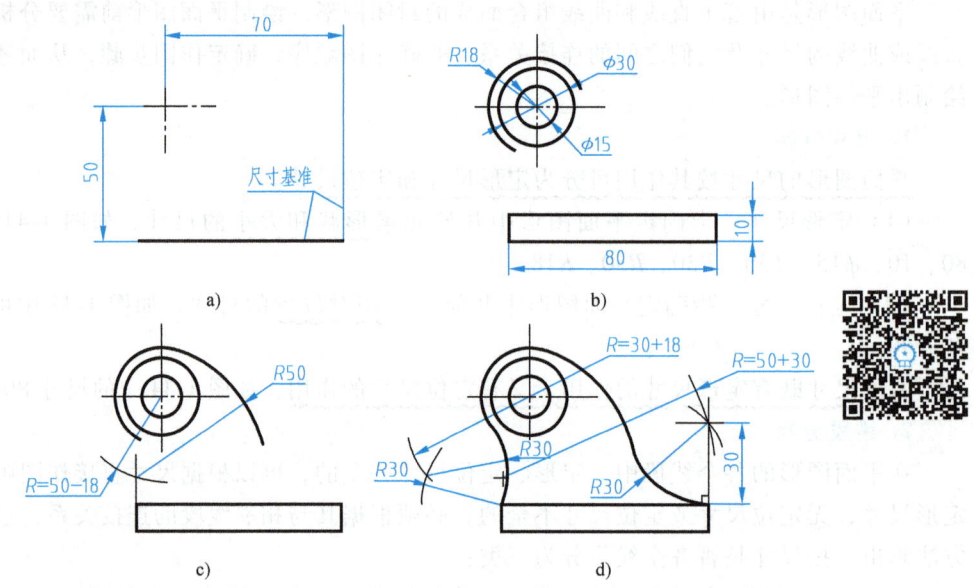

图 1-46 平面图形的作图步骤

a）画基准线、定位线　b）画已知线段　c）画中间线段　d）画连接线段，加深图线，标注尺寸

4. 绘制图样的基本步骤

（1）绘图前的准备工作

1）准备工具。准备好画图用的仪器和工具，用软布把图板、丁字尺、三角板等擦拭干净，以保持图纸纸面整洁。按线型要求削好铅笔：粗实线用 B 或 2B 铅笔，细虚线、细实线和细点画线用 H 或 2H 的铅笔，写字用 HB 的铅笔。

2）分析平面图形。分析基准，确定绘图的起点；分析尺寸，确定定形尺寸和定位尺寸；分析线段，哪些属于已知线段、中间线段，哪些属于连接线段，确定作图顺序。

3）选择比例、确定图幅。根据图形的大小和复杂程度选取比例；分析图形所占空间、分析尺寸和标题栏所占的空间，选择图纸幅面的大小。用胶带将图纸固定在图板上（通常图纸固定在图板偏左下的位置）。

（2）底稿的画法和步骤（画底稿时，采用 H 型号铅笔）

1）画出图框和标题栏。

2）布图：画出主要基准线，确定图形在图纸中的位置，使图形居中；画出其他各轴线、中心线和主要轮廓线；按先画已知线段，再画中间线段，后画连接线段的顺序依次进行绘制工作，直至完成图形。

3）仔细检查底稿，改正图上的错误，擦去多余线条。

（3）画尺寸界线和尺寸线

（4）加深底稿

1）加深图形。先曲后直，保证连接圆滑；先细后粗，保证图面清洁。加深粗实线时，先加深圆或圆弧，再从图左上方开始，顺次向下加深所有水平方向的粗实线，仍从图的左上方开始，顺次向右加深所有垂直方向的粗实线。按上述顺序，用H型铅笔加深所有细实线。

2）画箭头、标注尺寸和填写标题栏。

3）加深图框线和标题栏。

4）修饰、校对，完成全图。

★学习指引　在进行平面图形的尺寸分析时，先从基准出发找定位尺寸，然后自上而下、自左至右逐一找到各个定形尺寸。绘制底稿时，底稿线的要求是"轻、细、浅"，即用力要轻，线条要细，颜色要浅。

★关键点拨　图形中的主要基准线确定了图形在图纸上的位置，要做到图形居中而不偏置，绘图前必须计算好图形各个边界到基准线的距离。绘制机械图样时，应严格按照作图步骤逐项进行，养成良好的绘图习惯，如此才能做到事半功倍。

1.6　徒 手 画 图

徒手绘制的图又称为草图，就是目测估计图形与实物比例，在没有绘图工具和仪器的条件下仅凭铅笔徒手快速绘制图形。常用于现场参观交流，设计方案构思或机器维修记录时，因条件有限而又需快速出图的时候。

徒手绘出的图样虽然称为草图，但绝对不是潦草的图。同样要求图样各部分比例匀称，尺寸、线型尽量规范，符合国家标准。尺寸标注要合理，图线和字体要清晰。徒手绘图是工程技术人员必须具备的一种基本能力。

要达到准确快速的徒手绘图，除了需要多做练习之外还必须掌握徒手绘图的一些基本方法。

1. 握笔的方法

手握笔的位置要比用仪器绘图时稍高一些，手指距笔尖4~5mm。握笔的力量不要过大，手腕悬空，笔杆与纸面成50°角左右。

2. 目测的方法

徒手绘图要尽量保证物体各部分之间的比例一致，尺寸尽量准确。这些体现出绘图者的目测能力。初学者应多做些绘制定长线段的练习及线段等分的练习，如图1-47所示。

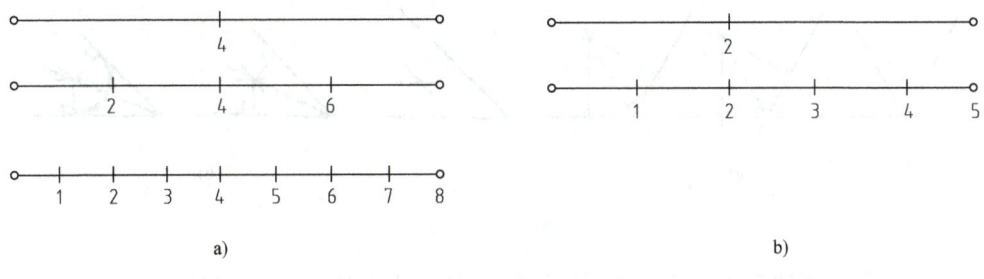

图1-47　等分线段

a）八等分线段（偶数）　b）五等分线段（奇数）

3. 直线的画法

徒手画线时，眼睛朝着前进的方向，注意画线的终点。画短直线时，手腕运动，手臂尽量不动，应一笔画成；画长直线时，手腕不要转动，手臂运动带动笔沿画线方向移动，也可分段相接而成。画水平线时，图纸可以适当倾斜放置，从左至右画出；画垂直线时，由上至下画出；画斜线时，可将图纸旋转至便于运笔的角度，使画图更方便，如图 1-48 所示。

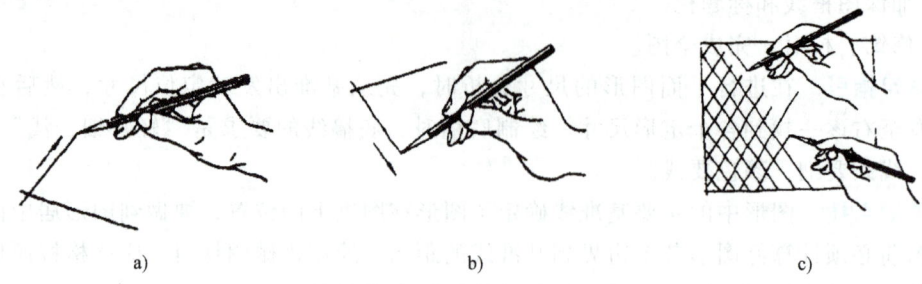

图 1-48　徒手画直线

a）画水平线　b）画垂直线　c）画斜线

4. 圆和圆弧的画法

画圆时应该先定圆心位置，过圆心画对称中心线，在中心线上按半径大小目测定出四点。画小圆时以四点为准画圆，画大圆时过圆心加画两条 45° 斜线，再定四个点，过八个点画圆，如图 1-49 所示。

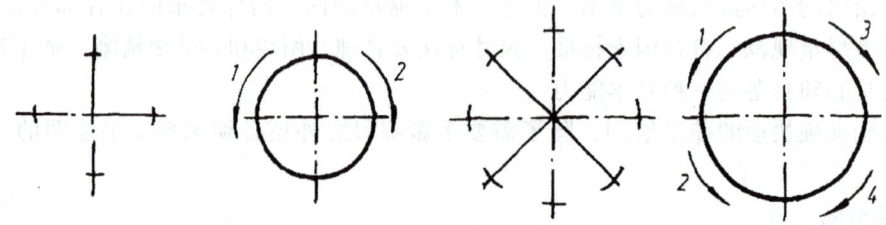

图 1-49　徒手画圆

画圆角时，先将直线画成相交后作角平分线，在角平分线上定出圆心位置，使其与角两边的垂直距离等于圆角半径的大小；过圆心向角两边引垂线，定出圆弧的起点和终点，同时在角平分线上定出圆周上的一点；徒手把三点连成圆弧，如图 1-50a 和图 1-50b 所示。

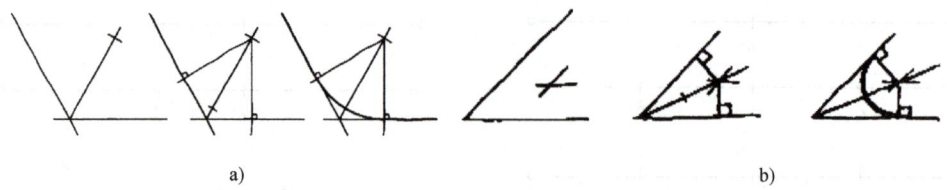

a）　　　　　　　　　　　　　　　　　b）

图 1-50　徒手画圆角

★ **学习指引**　所谓熟能生巧，草图的绘制只有经过长期练习才能掌握。

★ **关键点拨**　绘制草图时，应使用软一些的铅笔，铅笔要削得长一些，笔芯呈圆形，粗细各一支，以便绘制粗、细线。

第2章

正投影基础

◆ **本章重难点**

重点：三面投影体系、正投影的特性、点、直线和平面的投影。

难点：平面上的直线和点。

◆ **能力目标**

1. 会运用正投影的特性。
2. 正确地绘制点的投影。
3. 正确地绘制直线的投影。
4. 正确地绘制平面的投影。

2.1 投影法及三面投影体系

日常生活中，物体在阳光或灯光的照射下，在地面或墙面上显现出该物体的影子。人们将这一自然现象加以抽象和提高，总结出物体、光线和影子三者之间的关系，从而形成了投影法的概念。

2.1.1 投影法

投射线通过物体，向选定的投影面进行投射，并在该面上得到图形的方法称为投影法。根据投影法所得到的图形，称为投影。为了得到物体的投影，投射线、物体、投影面三者缺一不可。投射线可以从一点发出，也可以呈一束平行发出，因此，根据投射线之间的相互关系，投影法分为中心投影法和平行投影法。

1. 中心投影法

所有投射线都从一点（投射中心）发出的投影法，称为中心投影法，如图2-1所示。中心投影法中投影的大小随着物体与投射中心距离的变化而变化，投影立体感较强，故常用于建筑效果图和产品透视图等领域，如图2-2所示。然而，其投影不能反映物体的真实形状大

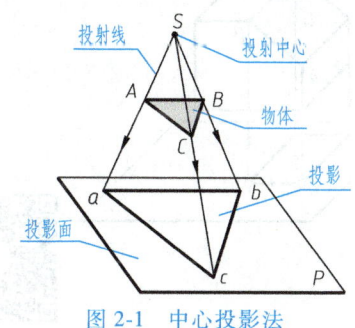

图2-1 中心投影法

图2-2 建筑效果图

小，且度量性差，因此，在机械图样中较少采用。

2. 平行投影法

当投射中心无限远时，所有投射线相互平行，这种投射线相互平行的投影法称为平行投影法，如图 2-3 所示。平行投影法分为正投影法和斜投影法。

（1）正投影法　投射线垂直于投影面的平行投影法，如图 2-3a 所示。

（2）斜投影法　投射线倾斜于投影面的平行投影法，如图 2-3b 所示。

由于正投影法中的投影与物体和投影面间距离变化无关，且其投影能准确地反映物体的形状和大小，度量性好，作图简便，因此机械图样采用正投影法绘制。如无特别说明，本书除 4.3 节外，"投影"均指"正投影"。

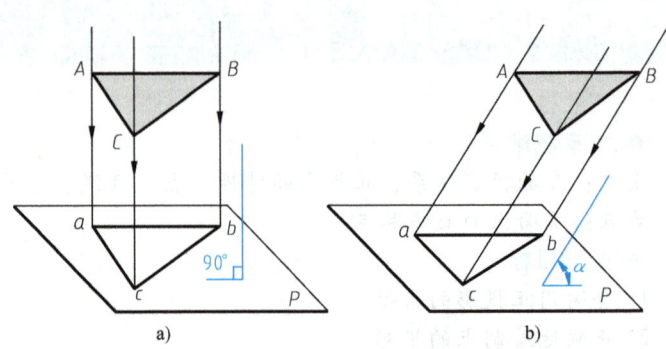

图 2-3　平行投影法

a）正投影法　b）斜投影法

2.1.2　正投影的投影特性

1. 真实性

当直线或平面平行于投影面时，直线的投影能反映线段的实长、平面的投影能反映平面图形的真实形状，这种性质称为真实性。如图 2-4a 中的平面 M 和其投影 m、直线 BC 和其投影 bc。

2. 积聚性

当直线或平面垂直于投影面时，直线的投影积聚成一点、平面的投影积聚成一条直线，这种性质称为积聚性。如图 2-4b 中的平面 N 和其投影 n，直线 AE、CF 和其投影 $a(e)$、$c(f)$。

3. 类似性

当直线或平面倾斜于投影面时，直线的投影小于线段实际长度、平面的投影小于平面图形的真实大小（投影与原图形保持边数不变，凹凸关系不变），这种性质称为类似性。如图 2-4c 中的平面 G 和其投影 g、直线 AB 和其投影 ab。

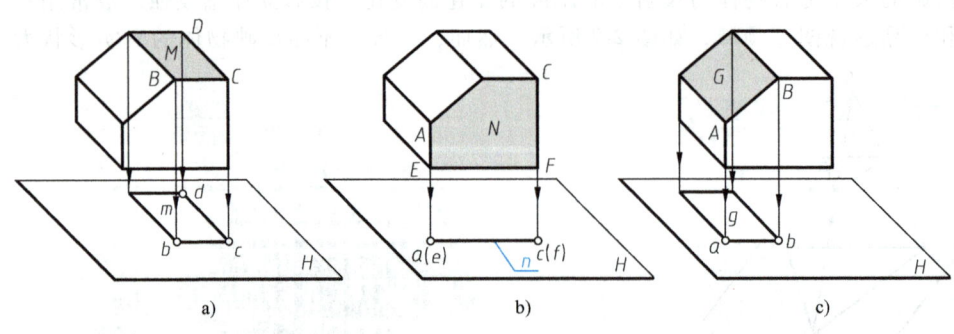

图 2-4　正投影的投影特性

a）真实性　b）积聚性　c）类似性

2.1.3 三投影面体系

在机械制图中,通常将平行的投射线当作人的视线,依据有关标准和规定,将采用正投影法绘制出的物体的图形,称为视图。

1. 单面投影

从正投影的投影特性可知,当物体相对于投影面的位置固定时,其投影是唯一的。然而,当只知道物体的单面投影时,物体的形状和位置却不是唯一的,如图 2-5 所示。图中,当已知 H 面的矩形投影时,物体的形状却有多种可能。

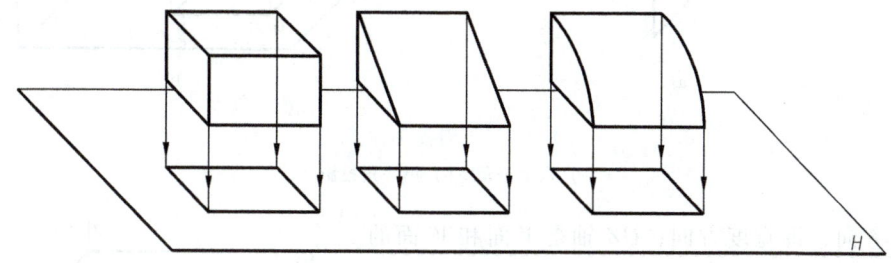

图 2-5　单面投影

2. 两面投影

通常,物体的两面投影能够确定物体的形状结构和空间位置,然而有些物体的两面投影却仍不能完全确定其形状结构。如图 2-6 所示,图中三个物体的 V 面投影相同,H 面投影也相同,如果仅仅凭借这两面上的投影,我们可以想象出多种不同结构形状的物体。因此,人们引入了三面投影体系。

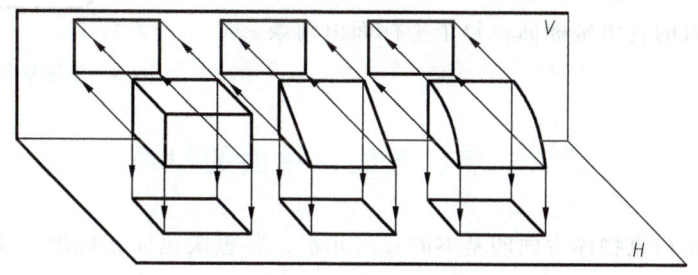

图 2-6　两面投影

3. 三面投影

三面投影体系是由三个相互垂直的投影面组成,三个投影面分别是正立投影面(V面)、水平投影面(H面)、侧立投影面(W面)。三个投影面将空间分为八个部分,称为八个分角,划分顺序如图 2-7a 所示。我国采用第Ⅰ角投影,即将物体置于第Ⅰ分角内(H面之上,V面之前,W面之左),如图 2-7b 所示。

相互垂直的投影面之间的交线称为投影轴,分别是 OX 轴、OY 轴、OZ 轴。OX 轴是 V 面和 H 面的交线,表示空间的左右方向,即长度方向;OY 轴是 H 面和 W 面的交线,表示空

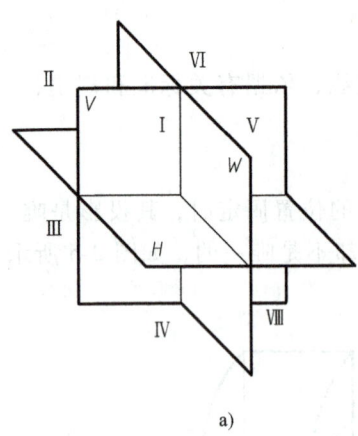
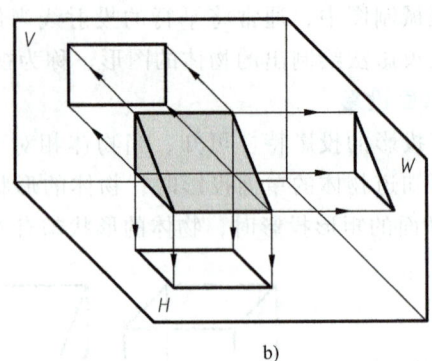

图 2-7 三面投影体系
a) 八个分角 b) 第一角投影

间的前后方向，即宽度方向；OZ 轴是 V 面和 W 面的交线，表示空间的上下方向，即高度方向。OX 轴、OY 轴、OZ 轴三条投影轴的交点即原点 O。沿 OX 轴从 O 出发向左，是 X 值增大的方向；沿 OY 轴从 O 出发向前，是 Y 值增大的方向；沿 OZ 轴从 O 出发向上，是 Z 值增大的方向，如图 2-8 所示。

★学习指引　多观察身边物体表面的线（或面）与地面（或墙面）的投影关系，熟悉正投影的特性。

★关键点拨　三面投影体系中的三个投影面可以看作三个相互垂直的直角坐标面，每个坐标面由两条直角坐标轴组成。

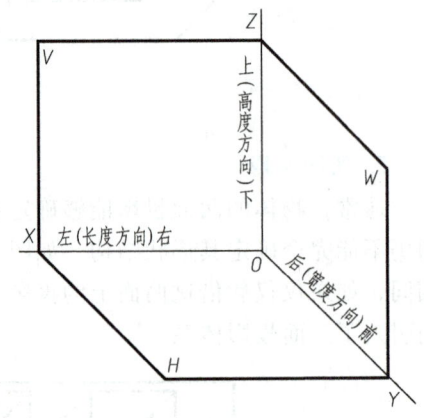

图 2-8 投影轴和空间方向

2.2 点、直线、平面的投影

点、线、面是构成物体表面的基本的几何元素，要想快速而正确地绘制出物体的投影，必须先掌握这些基本几何元素的投影规律和作图方法。

2.2.1 点的投影

点是最基本的几何元素，线是点的集合，面是线的集合。因此研究点的投影特性将为研究线、面的投影，以及正确绘制物体的投影奠定坚实的理论基础。

1. 点的三面投影

如图 2-9 所示，作三棱锥的顶点 A 的三面投影，就是采用正投影的方法将 A 点分别向 V、H、W 面进行投射，即得 A 点的三面投影。A 点的 V 面投影，称为正面投影，记为 a'；A 点的 H 面投影，称为水平投影，记为 a；A 点的 W 面投影，称为侧面投影，记为 a''。

移去三棱锥，如图 2-10a 所示。将三投影面展开，V 面保持不动，H 面绕 OX 轴向下旋转 90°，W 面绕 OZ 轴向右旋转 90°，最终 V、H、W 三面处于同一平面，如图 2-10b、图 2-10c 所示。在投影面展开的过程中 OY 轴被假想地分为两条，一条是属于 H 面的 OY_H 轴，另一条是属于 W 面的 OY_W 轴。

点的投影图中各投影面的边界不必画出，如图 2-11 所示。为了作图方便，保证 Y_H 值 = Y_W 值，在 Y_H 和 Y_W 之间的区域画出 1/4 圆弧或 45°线。

2. 点的三面投影与直角坐标的关系

点的空间位置可以采用坐标来表示，如空间点 A 坐标可以表示成 $A(x, y, z)$。由图 2-12a 可以看出，空间点 A 到 W 面的垂直距离，即 Aa'' 是 A 的 x 值；空间点 A 到 V 面的垂直距离，即 Aa' 是 A 的 y 值；空间点 A 到 H 面的垂直距离，即 Aa 是 A 的 z 值。沿 OX 轴，空间点远离 W 面的方向，也是 X 值

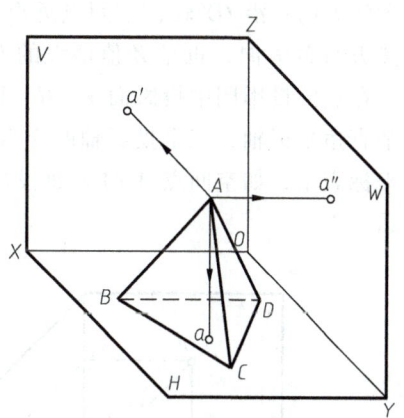

图 2-9　物体上点的投影分析

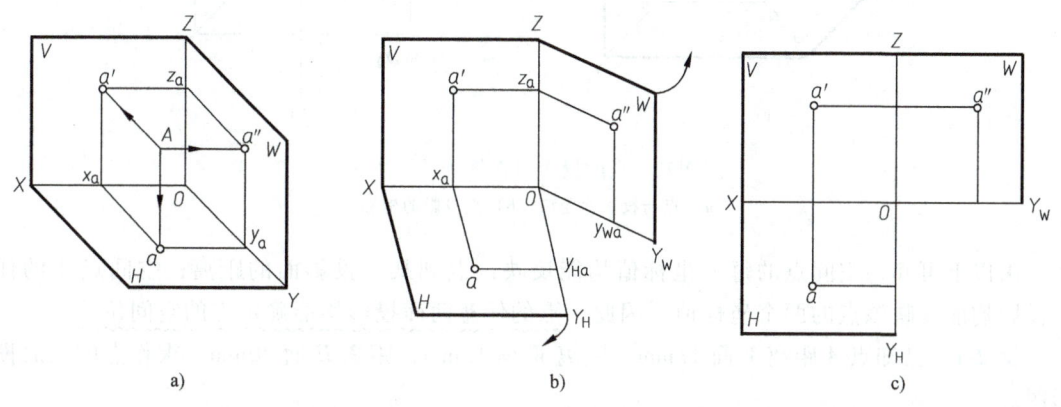

图 2-10　点的投影

a）点投影直观图　b）点投影展开图　c）点的投影图

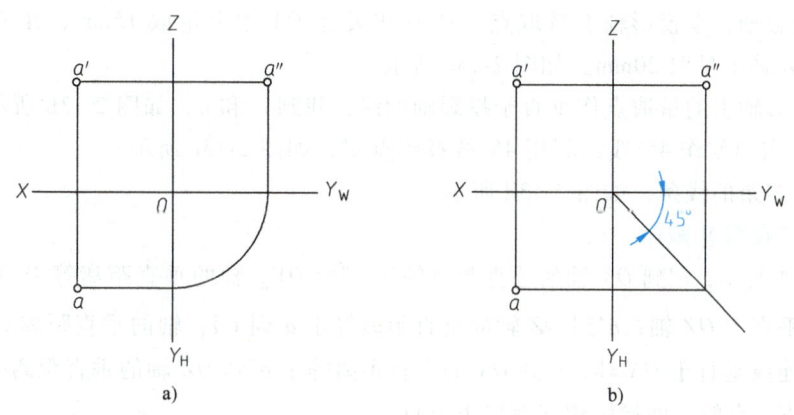

图 2-11　点的投影图

a）利用圆弧　b）利用 45°线

增大的方向；沿 OY 轴，空间点远离 V 面的方向，也是 Y 值增大的方向；沿 OZ 轴，空间点远离 H 面的方向，也是 Z 值增大的方向，如图 2-12a 所示。

在点的投影图中投影面 V、H、W 可看作三个直角坐标面，投影轴 OX、OY、OZ 可看作三个直角坐标轴，三个投影轴的交点可看作坐标原点 O。因此点在各投影面的投影可以用直角坐标表示，如空间点 A 的三面投影，$a'(x_a, z_a)$、$a(x_a, y_a)$、$a''(y_a, z_a)$，如图 2-12b 所示。

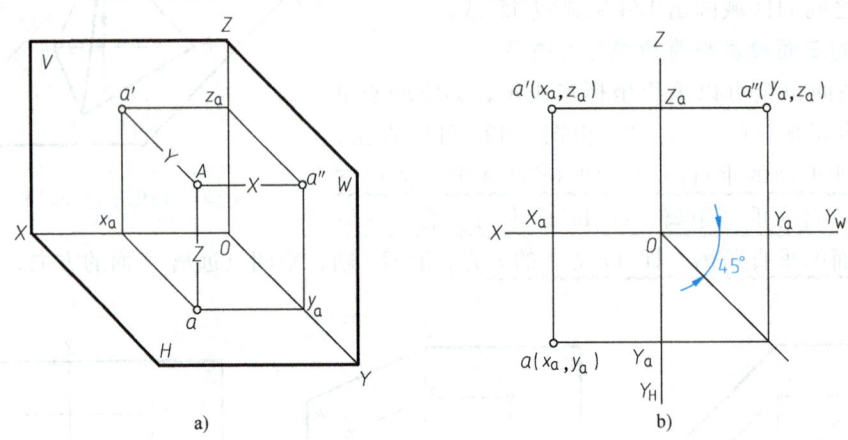

图 2-12 点的投影与直角坐标的关系
a) 点与投影面距离　b) 点投影的坐标

由以上可知，空间点的每一坐标值均能反映该点到某一投影面的距离；空间点 A 的任一投影均能反映该点的两个坐标值。因此，点的任意两面投影均能确定点的空间位置。

例 2-1　已知点 A 距离 V 面 18mm，距离 W 面 15mm，距离 H 面 20mm，求作点的三面投影图。

分析　根据点与投影面位置的关系可知空间点 A 的坐标为（15，18，20），因此可以直接依据点的坐标作出点的投影图。

作图步骤

1）画投影轴，在投影轴上量取点，从 O 出发在 OX 轴上量取 15mm，在 OY 轴上量取 18mm，在 OZ 轴上量取 20mm，如图 2-13a 所示。

2）过投影轴上的量取点作垂直于投影轴的线，找到 a' 和 a，如图 2-13b 所示。

3）从 O 点出发作 45°线，利用 45°线找到点 a''，如图 2-13c 所示。

4）擦去多余的线条，如图 2-13d 所示。

3. 点的三面投影规律

如图 2-14 所示，a' 到 OX 轴的垂直距离等于 a'' 到 OY_W 轴的垂直距离等于 OZ_a，因此 a' 与 a'' 的连线垂直于 OZ 轴；a' 到 OZ 轴的垂直距离等于 a 到 OY_H 轴的垂直距离等于 OX_a，因此 a' 与 a 的连线垂直于 OX 轴；a 到 OX 的垂直距离等于 a'' 到 OZ 轴的垂直距离等于 OY_a。

综上所述，点的三面投影规律有以下三点：

1）点的正面投影与水平投影的连线垂直于 OX 轴，即 $aa' \perp OX$。

2）点的正面投影与侧面投影的连线垂直于 OZ 轴，即 $a'a'' \perp OZ$。

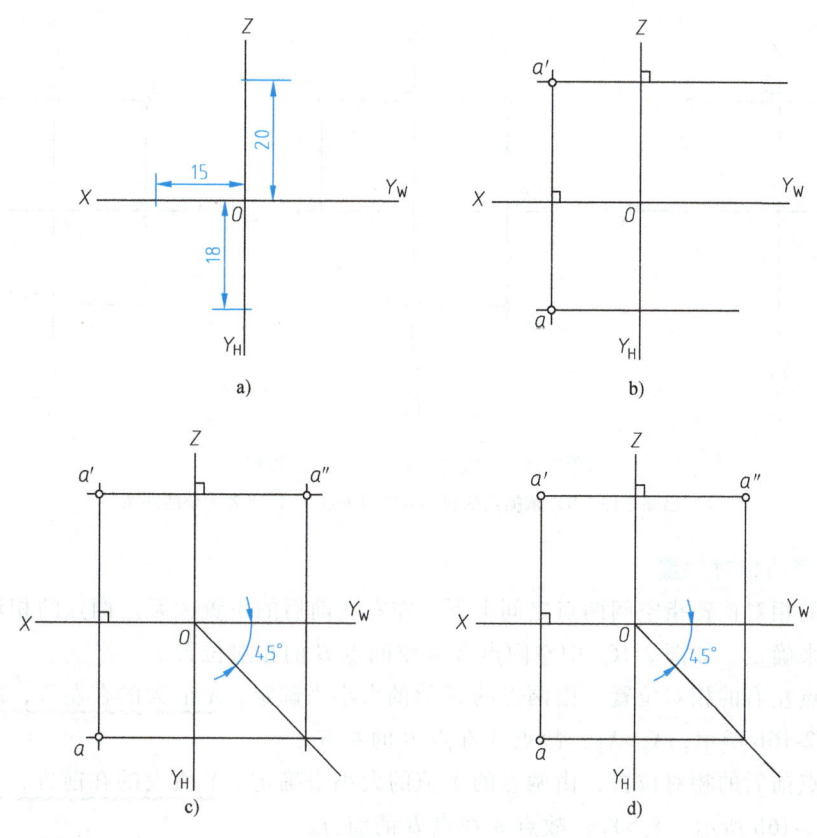

图 2-13 点投影的作图步骤

a）在投影轴上量取坐标值　b）找到投影点 a' 和 a　c）利用 45°线找到点 a''　d）擦去多余的线条

3）点的水平投影到 OX 轴的距离等于点的侧面投影到 OZ 轴的距离，即 $aX_a = a''Z_a = OY_a$。

例 2-2　如图 2-15a 所示，已知空间点 B 的 V 面投影 b' 和 W 面投影 b''，求作点 B 的 H 面投影 b。

分析　已知点 B 的两面投影 b' 和 b''，由 b' 可知点 B 的 X 值和 Z 值，由 b'' 可知点 B 的 Y 值和 Z 值，则点 B 的空间位置确定。而投影 b 在 H 面的位置由点 B 的 X 值和 Y 值确定，因此利用点的投影规律可以将投影 b 作出。

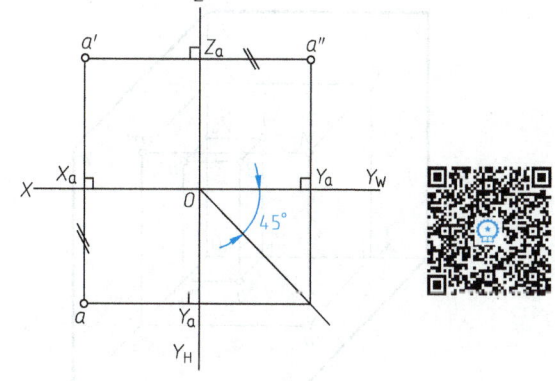

图 2-14 点的投影规律

作图步骤

1）由点的投影规律可知 $b'b$ 连线垂直于 OX 轴，故过 b 作 OX 轴的垂线，如图 2-15b 所示。

2）由点的投影规律可知 $b''Z_b = bX_b$，故过 b'' 作 Y_W 的垂线，再利用 1/4 的圆弧找到 Y_H 轴上的 Y_b，过 Y_b 作 Y_H 的垂线，获得交点 b，如图 2-15b 所示。

3）擦去多余的线条，如图 2-15c 所示。

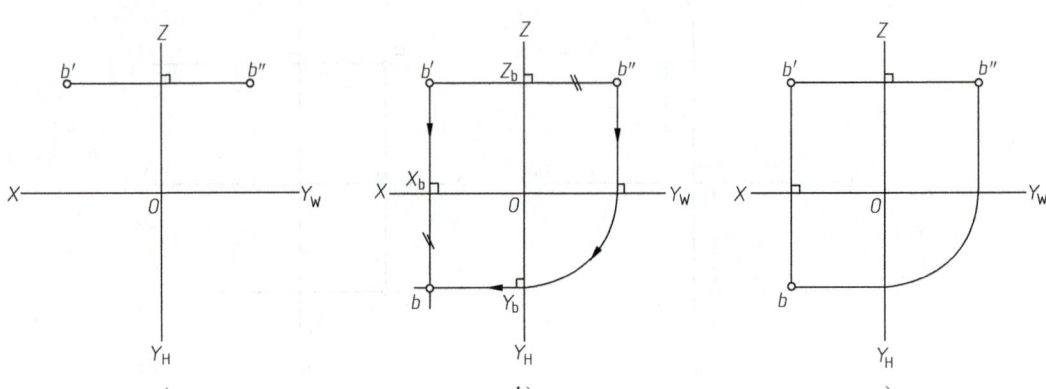

图 2-15　根据已知条件找点的投影
a) 已知条件　b) 依据点的投影规律找 b 点　c) 擦去多余的线条

4. 两点间的相对位置

两点间的相对位置指空间两点之间上下、左右、前后的位置关系。两点的相对位置由两点的坐标值来确定。如图 2-16a 中空间点 A 和空间点 B 的相对位置。

空间两点左右的相对位置，由两点的 X 值的大小来确定，X 值大的在左方，X 值小的在右方。如图 2-16b 所示，$X_a>X_b$，故点 A 在点 B 的左方。

空间两点前后的相对位置，由两点的 Y 值的大小来确定。Y 值大的在前方，Y 值小的在后方。如图 2-16b 所示，$Y_a>Y_b$，故点 A 在点 B 的前方。

空间两点上下的相对位置，由两点的 Z 值的大小来确定。Z 值大的在上方，Z 值小的在下方。如图 2-16b 所示，$Z_a>Z_b$，故点 A 在点 B 的上方。

空间两点的相对位置可以由点的投影图进行判断，也可通过对比二者的坐标值进行判断。

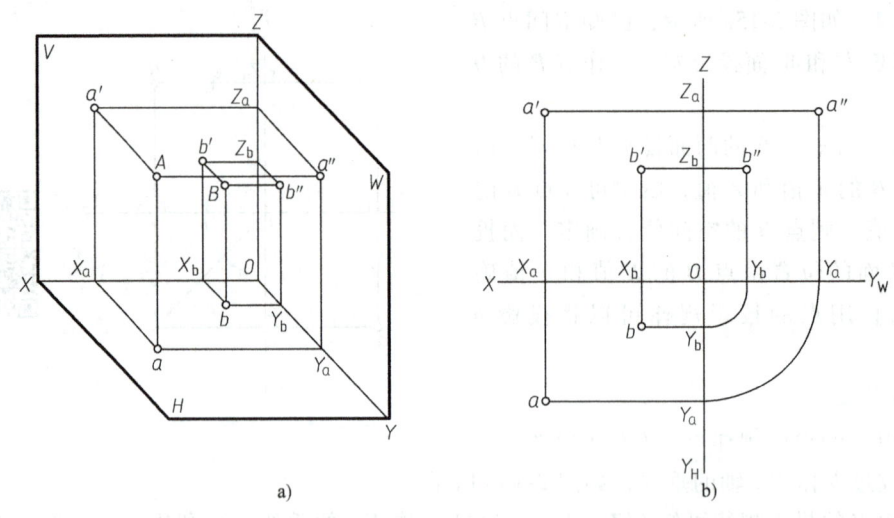

图 2-16　两点间的相对位置
a) 点的相对位置直观图　b) 点的相对位置投影图

例 2-3 如图 2-17a 所示,已知空间点 B 的三面投影,且已知空间点 A 在点 B 之左 10mm、之前 5mm、之下 6mm,求作点 A 的三面投影。

分析 已知点 B 的投影,即已知点 B 的 X 值、Y 值和 Z 值。由点 A 在点 B 之左 10mm,可知点 A 的 X 值比点 B 的 X 值大 10mm;点 A 在点 B 之前 5mm,可知点 A 的 Y 值比点 B 的 Y 值大 5mm;点 A 在点 B 之下 6mm,可知点 A 的 Z 值比点 B 的 Z 值小 6mm。

作图步骤

1)在 X_b 上加 10mm,确定 X_a;在 Y_b 上加 5mm,确定 Y_a;在 Z_b 上减去 6mm,确定 Z_a。如图 2-17b 所示。

2)根据点的投影规律,过 X_a 作 OX 轴的垂线,过 Z_a 作 OZ 轴的垂线,找到投影点 a';过 Y_a 作 Y_H 轴的垂线,找到投影点 a;然后利用 45°线找到点 a'',如图 2-17c 所示。

3)擦去多余的线条,作出点 A 的三面投影,如图 2-17d 所示。

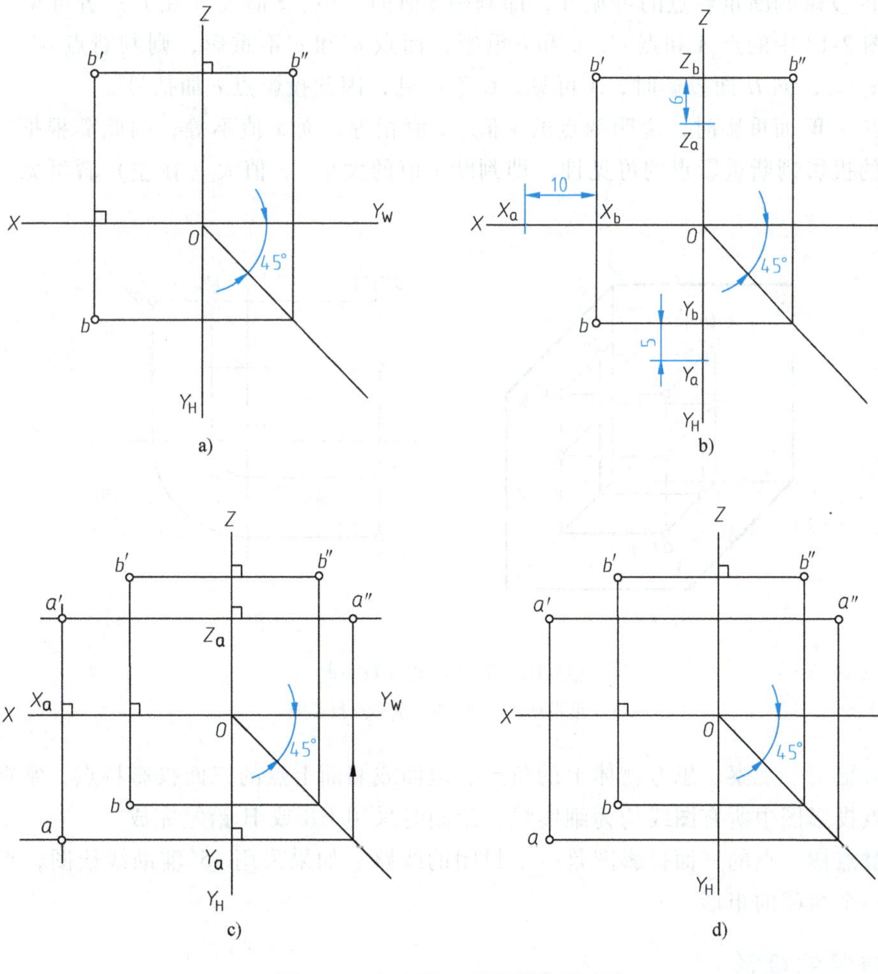

图 2-17 点 A 的三面投影求取步骤

a)已知条件 b)确定点 A 的 X 值、Y 值和 Z 值 c)找到点 A 的三面投影 d)擦去多余的线条

5. 重影点及其可见性

当空间各点的某两个坐标值对应相等时,这些点处于某一投影面的同一投射线上,则这

些点对该投影面的投影重合于一点。空间多点的同面投影重合于一点的性质，称为重影性，这些点称为该投影面的重影点，如图 2-18 所示。

当空间两点在某一投影面上的投影相重合时，必然存在重影点的可见性判断的问题。重影点的可见性需要根据坐标值不等的那面投影来判断。在投影图中，坐标值大的可见，小的不可见，对于不可见的点的投影，重影处需加括号来表示。

当两点在 V 面重影时，说明两点的 x 值、z 值相等，而 y 值不等，因此需根据二者在 H 或 W 面上的投影判断重影点的可见性，即判断 y 值的大小。y 值大（在前）者可见，反之不可见。如图 2-18 所示，空间点 A 和空间点 B 的 V 面投影重合，即点 a' 和 b' 重影，H 面投影点 a 和 b 不重影，则判断投影点 a、b 的 y 值。由于 $y_a > y_b$，A、B 两点向 V 面投影时，A 可见，B 不可见，因此投影点 b' 加括号。

当两点在 H 面重影时，说明两点的 x 值、y 值相等，而 z 值不等，因此需根据二者在 V 面或 W 面的投影判断重影点的可见性，即判断 z 值的大小。z 值大（在上）者可见，反之不可见。如图 2-18 中的点 A 和点 C，a 和 c 重影，而点 a' 和 c' 不重影，则判断点 a'、c' 上的 z 值。由于 $z_a > z_c$，向 H 面投影时，A 可见，C 不可见，因此投影点 c 加括号。

当两点在 W 面重影时，说明两点的 y 值、z 值相等，而 x 值不等，因此需根据二者在 V 面或 H 面的投影判断重影点的可见性，即判断 x 值的大小。x 值大（在左）者可见，反之不可见。

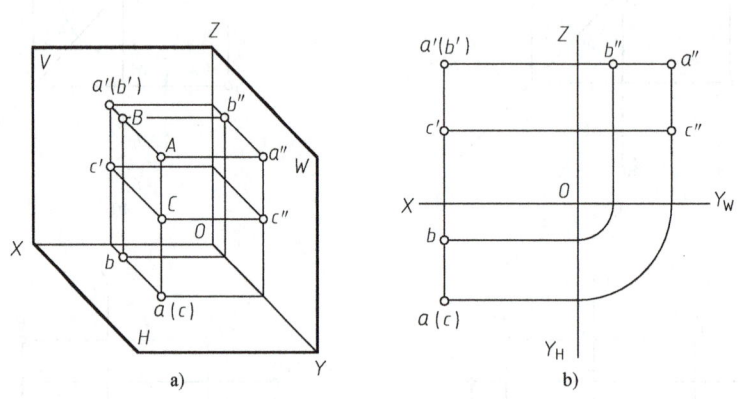

图 2-18 重影点及其可见性

a) 重影点直观图　b) 重影点投影图

★**学习指引**　观察、思考物体上的角点、地面或墙面上点的三面投影特点，掌握点的投影规律。点投影图中所有图线均为细实线，绘制时采用 HB 或 H 铅笔完成。

★**关键点拨**　点的三面投影图是一个封闭的线路。如果采用 45°辅助线绘图，点的三面投影图是一个封闭的矩形。

2.2.2　直线的投影

1. 直线的三面投影

直线的投影可由直线段的两端点的投影来确定。即作出直线段两端点的三面投影，然后将两端点的同面投影用粗实线连接，即可获得直线的投影，如图 2-19 所示。

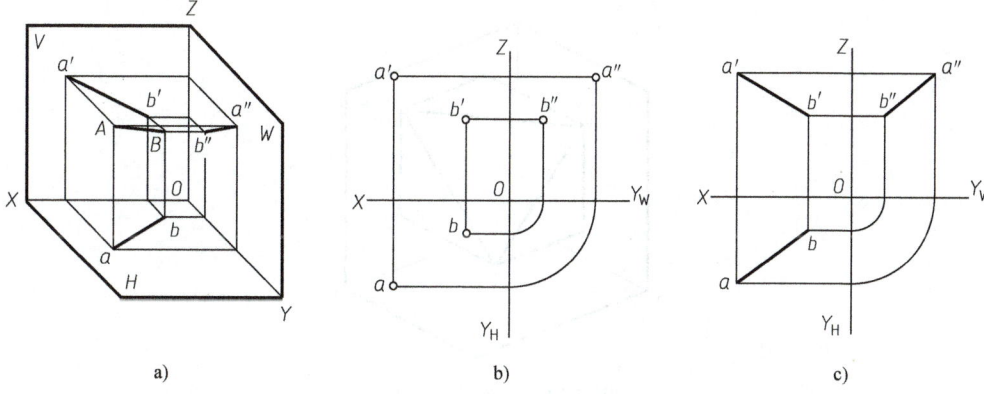

图 2-19 直线的三面投影

a) 直线投影直观图　b) 两端点的三面投影　c) 直线的投影

2. 各种位置直线的投影特性

根据直线在三投影面体系中对三个投影面的所处位置的不同,可将直线分为一般位置直线、投影面平行线、投影面垂直线三类。其中,后两类统称为特殊位置直线。

直线对 H、V、W 三个投影面的倾角,分别用 α、β、γ 表示,如图 2-20a 所示。

(1) 一般位置直线　与三个投影面都倾斜的直线称为一般位置直线。如图 2-20 所示,直线 AB 即为一般位置直线,其投影特性为"三斜"。

1) 三面投影都倾斜于投影轴,投影与投影轴的夹角不反映空间直线与投影面的真实倾角。

2) 三面投影的长度都小于实长,为直线的类似性。

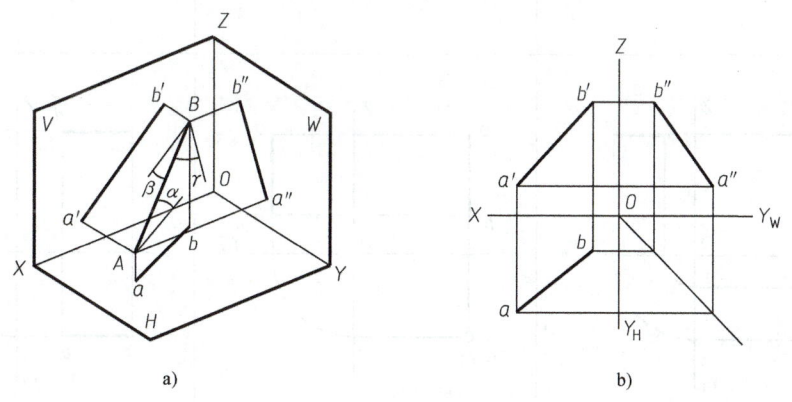

图 2-20 一般位置直线的投影

a) 直线的直观图　b) 直线的投影图

(2) 投影面垂直线　垂直于某一投影面的直线,称为该投影面的垂直线。

垂直于 H 面的直线,称为铅垂线;垂直于 V 面的直线,称为正垂线;垂直于 W 面的直线,称为侧垂线。投影面垂直线的投影特性见表 2-1。

投影面垂直线 $\begin{cases} \text{正垂线:} \perp V、//H、//W,\text{如图 2-21 中的直线 } CB \text{、直线 } EF。\\ \text{铅垂线:} \perp H、//V、//W,\text{如图 2-21 中的直线 } AB \text{、直线 } ED。\\ \text{侧垂线:} \perp W、//H、//V,\text{如图 2-21 中的直线 } AF \text{、直线 } CD。\end{cases}$

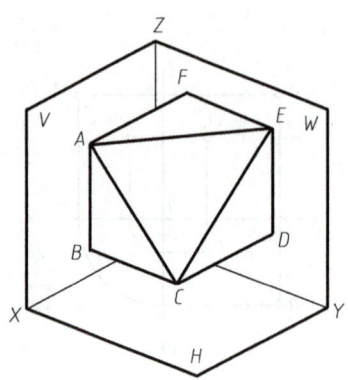

图 2-21 投影面垂直线

表 2-1 投影面垂直线的投影特性

名称	正垂线（⊥V、//H、//W）	铅垂线（⊥H、//V、//W）	侧垂线（⊥W、//H、//V）
轴测图			
投影图			
投影特性	1. V面投影 $c'(b')$ 积聚为一点 2. H面投影 cb 与 W面投影 $c''b''$ 反映直线 CB 的实长，$cb \perp OX$ 轴，$c''b'' \perp OZ$ 轴	1. H面投影 $a(b)$ 积聚为一点 2. V面投影 $a'b'$ 与 W面投影 $a''b''$ 反映直线 AB 的实长，$a'b' \perp OX$ 轴，$a''b'' \perp OY_W$ 轴	1. W面投影 $c''(d'')$ 积聚为一点 2. H面投影 cd 与 V面投影 $c'd'$ 反映直线 CD 的实长，$cd \perp OY_H$ 轴，$c'd' \perp OZ$ 轴
小结	1. 在所垂直的投影面上，投影具有积聚性 2. 在所平行的投影面上，投影反映实长，且垂直于相应的投影轴		

投影面垂直线投影特性总结为："一点"（该"点"在 H 面为铅垂线，该"点"在 V 面为正垂线，该"点"在 W 面为侧垂线）。

（3）投影面平行线　仅平行于某一投影面，而与其他两个投影面倾斜的直线，统称为投影面平行线。

平行于 V 面，倾斜于 H、W 面的直线称为正平线；平行于 H 面，倾斜于 V、W 面的直线称为水平线；平行于 W 面，倾斜于 H、V 面的直线称为侧平线。投影面平行线的投影特性见表 2-2（∠表示倾斜于）。

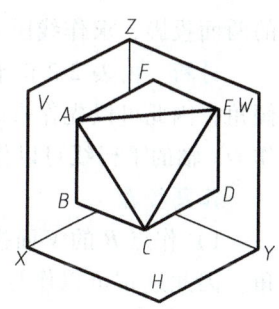

图 2-22　投影面平行线

投影面平行线 $\begin{cases} 正平线：//V、\angle H、\angle W，如图 2-22 中的直线 CE。\\ 水平线：//H、\angle V、\angle W，如图 2-22 中的直线 AE。\\ 侧平线：//W、\angle H、\angle V，如图 2-22 中的直线 AC。\end{cases}$

表 2-2　投影面平行线的投影特性

名称	正平线（$//V$、$\angle H$、$\angle W$）	水平线（$//H$、$\angle V$、$\angle W$）	侧平线（$//W$、$\angle H$、$\angle V$）
轴测图			
投影图			
投影特性	1. V 面投影 $c'e'$ 反映直线 CE 的实长，反映直线 CE 与其他两投影面的真实倾角 α、γ 2. H 面投影 ce 与 W 面投影 $c''e''$ 都小于实长，$ce//OX$ 轴，$c''e''//OZ$ 轴	1. H 面投影 ae 反映直线 AE 的实长，反映直线 AE 与其他两投影面的真实倾角 β、γ 2. V 面投影 $a'e'$ 与 W 面投影 $a''e''$ 都小于实长，$a'e'//OX$ 轴，$a''e''//OY_W$ 轴	1. W 面投影 $a''c''$ 反映直线 AC 的实长，反映直线 EF 与其他两投影面的真实倾角 α、β 2. H 面投影 ac 与 V 面投影 $a'c'$ 都小于实长，$ac//OY_H$ 轴，$a'c'//OZ$ 轴
小结	1. 在所平行的投影面上，投影反映直线的实长，且反映直线与投影面的真实倾角 2. 在所倾斜的投影面上，投影平行于相应的投影轴		

投影面平行线投影特性总结为："一斜"（该"一斜"在 H 面为水平线，该"一斜"在 V 面为正平线，该"一斜"在 W 面为侧平线）。

例 2-4　如图 2-23a 所示，已知正平线 AB 长 25mm，与 H 面倾角为 30°，且已知端点 A

的两面投影，求作线段 AB 的正面投影和水平投影。

分析 由表 2-2 正平线的投影图可知，正平线的正面投影能反映空间直线的实长和真实倾角，因此可以先作直线的 V 面投影；又知正平线的水平投影平行于 OX 轴，因此过投影 a 作 OX 轴的平行线可以作出 AB 的 H 面投影。

作图步骤

1) 作点 B 的 V 面投影 b′。投影 a′b′ 能反映直线 AB 的实长 25mm 和直线与 H 面的 30°倾角，因此过 a′ 可以作与 OX 轴夹角 30°、长 25mm 的辅助线，找到投影 b′，如图 2-23b 所示。

2) 作点 B 的 H 面投影 b。投影 ab∥OX 轴，故过投影 a 作 OX 轴的平行线；再利用点的投影规律，过投影 b′ 作 OX 轴的垂线，找到投影 b，如图 2-23c 所示。

3) 用 2B 铅笔加深直线 AB 的投影 a′b′ 和 ab，如图 2-23d 所示。

3. 点与直线

（1）点在直线上

1) 点在直线上，则点的各面投影必在直线的同面投影上。（从属性）

2) 点在直线上，则点分割线段长度之比等于点的投影分割线段的投影长度之比。（定比性）

如图 2-24 所示，点 C 在直线 AB 上，则点 C 的正面投影 c′ 在直线投影 a′b′ 线上，水平投影 c 在 ab 线上，侧面投影 c″ 在 a″b″ 线上，且 $AC:CB = a'c':c'b' = ac:cb = a''c'':c''b''$。

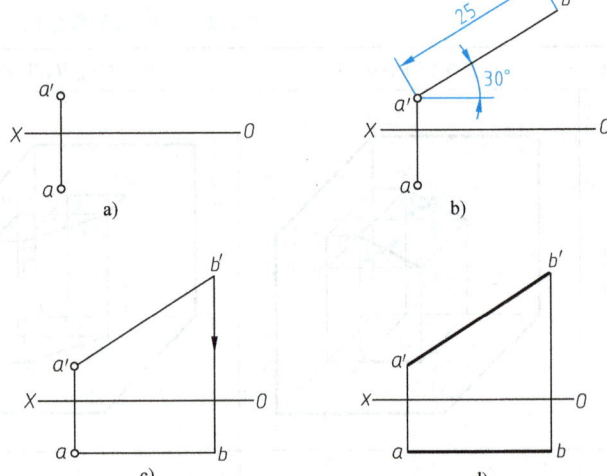

图 2-23 求作正平线的两面投影

a) 已知条件 b) 作点 B 的 V 面投影 b′
c) 作点 B 的 H 面投影 b d) 加深投影

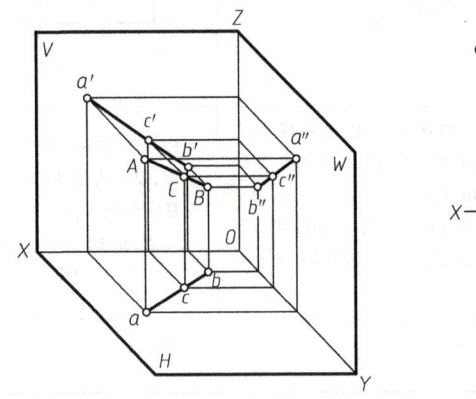
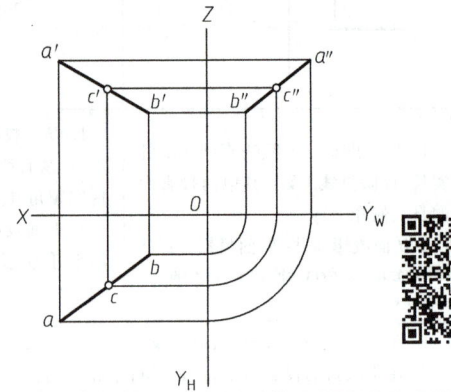

图 2-24 点在直线上

（2）点不在直线上

点不在直线上，则点的三面投影中至少有一面投影不在直线的同面投影上，且投影不符合定比性。

例 2-5 如图 2-25a 所示，已知直线 AB 和点 C 的两面投影，判断 C 点是否属于 AB。

分析 若 C 点属于直线 AB，则其投影必然同时满足从属性和定比性。

作图步骤

方法 1 利用从属性判断，作出直线 AB 和点 C 的第三面投影直线 $a''b''$ 和点 c''，如图 2-25b 所示，点 c'' 不在直线 $a''b''$ 上，由此可知空间点 C 不在直线 AB 上。

方法 2 利用定比性判断，分析点 C 投影是否将直线 AB 的投影分成相同的比例，如图 2-25a 所示，$a'c' : c'b' < 1$，而 $ac : cb > 1$，因此 $ac : cb \neq a'c' : c'b'$，由此可知空间点 C 不在直线 AB 上。

4. 两直线的相对位置

空间两直线的相对位置有平行、相交、交叉三种情况。

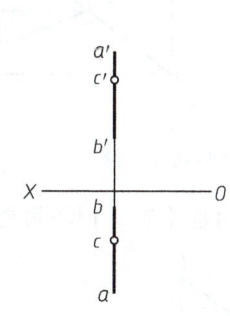
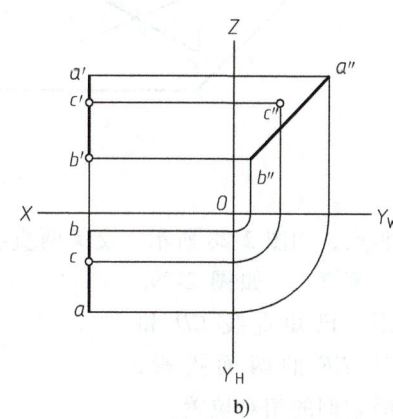

图 2-25 点不在直线上
a) 已知条件 b) 直线 AB 和点 C 的第三面投影

（1）平行

空间两直线平行，其各组同面投影必定平行或重合。反之，若两直线的各组同面投影都相互平行，则两直线在空间一定平行，如图 2-26 所示。

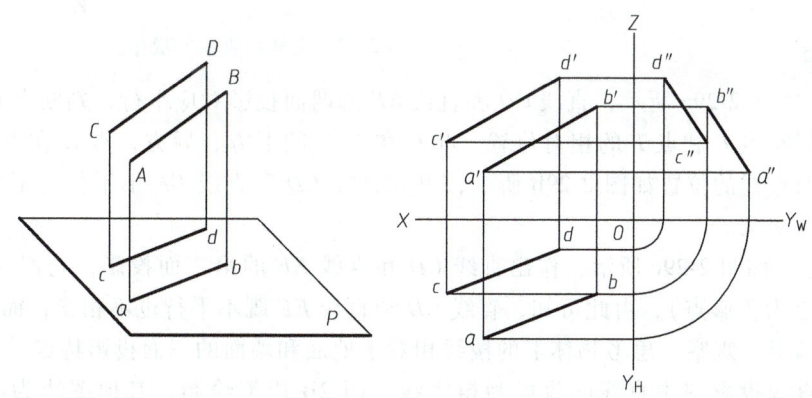

图 2-26 平行两直线的投影

（2）相交

空间两直线相交，其各组同面投影必定相交，交点为两直线的共有点，且交点符合点的投影规律，符合点在直线上的性质，如图 2-27 所示。

（3）交叉

空间既不相交，又不平行的两直线称为交叉两直线。

交叉两直线的投影可能相交，但交点不符合点的投影规律，此交点为两直线上两个点的

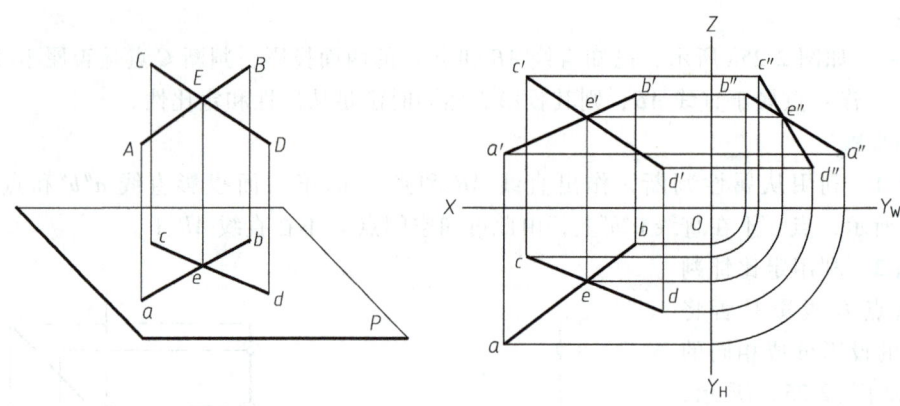

图 2-27 相交两直线的投影

重影点,如图 2-28 所示。交叉两直线的投影可能平行,但不可能三组都平行。

例 2-6　如图 2-29a 所示,已知直线 *CD* 和直线 *EF* 的两面投影,判断它们的相对位置。

分析　如果直线 *CD* 和直线 *EF* 相互平行,那么它们的三面投影应对应平行。如果有一面投影不平行,则空间必不平行。

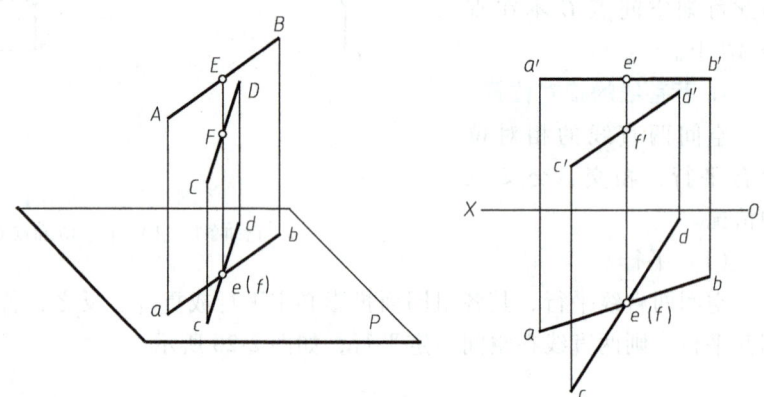

图 2-28 交叉两直线的投影

作图步骤

方法 1　如图 2-29a 所示,直线 *CD* 和直线 *EF* 的两面投影对应平行,判断点 *C* 和点 *D* 的相对位置,判断点 *E* 和点 *F* 的相对位置。点 *C* 在点 *D* 的下方、后方,点 *E* 在点 *F* 的上方、后方,空间两直线的位置如图 2-29b 所示,可知直线 *CD* 和直线 *EF* 不平行、不相交,它们的位置关系是交叉。

方法 2　如图 2-29c 所示,作出直线 *CD* 和直线 *EF* 的第三面投影,它们在 *W* 面的投影相交(交点为重影点),由此可知,直线 *CD* 和直线 *EF* 既不平行也不相交,而是交叉。

★**学习指引**　观察、思考物体上的棱线相对于地面和墙面的三面投影特点,掌握直线的投影规律。直线投影图中直线的投影为粗实线,用 2B 铅笔绘制,其他图线为细实线,用 HB 或 H 铅笔绘制。

★**关键点拨**　判断直线的空间位置依据"一点""一斜""三斜"的特点;判断两直线是否相交,依据投影中的交点是否符合点的投影规律。

2.2.3　平面的投影

1. 平面的几何要素表示法

通常用平面上的点、直线或平面图形等几何元素的投影来表示平面的投影,如图 2-30 所示。

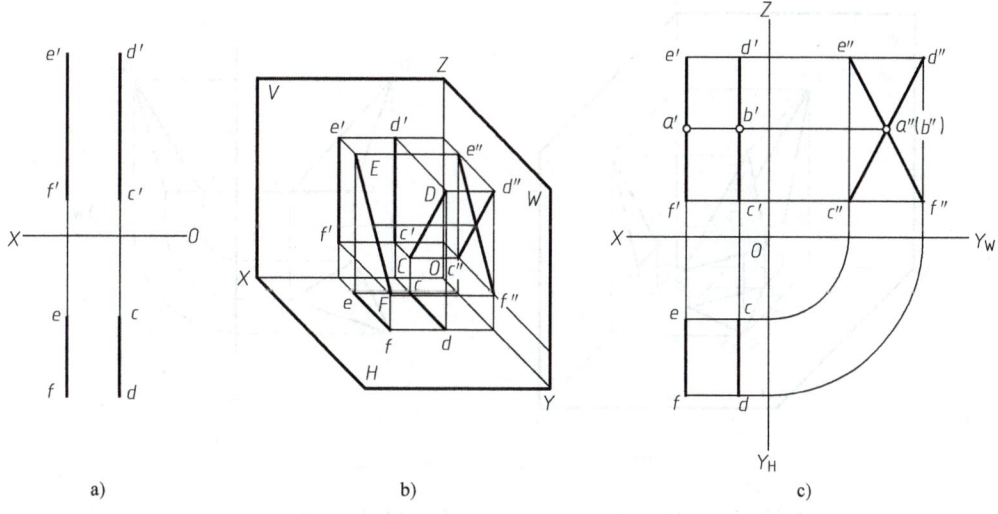

图 2-29 判断两直线的相对位置

a) 已知条件　b) 空间位置比较　c) 第三面投影图

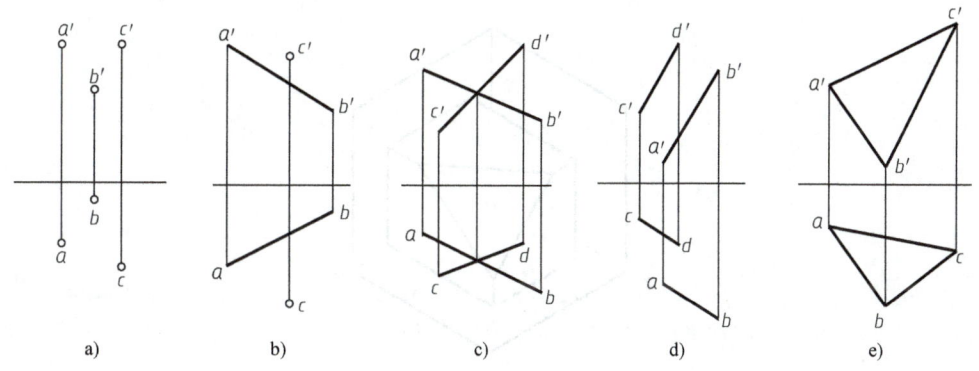

图 2-30 平面的表示法

a) 不在一直线上的三点　b) 直线和直线外一点　c) 相交两直线　d) 平行两直线　e) 平面图形

2. 各种位置平面的投影

根据平面在三投影面体系中对三个投影面所处位置的不同，可将平面分为一般位置平面、投影面平行面、投影面垂直面三类。其中，后两类平面统称为特殊位置平面。

平面对 H、V、W 三投影面的倾角，分别用 α、β、γ 表示。

（1）一般位置平面　与三个投影面都倾斜的平面，称为一般位置平面。如图 2-31 所示，平面 D 属于一般位置平面，与三个投影面都倾斜。

如图 2-31 所示，△ABC 倾斜于三个投影面，其三面投影都是缩小的三角形。其特性为"三面"：

1) 各面投影均为小于实形的平面图形。
2) 各面投影均不反映该平面与投影面的真实倾角。

（2）投影面平行面　平行于某一投影面的平面，称为该投影面的平行面。

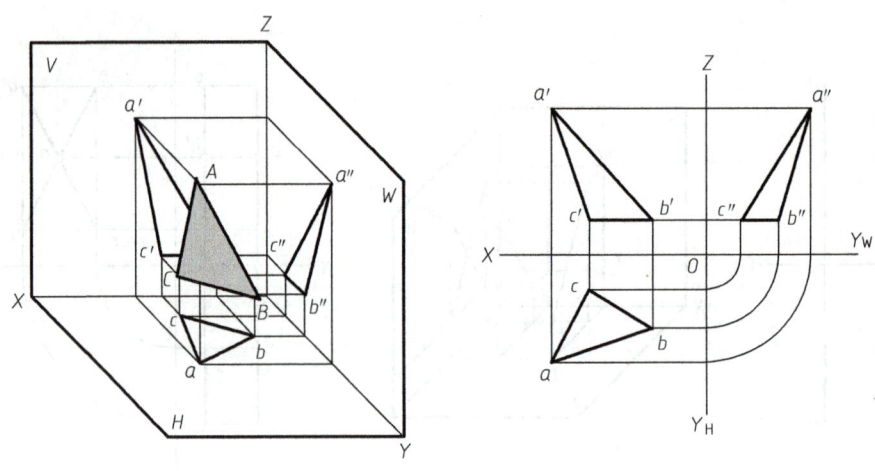

图 2-31 一般位置平面的投影

投影面平行面 $\begin{cases}\text{正平面：} /\!/V、\perp H、\perp W，如图 2-32 中的平面 C。\\ \text{水平面：} /\!/H、\perp V、\perp W，如图 2-32 中的平面 A。\\ \text{侧平面：} /\!/W、\perp H、\perp V，如图 2-32 中的平面 B。\end{cases}$

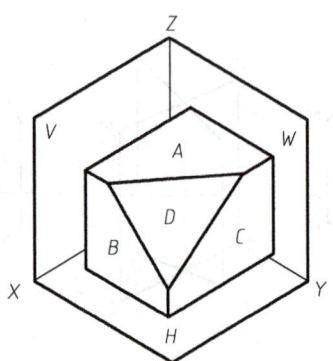

图 2-32 投影面平行面

投影面平行面的投影特性见表 2-3。

表 2-3 投影面平行面的投影特性

名称	正平面（$/\!/V、\perp H、\perp W$）	水平面（$/\!/H、\perp V、\perp W$）	侧平面（$/\!/W、\perp H、\perp V$）
轴测图			

（续）

名称	正平面（$//V$、$\perp H$、$\perp W$）	水平面（$//H$、$\perp V$、$\perp W$）	侧平面（$//W$、$\perp H$、$\perp V$）
投影图			
投影特性	1. V 面投影反映五边形平面的实形 2. H 面投影与 W 面投影均积聚为一直线，H 面投影$//OX$ 轴，W 面投影$//OZ$ 轴	1. H 面投影反映五边形平面的实形 2. V 面投影与 W 面投影均积聚为一直线，V 面投影$//OX$ 轴，W 面投影$//OY_W$ 轴	1. W 面投影反映五边形平面的实形 2. H 面投影与 V 面投影均积聚为一直线，H 面投影$//OY_H$ 轴，V 面投影$//OZ$ 轴
小结	1. 在所平行的投影面上，投影反映平面的实形 2. 在所垂直的投影面上，投影积聚为直线（平行于相应的投影轴）		

投影面平行面投影特性总结为："两线一面"（该"一面"在 H 面为水平面，该"一面"在 V 面为正平面，该"一面"在 W 面为侧平面）。

（3）投影面垂直面 仅垂直于某一投影面，而倾斜于其他两投影面的平面，称为该投影面的垂直面。

投影面垂直面 $\begin{cases} 正垂面：\perp V、/H、/W，如图 2-33 中的平面 D。\\ 铅垂面：\perp H、/V、/W，如图 2-33 中的平面 E。\\ 侧垂面：\perp W、/H、/V，如图 2-33 中的平面 F。\end{cases}$

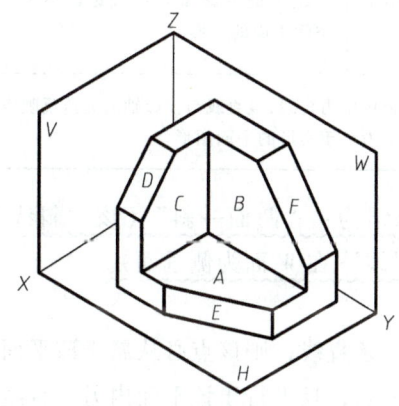

图 2-33 投影面垂直面

投影面垂直面的投影特性见表 2-4。

表 2-4 投影面垂直面的投影特性

名称	正垂面（⊥V、/H、/W）	铅垂面（⊥H、/V、/W）	侧垂面（⊥W、/H、/V）
轴测图			
投影图			
投影特性	1. V面投影积聚为一直线，其与投影轴之间的夹角反映空间平面与其他两投影面之间的真实倾角 α、γ 2. H面投影和W面投影都小于空间平面的实形	1. H面投影积聚为一直线，其与投影轴之间的夹角反映空间平面与其与其他两投影面之间的真实倾角 β、γ 2. V面投影和W面投影都小于空间平面的实形	1. W面投影积聚为一直线，其与投影轴之间的夹角反映空间平面与其他两投影面之间的真实倾角 α、β 2. H面投影和V面投影都小于空间平面的实形
小结	1. 在所垂直的投影面上的投影积聚为直线，该直线与投影轴的夹角反映空间平面与投影面之间的真实倾角 2. 在所倾斜的投影面上的投影为小于实形的平面图形		

投影面垂直面投影特性总结为："两面一斜"（该"斜线"在H面为铅垂面，该"斜线"在V面为正垂面，该"斜线"在W面为侧垂面）。

3. 平面内的点和直线

1) 若点从属于平面内的一条直线，则该点必从属于该平面。

2) 若一直线过平面内的一点，且平行于该平面内另一直线，则此直线在该平面内。

3) 若直线通过平面内的两点，则此直线必在该平面内。

例 2-7 如图 2-34a 所示，已知 $\triangle ABC$ 的 V面投影 $\triangle a'b'c'$ 和 H面的投影 $\triangle abc$，以及点 D 的 H面投影 d，求取点 D 的 V面投影 d'。

分析 已知点 D 属于 $\triangle ABC$，则点 D 必定在属于 $\triangle ABC$ 的一条直线上，因此可以先在 $\triangle ABC$ 内作出一条过 D 点的已知直线（即直线的两端点在 $\triangle ABC$ 的边线上），然后在直线上找到点 D 的投影。

作图步骤

1）过点 D 作辅助直线 AE　过点 d 在 $\triangle abc$ 内作一条不垂直于投影轴的直线 ae，已知点 E 在直线 BC 上，因此由点的投影规律可知，过点 e 作 OX 轴的垂线，在直线 $b'c'$ 上找到点 e'，如图 2-34b 所示。

2）确定投影点 d'　连接点 a' 和点 e'，最后在直线 $a'e'$ 上找到点 d'，如图 2-34c 所示。

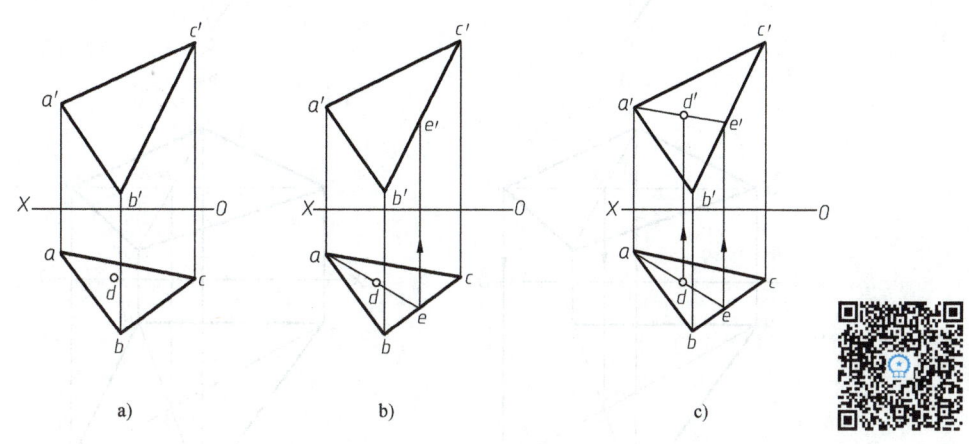

图 2-34　求取属于 $\triangle ABC$ 的点 D 的 V 面投影 d'

a）已知条件　b）求取 e'　c）确定投影点 d'

例 2-8　如图 2-35a 所示，已知平面 $ABCD$ 的 V 面投影四边形 $a'b'c'd'$ 和边 AB、AD 的 H 面投影直线 ab、ad，试完成平面 $ABCD$ 的 H 面投影四边形 $abcd$。

分析　相交两直线 AB 和 AD 可以确定一个平面，而点 C 属于该平面。根据点属于平面的性质可知，点 C 在该平面内的一条已知直线上。

作图步骤

1）求取直线 AE 的投影　连接点 b 和点 d 以及点 b' 和点 d'，再连接点 a' 和点 c'，直线的投影 $a'c'$ 与 $b'd'$ 相交于点 e'，点 E 是直线 AC 和 BD 的交点，连接点 a 和点 e 找到直线 AE 的两面投影，如图 2-35b 所示。

2）确定点 C 的 H 面投影　已知点 A、点 E、点 C 在一条直线上，又已知直线 AE 的投影，因此过点 c' 作 OX 轴的垂线，在投影 ae 上找到投影 c，如图 2-35c 所示。

3）完成平面的投影　加深投影 bc 和投影 cd，则平面 $ABCD$ 的 H 面投影完成，如图 2-35d 所示。

★**学习指引**　平面是由点和直线组成，作平面的投影就是作点和直线的投影。观察、思考物体上的各平面相对于地面和墙面的三面投影特点，掌握平面的投影规律。

★**关键点拨**　判断平面的空间位置依据"两面一斜""两线一面""三面"的特点。

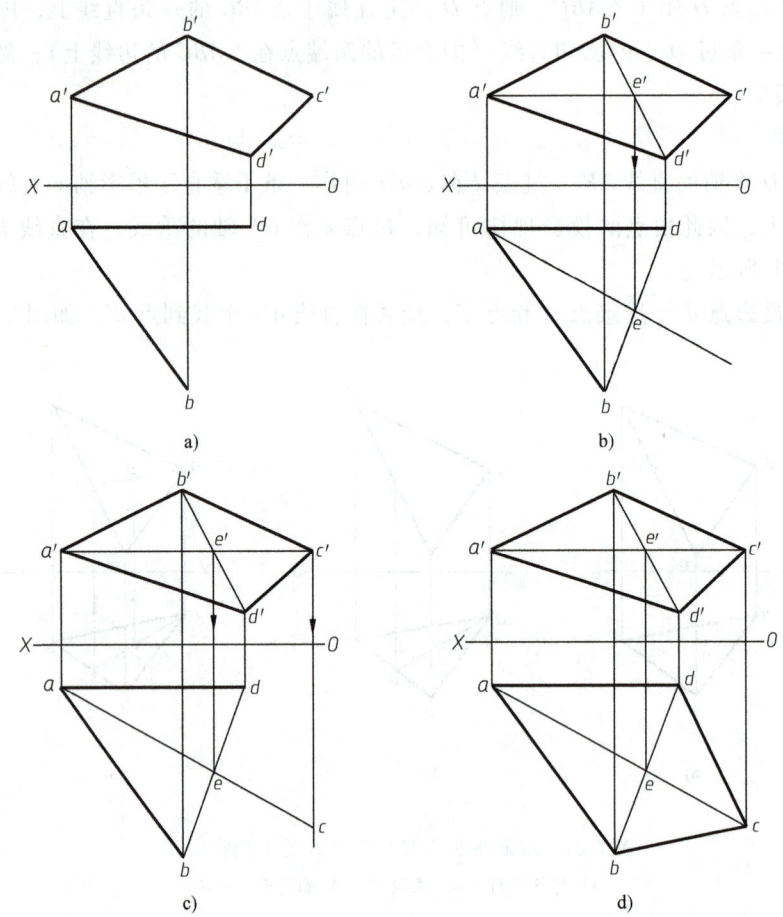

图 2-35 平面内的点和直线

a)已知条件 b)求取直线 AE 的投影 c)确定点 C 的 H 面投影 d)完成平面的投影

第3章

立体及其表面的交线

◆ **本章重难点**

重点：平面立体和回转体的三视图、截面的求取、相贯线的画法。

难点：相贯线。

◆ **能力目标**

1. 正确地绘制立体的三视图。
2. 掌握截断体绘图的方法和步骤。
3. 正确地绘制相贯线。

3.1 三 视 图

体的投影是物体表面上点、线、面投影的集合。将物体放置在观察者和投影面之间，人的视线作为平行且垂直于投影面的投射线，对物体进行投射，从而得到物体的正投影图。这种用正投影法绘制出的物体的图形称为视图。

1. 三视图的形成

在三面投影体系内，物体分别向 V、H、W 三个投影面上进行投影，获得三个视图，称为三视图。三视图的形成如图 3-1 所示。

主视图：从前向后看物体在 V 面上得到的投影。

俯视图：从上向下看物体在 H 面上得到的投影。

左视图：从左向右看物体在 W 面上得到的投影。

2. 三个投影面的展开

如图 3-2 所示，物体向三面投影后，V 面保持不动，H 面绕 OX 轴向下转 90°，W 面绕 OZ 轴向右转 90°，最终三个视图展在同一平面上，如图 3-3a 所示。

3. 三视图的配置

三投影面展开后，三个视图的配置如图 3-3b 所示，以主视图为基准，俯视图在主视图的正下方，左视图在主视图的正右方。需注意，画三视图时，投影面的边框和投影轴不必画出（在物体不翻转的前提下，物体距离投影面的远近并不会改变物体的投影）。绘制三视图时，三视图的名称均不必标注。

4. 三视图的投影规律

三面投影体系中有长、宽、高三个度量方向。"长"指物体在三面投影体系中左、右之间 X 值的相对距离；"宽"指物体在三面投影体系中前、后之间 Y 值的相对距离；"高"指物体在三面投影体系中上、下之间 Z 值的相对距离，如图 3-4a 所示。

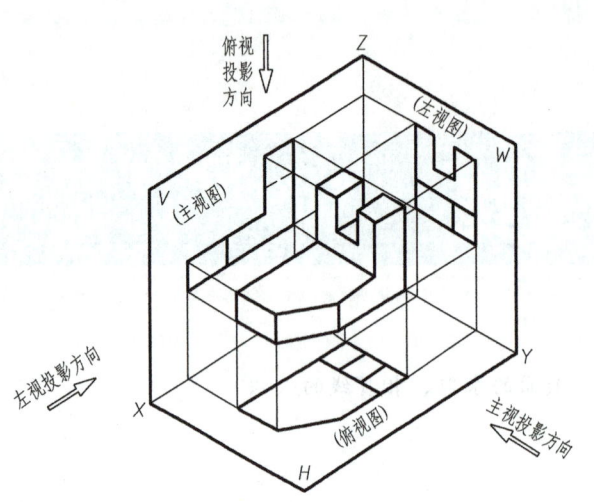

图 3-1 三视图的形成

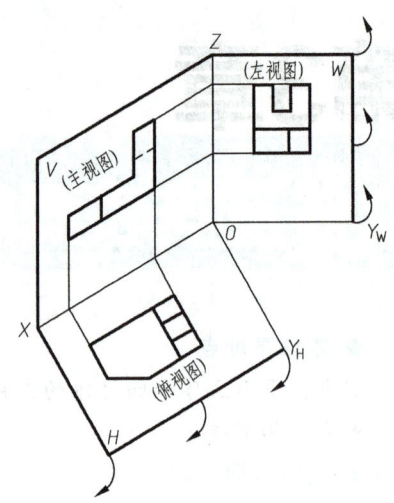

图 3-2 三视图的展开方式

三视图中，主视图和俯视图共同反映物体的"长"；俯视图和左视图共同反映物体的"宽"；主视图和左视图共同反映物体的"高"，如图 3-4b 所示。

因此，三视图之间有如下的投影关系（规律）：

主俯长对正（长相等），主左高平齐（高相等），俯左宽相等（宽相等）。

即"三等"对应规律。

5. 三视图中物体的方位关系

空间有上、下、左、右、前、后六个方位。三视图中各视图所反映的方位关系如图 3-5 所示，上、前、左在三视图的外围，右、后、下在三视图的内侧。

主视图反映物体的左右和上下相对位置关系；俯视图反映物体的左右和前后相对位置关系；左视图反映物体的上下和前后相对位置关系。

例 3-1 如图 3-6a 所示，已知四棱柱的主、俯视图，试绘制其左视图。

物体空间位置和投影分析

由主、俯视图可以看出该四棱柱的顶、底面均平行于 H 面，垂直于 V 面、垂直于 W 面，故顶、底面在 W 面上的投影积聚为平行于 Y 轴的直线。而四个侧面与 H 面垂直，与 V 面和 W 面均倾斜，因此它们在 H 面和 W 面上的投影均为小于实形的平面图形。空间位置及投影如图 3-7a 所示。

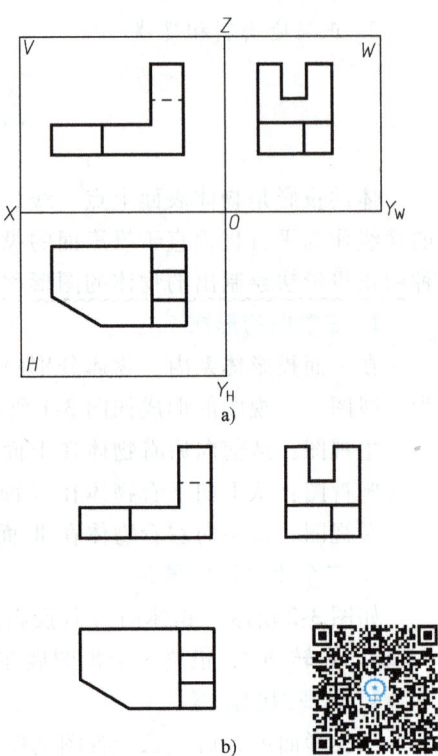

图 3-3 三视图的展开和配置

a) 三视图的展开 b) 三视图的配置

作图步骤

1) 依据三视图投影规律"主左高平齐"绘制出顶、底面在左视图中的投影，如图 3-7b 所示。

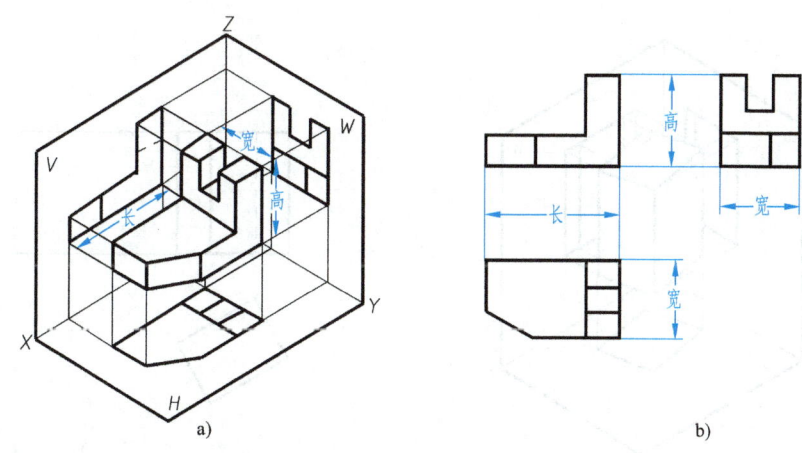

图 3-4 三视图的度量方向及投影规律

a）三面投影体系中的度量方向　b）三视图的投影规律

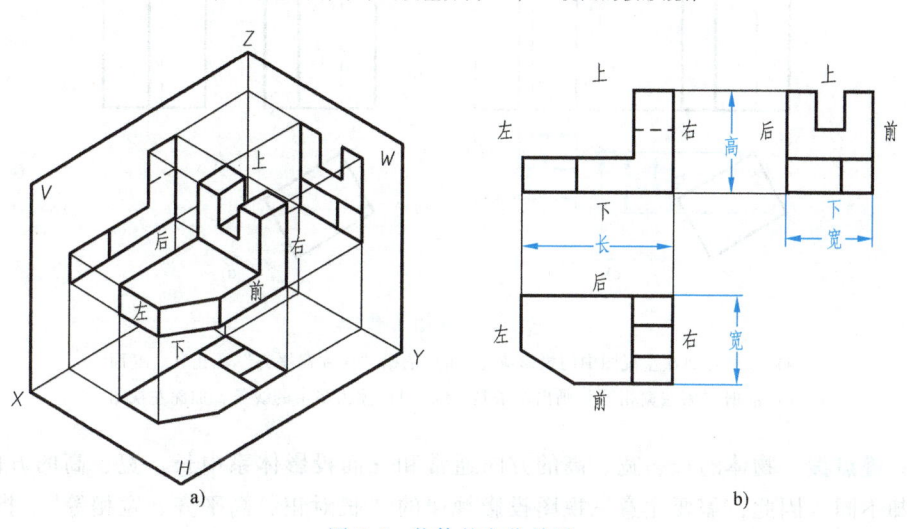

图 3-5 物体的方位关系

a）三面投影体系中物体的方位关系　b）三视图中物体的方位关系

2）确定四棱柱的后方侧棱线在左视图中的位置，依据"俯左宽相等"将四棱柱上的四条侧棱线在左视图中画出，并判断可见性，如图 3-7c 所示。

3）检查、并擦去多余线条，加深左视图，如图 3-7d 所示。

★**学习指引**　初学者应经常进行看物想图练习，从不同的方向观察物体的投影情况，不断地进行思维训练，提升对三视图的理解。

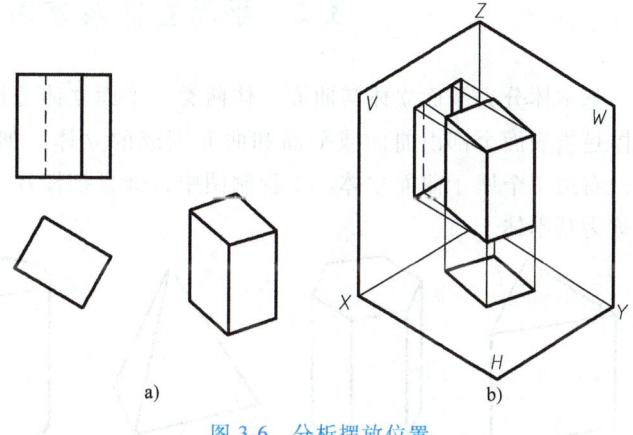

图 3-6 分析摆放位置

a）已知四棱柱的主、俯视图　b）四棱柱在投影体系中的位置

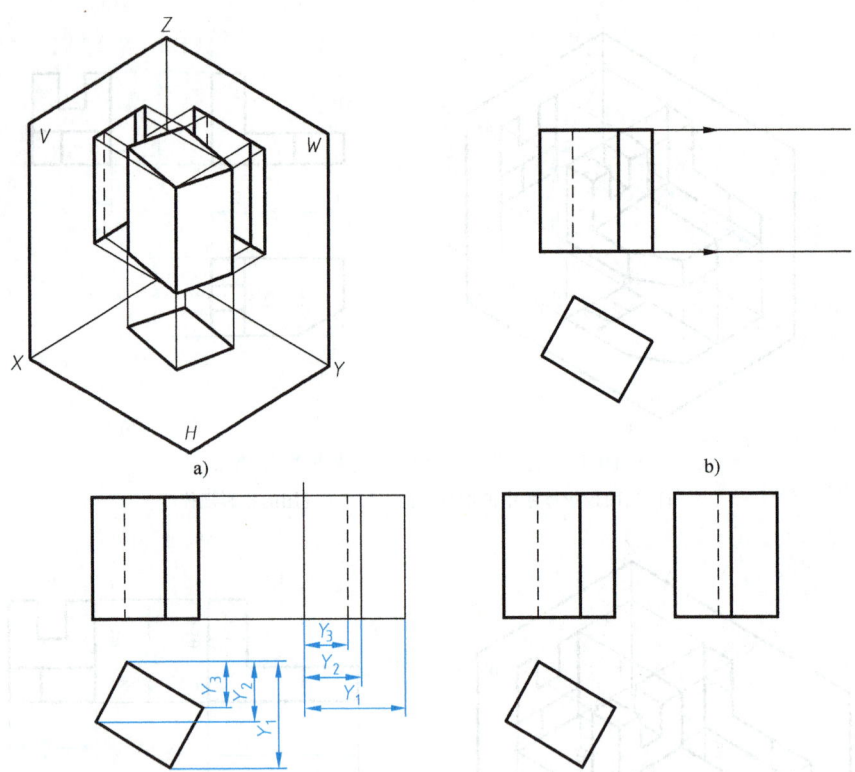

图 3-7 作图步骤

a) 分析各面在左视图中的投影情况　b) 依据"主左高平齐"画出顶、底面
c) 依据"俯左宽相等"画出四条侧棱线　d) 擦去多余的线条,加深左视图

★**关键点拨**　物体的长、宽、高的方向通常和三面投影体系中长、宽、高的方向一致,但有时却不同。因此,需要注意三视图投影规律的"长对正、高平齐、宽相等",指的是投影体系中的长、宽、高。

3.2　平面立体及其表面交线

基本体分为平面立体与曲面立体两类。平面立体是指表面全部由平面围成的立体。曲面立体是指表面全部由曲面或平面和曲面围成的立体。如图 3-8 所示,左边三个属于平面立体,右边三个属于曲面立体。工程制图中,通常把棱柱、棱锥、圆柱、圆锥、圆球等简单立体称为基本体。

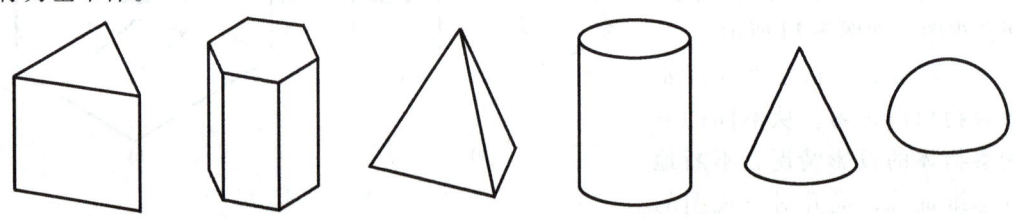

图 3-8　常见的基本体

基本体的表面由面和线组成，因此，作基本体的投影即作组成基本体表面的面和线的投影。

3.2.1 平面立体的三视图及其表面取点

平面立体中常见的两类基本形体是棱柱与棱锥。

1. 棱柱

顶（底）面为多边形，侧面为平行四边形的立体，称为棱柱。棱柱中相邻两表面之间的交线称为棱线；相邻两侧面之间的交线称为侧棱线，各侧棱线相互平行且相等。棱柱中常见的一类是正棱柱。正棱柱是指顶（底）面为正多边形，侧棱线垂直于顶（底）面的棱柱。

（1）棱柱的三视图

如图 3-9 所示，以正六棱柱为例，讲解棱柱三视图的绘制方法和步骤。

1）空间位置分析：正六棱柱的顶、底面平行于 H 面，前、后侧面平行于 V 面。

2）投影分析：棱柱的顶面和底面均为水平面，其水平投影反映正六边形，在正面投影及侧面投影积聚成一直线；前后侧面为正平面，它们的正面投影为反映实形的矩形，水平投影及侧面投影积聚为一直线；棱柱的其他四个侧面均为铅垂面，水平投影积聚为直线，正面投影和侧面投影均为小于实形的矩形。

六个侧棱线为铅垂线，水平投影积聚为一点，正面投影和侧面投影均反映实长。如：侧棱线 AB 的投影；棱柱顶（底）面上的棱线为侧垂线或水平线，侧面投影积聚为一点或是类似形，水平投影均反映实长，侧垂线正面投影亦反映实长。如：棱线 DE 为侧垂线；棱线 AD 为水平线，其投影如图 3-9b 所示。

3）作图步骤：如图 3-10 所示。

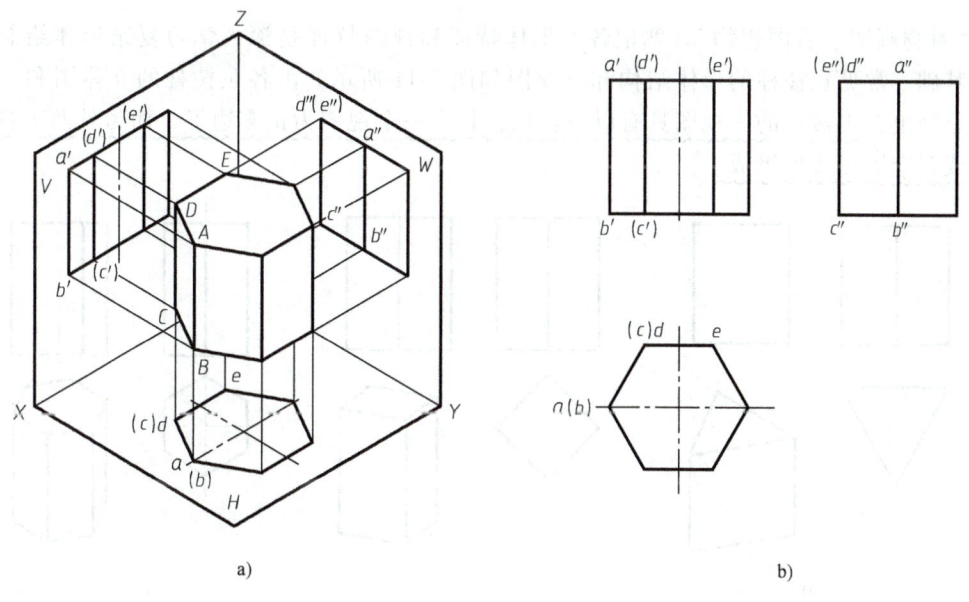

图 3-9 正六棱柱

a）正六棱柱的轴测图　b）正六棱柱的三视图

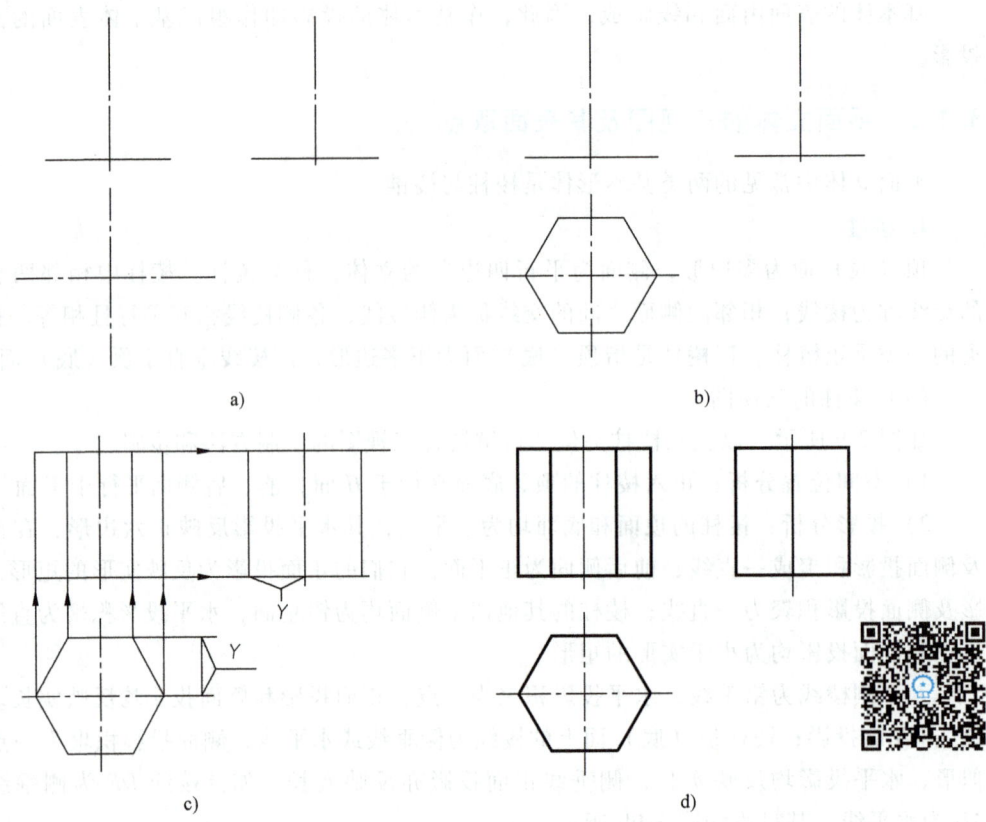

图 3-10 正六棱柱三视图的作图步骤

a）画作图基准线　b）先画实形　c）利用三视图投影规律画出主、左视图　d）检查、擦去多余的线条并加深

"看物画图、看图想物",熟记各类形体特征和视图特征是深入学习复杂形体绘制与识读的基础。常见正棱柱的形体结构和三视图如图3-11所示。由各正棱柱的立体图和三视图可以总结出,正棱柱的三视图具有以下特征：其中一个视图为正多边形,而另外两个视图由一个或多个矩形线框组成。

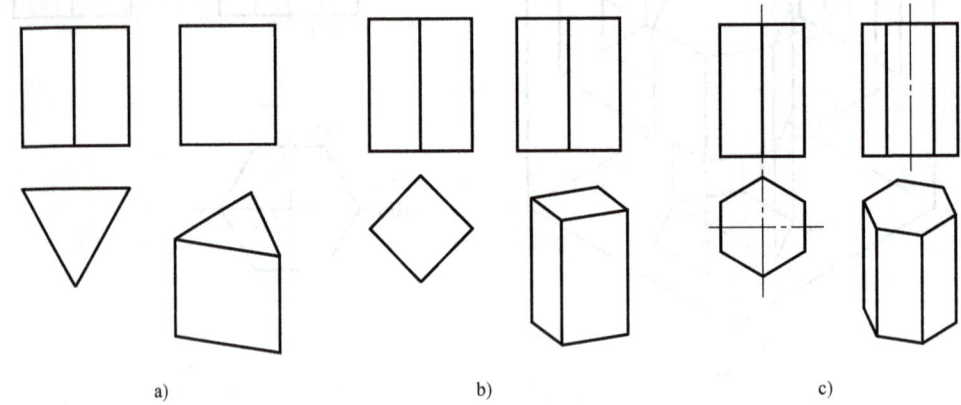

图 3-11 常见正棱柱的三视图

a）正三棱柱　b）正四棱柱　c）正六棱柱

（2）棱柱表面取点

棱柱表面由棱线和平面组成，棱柱表面上的点或在棱线上，或在平面上。若点在棱线上，则首先分析该棱线的投影；若点在平面上，则首先分析该平面的投影。

例 3-2 如图 3-12a 所示，已知正六棱柱表面上点 M 的正面投影 m' 和点 N 的侧面投影 n''，求作点 M 的水平投影 m 和侧面投影 m'' 及点 N 的水平投影 n 和正面投影 n'。

点的空间位置和投影分析

空间点 M 如图 3-12a 所示，由点 m' 的位置和可见性可以判断出空间点 M 在六棱柱的最左方的侧棱线上，如图 3-12b 所示。此侧棱线为铅垂线，其水平投影积聚为一点，则点 M 的水平投影点 m 必在该点；侧面投影为一直线，则点 M 的侧面投影点 m'' 必在该直线上。

空间点 N 如图 3-12a 所示，由点 n'' 的位置和可见性可以判断出空间点 N 必在正六棱柱左后方的侧面 $ABCD$ 上，如图 3-12b 所示。该侧面为铅垂面，其水平投影积聚为一直线，则点 N 的水平投影点 n 必在该直线上，利用"宽相等"可以找到点 n；再由点 n 和点 n''，利用"高平齐、长对正"可以求得点 n'。

作图步骤 具体作图步骤如图 3-12b 所示。在作图过程中要进行点投影的可见性判断，不可见点的投影加括号，当点所在的线、面的投影具有积聚性时，其上点的投影不加括号。

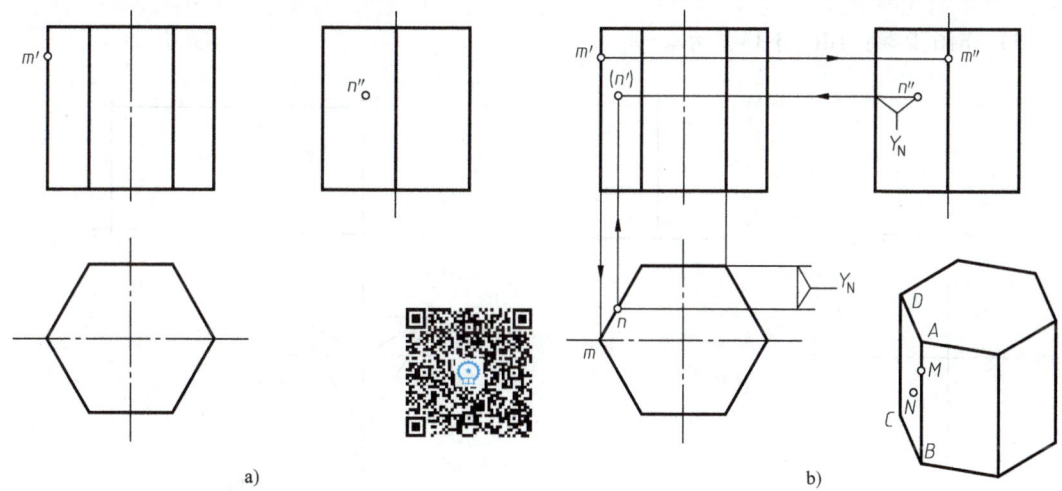

图 3-12 棱柱表面上点的求取

a）已知条件 b）利用投影规律求取各点的另外两面投影

2. 棱锥

底面为多边形，侧面为三角形的立体，称为棱锥。侧棱线交于有限远的一点——锥顶。底面为正多边形，侧面为全等的等腰三角形的立体，称为正棱锥。

（1）棱锥的三视图

如图 3-13 所示，以正三棱锥为例，介绍棱锥三视图的绘制方法和步骤。

1）空间位置分析：正三棱锥的底面平行于 H 面，后侧面垂直于 W 面且倾斜于 H 面。

2）投影分析：棱锥的底面 $\triangle ABC$ 平行于 H 面为水平面，水平投影为等边三角形，正面投影和侧面投影积聚成一直线；底边 AC 为侧垂线，$\triangle SAC$ 为侧垂面，故其后侧面 $\triangle SAC$ 在左视图上积聚成直线；前方两个侧面 $\triangle SAB$、$\triangle SBC$ 是一般位置平面，它们的各个投影均为类似形。前方侧棱线 SB 为侧平线，左右两侧棱线 SA、SC 为一般位置直线。

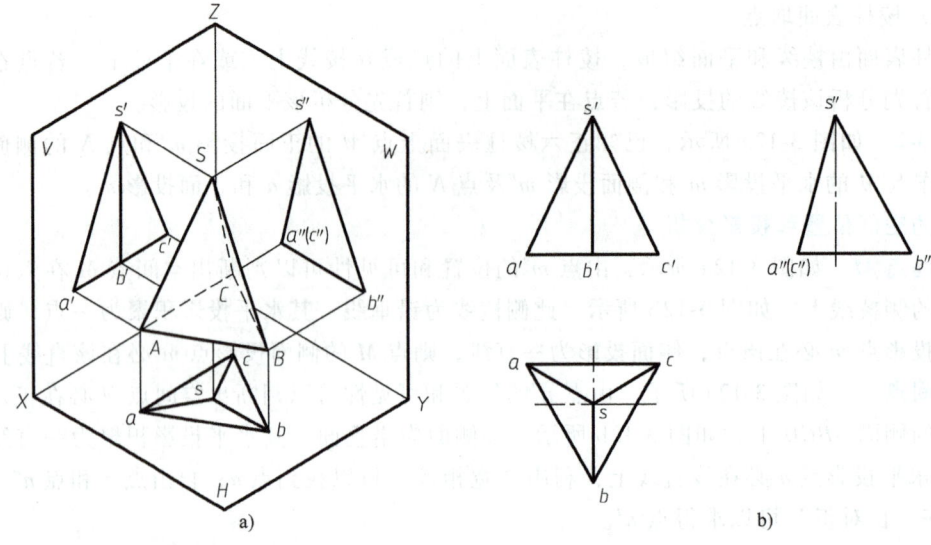

图 3-13 正三棱锥
a) 正三棱锥的轴测图　b) 正三棱锥的三视图

3) 作图步骤：如图 3-14 所示。

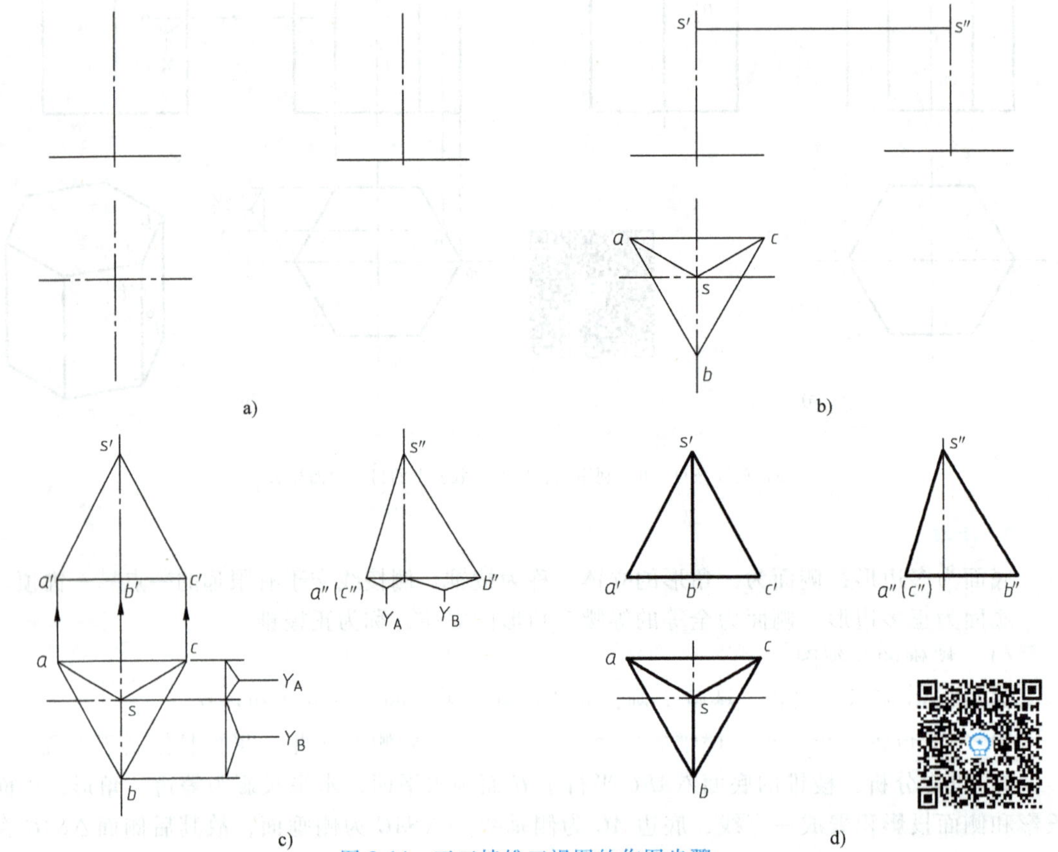

图 3-14 正三棱锥三视图的作图步骤
a) 画作图基准线　b) 画反映实形的俯视图　c) 由实形画主、左视图　d) 检查、加深

常见棱锥的形体结构和三视图如图 3-15 所示，由图 3-15 中各棱锥的立体图和三视图可以总结出，<u>棱锥的三视图具有的特征是：三个视图均由一个或多个三角形线框组成，其中一个视图的外轮廓是多边形，另外两视图的外轮廓是三角形。</u>

棱锥被平行于底面的平面截取上部，剩余的下部称为棱台。常见棱台的形体结构和三视图如图 3-16 所示，由图 3-16 中各棱台的立体图和三视图可以总结出，<u>棱台的三视图具有的特征是：三个视图均由一个或多个梯形线框组成，其中一个视图为内外轮廓相似的多边形（反映棱台顶、底面的实际形状）。</u>

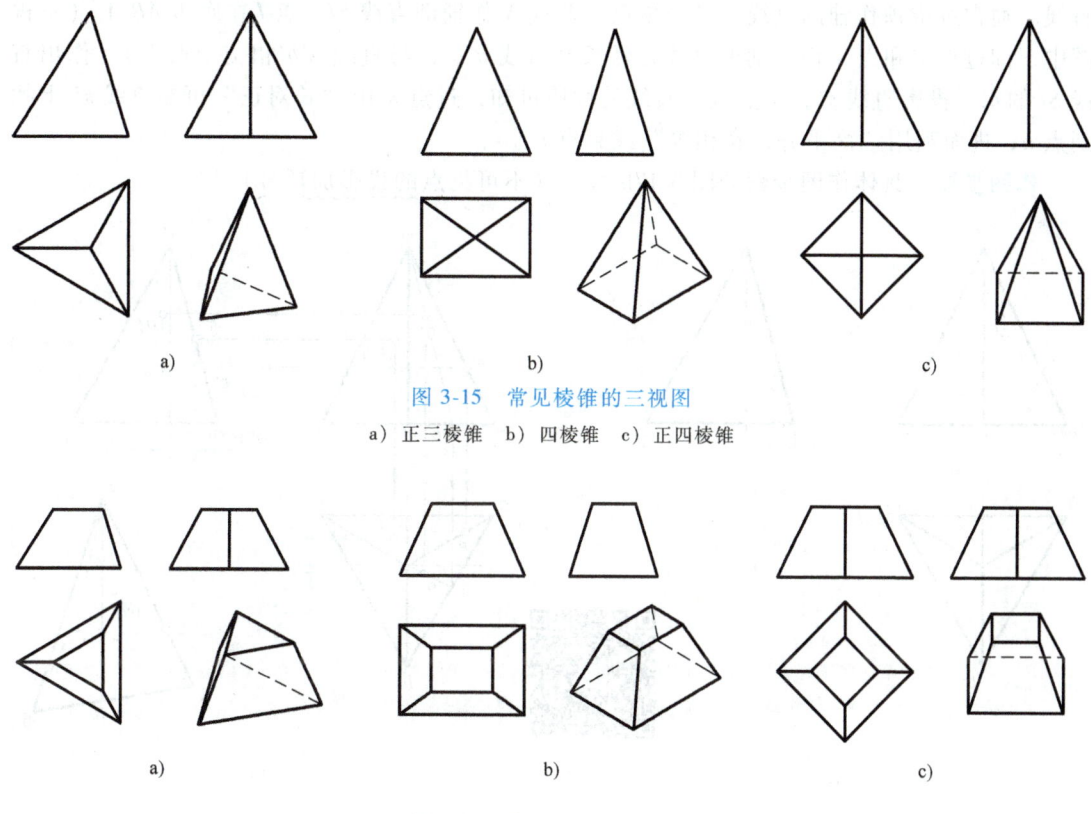

图 3-15 常见棱锥的三视图
a）正三棱锥 b）四棱锥 c）正四棱锥

图 3-16 常见棱台的三视图
a）正三棱台 b）四棱台 c）正四棱台

（2）棱锥表面取点

首先确定点所在的位置，若点在棱线上，则先找到该棱线的三面投影，然后在棱线的投影上找到点的投影。若点在平面上，则分析该平面的投影特性。若属于特殊位置平面上的点，可以利用该平面的积聚性投影直接作图；若属于一般位置平面上的点，可以利用辅助直线法求出点的投影。

例 3-3　如图 3-17a 所示，已知正三棱锥表面上的点 E 的正面投影点 e'、点 M 的水平投影点 m 和点 N 的正面投影点 n'，求取点 E 的水平投影点 e 和侧面投影点 e''、点 M 的正面投影点 m' 和侧面投影点 m'' 及点 N 的水平投影点 n 和侧面投影点 n''。

点的空间位置和投影分析

空间点 E　如图 3-17a 所示，由点 e' 在 $s'a'$ 线上可以判断出空间点 E 在棱线 SA 上，如

图 3-17b 所示。首先找到棱线 SA 的三面投影 s'a'、sa、s"a",然后由点 e'出发,利用"高平齐"在直线 s"a"上找到点 e",利用"长对正"在直线 sa 上找到点 e。

空间点 M　如图 3-17a 所示,由点 m 的位置和可见性可以判断出空间点 M 在平面 △SAC 上,如图 3-17b 所示。△SAC 为侧垂面,在左视图中的投影积聚为直线 s"a"(c")。因此,可利用"宽相等"由点 m 找到点 m",再利用"高平齐,长对正"找到点 m'。

空间点 N　如图 3-17a 所示,由点 n'的位置和可见性可以判断出空间点 N 在 △SAB 上,如图 3-17b 所示。而 △SAB 为一般位置平面。若要求取点 n 和点 n"则必须在 △SAB 内作辅助直线。通常过锥顶作辅助直线,过锥顶点 S 及点 N 作辅助直线 SI,点 I 在底边 AB 上(三视图中,即过点 s'和点 n'作一辅助直线并延长至直线 a'b',与直线 a'b'相交于点 1')。作出直线 SI 的水平投影直线 s1,由点属于直线的性质可知,过点 n'由"长对正"可在直线 s1 上找到点 n,进而利用"高平齐,宽相等"找到点 n"。

作图步骤　具体作图步骤如图 3-17b 所示(不可见点的投影加括号)。

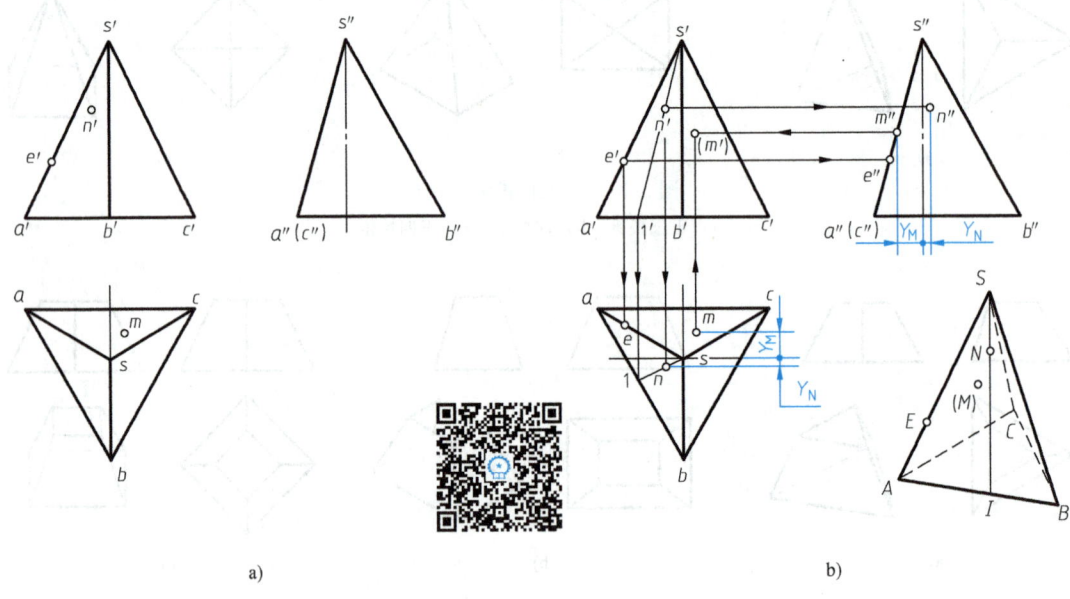

图 3-17　正三棱锥表面取点
a) 已知条件　b) 求取各点的投影

★**学习指引**　物体放置位置不同,三视图就不同。读者在学习过程中可通过变换棱柱和棱锥位置,练习平面立体三视图的绘制,熟练平面立体三视图的绘图步骤,掌握平面立体三视图特征。

★**关键点拨**　抓住反映实形的特征视图,领悟三视图投影规律,将有助于快速绘制平面立体三视图。

3.2.2　平面立体的截交线

1. 截交线的概念及性质

基本体被平面切割后的每一部分都称为截断体,截切基本体的平面称为截平面,截平面与基本体表面的交线,称为截交线,由截交线围成的平面称为截断面(简称截面)。正六棱柱的截切，如图3-18a所示。

截交线的形状与基本体表面特性及截平面与基本体的相对位置有关，它可能是直线，也可能是曲线，如图3-18b和图3-18c所示。无论截交线是何种形状，截交线都具有以下的两个性质：

共有性：截交线是截平面与基本体表面的共有线，是二者共有点的集合。

封闭性：由直线与直线，或直线与曲线，或曲线与曲线这些截交线所围成的平面是一个封闭的平面图形。

由以上性质可知，求取截交线，实质上是求取截平面和基本体表面上的一系列共有点。

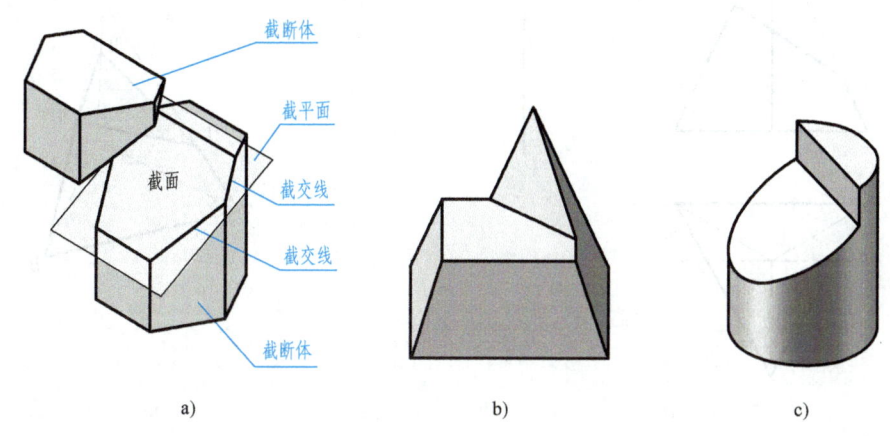

图3-18 基本体的截交线

a) 正六棱柱的截切　b) 正四棱锥的截切　c) 圆柱的截切

2. 平面立体的截交线

平面立体的各表面都是平面，因此它的截面是由一系列的直线所围成的封闭的多边形平面。多边形的每条边都是截平面与平面立体表面的交线，而各顶点是截交线之间的相交点。因此求取平面立体的截交线就是求取截平面和平面立体表面的共有点。通常，这些点分布在平面立体的各个棱线上。

求平面立体截交线的步骤：

1) 空间位置及投影分析　首先想象未切割之前物体的原始形状和空间位置，并分析截平面与立体的相对位置，进而确定截面的形状；然后分析截面与投影面的相对位置，确定截面的投影特性。

2) 求取截面的投影　找到截平面与被截棱线的交点，判断截交线的可见性，并用直线将各点的同面投影依次连接成封闭的多边形。

3) 完善轮廓　判断各轮廓线的可见性、存在性，完善轮廓线。

下面通过举例来说明平面立体的截断体的绘图方法和步骤。

例3-4　如图3-19a所示，已知主视图和俯视图的一部分，试补全俯视图并补画左视图。

物体空间位置及截面的投影分析

1) 想象未切割之前物体的原始形状及空间位置　如图3-19a所示，将主视图中被切割掉的部分补全，分析主、俯视图，可以看出未切割前的形体是正三棱锥。正三棱锥底面平行于 H 面，左右对称放置。

2）分析截面的空间位置及投影　如图 3-19a 所示，在主视图上，截面的投影积聚成与水平方向倾斜的直线，因此可以判断出该截面为正垂面，垂直于 V 面，倾斜于 H 面。由主视图可知，截平面与三个棱面相交，获得三条交线（三个交点，分别在三条侧棱线上），故截面为三角形，如图 3-19b 所示。正垂面的水平投影和侧面投影都具有类似性，因此该截面水平投影和侧面投影都是截面的类似形——三角形。

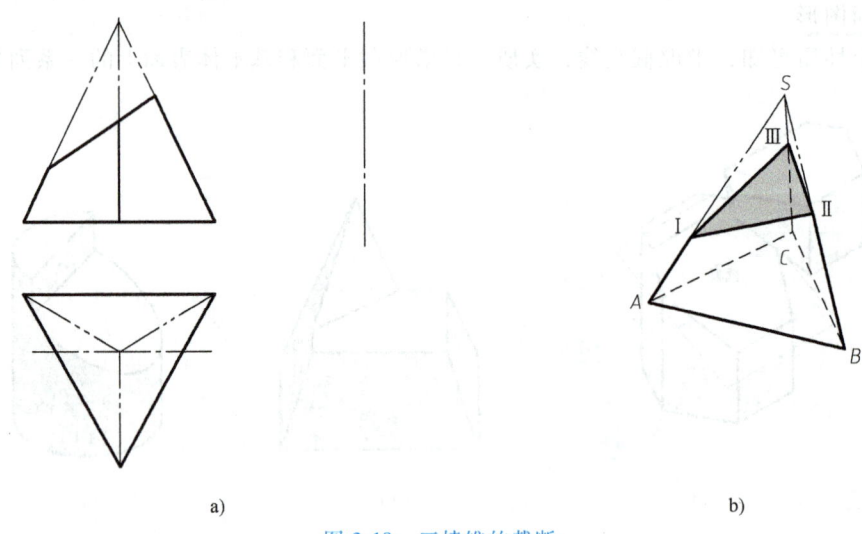

图 3-19　三棱锥的截断
a）已知条件　b）截面分析

作图步骤

1）利用三视图的投影规律画出未切割前的左视图，如图 3-20a 所示。

2）求截面的各顶点　因为截面的正面投影积聚为一条斜线，故截面上的三个顶点即截平面与三条侧棱线的交点。分别为 Ⅰ、Ⅱ、Ⅲ 三点，如图 3-19b 所示，点 Ⅰ 为棱线 SA 与截平面的交点，点 Ⅱ 为棱线 SB 与截平面的交点，点 Ⅲ 为棱线 SC 与截平面的交点。在主视图中标为 1′、2′和 3′。由点从属于直线的性质可知，点 Ⅰ 的各面投影都在直线 SA 的同面投影上；点 Ⅱ 的各面投影都在直线 SB 的同面投影上；点 Ⅲ 的各面投影都在直线 SC 的同面投影上。因此利用"长对正、高平齐、宽相等"，可以将截面上各顶点的另外两面投影找到。具体作图过程如图 3-20b 和图 3-20c 所示。注意点 Ⅱ 所在的棱线是一条侧平线，可用比例法求点 Ⅱ 的水平投影点 2，但较麻烦，因此可以先求侧面投影点 2″，再利用"长对正，宽相等"，找到水平投影点 2。

3）连线并判断可见性和存在性　连线顺序为点 Ⅰ-Ⅱ-Ⅲ-Ⅰ。俯视图上点 1-2-3-1 全部可见，因为棱锥上部被截去，故直线 s1、s2、s3 不存在。左视图上，截面可见，△SAB 可见，△SBC 不可见，△SCA 有积聚性；直线 Ⅰ-Ⅱ 在 △SAB 上，直线 1″2″可见，直线 Ⅰ-Ⅲ 在 △SCA 上，直线 1″3″与直线 s″a″重合，直线 Ⅱ-Ⅲ 为 △SBC 与截平面交线，直线 2″3″可见。又因为锥顶截去，故直线 s″1″及直线 s″2″不存在，作图过程如图 3-20d 所示。

4）完善轮廓　检查、擦去多余的线条，加深轮廓，如图 3-20d 所示。

例 3-5　如图 3-21a 所示，已知主视图和俯视图的一部分，试补全俯视图并补画左视图。

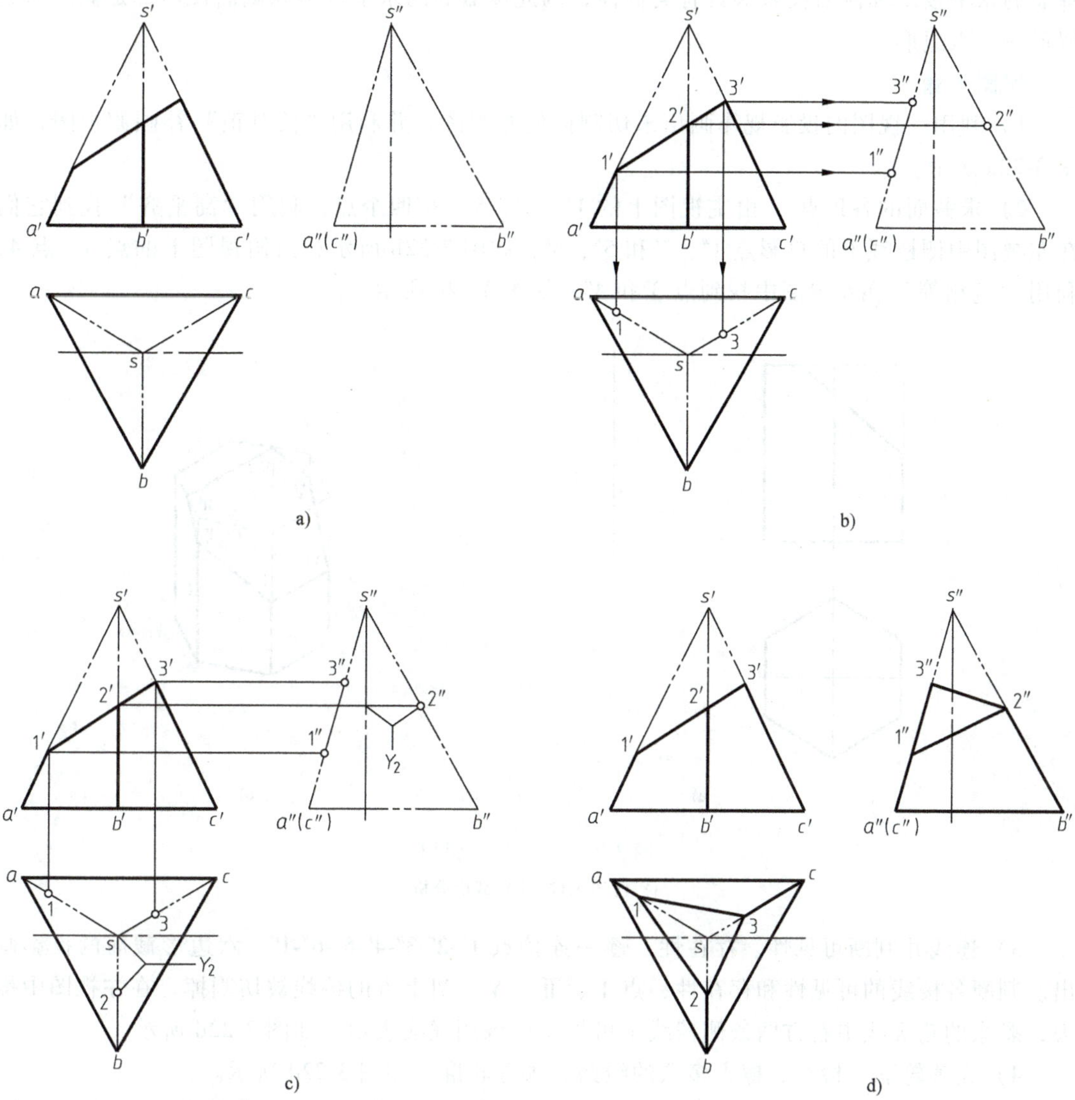

图 3-20　正垂面截切正三棱锥
a) 已知条件　b) 利用"长对正、高平齐"找到截面上各点的投影
c) 利用"宽相等"找到截面上点 Ⅱ 的水平投影 "2"　d) 判断可见性，依次连接各点，完善轮廓

物体空间位置及截面的投影分析

1) **想象未切割之前物体的原始形状及空间位置**　如图 3-21a 所示，将主视图中被切割掉的部分补全，分析主、俯视图，可以看出未切割前的形体是正六棱柱。正六棱柱顶、底面平行于 H 面，左、右侧面平行于 W 面，其余四个侧面垂直于 H 面，倾斜于 W 面。

2) **分析截面的空间位置及投影**　如图 3-21a 所示，在主视图上，截面的投影积聚成与水平方向倾斜的直线，因此可以判断出截面为正垂面，垂直于 V 面，倾斜于 H 面。由主视图可知，截平面与左、前、后五个侧面及顶面相交，共获得六条交线，其中有四个角点在四条侧棱线上，另外两个角点在顶面的前后棱线上，因此截面为六边形，如图 3-21b 所示。正垂面的水平投影和侧面投影都具有类似性,因此该截面的水平投影和侧面投影都是截面的类似形——六边形。

作图步骤

1) 利用三视图的投影规律画出未切割前的左视图,并利用"长对正"补画俯视图,如图 3-22a 所示。

2) 求截面的各顶点 由主视图上的 1′、2′、5′、6′四个点,利用"高平齐"找到它们在左视图中侧棱线上的投影点 1″、2″和 5″、6″,如图 3-22b 所示;由俯视图上的点 3、点 4,利用"宽相等"在左视图中找到点 3″和 4″,如图 3-22c 所示。

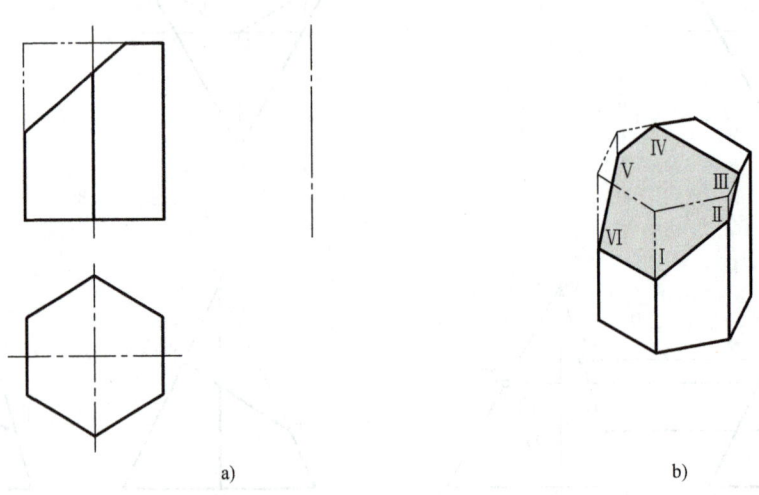

图 3-21 正六棱柱斜切
a) 已知条件 b) 截面分析

3) 连线并判断可见性、存在性 逐一连接点 1″-2″-3″-4″-5″-6″-1″,六边形截面的投影画出。判断各棱线的可见性和存在性,点 Ⅰ、Ⅱ、Ⅴ、Ⅵ上方的棱线被切割掉,在左视图中擦去,剩余的轮廓线中右方两条侧棱线不可见,应该用虚线表示,如图 3-22d 所示。

4) 完善轮廓 检查、擦去多余的线条,加深轮廓,如图 3-22d 所示。

例 3-6 如图 3-23a 所示,已知主视图和俯视图的一部分,试补全俯视图并补画左视图。

物体空间位置及截面的投影分析

1) 想象未切割之前物体的原始形状及空间位置 将主视图中被切割的部分补画完整,分析主、俯视图,可知未切割之前的形状是正四棱柱。四棱柱的顶底面与 H 面平行,四个侧面垂直于 H 面,倾斜于 V 面和 W 面,左右对称放置,如图 3-23 所示。

2) 分析截面的空间位置及投影 如图 3-23a 所示,由主视图可知正四棱柱的左上部被截切。形成截面 M 和截面 N 两个组合面截切正四棱柱,截面 M 属于正垂面,截面 N 属于侧平面。截面 M 与四个侧棱面和 N 面相交,故截面 M 是五边形,五边形的五个角点为 Ⅰ、Ⅱ、Ⅲ、Ⅳ、Ⅴ,而点 Ⅰ、Ⅱ、Ⅴ属于三条侧棱线上的点;截面 N 与顶面、两个侧棱面及 M 面相交,故截面 N 是四边形——矩形,如图 3-23b 所示。

截面 M 属于正垂面,其水平投影和侧面投影都具有类似性,因此截面 M 在俯视图和左视图上的投影都应是该平面的类似形——五边形;截面 N 属于侧平面,其水平投影积聚成

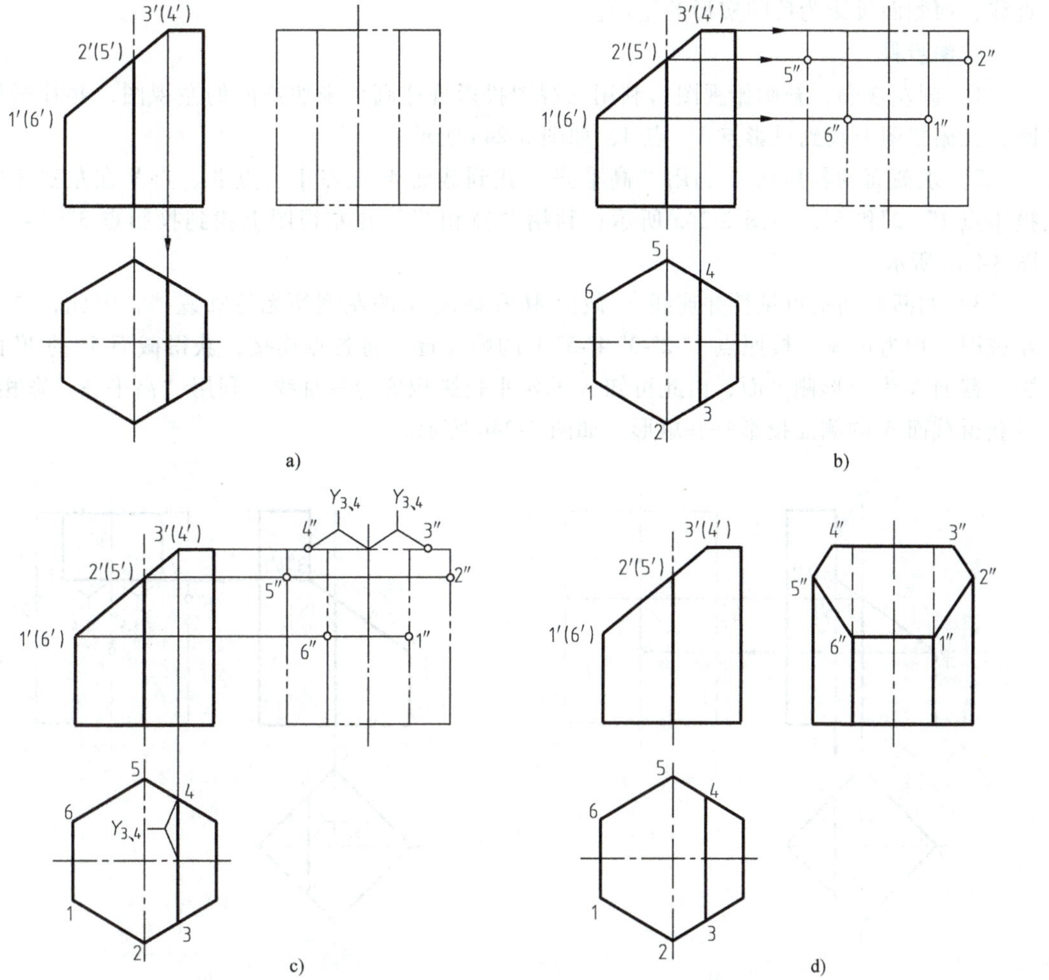

第3章 立体及其表面的交线

图 3-22 正六棱柱斜切作图步骤

a）补全俯视图，补画未切割前的左视图　b）利用"高平齐"找到各点在左视图中的投影
　　c）利用"宽相等"找到点3″和4″　d）逐一连接各点，并完善轮廓

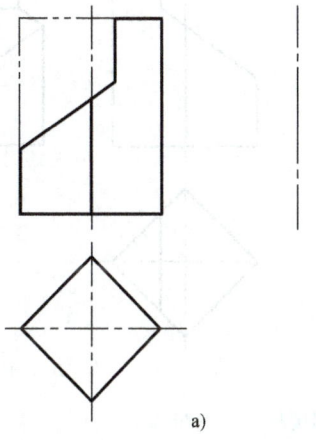

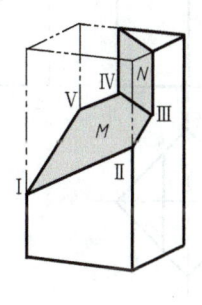

图 3-23 带切口正四棱柱

a）已知条件　b）截面分析

直线,而侧面投影为反映实形的矩形。

作图步骤

1) 画左视图,补画俯视图　利用三视图投影规律画出未切割前的左视图,并补画俯视图,在俯视图上找到投影点3、点4,如图3-24a所示。

2) 求截面的各顶点　利用"高平齐"找到截面 M 上点 Ⅰ、点 Ⅱ、点 Ⅴ 在左视图中的投影点 $1''$、$2''$ 和 $5''$,如图3-24a所示;利用"宽相等"在左视图上找到投影点 $3''$ 和 $4''$,如图3-24b所示。

3) 判断截面的可见性并连线　截面 M 和截面 N 的左侧均无轮廓遮挡,因此,二者在左视图中均为可见。按照点 $1''$-$2''$-$3''$-$4''$-$5''$-$1''$ 的顺序逐一将各点连接,获得截面 M 的 W 面投影。截面 N 为矩形侧平面,由此可知 N 的水平投影积聚为一直线,利用"高平齐,宽相等"可获得截面 N 的侧面投影——矩形,如图3-24c所示。

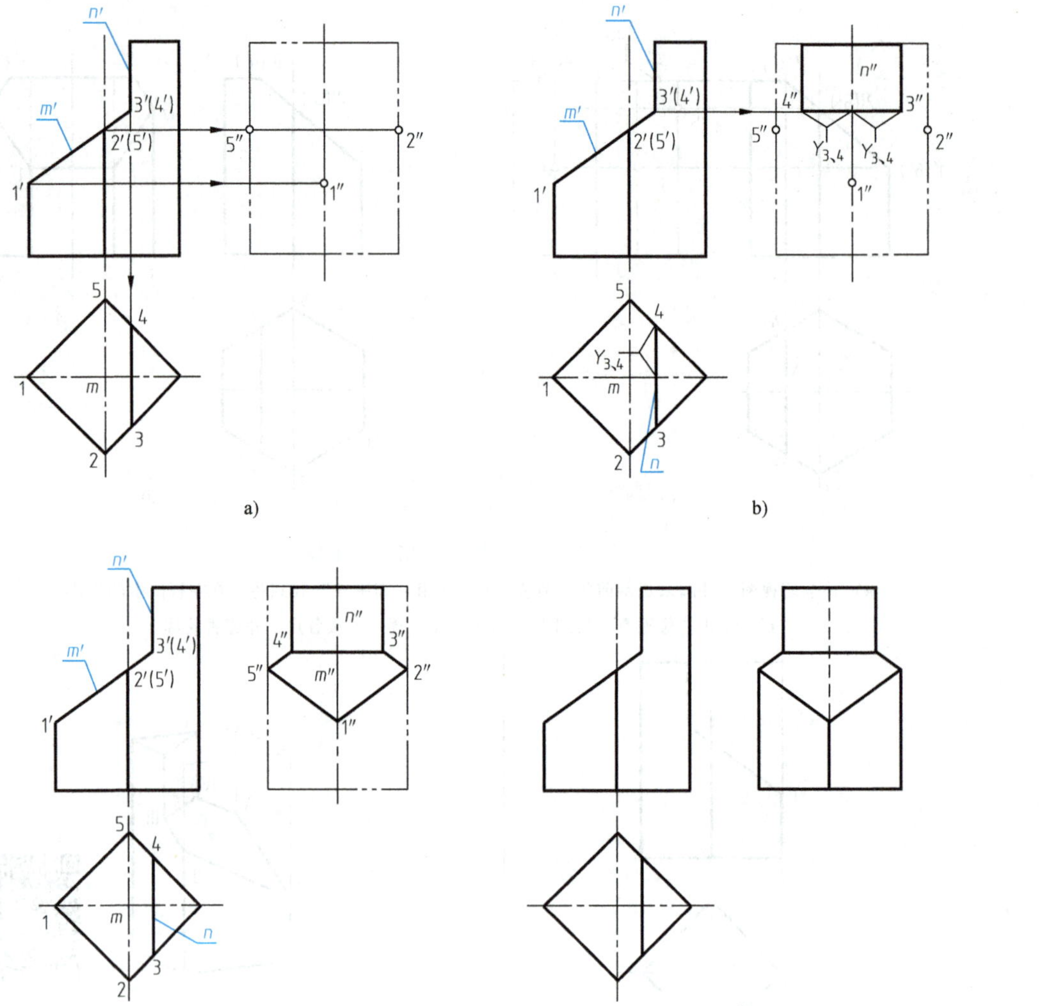

图3-24　带切口正四棱柱的作图步骤

a) 求取截面上的投影点 $1''$、$2''$ 和 $5''$　b) 求取截面上投影点 $3''$ 和点 $4''$
c) 画出截面 M 和截面 N 的 W 面投影　d) 判断存在性和可见性,擦去多余的线条,加深轮廓

4)判断轮廓线的存在性和可见性　因为Ⅰ点、Ⅱ点、Ⅴ点以上的侧棱线被切割,因此左视图中点1″、2″、5″以上无棱线。正四棱柱右方的侧棱线是完整的,在左视图中不可见,因此其投影用虚线表示,如图3-24d所示。

5)完善轮廓　检查、擦去多余的线条,加深轮廓,如图3-24d所示。

例 3-7　如图3-25a所示,已知主视图和俯视图的一部分,试补全俯视图和补画左视图。

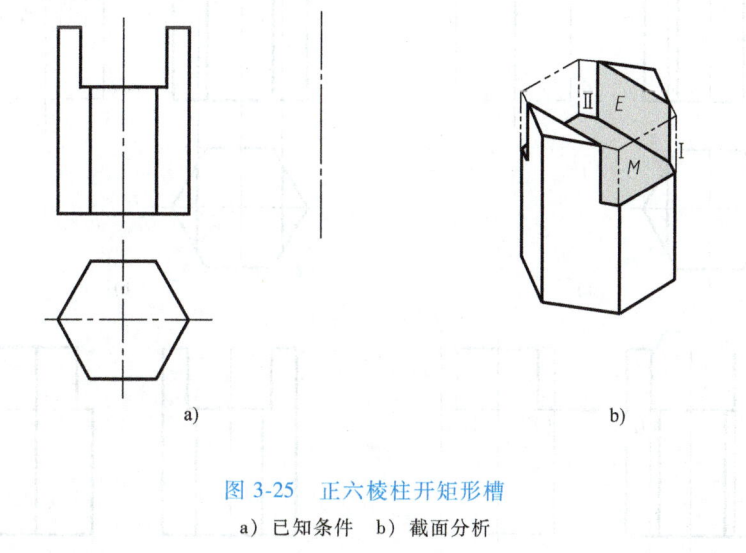

图 3-25　正六棱柱开矩形槽
a) 已知条件　b) 截面分析

物体空间位置及截面的投影分析

1)想象未切割之前物体的原始形状及空间位置　将主视图中被切割的部分补画完整,分析主、俯视图,可知未切割之前的形状是正六棱柱。正六棱柱的顶、底面平行于 H 面,前后侧面平行于 V 面,其余四个侧面垂直于 H 面,且倾斜于 V 面和 W 面,左右对称放置,如图3-25b所示。

2)分析截面的空间位置及投影　如图3-25a所示,由主视图可知正六棱柱的上部对称开矩形通槽。共三个截面组合切割,两个侧平面 N 和 E,一个水平面 M。截面 N 和截面 E 关于对称中心面对称。各截面的投影为:截面 N 和截面 E 的水平投影均积聚成直线,侧面投影为反映实形的矩形并重影;截面 M 的水平投影为反映实形的八边形,侧面投影积聚成一条直线。

作图步骤

1)利用三视图投影规律画出未切割前的左视图,补画俯视图,找到投影点1、点2,如图3-26a所示。

2)求截面 N、E、M 的水平投影和侧面投影。截面 N、E 为侧平面,它们的水平投影积聚为一直线,利用"长对正"画出,侧面投影为矩形,利用"高平齐,宽相等"画出;截面 M 为水平面,利用"长对正,高平齐"即可获得,如图3-26b和图3-26c所示。

3)判断可见性和存在性　正六棱柱中间开槽,左视时槽的两个侧面截面 N 和截面 E 被遮挡,因此其边线投影1″2″画成虚线;由图3-25b可知正六棱柱前后的四条侧棱线被切割,因此左视图中这四条棱线从截面 M 以上不存在,如图3-26d所示。

4)完善轮廓 检查、擦去多余的线条,加深轮廓,如图3-26d所示。

注意:在侧面投影中,矩形截面和水平截面的交线为不可见,故其投影用虚线表示。

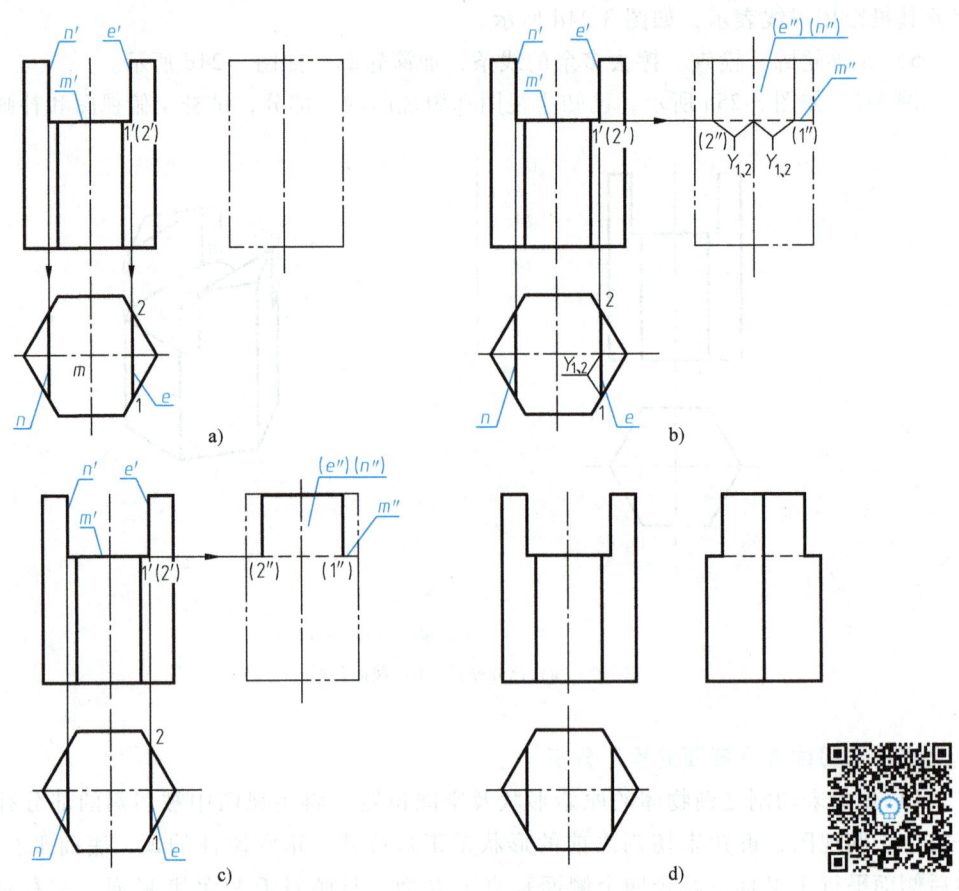

图 3-26 正六棱柱开矩形槽的作图步骤

a)补全俯视图,找到截面 M 的水平投影和点 1、点 2 b)利用"宽相等"找到投影点 1″和 2″
c)找到截面 E、N 和截面 M 的侧面投影 d)判断存在性和可见性,擦去多余线条,完善轮廓

请读者仔细识读图 3-27 至图 3-30 平面立体的切割体三视图。自行分析物体在未切割前

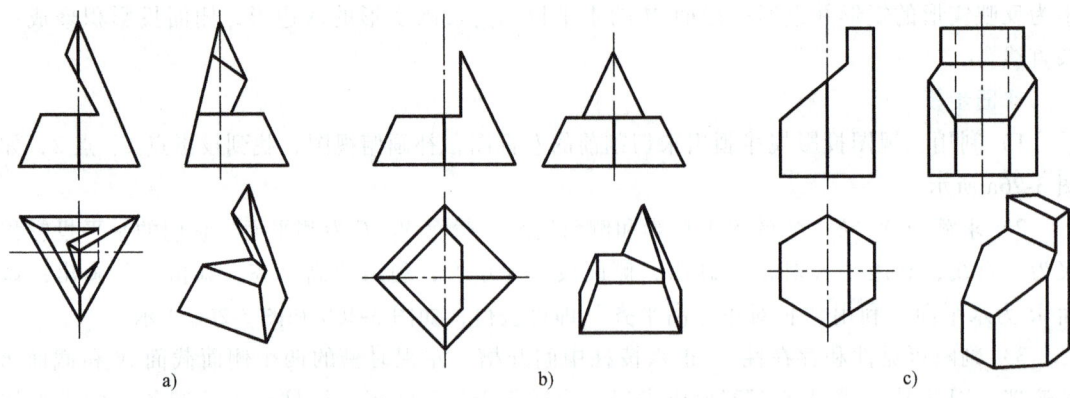

图 3-27 带切口平面体

a)带切口三棱锥 b)带切口四棱锥 c)带切口六棱柱

的原始形状，抓住切口、开槽、穿孔这类特征，并分析截面的形状及投影。同时，分析切割后的形体轮廓线的可见性和存在性。看物画图，看图想物，积累三视图储备，熟练平面立体中的切割体三视图的画图方法和步骤，是学习制图的必经途径。

请读者将图 3-28 和图 3-29 进行比较，找出二者在结构上和视图中的共同特点。

图 3-30 中给出了机械机构中常见的三种通槽，读者可以自行思考和绘制其他棱柱或棱台开各类通槽的三视图，提高制图的绘图能力和空间思维能力。

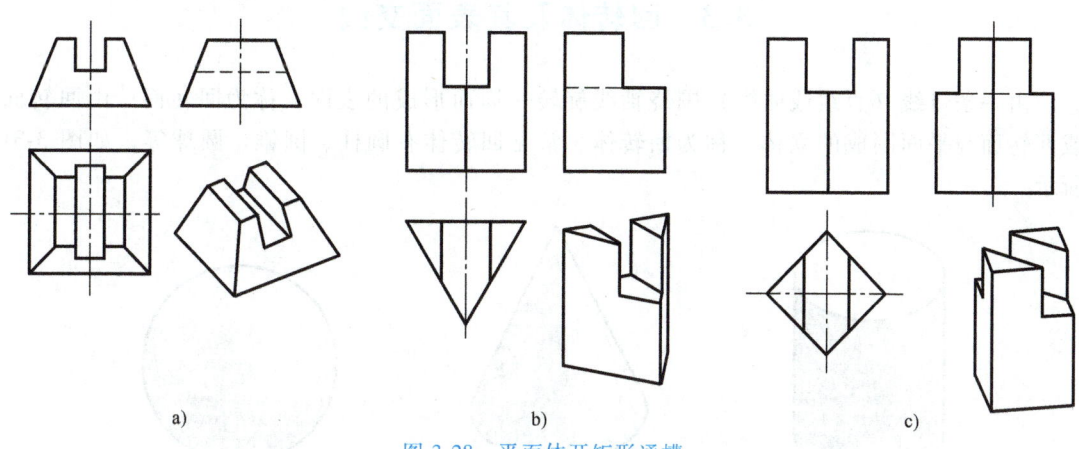

图 3-28　平面体开矩形通槽

a）开矩形槽四棱台　b）开矩形槽三棱柱　c）开矩形槽四棱柱

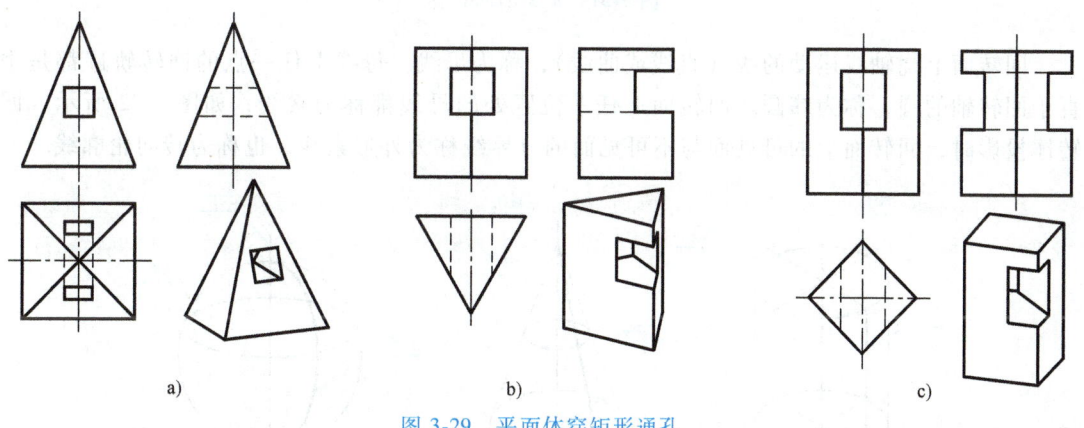

图 3-29　平面体穿矩形通孔

a）穿矩形孔四棱锥　b）穿矩形孔三棱柱　c）穿矩形孔四棱柱

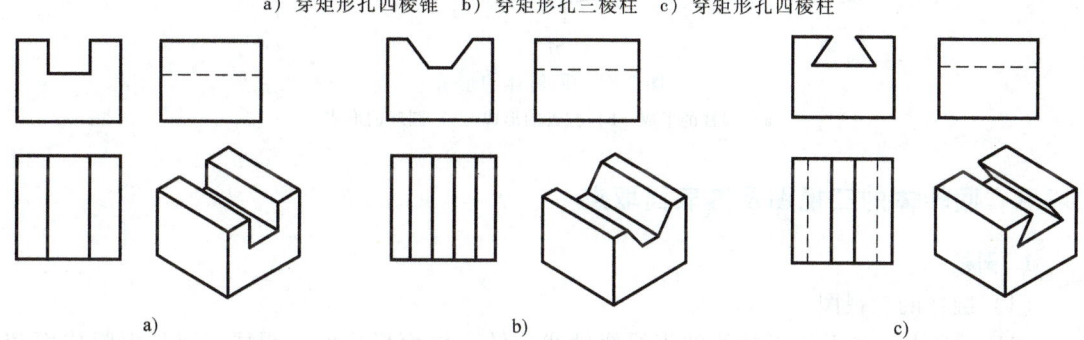

图 3-30　四棱柱开槽

a）矩形槽　b）V 形槽　c）燕尾槽

★**学习指引** 在熟练掌握平面立体三视图的绘制和立体表面找点的基础上,才能确定截面的空间位置,绘制出截断体的三视图。

★**关键点拨** 作截断体视图,首先要分析截断体中截面的形状和特性,尤其理解并熟练应用平面投影中"两线一面"和"两面一线"的特性,熟练应用平面投影的类似性。此外,还要分析轮廓线的存在性和可见性。

3.3 回转体及其表面交线

由一条母线(直线或曲线)围绕轴线旋转一周而形成的表面,称为回转面;由回转面或回转面与平面围成的立体,称为回转体。常见回转体有圆柱、圆锥、圆球等,如图3-31所示。

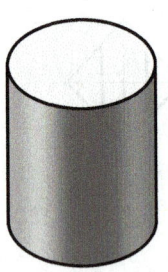
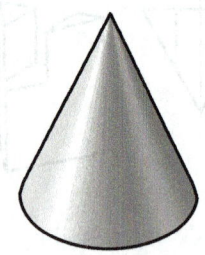
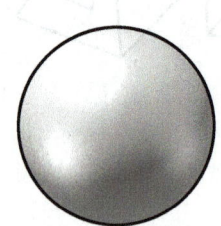

图3-31 常见的回转体

回转面上绕轴线运动的线(直线或曲线),称为母线。母线上任一点的回转轨迹都是垂直于回转轴的圆,称为纬圆。回转面上任一位置处的母线都称为素线,如图3-32所示。回转体投影时,回转面上的可见与不可见面的分界线称为外形素线,也称为转向轮廓线。

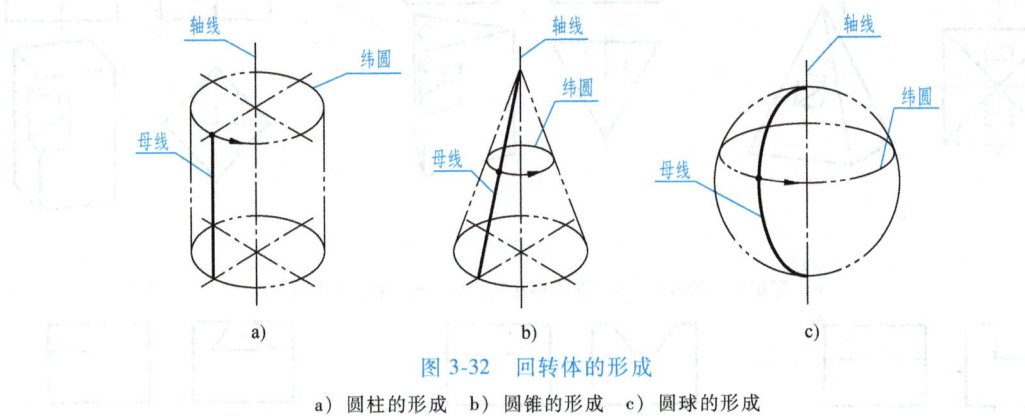

图3-32 回转体的形成
a)圆柱的形成 b)圆锥的形成 c)圆球的形成

3.3.1 回转体的三视图及其表面取点

1. 圆柱

(1)圆柱的三视图

圆柱面是由一条平行于轴线的直线绕轴线旋转一周而形成的。圆柱表面是由圆柱面和上、下两个垂直于轴线且相互平行的圆形平面围成。

图 3-33 为轴线垂直于 H 面的圆柱空间位置和三视图。因为其上、下底面圆为平行于 H 面的水平面，所以上、下底面在 H 面上投影为反映实形的圆形平面，在 V、W 面上投影积聚为直线。因为圆柱面上所有的素线都垂直于 H 面，所以圆柱面在 H 面上的投影积聚为圆线；而向 V 面上投影时，圆柱面投影为矩形，矩形的左、右边界线分别为圆柱面左、右方外形素线，左、右方外形素线在 W 面上的投影与轴线重合；向 W 面上投影时，圆柱面投影为矩形，矩形的前、后边界线分别为圆柱面前、后方外形素线，前、后方外形素线在 V 面上的投影与轴线重合。

注意：向 V 面投影时，前半圆柱面可见，后半圆柱面不可见，左、右外形素线是前、后半圆柱面的分界线；向 W 面投影时，左半圆柱面可见，右半圆柱面不可见，前、后外形素线是左、右半圆柱面的分界线。

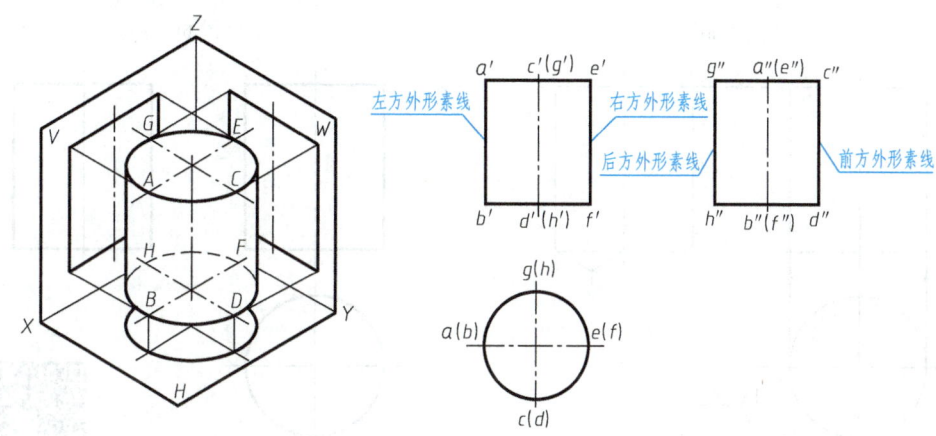

图 3-33　圆柱的三视图

圆柱三视图的画图步骤如图 3-34 所示：
1）画出俯视图中圆的对称中心线，主、左视图中圆柱的回转轴线，以及代表底面的基准线，如图 3-34a 所示。
2）画出反映实形的圆（圆柱的顶面和底面在 H 面上的投影），如图 3-34b 所示。
3）利用三视图投影规律画出主视图和左视图，如图 3-34c 所示。
4）检查、加深线条，如图 3-34d 所示。

注意：对称中心线和轴线的线型均为细点画线。

如图 3-34d 和图 3-35 所示，由两组圆柱的三视图可以总结出，圆柱三视图的特征是：其中一个视图为圆，另外两个视图是全等的矩形。

（2）圆柱表面取点

圆柱表面由圆柱面（曲面）和上、下两个底面圆（平面）围成。当点在底面上时，先确定底面的投影，再在底面的投影上确定点的投影。当点在圆柱面上时，首先判断点是否在外形素线上，若点在外形素线上，则先找到该外形素线的投影，再在外形素线的投影上找到点的投影；若点不在外形素线上，则先在圆柱面具有积聚性投影的圆线上找到点的投影，再利用投影规律找点的其他两面投影。

例 3-8　如图 3-36a 所示，已知圆柱表面点 E 的水平投影点 e、点 M 的侧面投影点 m'' 和点 N 的正面投影点 n'，求取点 e' 和点 e''、点 m 和点 m'，以及点 n 和点 n''。

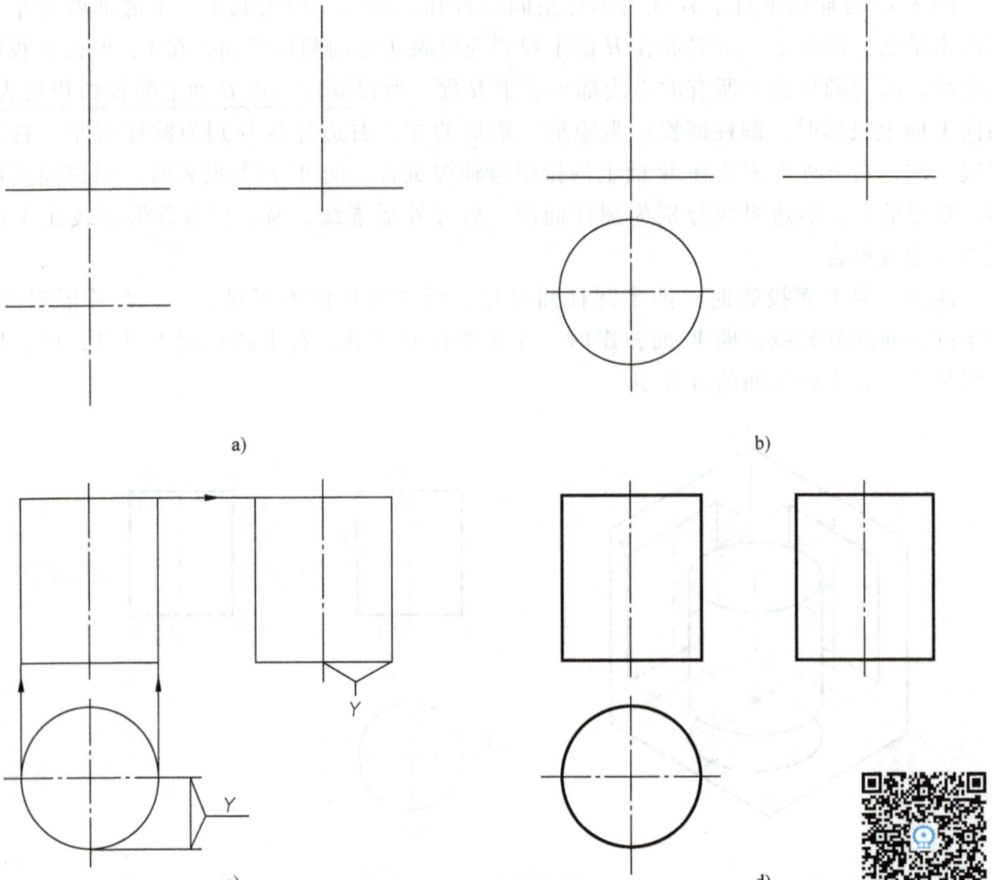

a)   b)

c)   d)

图 3-34　圆柱三视图的画图步骤

a）画作图基准线　b）画反映实形的俯视图　c）依据三视图投影规律画主、左视图　d）检查、加深

点的空间位置和投影分析

1）空间点 E　由图 3-36a 俯视图中投影点 e 在圆线内，且加括号，可以判断出空间点 E 在圆柱的下底面圆内。下底面圆在 V 面、W 面上的投影均积聚为直线，因此，利用"长对正，宽相等"即可在直线上找到点 e' 和点 e''。

2）空间点 M　由图 3-36a 左视图中投影点 m'' 的位置，可以判断出空间点 M 在圆柱面的前方外形素线上。前方外形素线的水平投影积聚为圆线上最前方一点，因此 m 即在该点；而其正面投影和轴线重合，因此从点 m'' 出发，利用"高平齐"在轴线上可找到点 m'。

3）空间点 N　由图 3-36a 主视图中投影点 n' 在矩形面内（轴线的左方），且无括号，可以判断出空间点 N 在左前方的圆柱面内（非外形素线处）。圆柱面的水平投影积聚为圆线，

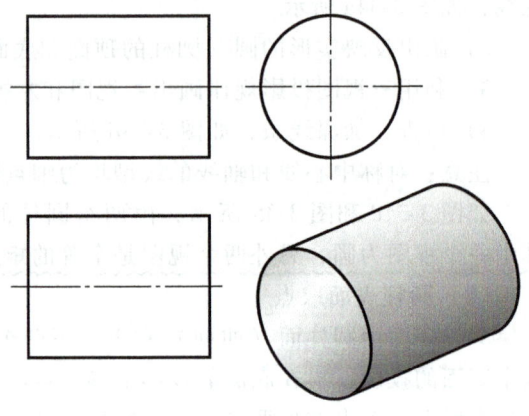

图 3-35　轴线垂直于 W 面的圆柱的三视图

因此从点 n' 出发利用"长对正"可在圆线上找到点 n，再利用"高平齐，宽相等"可在左视图中找到点 n''。

各点的空间位置如图 3-36a 所示。

作图步骤 利用"长对正、高平齐、宽相等"找到各点的其他两面投影，具体作图过程如图 3-36b 所示。

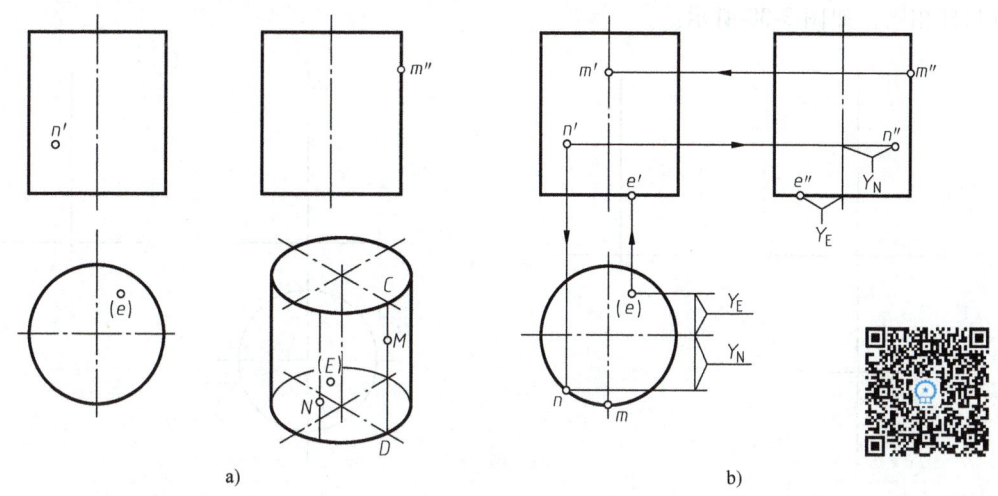

图 3-36 圆柱的表面取点

a）已知条件 b）利用投影规律找到未知投影

2. 圆锥

（1）圆锥的三视图

圆锥面是由一直线绕与之相交成锐角的轴线旋转一周而形成的。圆锥表面是由圆锥面和底面圆组成。图 3-37 为轴线垂直于 H 面的圆锥空间位置和三视图。圆锥的底面圆为平行于

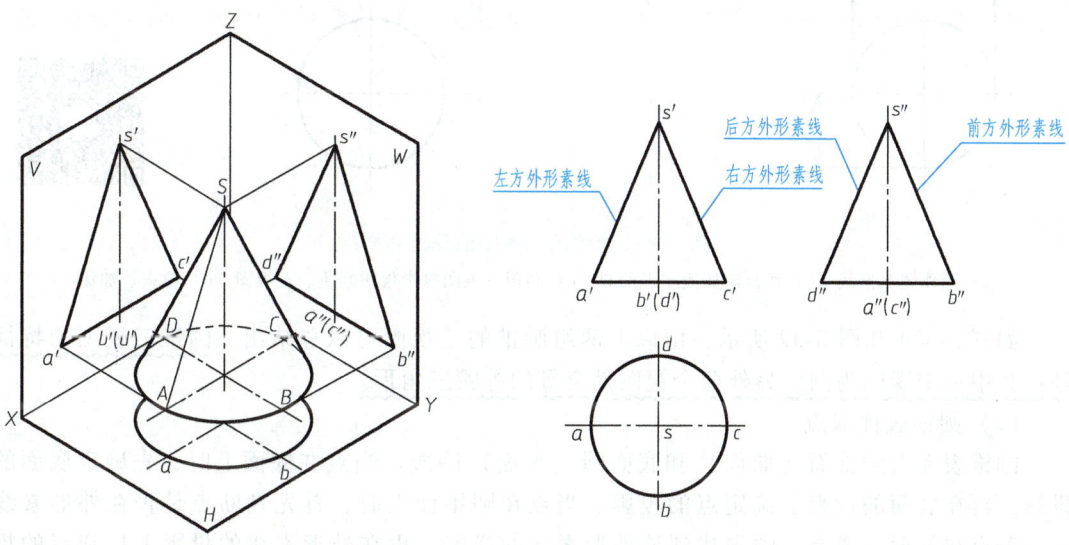

图 3-37 圆锥的三视图

H 面的水平面，其水平投影为反映实形的圆面，其正面投影和侧面投影积聚为垂直于轴线的直线。圆锥面的正面投影和侧面投影均为等腰三角形面，其水平投影为圆面。因此圆锥面的任意一面投影均不具有积聚性。主视图中直线 $s'a'$ 和直线 $s'c'$ 分别为圆锥面上左、右方外形素线 SA 和 SC 的投影，它们的侧面投影与轴线重合。左视图中直线 $s''b''$ 和直线 $s''d''$ 分别为圆锥面上前、后方外形素线 SB 和 SD 的投影，它们的正面投影与轴线重合。圆锥的作图步骤与圆柱相同，如图 3-38 所示。

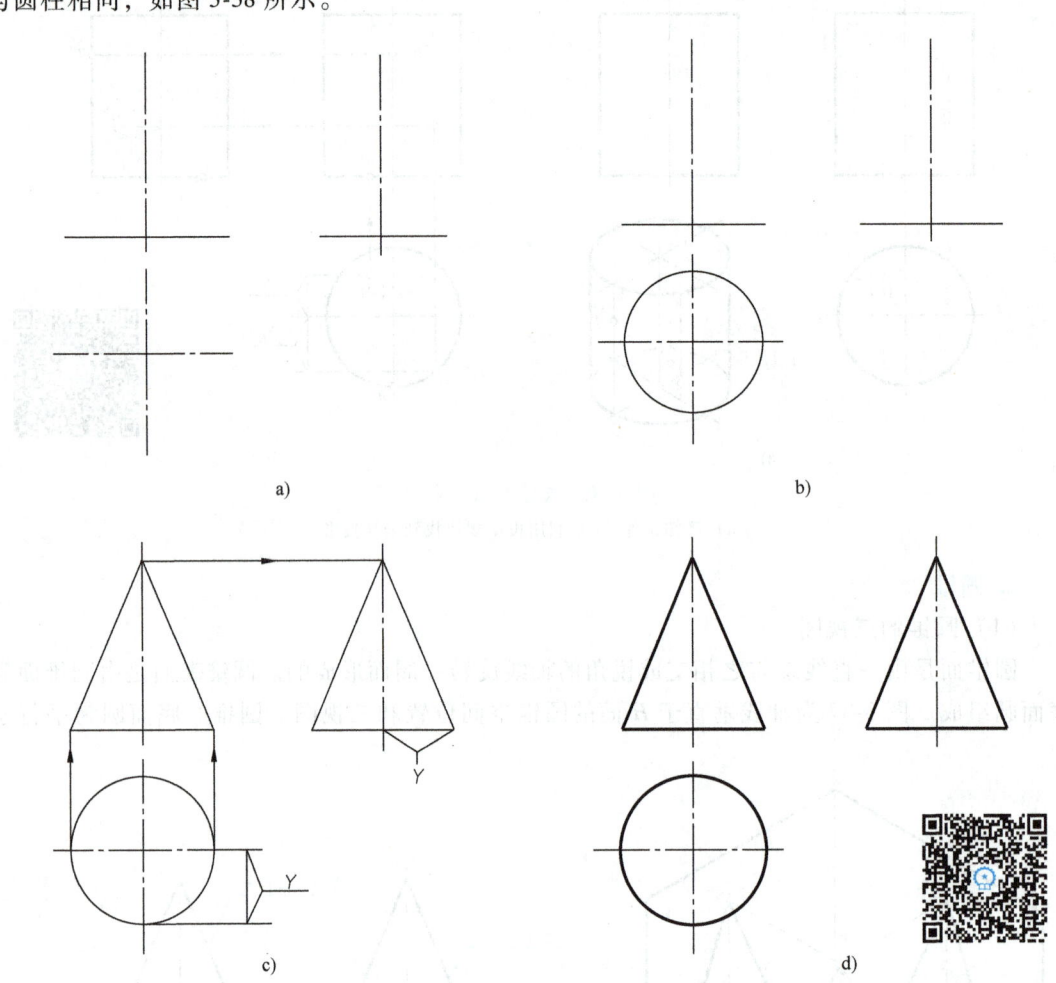

图 3-38　圆锥的三视图的作图步骤

a) 画作图基准线　b) 画反映底面实形的圆　c) 利用三视图投影规律画主、左视图　d) 检查、加深

如图 3-38d 和图 3-39 所示，由以上两组圆锥的三视图可以总结出，圆锥三视图的特征是：其中一个视图为圆，另外两个视图是全等的等腰三角形。

（2）圆锥表面取点

圆锥表面由圆锥面（曲面）和底面圆（平面）围成。当点在底面上时，先确定底面的投影，再在底面的投影上确定点的投影。当点在圆锥面上时，首先判断点是否在外形素线上，若点在外形素线上，则先找到该外形素线的投影，再在外形素线的投影上找到点的投影；若点不在外形素线上，则需要在圆锥面上过点作辅助线（因为圆锥面的三面投影均不具有积聚性），通过辅助线再利用三视图投影规律找到点的各面投影。

例 3-9 如图 3-40a 所示,已知圆锥表面点 G 的正面投影点 g′、点 H 的侧面投影点 h″和点 E 的水平投影点 e,求取点 g 和点 g″、点 h 和点 h′,以及点 e′和点 e″。

点的空间位置和投影分析

1) 空间点 G 由图 3-40a 主视图中的点 g′在直线 s′a′上,可知点 G 在圆锥面的左方外形素线 SA 上。首先找到 SA 的水平投影线 sa 和侧面投影线 s″a″,然后利用"长对正、高平齐",在该外形素线的投影上找到点 g 和点 g″。

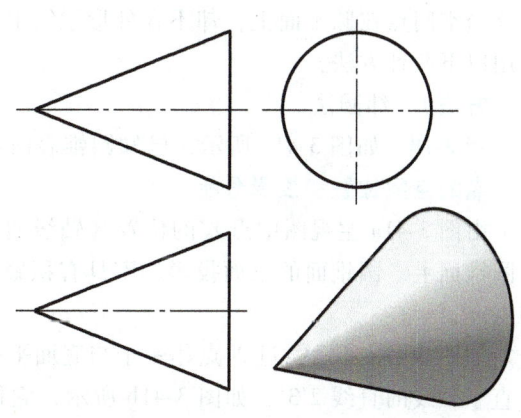

图 3-39 轴线垂直于 W 面圆锥的三视图

2) 空间点 H 由图 3-40a 左视图中的点 h″在直线 s″d″上,可知点 H 在圆锥面的后方外形素线 SD 上。首先找到 SD 的水平投影线 sd 和正面投影线 s′d′,然后利用"宽相等、高平齐",在该外形素线的投影上找到点 h 和点 h′。

3) 空间点 E 由图 3-40a 俯视图中的点 e 在圆线内,且加括号,可知点 E 在圆锥的底面圆上。底面圆的正面投影和侧面投影均积聚为垂直于轴线的直线,因此利用"长对正、宽相等"在该面的积聚性投影上找到点 e′和点 e″。

注意:分析投影时需要判断投影点的可见性,不可见点的投影加括号表示。

作图步骤 利用"长对正、高平齐、宽相等"找到各点的其他两面投影,具体作图过程如图 3-40b 所示。

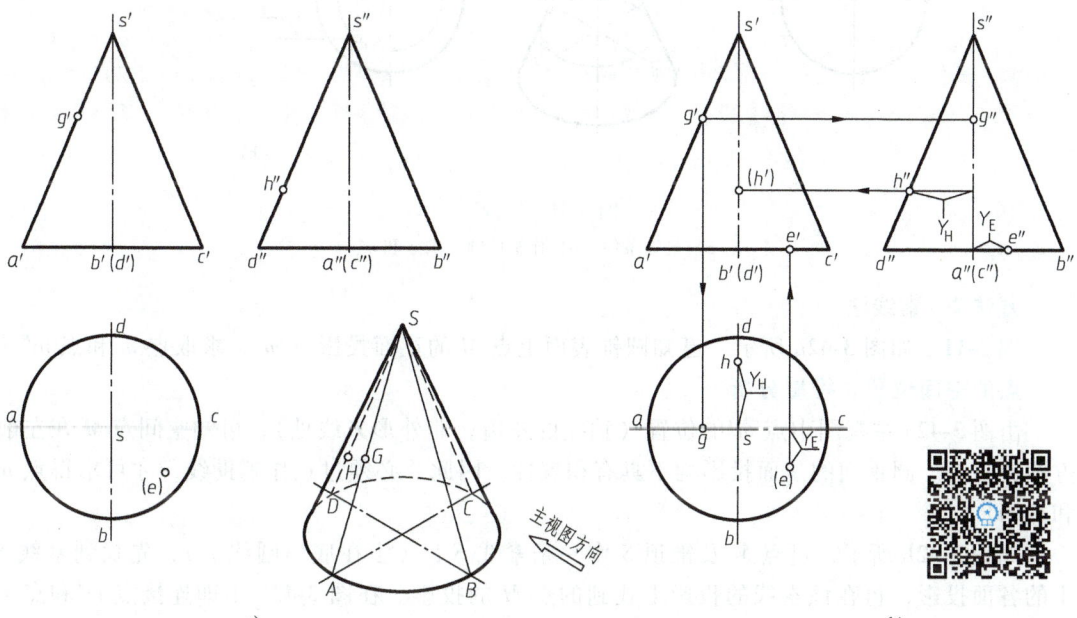

图 3-40 圆锥表面的特殊点
a) 已知条件 b) 各点投影的求取

当空间点在圆锥面上，却不在外形素线上时，就需要过点作辅助线找到点的投影。通常采用以下两种方法：

方法 1 纬圆法

例 3-10 如图 3-41a 所示，已知圆锥表面上点 N 的正面投影点 n'，求取点 n 和点 n''。

点的空间位置和投影分析

由图 3-41a 主视图中点 n' 的位置（轴线的右边，非外形素线处），可知空间点 N 在右前方圆锥面上。圆锥面的三面投影均不具有积聚性。因此，必须过点作辅助线，才可求得点 n 和点 n''。

如图 3-41a 所示，过 N 点作一个与底面平行的水平纬圆，该圆的 V 面投影为通过点 n' 且垂直于轴线的直线 $2'3'$，如图 3-41b 所示，它们的水平投影为一直径等于 $2'3'$ 的圆线，而 n 在该圆线上，利用"长对正"在圆线上求得点 n，再利用"高平齐，宽相等"可求得点 n''（判断可见性），如图 3-41b 所示。

作图步骤 具体作图过程如图 3-41b 所示。

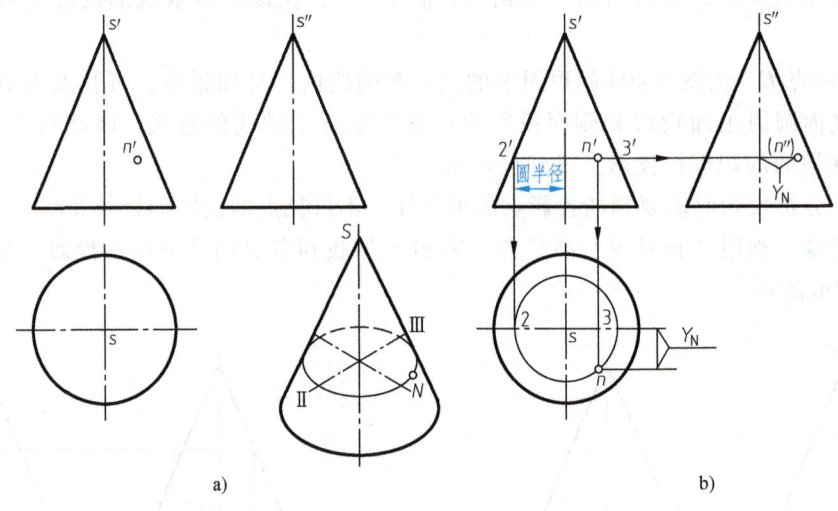

图 3-41 纬圆法
a) 已知条件 　b) 作辅助圆，求 n 和 n''

方法 2 素线法

例 3-11 如图 3-42a 所示，已知圆锥表面上点 M 的正面投影点 m'，求取点 m 和点 m''。

点的空间位置和投影分析

由图 3-42a 主视图中点 m' 的位置（轴线的左边，非外形素线处），可知空间点 M 在左前方圆锥面上。圆锥面的三面投影均不具有积聚性。因此，必须过点作辅助线，才可求得点 m 和点 m''。

如图 3-42b 所示，过点 M 及锥顶 S 作一条素线 $S\mathrm{I}$（I 在底面圆线上），先找到素线 $S\mathrm{I}$ 的各面投影，再在该素线的投影上找到点 M 的投影。在图 3-42b 中即连接点 m' 和点 s' 并延长至与底圆相交于点 $1'$，即作出圆锥面上的素线 $S\mathrm{I}$。作出素线的水平投影点 $s1$，然后根据点属于线的性质和"主俯长对正"，从点 m' 出发，在直线 $s1$ 上找到点 m；再利用"高平齐、宽相等"找到点 m''，如图 3-42b 所示。

作图步骤 具体作图过程如图 3-42b 所示。

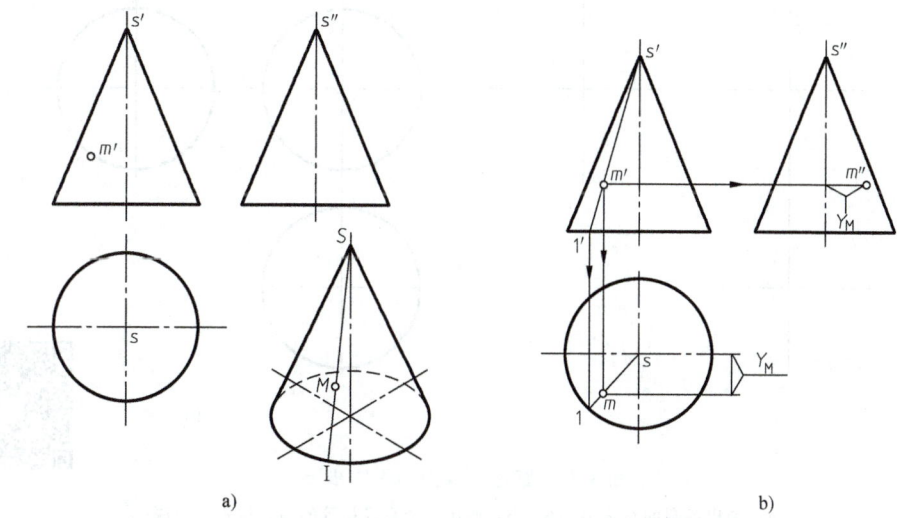

图 3-42 素线法
a) 已知条件 b) 作辅助素线,求 m 和 m″

3. 圆球

(1) 圆球的三视图

圆球面可看作由一半圆弧线(母线)绕其直径回转而成。圆球的三视图如图 3-43 所示,三个视图均为圆(直径与圆球的直径相等),但三个圆的意义不同。V 面的圆线是圆球相对于 V 面的外形素线的投影,是前半球面与后半球面的分界线的投影;H 面的圆线是圆球相对于 H 面的外形素线的投影,是上半球面与下半球面的分界线的投影;W 面的圆线是圆球相对于 W 面的外形素线的投影,是左半球面与右半球面的分界线的投影。H 面的圆线在 V 面和 W 面的投影为与水平对称中心线相重合的直线。由此类推,其他两圆线的另外两面投影都与圆内相应对称中心线重合。

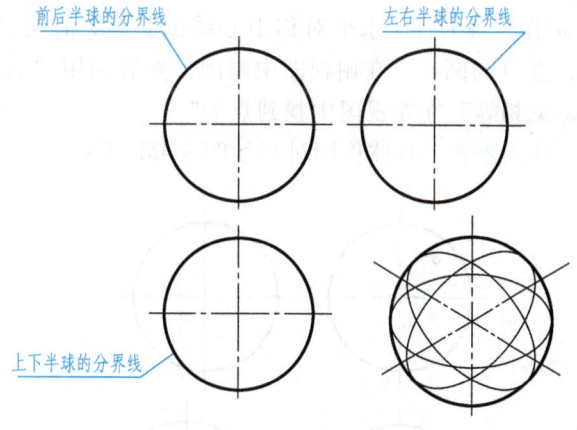

图 3-43 圆球的三视图

圆球三视图的特征是:三个视图是等直径的圆。
圆球三视图的作图步骤如图 3-44 所示。

(2) 圆球表面取点

圆球面的三面投影都不具有积聚性,且圆球表面也不存在直线。当空间点在圆球的外形素线上时,先找到该外形素线的投影,然后在外形素线的投影上找到点的投影。若空间点不

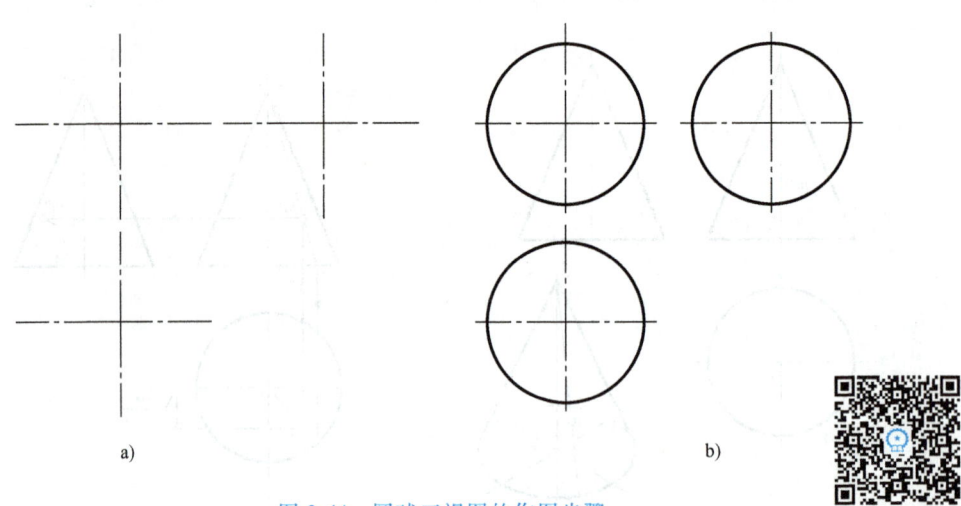

图 3-44　圆球三视图的作图步骤

a) 画出各圆的对称中心线　b) 画出三个直径相等的圆，检查、加深

在外形素线上，则采用纬圆法求取其表面上点的投影。

例 3-12　如图 3-45a 所示，已知圆球表面上点 M 的正面投影点 m'，求取点 m 和点 m''。

点的空间位置和投影分析

由图 3-45a 主视图中点 m' 不在圆线上，不在对称中心线上，可知空间点 M 在上、前、左球面上，因此点 m 和点 m'' 均可见。过点 M 作平行于 H 面的水平纬圆 EMF，如图 3-45a 所示。首先找到纬圆 EMF 的投影，然后在纬圆的投影上找到点 M 的投影。在主视图中，即过点 m' 作一条平行于水平对称中心线的直线，且与圆线交于点 e' 和点 f'。再以直线 $e'f'$ 为直径，点 O 为圆心，在俯视图中画圆，然后利用"长对正"在该圆上找到点 m，再由"高平齐、宽相等"在左视图中找到点 m''。

作图步骤　具体作图过程如图 3-45b 所示。

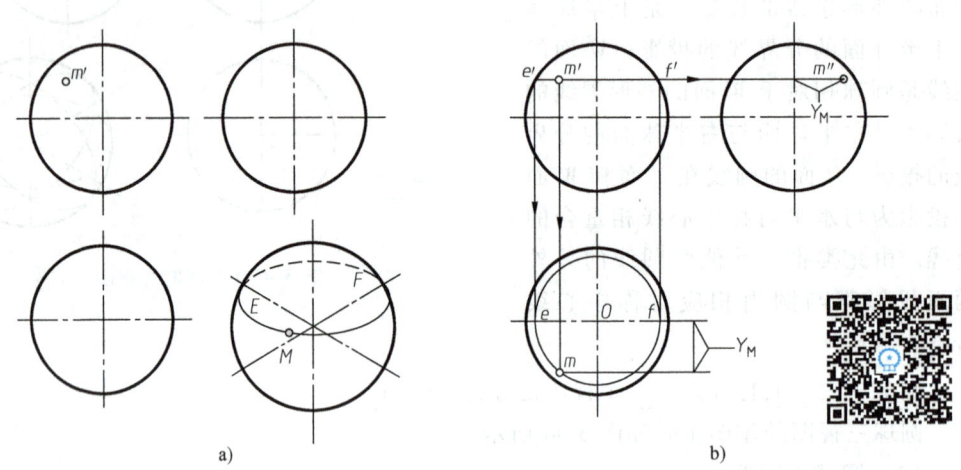

图 3-45　圆球表面取点

a) 已知条件　b) 作辅助圆，求投影 m 和 m''

★**学习指引** 初学者可通过变换回转体的位置来练习回转体三视图的绘制，熟练掌握回转体三视图的绘图步骤，掌握回转体三视图的视图特征。

★**关键点拨** 回转体三视图中的轴线和对称中心线均为细点画线。画图时，细点画线应超出轮廓 3~5mm。找圆柱、圆锥和圆球的表面的点时，必须先确定点的空间位置，然后再考虑是否需要画辅助线。

3.3.2 回转体的截交线

如图 3-46 所示，截平面与曲面体相交时，截交线可能是直线、圆或非圆曲线。无论何种线条，它们最终将围成封闭的平面图形。求取曲面体的截交线，实质就是求截平面与曲面上被截各素线的交点。

求取曲面体截交线的步骤：

1）空间位置及投影分析 想象未切割前的物体的形状、空间位置以及截平面与回转体轴线的相对位置，从而确定截交线的形状；分析截平面与投影面的相对位置（平行、垂直、倾斜），确定截交线的投影特性（真实性、积聚性、类似性），并且找出截交线的已知投影，预见未知投影。

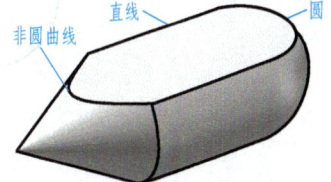

图 3-46 回转体的截交线

2）画出截交线的投影 若截交线为直线，则找到该直线的两个端点，连接两个端点即可画出截交线。若截交线的投影为圆或圆弧，则找到该圆的半径即可画出。若截交线的投影为非圆曲线，首先找特殊点（外形素线上的点和极值点），再补充一般点，最后光滑连接各点。

3）判断截交线的可见性、轮廓线的可见性和存在性，完善轮廓。

1. 圆柱的截交线

截平面与圆柱轴线的相对位置不同，圆柱上所显现的截交线的形状也就不同，一般平面截切圆柱形成的截交线有三种基本形状，见表 3-1。

表 3-1 平面截切圆柱形成的截交线

截平面的位置	与轴线平行	与轴线垂直	与轴线倾斜
立体图			
投影图			
截交线形状	矩形	圆	椭圆

例 3-13　如图 3-47a 所示，已知主视图和俯视图的一部分，完成俯视图并补画左视图。

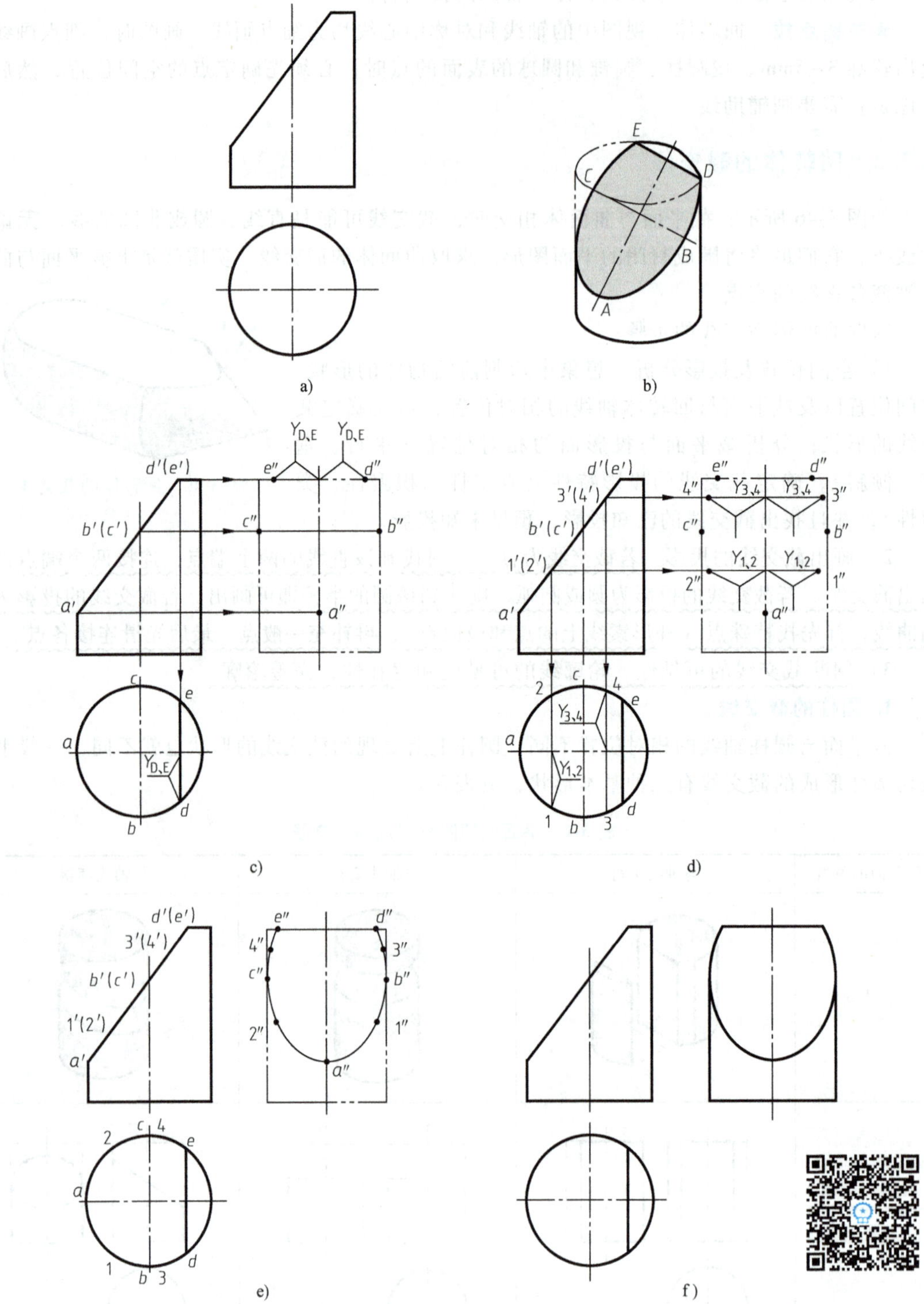

图 3-47　正垂面截切圆柱

a）已知条件　b）物体空间位置及截交线分析　c）求取特殊点　d）求取一般点
e）用曲线光滑连接各点　f）判断可见性，擦去多余的线条、加深轮廓

物体空间位置及截交线的投影分析

1）想象未切割之前物体的原始形状及空间位置。如图 3-47b 所示，若将主视图中切去的左上角补上，再分析主、俯视图，可知未切割前的形体是圆柱，其轴线垂直于 H 面。

2）分析截交线的形状和投影。如图 3-47a 所示，主视图中一个倾斜于轴线的正垂面将圆柱的左上角切去。该正垂面与圆柱顶面相交，其截交线为直线（属于正垂线），又与圆柱面相交，其截交线为椭圆线。椭圆线是截平面与圆柱面的共有线。圆柱面的水平投影积聚成一圆线，故截交线的水平投影在圆线上；圆柱面的侧面投影为类似性，因此椭圆线的侧面投影需要通过找点画出。

作图步骤

1）画出未切割前的左视图，补画俯视图，如图 3-47c 所示。

2）找特殊点。如图 3-47c 所示，确定截交线上的极值点（最高、最低、最左、最右、最前、最后）。左方外形素线上的点 A 既是截交线上的最低点，又是最左点；截平面与顶面的交线端点 D 和端点 E 既是截交线上的最高点，又是最右点；前方外形素线和后方外形素线与截平面的交点 B 和交点 C 分别是截交线上的最前点和最后点。找到点 A、B、C、D、E 的正面投影点 a'、b'、c'、d'、e' 和水平投影点 a、b、c、d、e，再利用"高平齐，宽相等"求出点 a''、b''、c''、d''、e''。作图过程如图 3-47c 所示。

3）补充一般点。在截交线的正面投影上补充 $1'$、$2'$、$3'$、$4'$ 四点，然后利用"主俯长对正"，在俯视图中圆线上找到点 1、2、3、4，再利用"高平齐，宽相等"找到它们的侧面投影点 $1''$、$2''$、$3''$、$4''$。作图过程如图 3-47d 所示。

4）画截交线。依次光滑地连接各点的侧面投影。作图过程如图 3-47e 所示。

5）判断可见性。由主视图可以看出，截面左侧未被遮挡，因此左视图截面可见。

6）判断存在性。圆柱前、后外形素线上的点 B 和点 C 上方被切割掉，因此左视图前、后外形素线点 b'' 和点 c'' 上无外形素线，作图过程如图 3-47f 所示。

7）完善轮廓。检查、擦去多余的线条，加深轮廓，如图 3-47f 所示。

例 3-14　如图 3-48a 所示，已知主视图和俯视图的一部分，完成俯视图并补画左视图。

物体空间位置及截交线的投影分析

1）想象未切割之前物体的原始形状及空间位置。如图 3-48a 所示，若将主视图中切去的部分补上，再分析主、俯视图，可知未切割前的形体是圆柱，其轴线垂直于 H 面。

2）分析截交线的形状和投影。如图 3-48b 所示，圆柱上部中间开矩形通槽，下部左右对称有矩形切口。矩形槽是由三个截平面组合切割形成的，左右对称的两个截平面是平行于圆柱轴线的侧平面，截交线的形状为矩形；另一个截平面是垂直于圆柱轴线的水平面，其截交线的形状为圆。三个截平面相交获得两条交线，均为正垂线。下部两矩形切口由与轴线平行的侧平面和与轴线垂直的水平面组合切割而成，其截交线的分析方法与上部开槽相同。

作图步骤

1）画出未切割前的左视图，确定各截面的位置，如图 3-48c 所示。

2）作出各截面的水平投影和侧面投影。根据侧平面的水平投影具有积聚性的特点补全俯视图中的线段；利用"高平齐，宽相等"画出各截面在左视图中的实形——矩形，如图 3-48e 所示。

3）判断可见性。圆柱上方矩形槽中的平面 M 与平面 N 的交线在左视图中不可见，应画

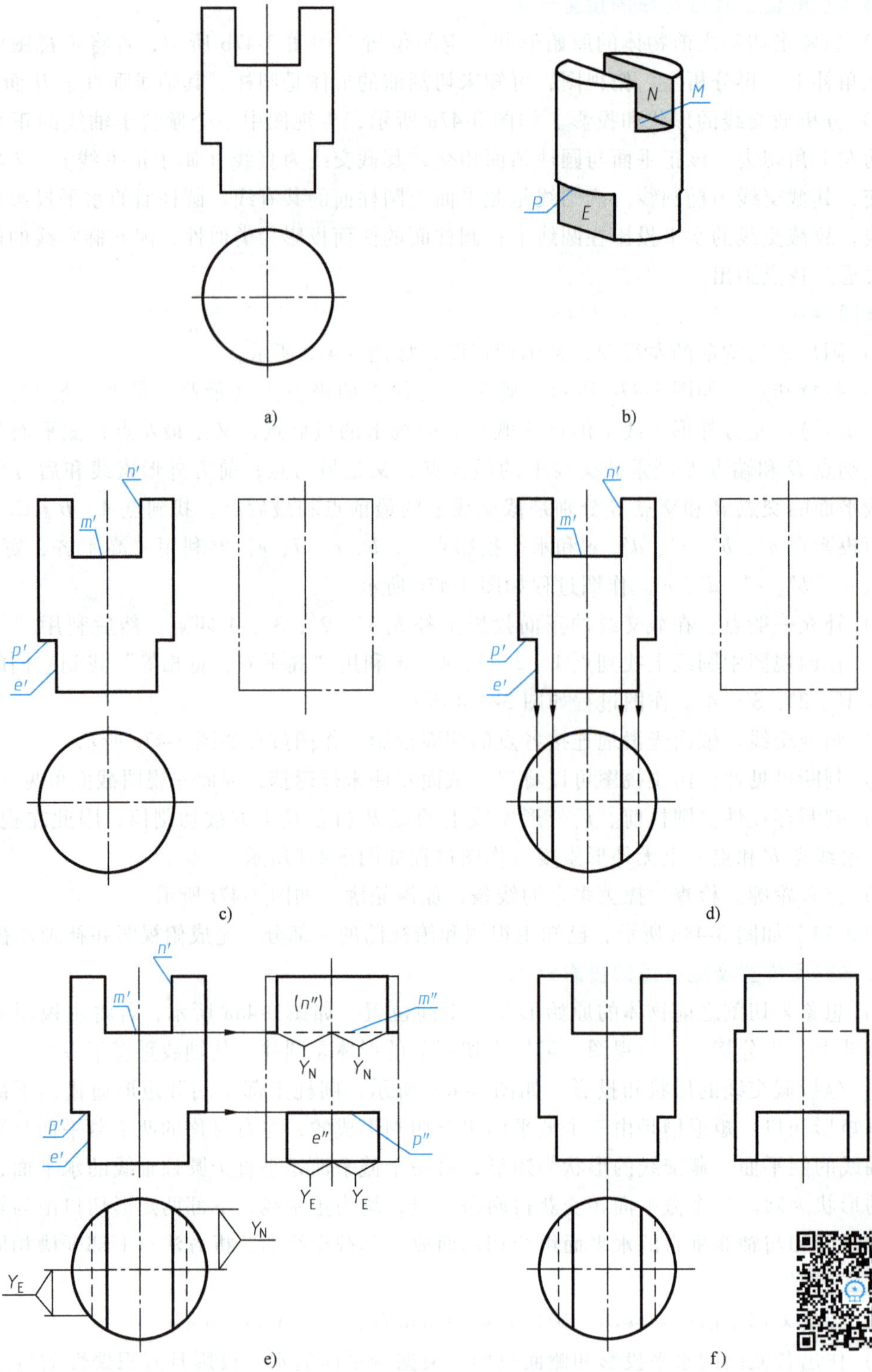

图 3-48 圆柱的开槽切口

a) 已知条件　b) 物体空间位置及截面分析　c) 画未切割前的左视图　d) 补画俯视图
e) 画出各截面的侧面投影　f) 判断可见性、存在性，完善轮廓

成虚线,平面 M 未被遮挡的前后部分面可见,应画成粗实线;下方左侧矩形切口中平面 E 与平面 P 的交线在左视图中可见,画成粗实线,作图过程如图 3-48e 所示。

4)判断存在性。画左视图时,因开通槽使圆柱上部最前、最后两条外形素线被切掉,故截面 M 以上无外形素线,而其他轮廓线应完整画出。作图过程如图 3-48f 所示。

5)完善轮廓。检查、擦去多余的线条,加深轮廓,如图 3-48f 所示。

圆柱是机械结构中常见的基本形体之一,圆柱的切割、开槽、穿孔在机械结构中也频繁出现。图 3-49 中给出几组常见的圆柱切割体的三视图供读者自学。在学习的过程中,读者可以先自行练习圆柱切割体三视图的绘制,再参考教材中的图例进行检查。读者亦可改变形体的方位进行圆柱切割三视图的练习。还可根据圆柱切割体的三视图想象物体的结构。

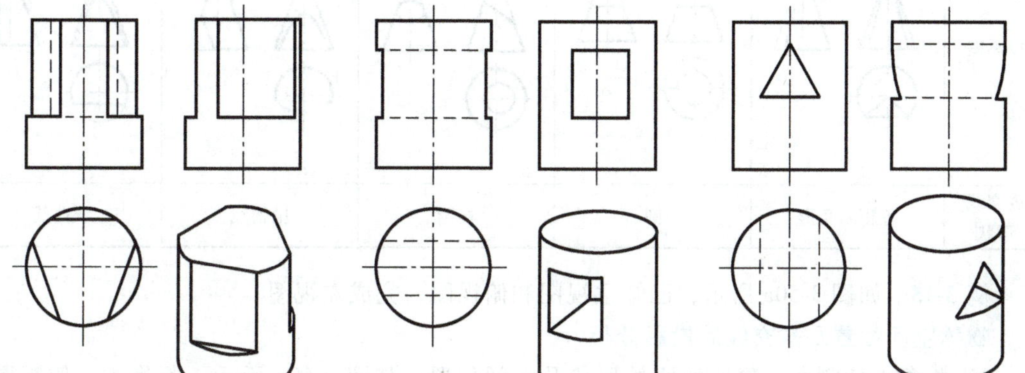

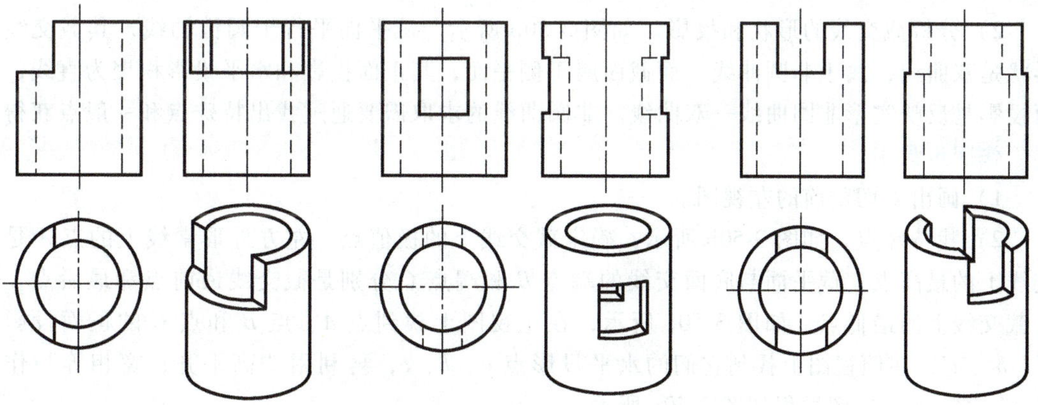

图 3-49 常见圆柱的切割体
a)实心圆柱切割、穿孔 b)圆筒的切割、穿孔

请读者比较图 3-49 中圆柱和圆筒的开槽、穿孔,找出二者在结构和视图中的共同点。

2. 圆锥的截交线

由于截平面与圆锥轴线的相对位置不同,平面截切圆锥形成的截交线有五种形状,见表 3-2。

表 3-2 平面截切圆锥形成的截交线

截平面的位置	通过锥顶	与轴线垂直	与轴线倾斜且与所有素线相交（θ>ψ）	与某一素线平行（θ=ψ）	与轴线平行或与轴线倾斜（θ<ψ）
立体图					
投影图					
截交线形状	等腰三角形	圆	椭圆	抛物线	双曲线

例 3-15 如图 3-50a 所示，已知主视图和俯视图，完成左视图。

物体空间位置及截交线的投影分析

1）想象未切割之前物体的原始形状及空间位置。如图 3-50a 所示，若将主、俯视图中切去的部分补全，再分析主、俯视图，可知未切割前的形体是圆锥，其轴线垂直于 H 面。

2）分析截交线的形状和投影。如图 3-50b 所示，截平面平行于圆锥轴线，其截交线的形状是双曲线，属于非圆曲线。而截面属于侧平面，其正面投影和水平投影积聚为直线，侧面投影是反映实形非圆曲线——双曲线。非圆曲线的求取需要通过找出特殊点和一般点获得。

作图步骤

1）画出未切割前的左视图。

2）找特殊点。如图 3-50b 所示，确定截交线上的极值点。左方外形素线上的点 A 是截交线上的最高点；截平面与底面交线的端点 B 和端点 C 分别是截交线最前点和最后点，也是截交线上的最低点。如图 3-50c 所示，在主视图上找到点 A、点 B 和点 C 的正面投影点 a'、b'、c'，在俯视图上找到它们的水平投影点 a、b、c，再利用"高平齐，宽相等"作出点 a''、b''、c''，作图过程如图 3-50c 所示。

3）补充一般点。如图 3-50d 所示，主视图中，在截交线的正面投影上补充 $1'$、$2'$、$3'$、$4'$ 四点，然后利用纬圆法在截面的积聚性投影上找到各点的水平投影点 1、2、3、4，再利用"高平齐，宽相等"求出它们的侧面投影点 $1''$、$2''$、$3''$、$4''$，作图过程如图 3-50d 所示。

4）依次光滑地连接各点的侧面投影。作图过程如图 3-50e 所示。

5）判断可见性、存在性。如图 3-50f 所示，截面左侧未被遮挡，左视图中可见；截平面在轴线左侧，未切割前、后外形素线，因此左视图中前、后外形素线完整。作图过程如图 3-50f 所示。

6）完善轮廓。检查、擦去多余的线条，加深轮廓，如图 3-50f 所示。

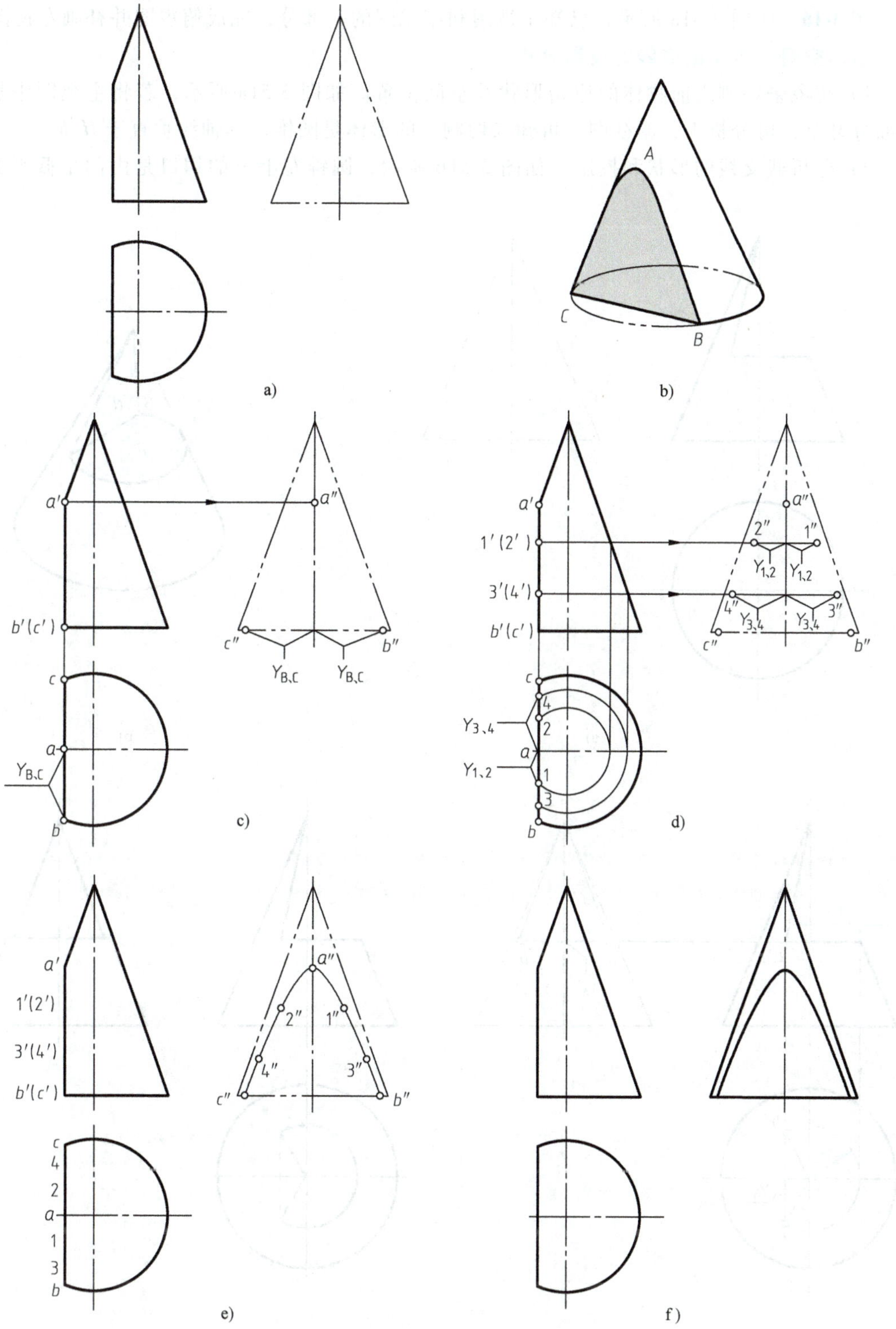

图 3-50 侧平面截切圆锥

a）已知条件 b）物体空间位置及截交线分析 c）求取特殊点 d）求取一般点
e）用曲线光滑连接各点 f）判断可见性、存在性，加深轮廓

例 3-16 如图 3-51a 所示,已知主视图和俯视图的一部分,完成俯视图并补画左视图。

物体空间位置及截交线的投影分析

1) 想象未切割之前物体的原始形状及空间位置。如图 3-51a 所示,若将主视图中切去的部分补全,再分析主、俯视图,可知未切割前的形体是圆锥,其轴线垂直于 H 面。

2) 分析截交线的形状和投影。如图 3-51b 所示,圆锥左上方的切口是由两个截平面组

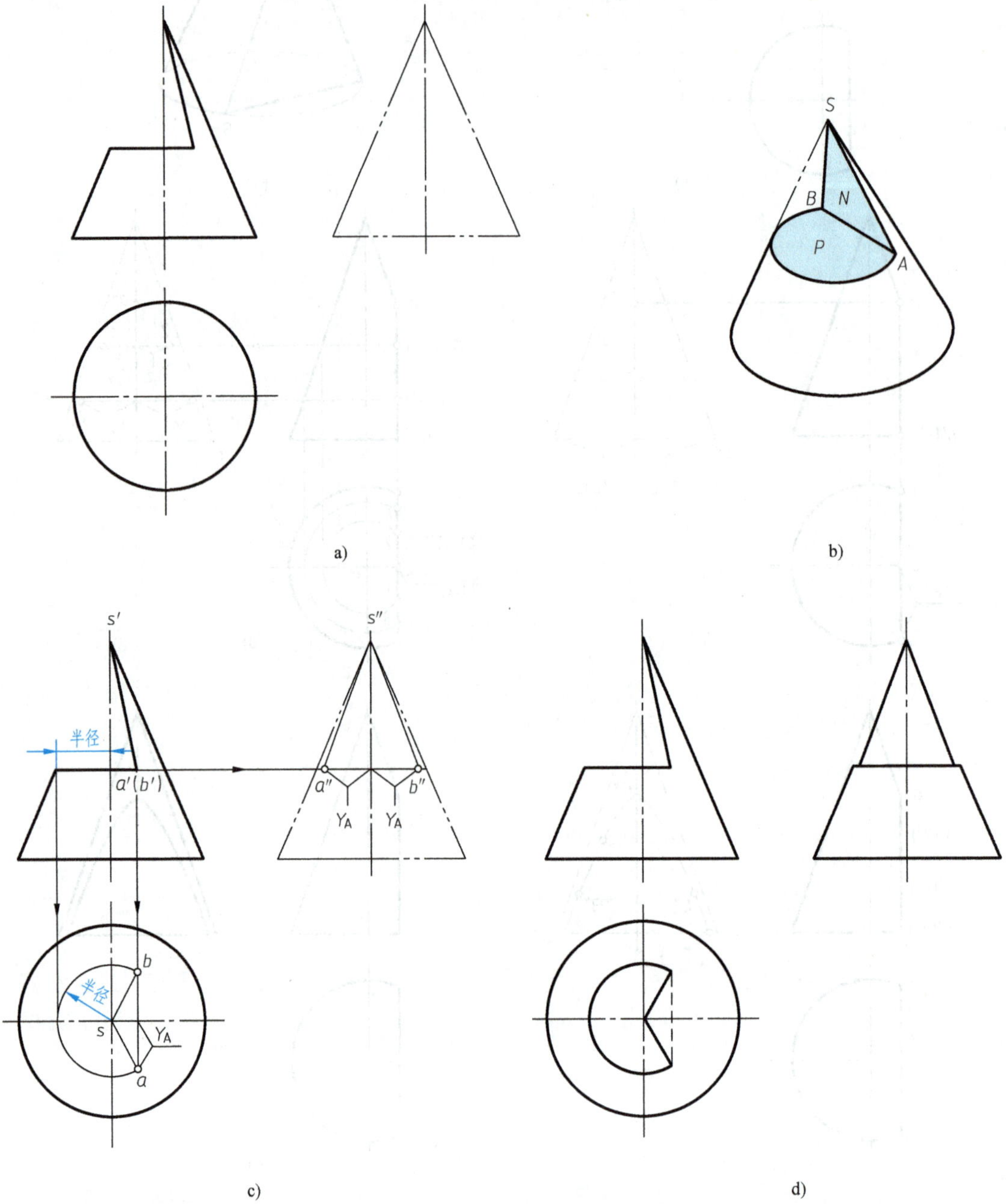

图 3-51 带切口圆锥

a) 已知条件　b) 截交线分析　c) 画各截面的投影　d) 判断可见性、存在性,完善轮廓

合切割形成的。其中一个截平面过锥顶，垂直于 V 面，倾斜于 H 面，属于正垂面；另一个截平面垂直于圆锥轴线，平行于 H 面，属于水平面。二者的交线 AB 垂直于 V 面，属于正垂线。组合切割后，截面 N 为三角形，其水平投影和侧面投影具有类似性，均为三角形；截面 P 为圆的一部分，其水平投影反映实形，侧面投影积聚为直线。

作图步骤

1) 主视图中找到截面 P 的半径，然后在俯视图中将实形圆画出，如图 3-51c 所示。

2) 在主视图中确定交线 AB 的端点 a'、b'，利用"长对正"在俯视图中的圆线上找到点 a、b，然后连接顶点 s 和点 a、b，则截面 P 和截面 N 的 H 面投影找到，如图 3-51c 所示。

3) 利用"高平齐、宽相等"，在左视图中找到截面 N 的顶点 s''、a'' 和 b''，如图 3-51c 所示。

4) 判断可见性。圆锥切口平面 N 的左侧未被遮挡，左视图中可见；俯视图中交线 AB 被上部遮挡，因此投影线 ab 应画成虚线，如图 3-51d 所示。

5) 判断存在性。由主视图中切口的范围可知，圆锥的前、后外形素线被切割，因此左视图中截面 P 以上的前、后外形素线均不存在，如图 3-51d 所示。

6) 完善轮廓。检查、擦去多余的线条，加深轮廓，如图 3-51d 所示。

3. 圆球的截交线

平面与圆球相交，不论截平面处于何种位置，其截交线都是圆。圆的大小由截平面与球心之间的距离来确定。截平面距球心越近，截交线（圆）的直径越大；反之，越小。当截平面通过球心时，所得截交线（圆）的直径最大。

平面与圆球的截交线是圆。当截平面平行于某一投影面时，截交线在该投影面上的投影为圆（反映实形），在另两个投影面上的投影积聚为直线。当截平面垂直于某一投影面，而与另外两个投影面倾斜时，截交线在该投影面上的投影积聚为直线，在另外两个投影面上的投影为椭圆，其截交线的投影情况见表 3-3。

表 3-3　平面截切圆球形成的截交线

截平面的位置	截平面为水平面	截平面为正平面	截平面为侧平面	截平面为正垂面
立体图				
投影图				

例 3-17　如图 3-52a 所示，完成正垂面截切半圆球的俯视图和左视图。

截交线的投影分析　平面截切半圆球时，截交线为圆。如图 3-52b 所示，截平面为正垂面，

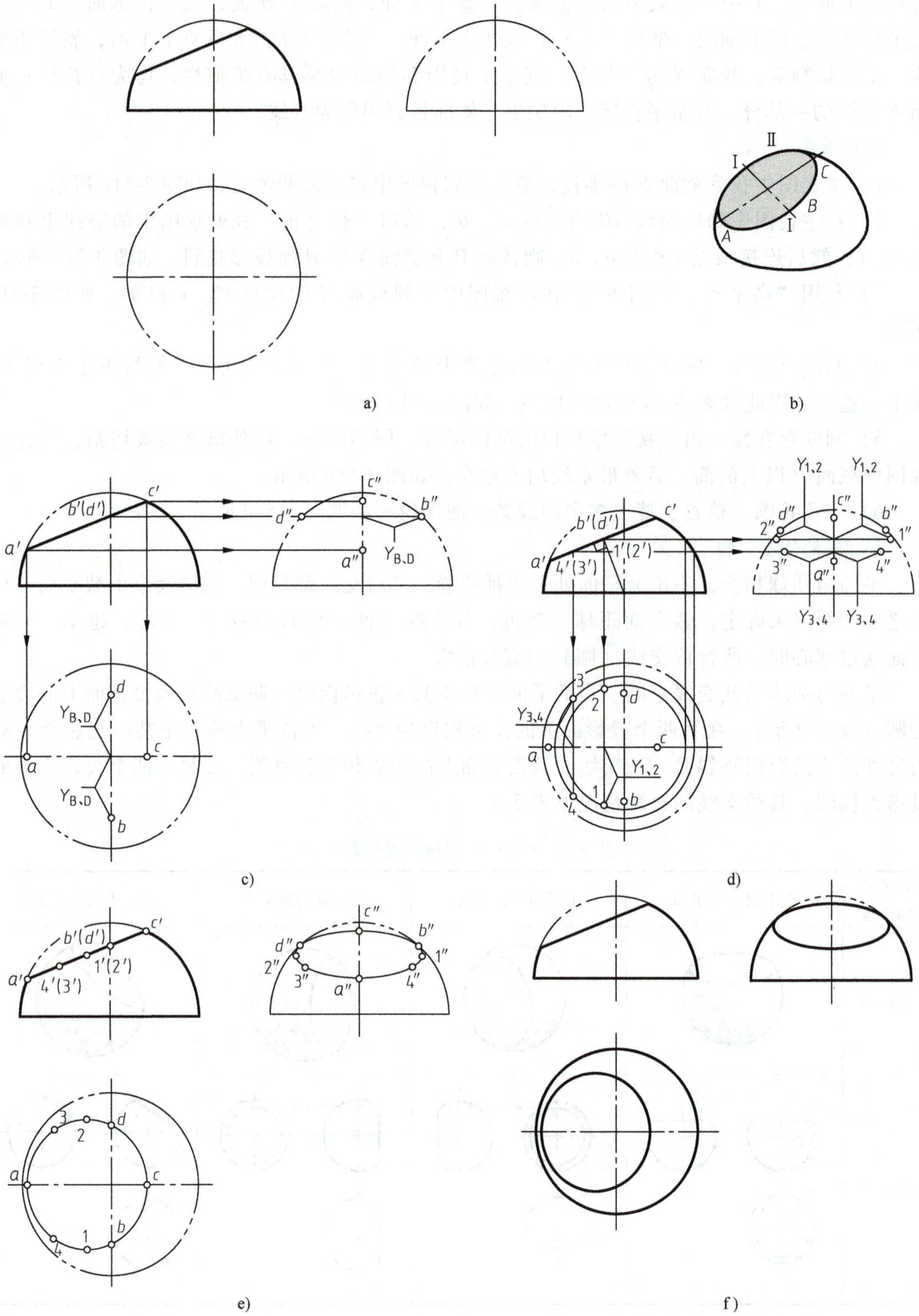

图 3-52　正垂面截切半圆球

a) 已知条件　b) 截交线分析　c) 求取特殊点　d) 求取一般点　e) 判断可见性，完善轮廓　f) 判断存在性，完善轮廓

垂直于 V 面，倾斜于 H 面和 W 面。因此截交线的正面投影积聚为直线，其水平投影和侧面投影均为椭圆（非圆曲线）。

作图步骤

1）找特殊点。如图 3-52b 所示，截交线的最低点 A 和最高点 C 分别是最左点和最右点，也是截交线水平投影和侧面投影上椭圆短轴的端点，水平投影点 a、c 在圆球水平投影的横向对称中心线上，侧面投影点 a''、c'' 在圆球侧面投影的竖向对称中心线上。点 b'、d' 是截交线与圆球的正面投影的交点，其侧面投影点 b''、d'' 在圆球侧面投影的轮廓线上，水平投影点 b、d 在圆球的水平投影的竖向对称中心线上，作图过程如图 3-52c 所示。

2）补充一般点。如图 3-52d 所示，$a'c'$ 线段的中点 $1'$、$2'$ 是截交线的水平投影椭圆长轴端点的正面投影，其水平投影在辅助水平圆上，其侧面投影利用"高平齐，宽相等"即可求得。为了使所画曲线更接近于实际情况，可以选择适当位置作辅助水平面来求取若干个一般点，作图方法同点 Ⅰ 和 Ⅱ，作图过程如图 3-52d 所示。

3）画截交线。光滑连接各点的同面投影，获得截交线的水平投影和侧面投影，如图 3-52e 所示。

4）判断可见性、存在性。如图 3-52a 所示，切割面左上方未被遮挡，在左视和俯视中，截面均可见。由主视图中切割的范围可知，半圆球左右半的分界线上方处被切割，因此左视图中点 b'' 和点 d'' 上部的轮廓线（外形素线）不存在，如图 3-52f 所示。

5）完善轮廓。检查、擦去多余的线条，加深轮廓，如图 3-52f 所示。

例 3-18 如图 3-53a 所示，完成半圆球开矩形通槽的水平投影和侧面投影。

截交线的投影分析

如图 3-53a 所示，可知半圆球的矩形通槽由三个截平面组合切割形成。一个水平面和两个侧平面截切半圆球，其立体结构如图 3-53b 所示。两个侧平面左右对称，与球面的截交线为一段圆弧，与水平截平面的交线为正垂线，侧面投影反映圆弧实形，水平投影积聚为直线。水平截平面与球面的截交线是前后两段圆弧，水平投影反映圆弧实形，侧面投影积聚为直线。

作图步骤

1）作出通槽的水平投影。过槽底部作辅助水平面，水平投影为圆。在主视图中找到圆半径，并在俯视图中画圆。利用"长对正"，在圆上截取与正面投影相对应的前后两段圆弧，如图 3-53c 所示。

2）作出通槽的侧面投影。过槽侧面作辅助侧平面，侧面投影为半圆。在主视图中找到圆半径，并在左视图中画半圆。利用"高平齐"，在半圆上截取与正面投影相对应圆弧。两侧平面距球心等距离，因此两圆弧的半径相等，两段圆弧的侧面投影重合，如图 3-53c 所示。

3）判断可见性。左视图中两个侧平面与水平切割面的交线不可见，交线在左视图中画成虚线。如图 3-53c 所示。

4）判断存在性。半圆球上部中间开通槽，因此左右半球面的分界线被切割掉。左视图中的半圆轮廓线（外形素线）从水平切割面以上不存在，如图 3-53d 所示。

5）完善轮廓。检查、擦去多余的线条，加深轮廓，如图 3-53d 所示。

注意：作图的关键是确定截交线所在圆弧的半径，可根据截平面位置确定。

★**学习指引** 熟练圆柱、圆锥、圆球三视图的画法和视图特征。熟悉切割类回转体的分析过程和作图步骤。

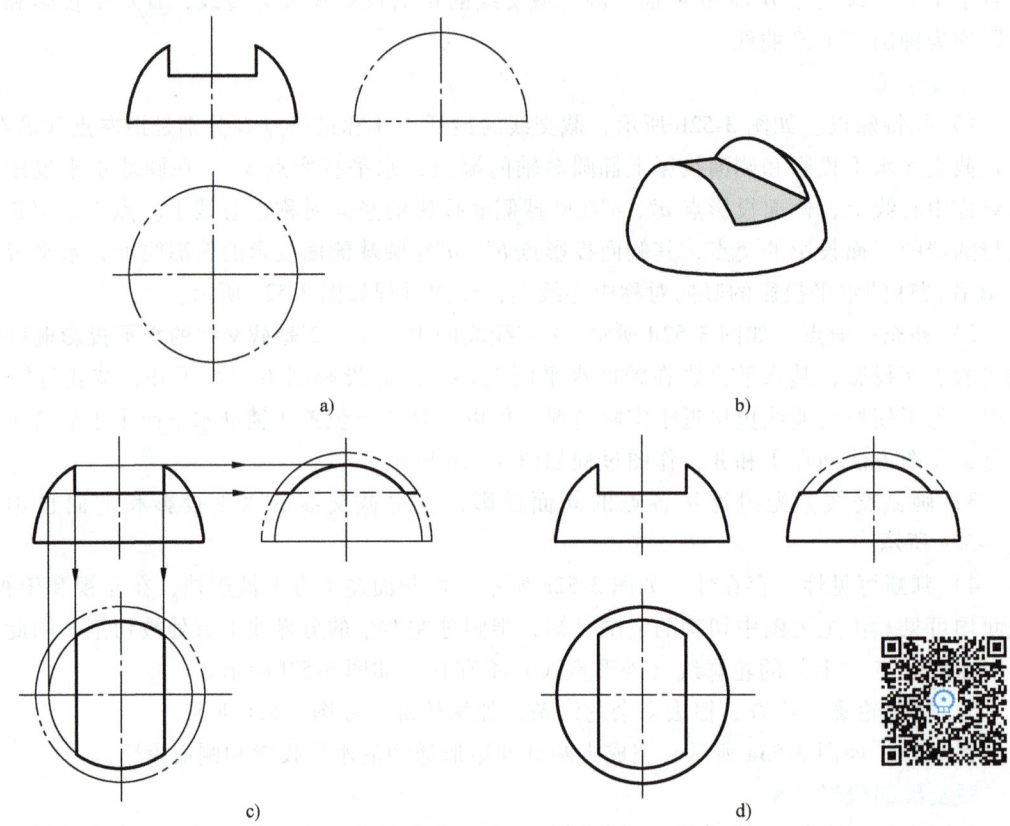

图 3-53 半圆球开矩形通槽

a)已知条件 b)截面分析 c)找各截断面所在的圆,画截交线 d)判断可见性、存在性,完善轮廓

★**关键点拨** 三视图中回转体的轴线、对称中心线用细点画线画出。切割类回转体中,首先确定截交线的形状,再分析其投影,最后分析切割后回转体的外形素线是否存在。

3.4 相 贯 线

两立体相交称为相贯,其表面相交产生的交线称为相贯线,两立体相交后形成的立体称为相贯体。机器零件的表面上常有相贯线的存在,常见的相贯类型有三种:平面体与平面体

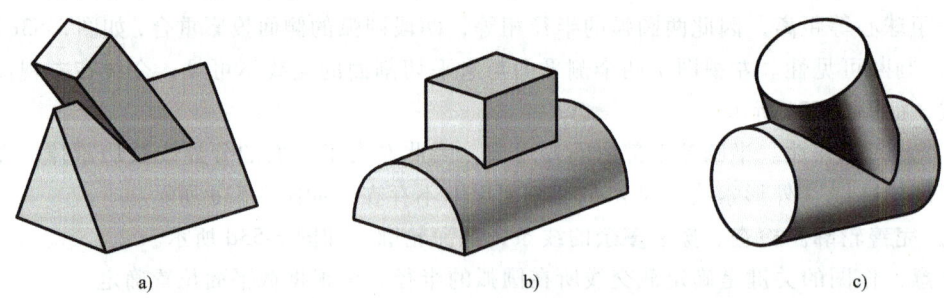

图 3-54 相贯体的类型

a)平面体与平面体相贯 b)平面体与曲面体相贯 c)曲面体与曲面体相贯

相贯，如图3-54a所示为四棱柱与三棱柱相贯；平面体与曲面体相贯，如图3-54b所示为四棱柱与半圆柱相贯；曲面体与曲面体相贯，如图3-54c所示为圆柱与圆柱相贯。本节只研究两回转体相交所得相贯线的性质和投影画法。

3.4.1 相贯线的性质

由于相交两立体的形状、大小和相对位置不同，其相贯线的形状也不一样，但相贯线都具有以下基本性质：

共有性。相贯线是两立体表面的共有线，也是两立体表面的分界线。相贯线是两立体表面共有点的集合。

封闭性。相贯线一般为封闭的空间曲线，特殊情况下可能是平面曲线或直线。

从上述性质可知，相贯线是由两立体表面一系列共有点组成的，因此，求相贯线的问题实际上就是求两立体表面上一系列共有点的问题。

3.4.2 立体表面的相贯线画法

两回转体的回转面相交时，其相贯线通常是空间曲线，特殊情况下是平面曲线或直线。对于相贯线是非圆曲线的情况，在求作两回转体表面的相贯线时，需要找出二者表面共有的特殊点（外形素线上的点和极限位置上的点）和若干个共有的一般点，依次光滑连接各点将相贯线画出。通常采用的作图方法有"表面取点法"和"辅助平面法"。

1. 表面取点法

当两圆柱的轴线相互垂直，且分别垂直于投影面时，则两圆柱面在对应投影面上的投影积聚为圆线。同时相贯线的投影也落在两圆线上。此相贯线的两面投影为已知投影，因此根据两面投影可以求出相贯线的第三面投影，如图3-55所示。

例3-19 如图3-55a所示，试求垂直相交两圆柱的相贯线。

空间位置分析及相贯线分析 如图3-55a所示，两圆柱的轴线垂直相交，大圆柱的轴线垂直于 W 面，小圆柱的轴线垂直于 H 面。大圆柱面在 W 面上的投影积聚为圆线，小圆柱面在 H 面上的投影积聚为圆线。相贯线是空间封闭曲线，是两圆柱面的共有线。因此相贯线的水平投影落在俯视图中的圆线上，侧面投影落在左视图中的圆线上。

作图步骤

1）找特殊点。找到相贯线上的最高点、最低点、最前点、最后点、最左点和最右点，即点 A、点 B、点 C 和点 D，作图步骤如图3-55b所示。

2）补充一般点。为了准确求出相贯线的投影并使曲线光滑，还应适当补充相贯线上的一般点。在相贯线的侧面投影上确定点 $1''$ 和点 $2''$，再利用"宽相等"在相贯线的水平投影上找到点1、2，最后利用"长对正、高平齐"作出它们的正面投影点 $1'$ 和点 $2'$，如图3-55c所示。

3）判断可见性，依次用曲线光滑连接各点，完善轮廓。相贯线前后对称，前方可见。按点 $a' \rightarrow 1' \rightarrow b' \rightarrow 2' \rightarrow c'$ 的顺序，将相贯线的正面投影画出，如图3-55d所示。

注意：判别相贯线投影可见性时，只有当相贯的两立体表面在某一投影面上的投影均为可见，由它们形成的相贯线才可见；否则相贯线不可见。若相贯线的投影位于有积聚性的面上，则不必判别其可见性。直径不同、轴线正交两圆柱相贯线的简化画法：用圆弧代替空间曲线。具体作图过程如图3-56所示。

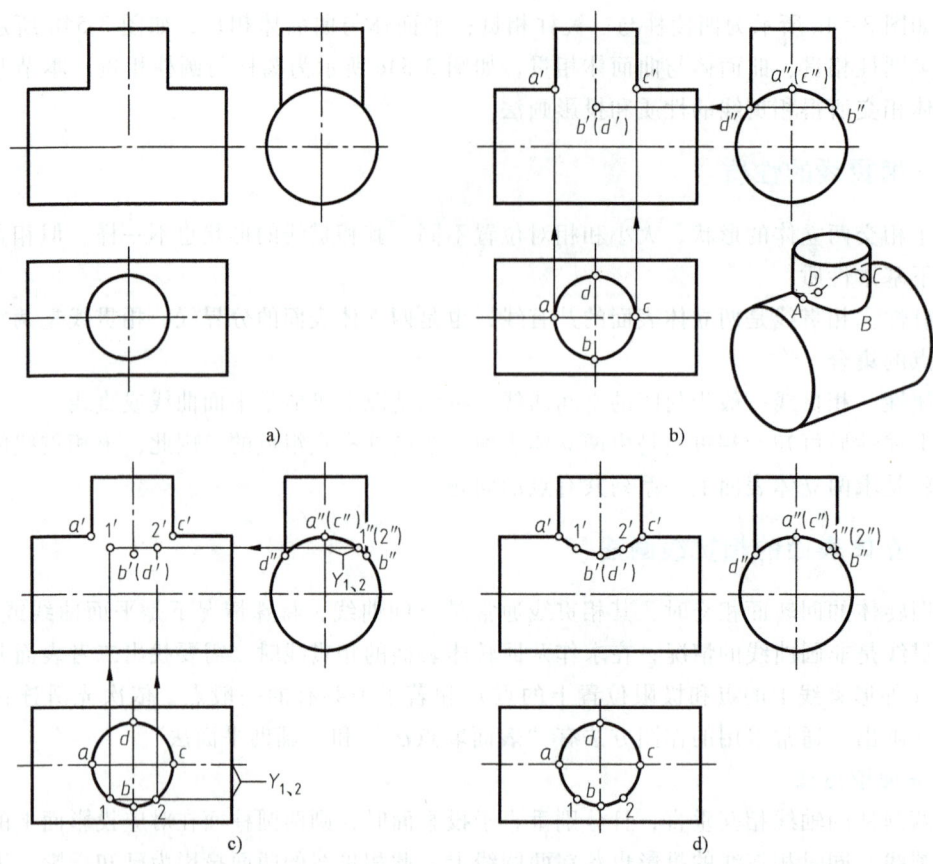

图 3-55 利用积聚性投影求正交两圆柱的相贯线

a) 已知条件 b) 找特殊点 c) 补充一般点 d) 依次用曲线光滑连接各点，完善轮廓

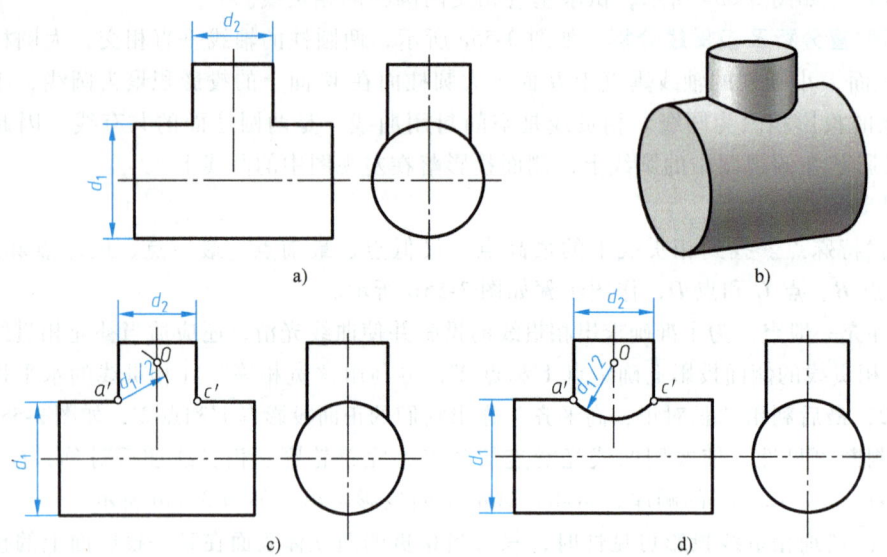

图 3-56 直径不同、轴线正交两圆柱相贯线的简化画法

a) 已知条件：轴线正交两圆柱 $D_1 > D_2$ b) 立体图
c) 在小圆柱的轴线上找圆弧圆心 O d) 以 O 为圆心，$d_1/2$ 为半径画弧，圆弧凸向大圆柱轴线

轴线正交两圆柱在圆柱直径发生变化时，相贯线的形状、位置也随之发生变化，如图 3-57 所示。

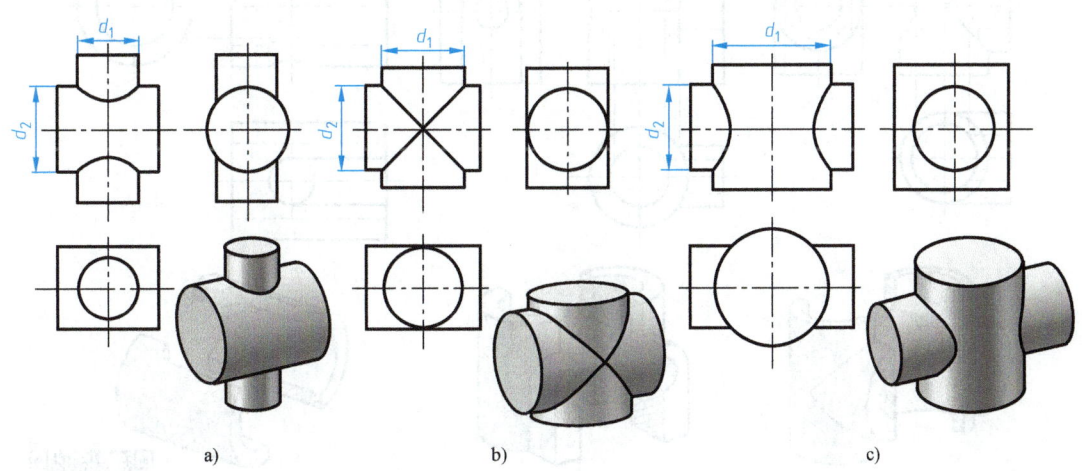

图 3-57　轴线正交两圆柱相贯线的变化

a) $d_2 > d_1$　b) $d_2 = d_1$　c) $d_2 < d_1$

轴线正交两圆柱相贯线的三种表现形式：实体与实体相贯（两外表面相贯）、孔穿过实体（内外表面相贯）、孔和孔相贯（两内表面相贯），如图 3-58 所示。

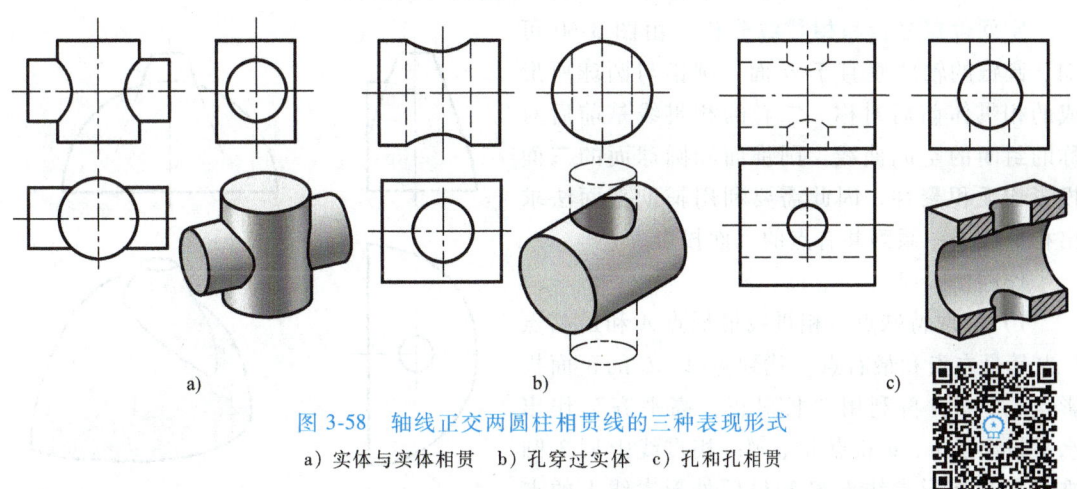

图 3-58　轴线正交两圆柱相贯线的三种表现形式

a) 实体与实体相贯　b) 孔穿过实体　c) 孔和孔相贯

无论是哪一种相贯形式，都需要比较相贯两圆柱直径的大小，判断相贯线的可见性。如图 3-59 所示，下面给出三组相贯体的三视图，读者可自行分析它们相贯的类型和相贯线的画法，以及相贯线的可见性，提高对相贯线的认识。

2. 辅助平面法

辅助平面法的基本原理是三面共点。假想用辅助平面在两回转体交线范围内同时切割两回转体，得到两组交线，两组交线的交点即为相贯线上的点。这些交点既在辅助平面上，又在两回转体表面上，是三面的共有点。利用三面共点的原理可以找到相贯线上一系列点的投影。

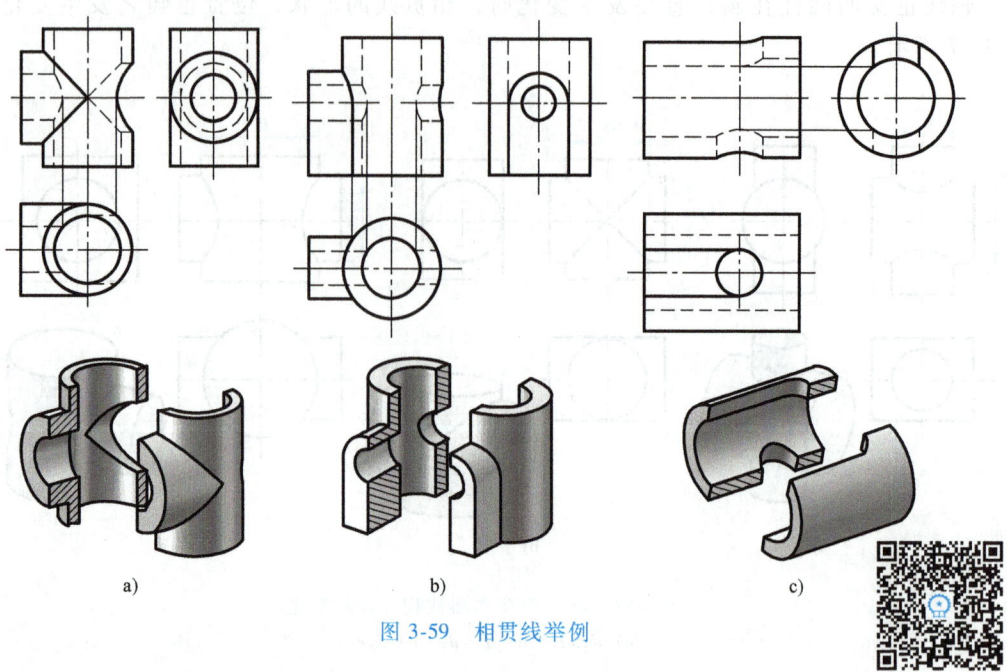

图 3-59 相贯线举例

辅助平面通常选用投影面平行面，且辅助平面与两回转面交线应是简单易画的直线、圆或圆弧。

例 3-20 如图 3-60 所示，完成圆锥面与圆球面相贯线的投影。

空间位置分析和相贯线分析 由图 3-60 可知，圆锥的轴线垂直于 H 面，圆锥与圆球所形成的相贯体前后对称。二者的相贯线是前后对称的封闭的空间曲线。圆锥面和圆球面的三面投影均无积聚性，因此需要利用辅助平面法求出相贯线上一系列共有点的三面投影。

作图步骤

1）求取特殊点。相贯线最低点 A 和最高点 C 也是最左点和最右点。找到点 A、C 的正面投影点 a'、c'，再利用"长对正，高平齐"作出水平投影点 a、c 和点 a''、c''；相贯线上属于圆锥面最前外形素线点 B 和最后外形素线上的点 D 的三面投影需要通过作辅助平面——侧平面 P_V 获得，作图过程如图 3-61a 所示。

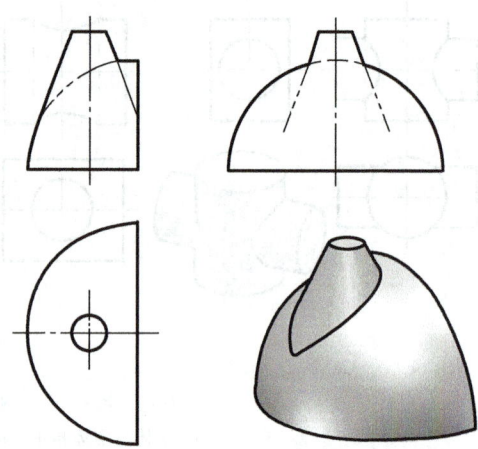

图 3-60 辅助平面法求相贯线举例

2）求取一般点。在正面投影做水平切割面 P_H，该切割面同时切割圆锥和圆球，在圆锥面上的截交线为圆，在圆球上的截交线为半圆弧，找到水平投影中圆和圆弧的交点 3、4，再由"长对正"可获得正面投影点 $3'$、$4'$，由"高平齐，宽相等"可获得侧面投影点 $3''$、$4''$。点Ⅰ、Ⅱ、Ⅴ、Ⅵ的投影求取方法和点Ⅲ、Ⅳ相同，作图过程如图 3-61b 所示。

3）判断可见性，连线。点 D 和点 B 左侧的曲线可见，右侧的曲线被圆台遮挡，不可见，因此左视图中 $b'' \rightarrow 1'' \rightarrow c'' \rightarrow 2'' \rightarrow d''$ 画成虚线。在俯视图和左视图中用曲线依次光滑地连接各点的同面投影，如图 3-61c 所示。

4）完善轮廓。检查、擦去多余的线条，加深轮廓，如图 3-61d 所示。

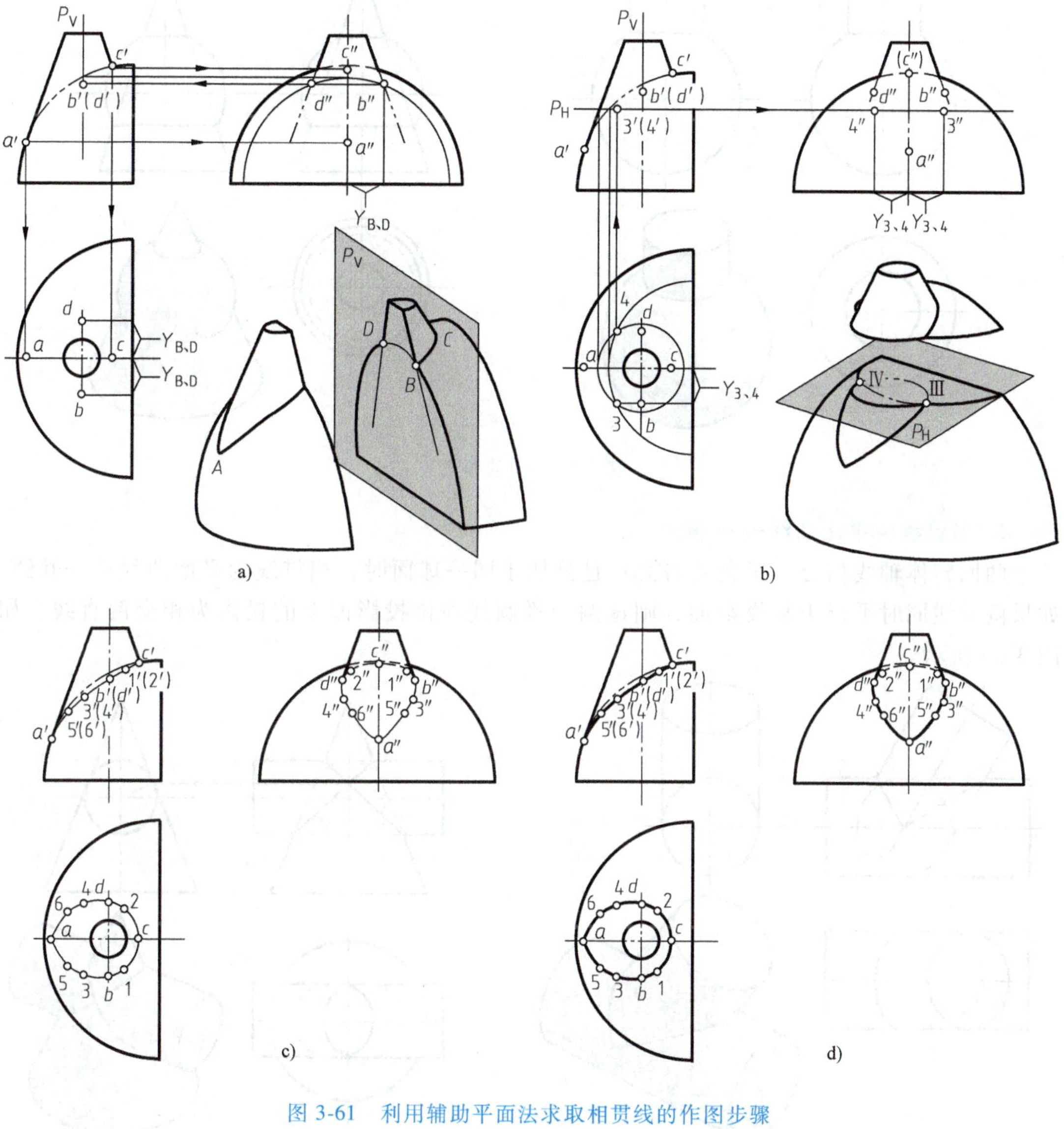

图 3-61 利用辅助平面法求取相贯线的作图步骤

a）求取特殊点 b）求取一般点 c）判断可见性，用曲线光滑连接各点 d）完善轮廓

3.4.3 相贯线的特殊情况

一般情况下，两回转体的相贯线是封闭的空间曲线，但以下几种情况，两回转体的相贯线为平面曲线或直线。

1. 相贯线为平面曲线——圆

同轴回转体相交时，相贯线是垂直于轴线的平面曲线——圆。如圆柱与圆球、圆锥与圆球、圆柱与圆锥等。如果二者共有的轴线垂直于某投影面，则相贯线在该投影面上的投影为圆，在与轴线平行的投影面上的投影为直线，如图 3-62 所示。

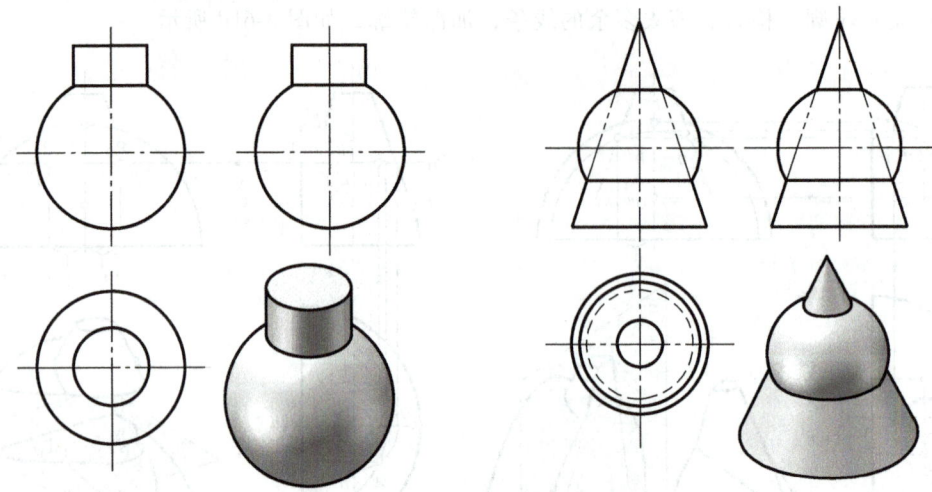

图 3-62　同轴相贯

2. 相贯线为平面曲线——椭圆

两回转体轴线相交（正交或斜交）且公切于同一球面时，相贯线为平面曲线——椭圆。如果两轴线同时平行于某投影面，则这两个椭圆线在该投影面上的投影为相交两直线，如图 3-63 所示。

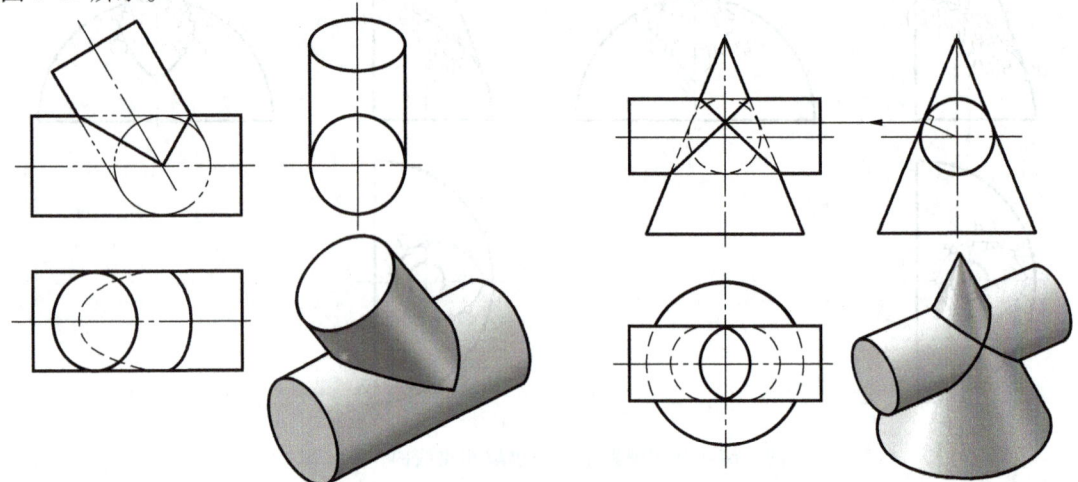

图 3-63　公切于同一球面

3. 相贯线为直线

轴线平行的两圆柱相贯时，相贯线为直线；共锥顶的两圆锥相贯时，相贯线亦为直线，如图 3-64 所示。

3.4.4　组合相贯线的画法

前面介绍了两个回转体相交时，相贯线的各种情况和作图方法。实际工程上的机件常常

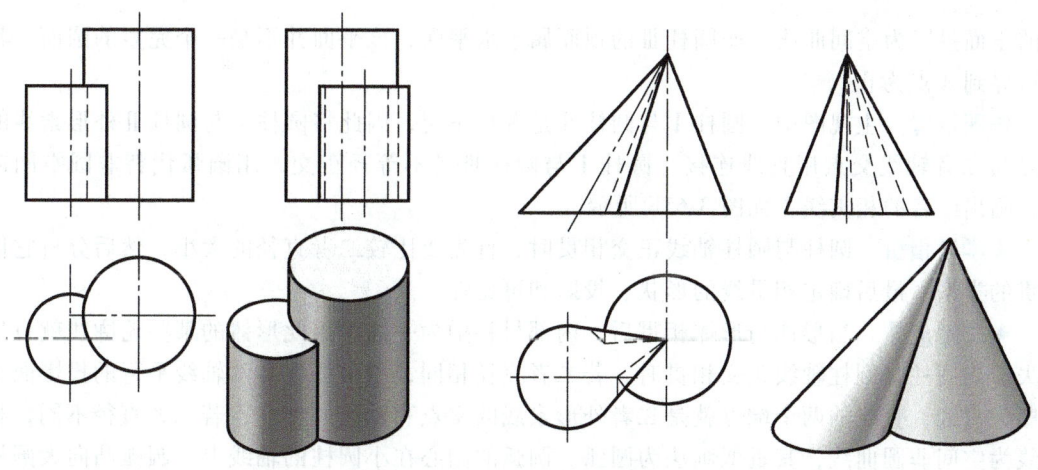

图 3-64 相贯线为直线

会出现多个立体相交的情况,三个或三个以上立体相交时形成的表面交线称为组合相贯线。组合相贯线虽然相对复杂一些,但每段相贯线均为两个立体表面的交线。相贯线的共有点称为结合点,结合点是相交的三个表面的共有点,也是各段相贯线的分界点。

求作组合相贯线时,应首先判断由哪些基本体相交,分析它们的相对位置关系,分析各相贯线的形状及投影,然后分别求出各相邻两个立体的相贯线。

例 3-21 如图 3-65a 所示,求组合立体的相贯线。

空间位置分析及相贯线分析 如图 3-65a 所示,通过对主、俯、左三个视图的分析可以看出该组合体由Ⅰ、Ⅱ、Ⅲ三个圆柱体相贯组成。圆柱Ⅰ的轴线垂直于侧立投影面,圆柱Ⅱ与圆柱Ⅲ共轴线,且轴线垂直于水平投影面。圆柱Ⅰ与圆柱Ⅱ属于等径正交相贯,其相贯线的水平投影与圆柱Ⅱ的水平投影圆线的左半弧重合,侧面投影与圆柱Ⅰ的侧面投影圆线的上半弧重合;圆柱Ⅰ与圆柱Ⅲ属于不等径相贯,相贯线为空间曲线,相贯线的水平投影与圆柱Ⅲ水平投影的虚线弧重合,侧面投影与圆柱Ⅰ侧面投影圆线的下半弧重合。三个圆柱的轴线都平行于正立投影面,因此圆柱Ⅰ与圆柱Ⅱ的相贯线的正面投影为斜线段;与圆柱Ⅲ的相贯

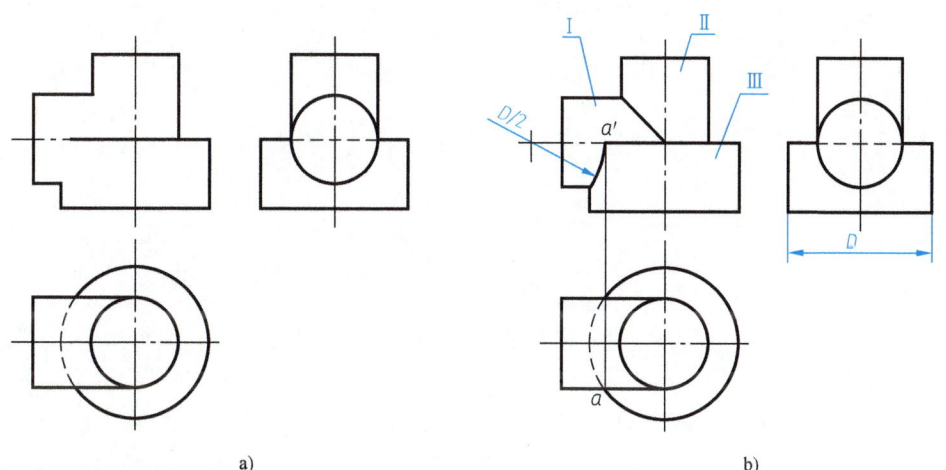

图 3-65 组合相贯

a) 已知条件 b) 作出相贯线

线的正面投影为空间曲线。而圆柱Ⅲ的顶面属于水平面，该平面并不是一个完整的圆面，其左边界到 A 点为止。

作图步骤　主视图中，圆柱Ⅰ与圆柱Ⅱ是等径正交，因此将圆柱Ⅰ与圆柱Ⅱ外形素线的交点与二者轴线交点用直线连接；圆柱Ⅰ与圆柱Ⅲ是不等径正交，用圆弧代替非圆空间曲线，画出二者的相贯线，如图 3-65b 所示。

★**学习指引**　圆柱与圆柱轴线正交相贯时，首先要比较二者直径的大小，然后分析它们相贯的类型，最后确定相贯线的形状、投影和可见性。

★**关键点拨**　当形体与形体相贯后，内部材料融为一体，因此形体的某些轮廓线就自然消失。当圆柱与圆柱轴线正交相贯时，若二者直径相同，相贯线在与两轴线平行的投影面上投影为直线，直线的两个端点就是二者外形素线的交点和轴线的交点；若二者直径不同，相贯线为空间非圆曲线，其近似画法为圆弧，圆弧的圆心在小圆柱的轴线上，圆弧凸向大圆柱的轴线。

第4章 轴测图

◆ **本章重难点**

重点：平面立体及曲面立体正等测及斜二测图的画法。

难点：椭圆的四心圆画法。

◆ **能力目标**

1. 掌握轴测图的概念并且能绘制平面立体、回转体的正等轴测图。
2. 能绘制平面立体及回转体的斜二轴测图。
3. 能熟练运用坐标法、叠加法、切割法绘制组合体的轴测图。

4.1 轴测图的基本知识

工程上广泛采用的多面正投影图（三视图），能够完全表示物体的形状和大小，度量性好，但缺乏立体感，需要经过专业训练的工程技术人员才能够读懂。因此工程上有时采用富有立体感但度量性较差的单面投影图，即轴测图作为辅助图样。轴测图是用平行投影法形成的一种单面投影图，能同时反映出物体长、宽、高三个方向的尺度，具有较好的直观性，能够进一步反映被表达物体的结构、设计思想、工作原理，帮助人们读懂多面正投影图。本章将介绍轴测图的形成，平面立体、曲面立体及组合体等常用轴测图的画法。

4.1.1 轴测图的形成

将物体连同其参考直角坐标系，沿不平行于任一坐标平面的方向，用平行投影法将其投射在单一投影面上所得到的具有立体感的图形，称为轴测投影，简称轴测图，如图4-1所示。

1. 轴测轴

直角坐标轴在轴测投影面上的投影称为轴测轴，如图4-1中的 O_1X_1、O_1Y_1、O_1Z_1 轴。

2. 轴间角

轴测投影图中，两根轴测轴之间的夹角称为轴间角，如图4-1中的 $\angle X_1O_1Y_1$、$\angle Y_1O_1Z_1$、$\angle X_1O_1Z_1$ 所示。

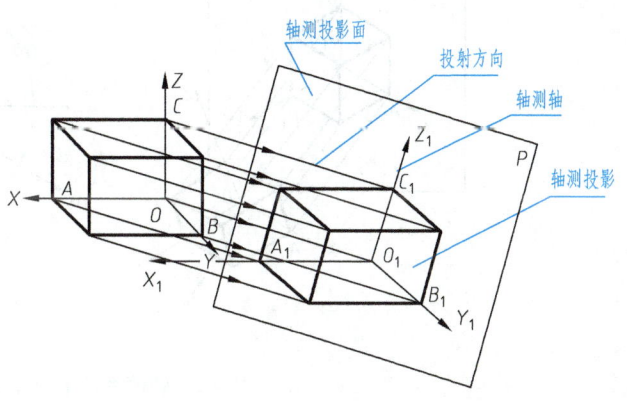

图 4-1 轴测图的形成

3. 轴向伸缩系数

轴测轴上的单位长度与空间直角坐标系中相应投影轴上单位长度的比值称为轴向伸缩系数。OX、OY、OZ 的轴向伸缩系数分别用 p_1、q_1、r_1 表示，例如，在图 4-1 中：

$$p_1 = O_1A_1/OA; \quad q_1 = O_1B_1/OB; \quad r_1 = O_1C_1/OC$$

轴间角与轴向伸缩系数是绘制轴测图的两个主要参数。

4.1.2 轴测图的基本性质

由于轴测投影也属于平行投影，因此，轴测图具有平行投影的所有特性：

1）物体上互相平行的线段，其轴测投影互相平行。
2）物体上互相平行的两线段或同一直线上两线段的长度之比，在轴测图上保持不变。
3）物体上平行于轴测投影面的直线和平面，在轴测图上反映实长和实形。

由此可见，与坐标轴平行的线段，它们的轴测投影长度等于线段的空间实长与相应的轴向伸缩系数的乘积。因此，已知轴间角和轴向伸缩系数，就可以沿着轴向度量画出物体上的各点和线段，从而画出整个物体的轴测投影，轴测图中的"轴测"即由此而来。

★学习指引　轴测图是单面投影，是能同时反映物体长、宽、高的一种立体图形。

★关键点拨　理解并熟练运用轴测图的基本性质将有助于快速绘制轴测图。

4.2 正等轴测图

4.2.1 正等轴测图的形成及参数

使物体上选定的三个直角坐标轴对轴测投影面的倾角相等，并用正投影法将物体连同坐标轴投射在轴测投影面上，所得到的轴测图称为正等轴测图，简称正等测。

由于空间直角坐标轴对投影面的倾角相等，因此正等测中的三个轴间角相等，均为 120°，如图 4-2 所示。作图时，一般将 OZ 轴画成铅垂方向。

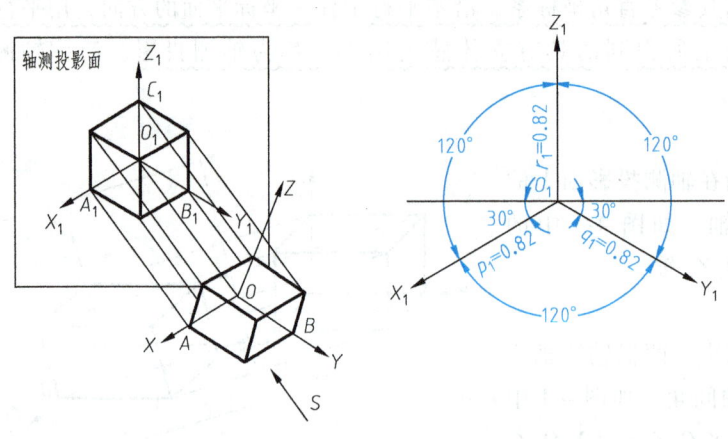

图 4-2　轴测图的形成及参数

由于空间直角坐标轴与轴测投影面的倾角相同,所以正等测中的三个轴的轴向伸缩系数也相等。经推证并计算可知:

$$p_1 = q_1 = r_1 \approx 0.82$$

为作图简便,实际画正等测图时一般采用简化伸缩系数,即:

$$p_1 = q_1 = r_1 = 1$$

即沿各轴向的所有尺寸都按物体的实际长度画图。但按简化伸缩系数画出的图形比实际物体放大了 $1/0.82 \approx 1.22$ 倍。

4.2.2 平面立体的正等轴测图画法

绘制轴测图常用的方法有坐标法、切割法、叠加法。坐标法是最基本的方法,用坐标法绘图时,先根据物体形状的特点,选定适当的坐标轴;再根据物体的尺寸坐标关系,画出各顶点的轴测投影;连接各顶点形成物体的轴测投影。

1. 棱柱的正等测画法

例 4-1 根据图 4-3a 所示正六棱柱的投影图,画出它的正等轴测图。

分析 在轴测图中,为了使画出的图形更加明显,通常不画物体不可见轮廓。所以本题作图的关键是选好坐标轴和坐标原点。由于正六棱柱前后、左右对称,从顶面开始作图比较方便,故选择顶面的中点作为空间直角坐标系原点。先确定顶面各顶点的坐标,有利于沿 Z 轴方向从上向下量取棱柱高度 h,可避免画很多多余图线,使作图简化。

作图步骤

1)如图 4-3a 所示,进行形体分析,确定坐标原点和坐标轴。将直角坐标系原点 O 放在顶面中心位置,并确定坐标轴 OX、OY、OZ。

2)如图 4-3b 所示,画正等测的轴测轴,根据尺寸 S、D 定出顶面上的 1、2、3、4 四个点。

3)如图 4-3c 所示,过 1、2 两点作直线平行于 O_1X_1,在所作两直线上各截取正六边形边长的一半,得顶面的四个顶点 A、B、C、E。

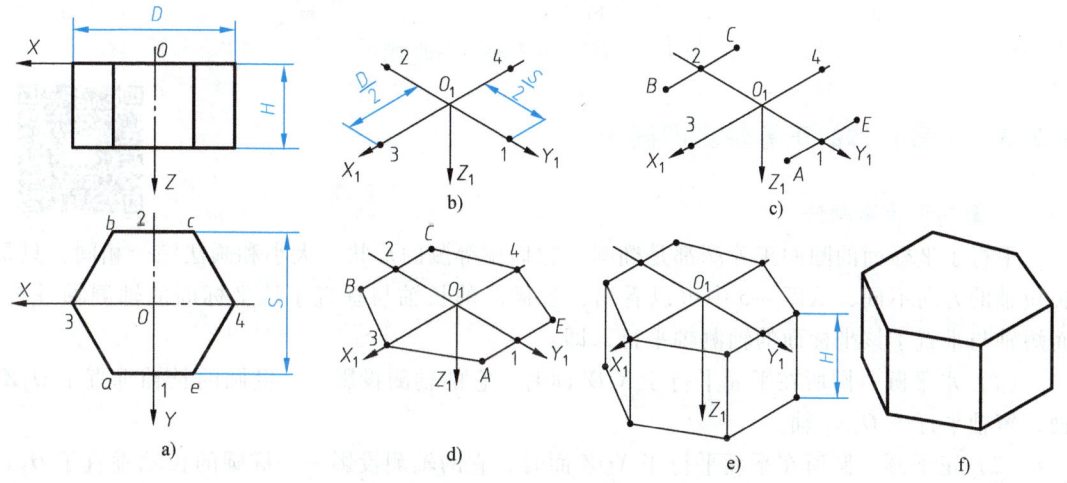

图 4-3 正六棱柱正等轴测图的画法

4）如图 4-3d 所示，连接各顶点。

5）如图 4-3e 所示，过各顶点沿 Z_1 轴的方向向下平移高度 H 距离，画出侧棱及底面各边。

6）如图 4-3f 所示，擦去多余的辅助线，用粗实线加深物体的可见轮廓线，得到六棱柱的正等轴测图。

2. 三棱锥的正等测画法

画棱锥的正等测时，先用坐标法画出棱锥底面的正等测，根据棱锥高度确定锥顶，再连接锥顶与底面各顶点。

例 4-2 如图 4-4a 所示，根据三棱锥的两视图，画出其正等测。

分析 三棱锥底面为不规则三角形，为找三棱锥各顶点方便，可选择 B 点为坐标原点，AB 直线为 OX 轴。

作图步骤

1）确定坐标原点和坐标轴。将直角坐标系原点 O 放在三棱锥底面最右、后那一点，将直线 AB 放置在 OX 轴上，如图 4-4a 所示。

2）画出轴测轴 O_1X_1、O_1Y_1、O_1Z_1，按给定的尺寸 X_A、X_C、Y_C 画出底面三角形正等测，如图 4-4b 所示。

3）按照给定的尺寸 X_S、Y_S、Z_S 画出锥顶点 S，如图 4-4c 所示。

4）连接锥顶与底面各角点，擦去作图线并描深，完成三棱锥的正等轴测图，如图 4-4d 所示。

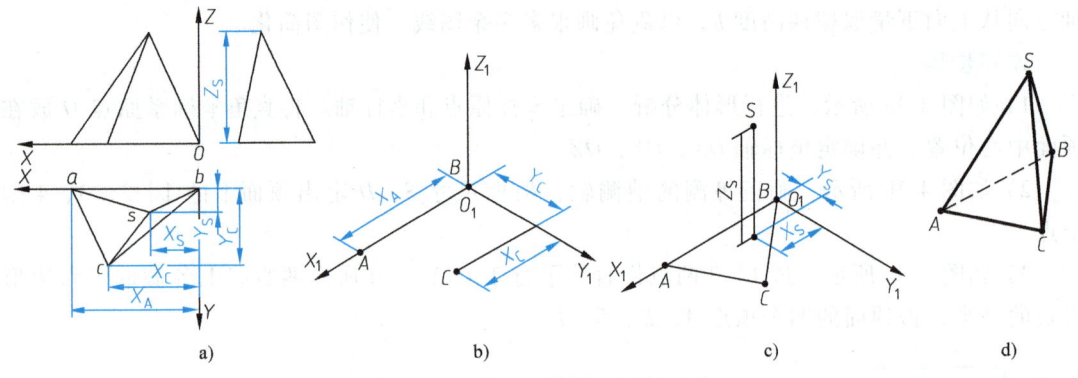

图 4-4 三棱锥正等轴测图的画法

4.2.3 曲面立体的正等轴测图画法

1. 圆的正等测画法

平行于坐标面的圆的正等测都是椭圆，它们正等测的形状、大小和画法完全相同，只是长短轴的方向不同，从图 4-5 中可以看出，各椭圆的长轴与垂直于该坐标面的轴测轴垂直，而短轴与垂直于该坐标面的轴测轴平行，即：

（1）水平圆　圆所在平面平行于 XOY 面时，它的轴测投影——椭圆的长轴垂直于 O_1Z_1 轴，短轴平行于 O_1Z_1 轴。

（2）正平圆　圆所在平面平行于 XOZ 面时，它的轴测投影——椭圆的长轴垂直于 O_1Y_1 轴，短轴平行于 O_1Y_1 轴。

(3) 侧平圆 圆所在平面平行于 YOZ 面时，它的轴测投影——椭圆的长轴垂直于 O_1X_1 轴，短轴平行于 O_1X_1 轴。

平行于坐标面的圆（视图上的圆）的正等测投影是椭圆，椭圆长轴垂直于不包括圆所在坐标面的那根轴测轴，椭圆短轴平行于该轴测轴。

椭圆常用的简化画法是菱形四心法。即椭圆用四段圆弧代替，这四段圆弧根据椭圆的外切菱形确定四个圆心求得。

例 4-3 如图 4-6a 所示，求作半径为 R 的水平圆的正等轴测图。

作图步骤

1) 确定坐标的原点及坐标轴。画圆的外切正方形，与圆相切于 a、b、c、d 四点，如图 4-6a 所示。

2) 画出轴测轴，并在 OX_1、OY_1 轴上截取 $OA=OB=OC=OD=R$，得 A、B、C、D 四点。并且，过点 A、C 和点 B、D 分别做 OX_1、OY_1 轴的平行线，得到菱形，如图 4-6b 所示。

3) 菱形短对角线端点为 O_1、O_2。连接 O_1A、O_1B 或 O_2C、O_2D，与菱形的长对角线交于点 O_3、O_4，得四个圆心 O_1、O_2、O_3、O_4，如图 4-6c 所示。

4) 以 O_1 为圆心，O_1A 为半径作圆弧 $\overset{\frown}{AB}$，以 O_2 为圆心，O_2C 为半径作圆弧 $\overset{\frown}{CD}$，如图 4-6d 所示。

5) 以 O_3 为圆心，O_3A 为半径作圆弧 $\overset{\frown}{AD}$，以 O_4 为圆心，O_4B 为半径作圆弧 $\overset{\frown}{BC}$。所得近似椭圆，即为所求椭圆，如图 4-6e 所示。

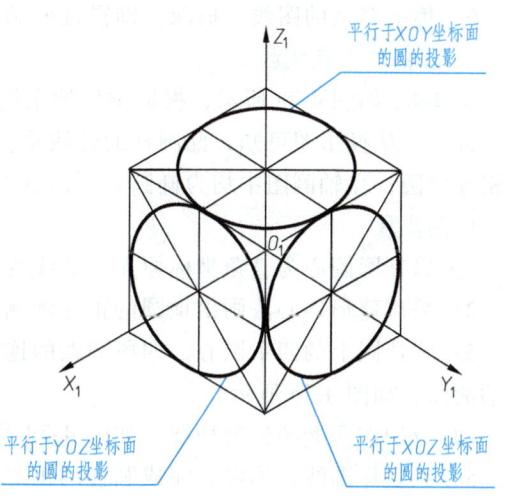

图 4-5 平行坐标面上圆的正等测

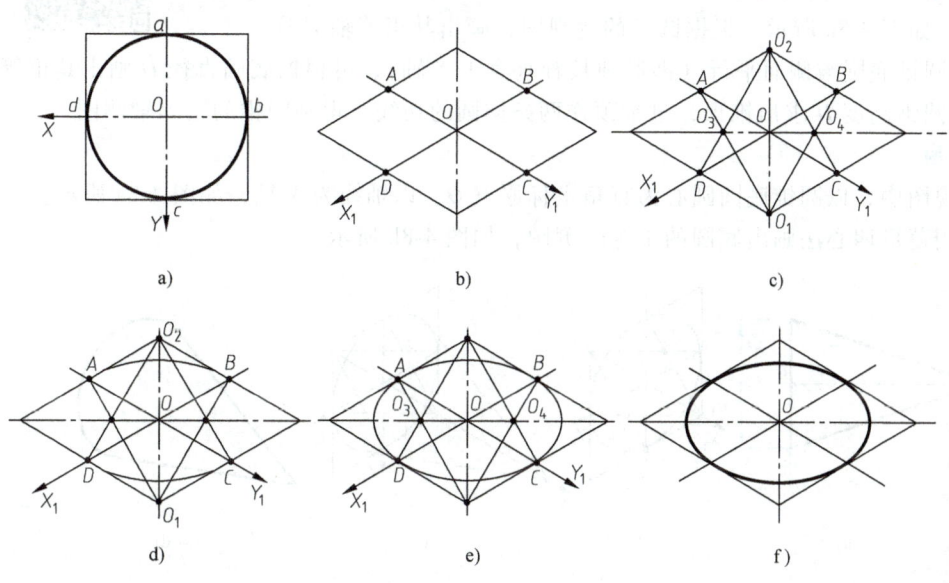

图 4-6 正等测椭圆的近似画法（菱形四心法）

6）擦去多余的图线，描深，即得近似椭圆，如图 4-6f 所示。

2. 圆柱的正等测画法

例 4-4　如图 4-7a 所示，根据圆柱的主视图，画出圆柱的正等轴测图。

分析　从投影图可知，此圆柱的轴线垂直于水平面，上下底面为两个与水平面平行且大小相等的圆，在轴测图中均为椭圆，可以取上底圆的圆心为坐标原点。

作图步骤

1）以顶圆圆心为直角坐标原点，轴线为 OZ 轴，建立直角坐标系，如图 4-7a 所示。

2）采用菱形四心法画出顶圆的正等轴测图，如图 4-7b 所示。

3）将顶圆上的四个圆心，四段圆弧的连接点依次向下量取圆柱高度 H，画出底圆的正等轴测图，如图 4-7c 所示。

4）分别作两椭圆的公切线，如图 4-7d 所示。

5）擦去作图线，描深，完成圆柱的正等轴测图，如图 4-7e 所示。

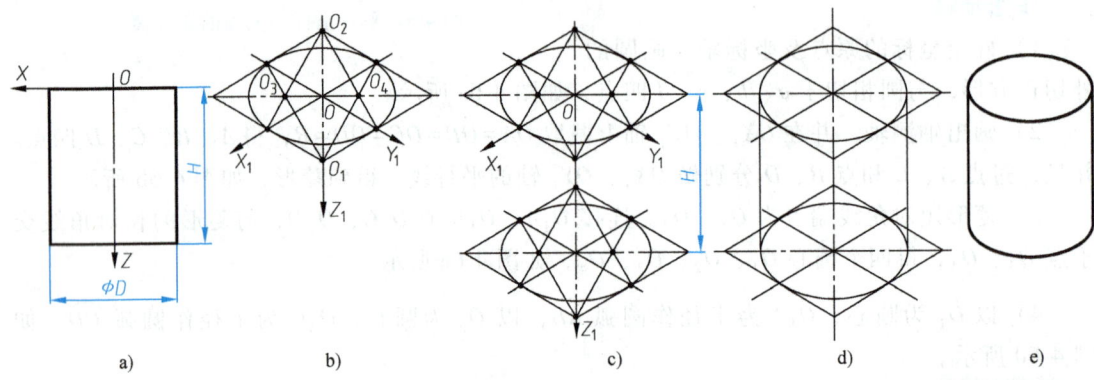

图 4-7　圆柱的正等测画法

3. 圆锥的正等轴测图画法

例 4-5　如图 4-8a 所示，根据圆锥的主视图，画出其正等轴测图。

分析　圆锥底圆与侧面平行（即椭圆长轴垂直于 X 轴），可根据底圆直径 D 画出其正等测，再根据圆锥高度 H 求出锥顶，过锥顶作两条椭圆的切线，得到圆锥的正等轴测图。

作图步骤

1）在视图中，以圆锥底圆圆心为直角坐标原点 O，以轴线为 X 轴，如图 4-8a 所示。

2）采用菱形四心法画出底圆的正等轴测图，如图 4-8b 所示。

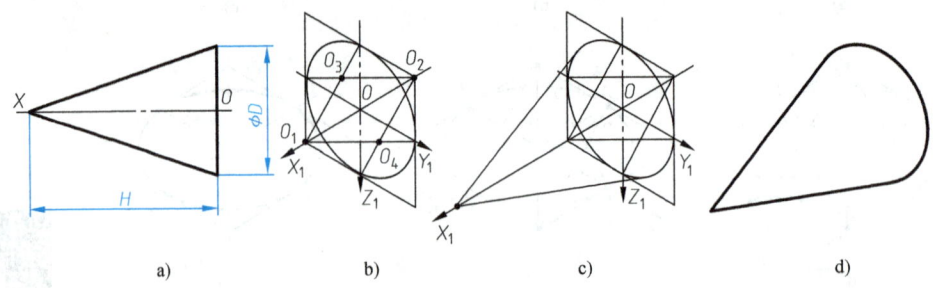

图 4-8　圆锥的正等轴测图画法

3）根据圆柱高度 H，沿 X 轴求出锥顶，过锥顶作椭圆的两条切线，如图 4-8c 所示。

4）擦去作图线并描深，完成圆锥的正等轴测图，如图 4-8d 所示。

4. 圆角的简化画法

例 4-6　如图 4-9a 所示，根据带圆角平板的两视图，画出其正等轴测图。

分析　平行于坐标平面的圆角，实质是平行于基本投影面的圆的一部分。因此，可以用近似法画圆角的正等轴测图，特别是四分之一圆周的圆角，其正等测恰好是近似椭圆的四段圆弧中的一段。从切点做相应棱线的垂线，即可获得圆弧的圆心。

作图步骤

1）画出平板的正等轴测图，并按圆角半径 R 在平板相应棱线上找出切点 1、2 和 3、4 点，如图 4-9b 所示。

2）过切点 1、2 和 3、4 分别做所在棱线的垂线，两垂线的交点 O_1、O_2 即为轴测圆角的圆心，如图 4-9c 所示。

3）分别以 O_1 和 O_2 为圆心，以 $O_1 1$ 和 $O_2 3$ 为半径作圆弧 $\widehat{12}$、$\widehat{34}$，即得到平板上顶面的圆角正等轴测图，如图 4-9d 所示。

4）将 O_1、O_2 沿 OZ_1 轴向下移动 H 距离，即得下底面两圆弧的圆心 O_3、O_4，用与顶面圆弧相同的半径分别画圆弧，并作出对应圆弧的公切线，即可得平板圆角的正等轴测图，如图 4-9e 所示。

5）擦除作图线，画圆弧描深即完成圆角的正等测，如图 4-9f 所示。

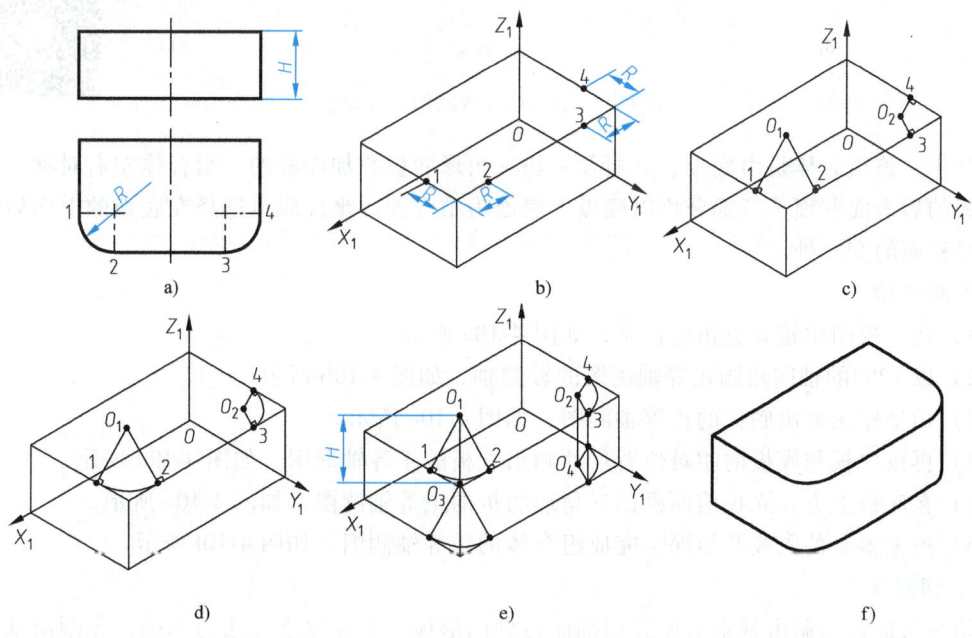

图 4-9　圆角的正等轴测图的画法

4.2.4　组合体的正等轴测图

画组合体的正等轴测图，首先要进行形体分析，分析组合体的构成，然后再作图，作图时，可先画出基本体的轴测图，再利用切割法和叠加法完成全图，作图时一般从前面或上面开始画。另外,利用平行关系是加快作图速度和提高作图准确性的有效手段。

1. 叠加法

叠加法也叫组合法,先将组合体分解成若干基本形体,再按其相对位置逐个画出各基本形体的正等轴测图,然后完成整体的正等轴测图。

例 4-7 如图 4-10a 所示,根据三视图,画出其正等轴测图。

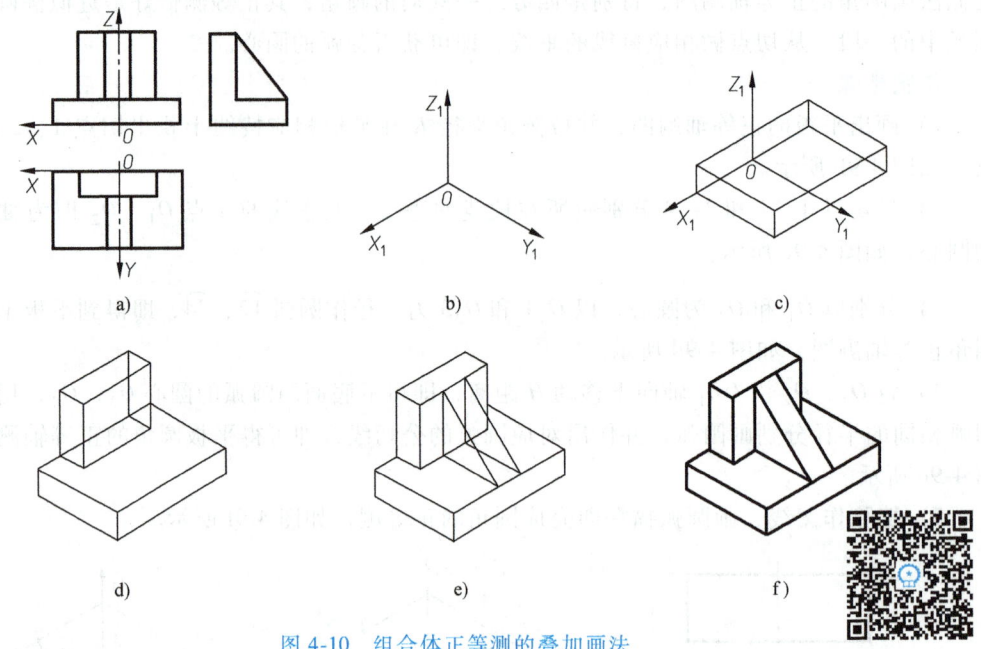

图 4-10 组合体正等测的叠加画法

分析 该组合体是由底板、立板及一块三角形肋板叠加而成的。组合体左右对称,底板和立板的后表面共面,三部分均以底板上表面为结合面。坐标原点选择在底板的上面后侧棱线与对称面的交点处。

作图步骤

1)在三视图中建立直角坐标系,如图 4-10a 所示。

2)以 120°的轴间角画正等轴测图的轴测轴,如图 4-10b 所示。

3)用坐标法画出底板的正等轴测图,如图 4-10c 所示。

4)再按立板与底板的相对位置尺寸画出立板的正等轴测图,如图 4-10d 所示。

5)在底板上方,立板前面画出三角形肋板的正等轴测图,如图 4-10e 所示。

6)擦去多余的图线并描深,完成组合体的正等轴测图,如图 4-10f 所示。

2. 切割法

切割法适合绘制由基本形体经切割而得到的形体。它是以坐标法为基础,先画出基本形体的轴测投影,再按其结构特点逐个切去多余部分,从而得到所需的轴测图。

例 4-8 如图 4-11a 所示,已知垫块的三视图,画出它的正等轴测图。

分析 从三视图可知,垫块可看作长方体分别切去左上角、左前方的三棱柱而形成,此类完全由切割形成的切割体可采用切割法来绘制其正等轴测图。即先用坐标法画出完整平面立体的轴测图,然后用挖切方法逐步画出各个切口部分。

作图步骤

1）在三视图中确定坐标原点及坐标轴,如图 4-11a 所示。
2）画出正等测轴测轴,按坐标法画出长方体的正等轴测图,如图 4-11b 所示。
3）按给定的尺寸 b、f 确定斜面上线段端点的位置,画出左上方斜面的正等轴测图,如图 4-11c 所示。
4）按给定的尺寸 d、e 确定斜面上线段端点的位置,画出左前方斜面的正等轴测图,如图 4-11d 所示。
5）擦去多余的图线,并加深图线,即得垫块的正等轴测图,如图 4-11e 所示。

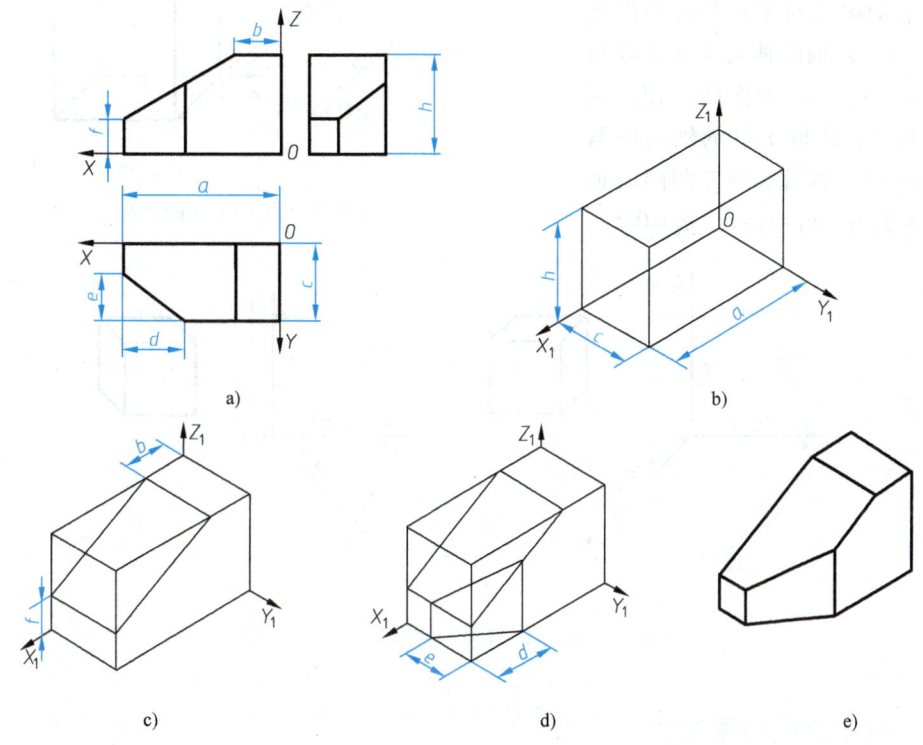

图 4-11 用切割法画轴测图

★**学习指引** 正等轴测图中,正确绘制轴测轴、把握轴向伸缩系数是正确绘制轴测图关键的一步。

★**关键点拨** 正等轴测图中坐标原点的确定将决定绘图过程的难易,通常把物体上的角点尽可能多地放置在投影轴上。同时作图时要弄清图中轮廓线的走向（X 向、Y 向、Z 向）。

4.3 斜二等轴测图

4.3.1 斜二等轴测图的形成及参数

使物体的 XOZ 坐标面与轴测投影面 P 平行,采用斜投影法将物体连同坐标轴一起向投影面投影,所得到的轴测图称斜二等测轴测图,简称斜二测图,如图 4-12 所示。

1. 轴间角

XOZ 坐标平面与轴测投影面平行，因此，斜二测图的三个轴间角分别为：$\angle XOZ = 90°$，$\angle ZOY = \angle YOX = 135°$。随着投影方向的不同，$Y$ 轴的方向可以任意选定，如图 4-13 所示。

2. 轴向伸缩系数

由于 XOZ 坐标平面与轴测投影面平行，X、Z 轴的轴向伸缩系数相等，即 $p_1 = r_1 = 1$，为作图方便，国家标准规定：选取 Y 轴的轴向伸缩系数 $q_1 = 0.5$，因此，斜二测图的轴向伸缩系数为：$p_1 = r_1 = 1$、$q_1 = 0.5$。

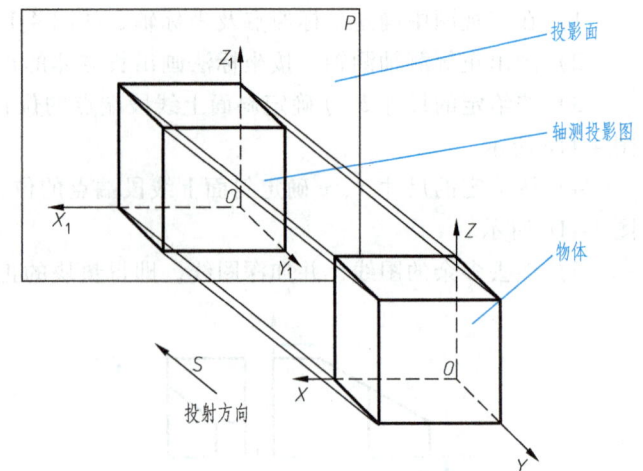

图 4-12　斜二测图的形成

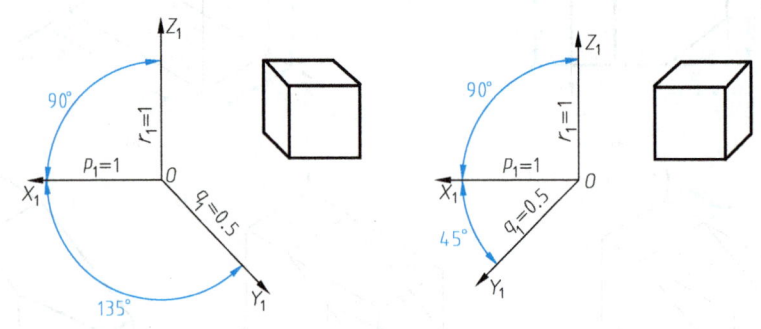

图 4-13　斜二测图的轴间角和轴向伸缩系数

4.3.2　斜二测图的画法

斜二测图的画法与正等测图相似，但斜二测图的轴间角及轴向伸缩系数均不同，由于斜二测 OY 轴的轴向伸缩系数 $q_1 = 0.5$，所以在画斜二测图时，OY 方向的长度应取物体上相应长度的一半。

例 4-9　作出如图 4-14a 所示的带圆孔的圆台斜二测图。

分析　圆台的前后端面及孔口都是圆，且平行于正面，因此，将后端面圆心定位在坐标系原点，作图比较方便。

作图步骤

1）以后方圆的圆心为坐标原点，轴线为 OY 轴，在视图中确定直角坐标系，如图 4-14a 所示。

2）画出斜二测轴测轴，画出后端面两圆，如图 4-14b 所示。

3）在 O_1Y_1 轴上量取 $L/2$，确定前端面圆心，并画出前端面两圆，如图 4-14c 所示。

4）分别作出内外两圆的公切线后，擦去多余的图线，如图 4-14d 所示。

5）擦去多余作图线并描深，完成带孔圆台的斜二测图，如图 4-14e 所示。

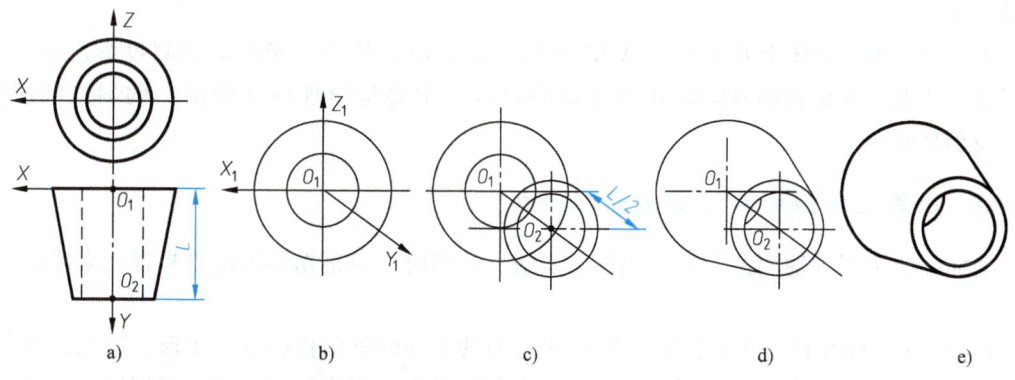

图 4-14 带圆孔的圆台斜二测图的画法

例 4-10 如图 4-15a 所示，已知物体的两视图，画出其斜二测图。

分析 根据斜二测图的特点，平行于正面的圆反映实际形状，并且，为作图方便，斜二测图通常从最前面开始绘制，因此我们将坐标原点定于最前面的圆心上，沿 Y 轴方向分层定位作图。

作图步骤

1）在视图中确定参考直角坐标系，以物体最前面圆心为坐标原点，轴线为 OY 轴，如图 4-15a 所示。

2）画出斜二测轴测轴，O_1 为圆心，画出前端面的斜二测图，如图 4-15b 所示。

3）在 O_1Y_1 轴上量取 $a/2$，定出中间面的圆心，画出中间面的斜二测图，如图 4-15c、图 4-15d 所示。

4）在 O_1Y_1 轴上量取 $b/2$，定出后端面圆心，画出后端面的斜二测图，如图 4-15e 所示。

5）连接前端面、中间面及后端面各顶点，擦去多余线条，如图 4-15f 所示。

6）检查，描深，完成全图，如图 4-15g 所示。

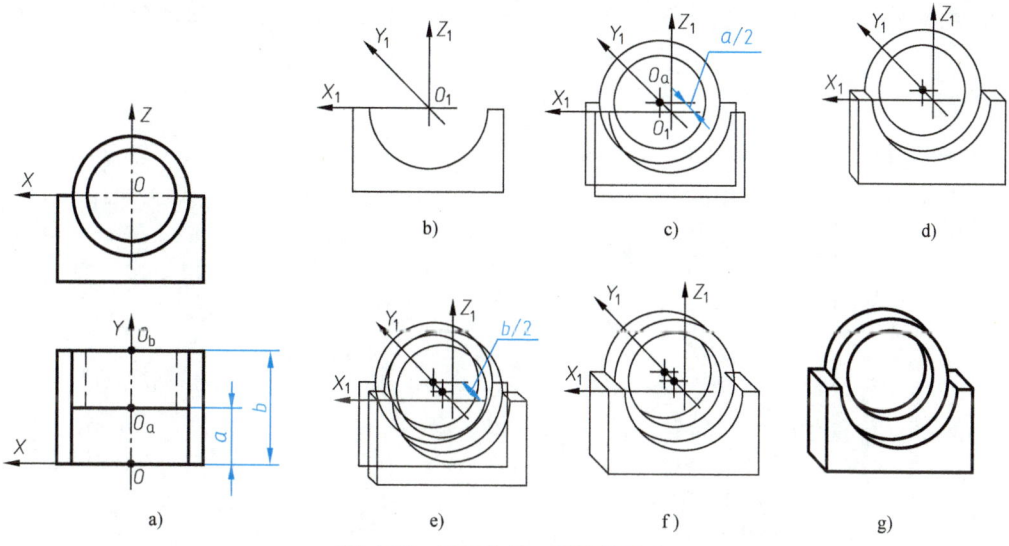

图 4-15 物体的斜二测图的画法

★学习指引　斜二测轴测图中，O_1X_1 与 O_1Z_1 相互垂直，与三视图中的 X 轴和 Z 轴的关系一样。

★关键点拨　物体上凡平行于 XOZ 坐标面的表面，其斜二测图的轴测投影反映实形。利用这一特点，在绘制单方向形状较复杂的物体（主要是出现较多的圆）的斜二测图时，比较简单易画。

4.3.3　正等轴测图和斜二测图的优缺点

前面介绍了正等轴测图和斜二测图的画法。绘图时，应根据绘图的难易程度来确定绘图类型。

1）在斜二测图中，由于平行于 XOZ 坐标面的平面的轴测投影反映实形，因此，当立体的正面形状复杂，具有较多的圆或圆弧，而在其他平面上图形较简单时，采用斜二测图比较方便。

2）正等轴测图直观、形象，立体感强，但椭圆作图复杂。

工程中通常采用正等轴测图来绘制机件的立体图。

★学习指引　在进行轴测图的绘制中，根据物体结构特点，选择适合的轴测图类型提高绘图的速度。

★关键点拨　斜二测图适用于物体的主视图中圆或圆弧较多的情况。正等轴测图适用场合较多，因此作图中常采用正等轴测图。

第5章 组合体

◆ **本章重难点**

重点：组合体的画图方法和步骤、组合体的读图方法和步骤。

难点：组合体的尺寸标注。

◆ **能力目标**

1. 根据轴测图或实体模型能正确绘制出三视图。
2. 根据两个已知视图能正确补画第三个视图。

5.1 组合体的组合形式及其表面连接关系

任何复杂的机械零件，从形体的角度来分析，都可以看作是若干基本立体（棱柱、棱锥、圆柱、圆锥等）按一定的方式（叠加、切割、穿孔）组合而成。这种由两个或两个以上基本形体组成的立体就称为组合体。

5.1.1 组合体的组合形式

工程上常见的组合体分为叠加式组合体、切割式组合体和综合式组合体三类。叠加式组合体是指由若干个基本体按照一定的顺序叠加而成的立体，如图 5-1a 所示。切割式组合体是某一个基本体经过若干次切割而形成的立体，如图 5-1b 所示。综合式组合体是既有叠加又有切割的立体，如图 5-1c 所示。在很多情况下，叠加式和切割式无明显的区分，同一组合体既可按叠加式进行分析，又可按切割式进行分析，视具体情况而定，以方便画图和看图为准。

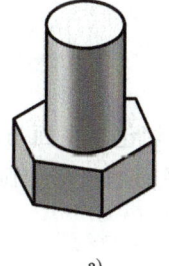
a)
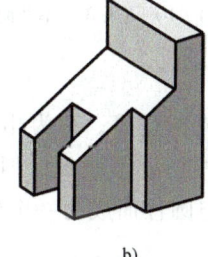
b)

c)

图 5-1 组合体的组合形式
a) 叠加式 b) 切割式 c) 综合式

5.1.2 表面连接关系

无论以何种方式构成的组合体，其形体间相邻的表面都可以分为平齐、不平齐、相交和相切四种关系。形体间表面连接关系不同，其结合处的图线画法也不同。

1. 平齐、不平齐

两个基本体叠加时，同方向的两平面叠加后处于同一平面上，则这两平面之间的关系称为平齐（或共面），如图 5-2a 所示；反之，若不在同一平面上，则称为不平齐（或不共面），如图 5-2b 所示。画图时，同一方向上平齐的相邻两表面之间不画线。反之，同一方向上不平齐的相邻两表面之间要画分界线。

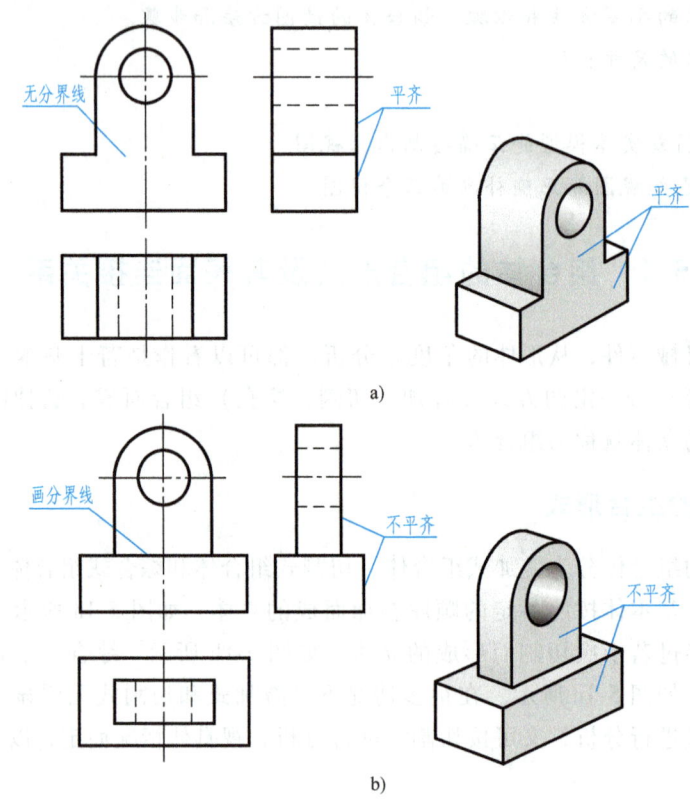

图 5-2 表面连接关系——平齐、不平齐
a）平齐（共面） b）不平齐（不共面）

2. 相切

两个基本体叠加时，相邻表面之间的光滑过渡，称为相切。相切包括平面与曲面相切和曲面与曲面相切两种情况。相切时，两面相切处不画线，但相邻平面的投影应画至切点处。如图 5-3 所示，平面与圆柱面相切，平面与圆柱面成为一个组合面。

3. 相交

两个基本体叠加时，相邻两表面间有各种形式的交线，称为相交。相交包括平面与平面、平面与曲面、曲面与曲面相交三种情况。画图时，应在二者交汇处将交线的投影画出。如图 5-4 所示，平面与圆柱面相交，二者之间有相交线（也是两表面的分界线）。

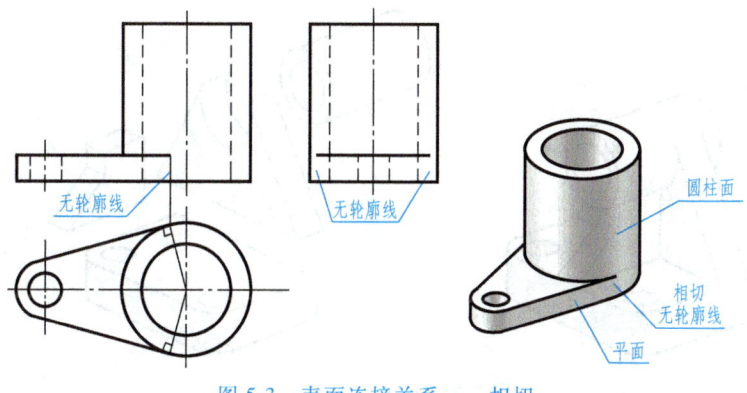

图 5-3 表面连接关系——相切

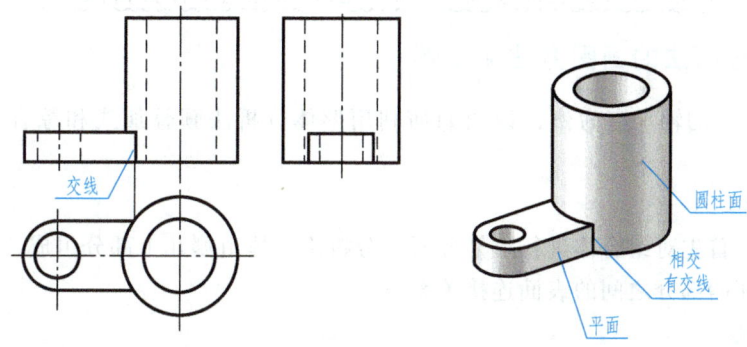

图 5-4 表面连接关系——相交

★ **学习指引** 分析组合体相邻表面的连接关系时,首先看清相邻的两个面是平面还是曲面。若两个面都是平面,那么它们之间就可能是平齐、不平齐或相交的关系;若其中一个是平面,另一个是曲面,那么它们之间就可能是相交或相切的关系;若两个面都是曲面,那么它们之间就可能是相切或相交的关系。

★ **关键点拨** 两个面相交就有交线,在三视图中先找交点,然后依据投影规律找交线的其他投影;相切必然有切点,相切后两面形成一个组合面,故无分界线。

5.2 组合体三视图的画法

画组合体三视图,即将组合体实物或轴测图用视图的形式表达出来。画组合体三视图时,首先分析该组合体属于哪一类型,然后再采用不同的方法绘制其三视图。画组合体三视图的常用方法是形体分析法和线面分析法。

5.2.1 形体分析法

任何一个复杂的组合体都可看成是由若干个基本形体叠加、切割而成的。如图 5-5 所示的轴承座,可看成是由底板、支承板、肋板、圆筒四部分组成。支承板、肋板在底板的上方,肋板在支承板的前方,并且整个组合体左右对称。肋板与圆筒相交,支承板的左右两侧面与圆筒相切,底板与支承板的后侧面平齐。这种假想把组合体分解为若干个简单的形体,

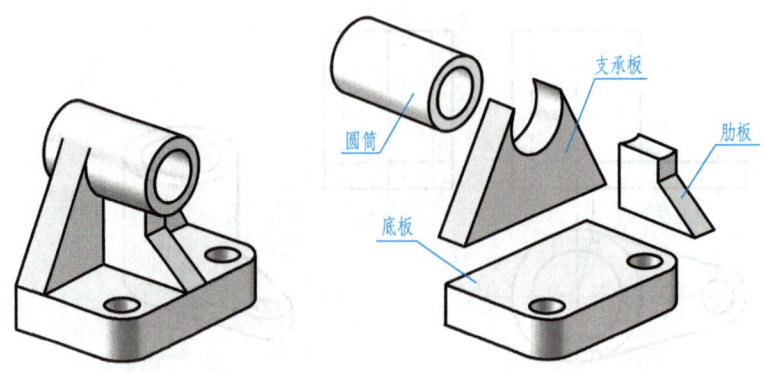

图 5-5 轴承座形体分析法

并分析它们之间的相对位置及表面连接关系的方法，就称为形体分析法。

5.2.2 形体分析法的画图方法和步骤

以图 5-5 所示的轴承座为例，说明如何利用形体分析法画叠加式和综合式组合体的三视图。

1. 形体分析

画图之前，首先对组合体进行形体分析。分析组合体由哪几个部分组成，各部分之间的相对位置及相邻两部分之间的表面连接关系。

2. 选择视图

（1）主视图的选择

主视图是三视图中最重要的视图，因此首先要确定主视图的投射方向。选择主视图时，应遵循以下原则：

1）应使主视图上尽可能多地反映组合体的形状特征和位置特征。

2）考虑组合体的自然摆放平稳位置，通常使组合体的主要表面和主要轴线平行或垂直于投影面，以便使投影获得实形。

3）尽量减少其他两视图中的虚线。

轴承座主视图的选择，如图 5-6 所示。图中有 A、B、C 三个投射方向，将三个投射方向所得的视图进行比较，可以看出 B 向视图中虚线较多，与 A 向视图相比，其清晰程度欠缺；C 向视图虚线不多，但在反映组合体形状特征方面不如 A 向视图反映得多，因此确定以

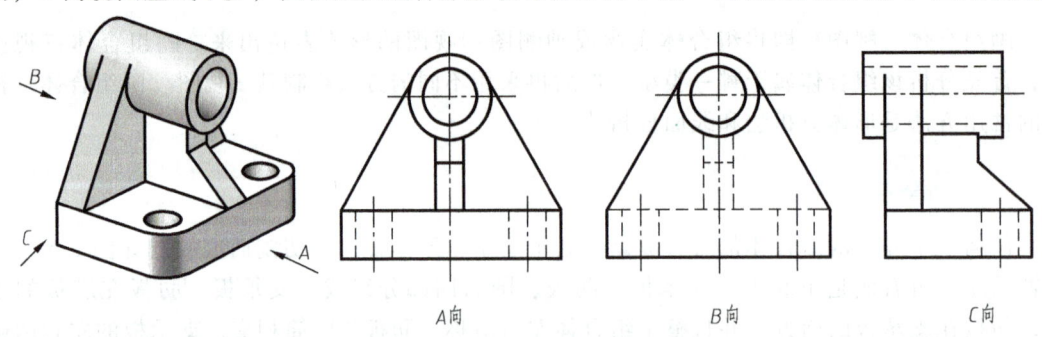

图 5-6 轴承座的主视图的选择

A 向作为主视图的投射方向。

(2) 视图数量的确定

在组合体各部分形状和位置表达完整、清晰的前提下,视图数量应尽可能少。

如图 5-5 所示,底板上圆孔的中心位置和圆角的形状在俯视图中反映,圆筒和支承板的形状和相切的关系在主视图中反映,肋板的形状在左视图中反映,因此要将轴承座的形状结构表达清楚,需要主、俯、左三个视图。

3. 选择比例、确定图幅

视图确定后,根据组合体的复杂程度及大小,按照国家标准有关规定选取比例和图幅。选择图幅时应考虑视图所占空间大小,同时还要考虑标注尺寸和标题栏所需空间位置等。

4. 布置视图,画基准线

布置视图时,应将视图均匀地布置在图框内,不应偏置或集中。视图间应留够标注尺寸的位置。采用细实线或细点画线画出各视图的作图基准线(每图两个——竖向与横向),以确定各视图位置。通常选取物体的较大底面、对称面、重要端面、重要轴线等作为基准。

5. 绘制底稿

为了正确而快速地画出组合体的三视图,画底稿时,应注意以下几点:

1)分部分画。依据表面连接关系,按叠加顺序逐一画出各部分的三视图,轴承座中各部分的叠加顺序见表 5-1。先画主要部分,后画次要部分;先画可见部分,后画不可见部分;先画圆、圆弧后画投影。

2)几个视图一起画。画每一部分时,三个视图按投影关系对应画出。先画反映形状特征的视图,再画其他视图。

3)应注意各部分之间的表面连接关系,正确画出平齐、不平齐、相交和相切处的投影。

表 5-1 轴承座的叠加顺序

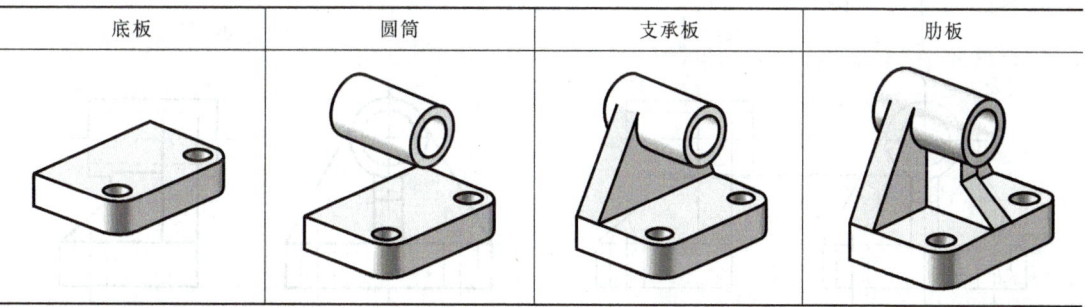

底板	圆筒	支承板	肋板

6. 检查、描深

底稿完成后,依次检查各组成部分的投影及对应关系是否正确,检查各部分之间表面连接关系的画法是否正确,是否有漏线和多线,然后拿模型或轴测图与三视图进行对照。确认无误后,描深图线,完成全图。

作图的具体步骤如图 5-7 所示。

1)画出各视图的作图基准线,如图 5-7a 所示。

2)画底板。先画反映实形的俯视图,再画其他视图,如图 5-7b 所示。

3)画圆筒。先画反映实形的圆,再画其他视图,如图 5-7c 所示。

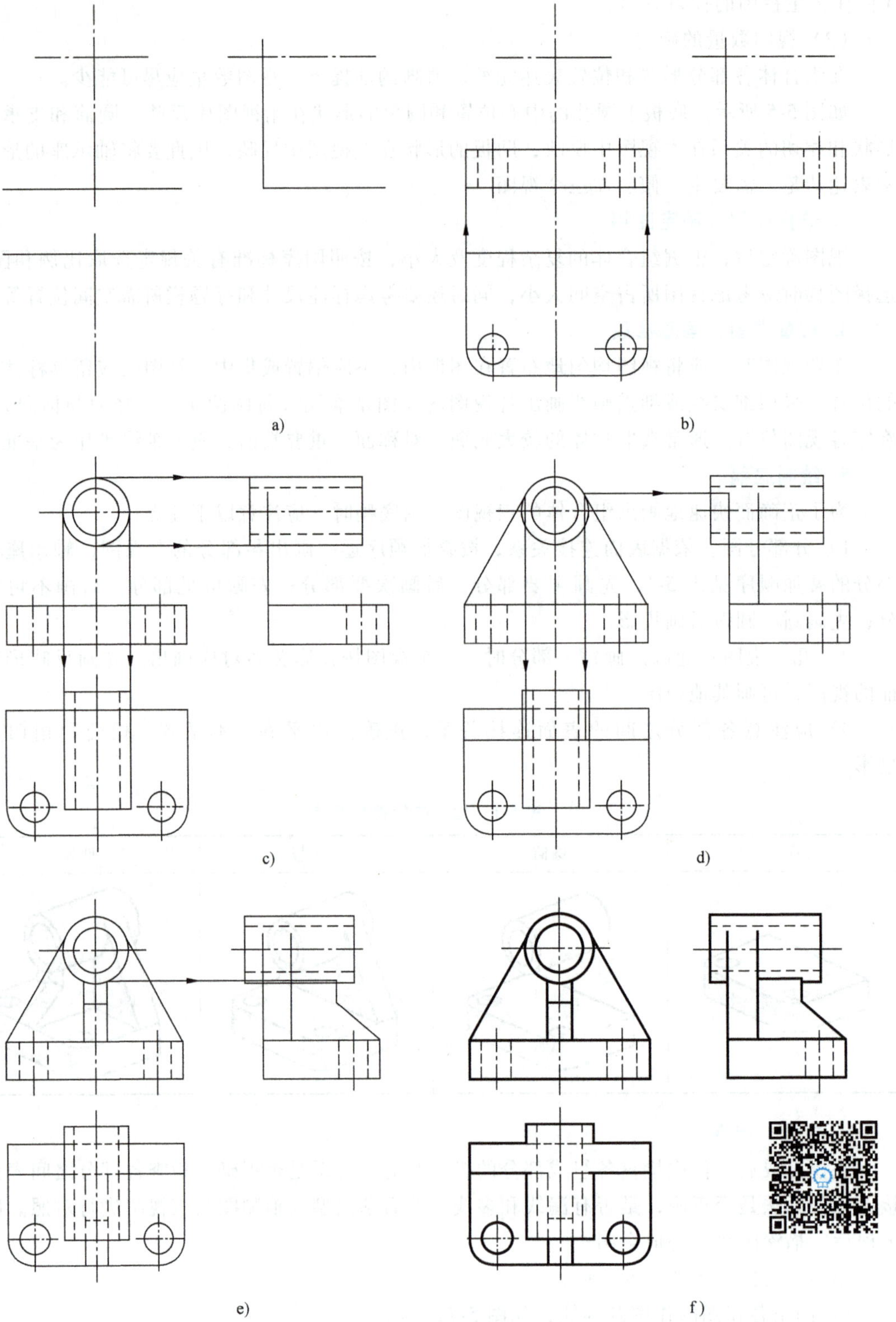

图 5-7 组合体作图步骤

a）画作图基准线　b）画底板　c）画圆筒　d）画支承板　e）画肋板　f）检查、加深

4)画支承板。先画反映相切关系的主视图,再画其他视图,如图 5-7d 所示。

5)画肋板。先画反映相交关系的主视图,再画其他视图,如图 5-7e 所示。

6)检查、加深。检查表面连接关系画法是否正确、检查是否多线和漏线,然后擦去多余的线条,加深各视图,如图 5-7f 所示。

5.2.3 线面分析法的画图方法和步骤

切割式组合体通常是一个基本体被若干平面和曲面切割后而形成的。因此在画图方法上与前面所讲的形体分析法有所不同。切割式组合体的三视图是运用线面分析法绘制的。

以图 5-8 为例,说明切割式组合体三视图的画图方法和步骤。

1. 形体分析

画图之前,首先对组合体进行形体分析,分析其未切割之前该形体属于哪一类基本体,然后分析基本体被切去几部分,最后弄清各截面形状、空间位置及投影特点,如图 5-8 所示。

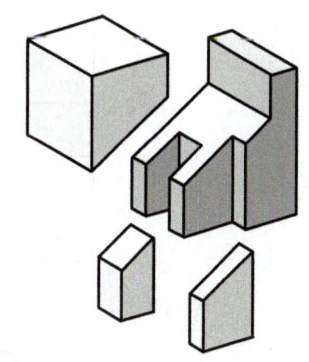

图 5-8 切割式组合体(一)的形体分析

2. 确定切割顺序

切割顺序的选择将直接决定作图过程的难易及速度。先分析大的切口、槽等,再分析穿孔等。该切割式组合体的切割顺序见表 5-2。

表 5-2 切割式组合体(一)的切割过程分析

未切割前的形状	用正垂面和侧平面组合切割形成左上方切口	用正平面和侧平面组合切割形成左前方切口	用正平面和侧平面组合切割形成左右矩形通槽

3. 视图选择

使物体平稳放置在正常位置,主视图中尽量多地反映出切口、开槽等。尽量使三视图的长大于宽,并使各视图中的虚线尽可能少。

4. 选比例、定图幅,布视图、定基准(与叠加式组合体相同)

5. 绘制底稿

依照切割顺序逐一画完切割后的三视图,画底稿时应注意:

1)认真分析物体的形成过程,确定截面的形状、位置及投影。

2）先画反映形状特征明显的视图，如切口、槽等。即画出切割面具有积聚性的投影，反映出形体被切割，再根据切割面与物体表面相交的情况，画出其另外两面投影。注意运用投影面垂直面投影的类似性作图。

3）注意各切割面之间交线的投影。

作图的具体步骤如图 5-9 所示。

1）画出未切割之前形体的三视图，如图 5-9a 所示。

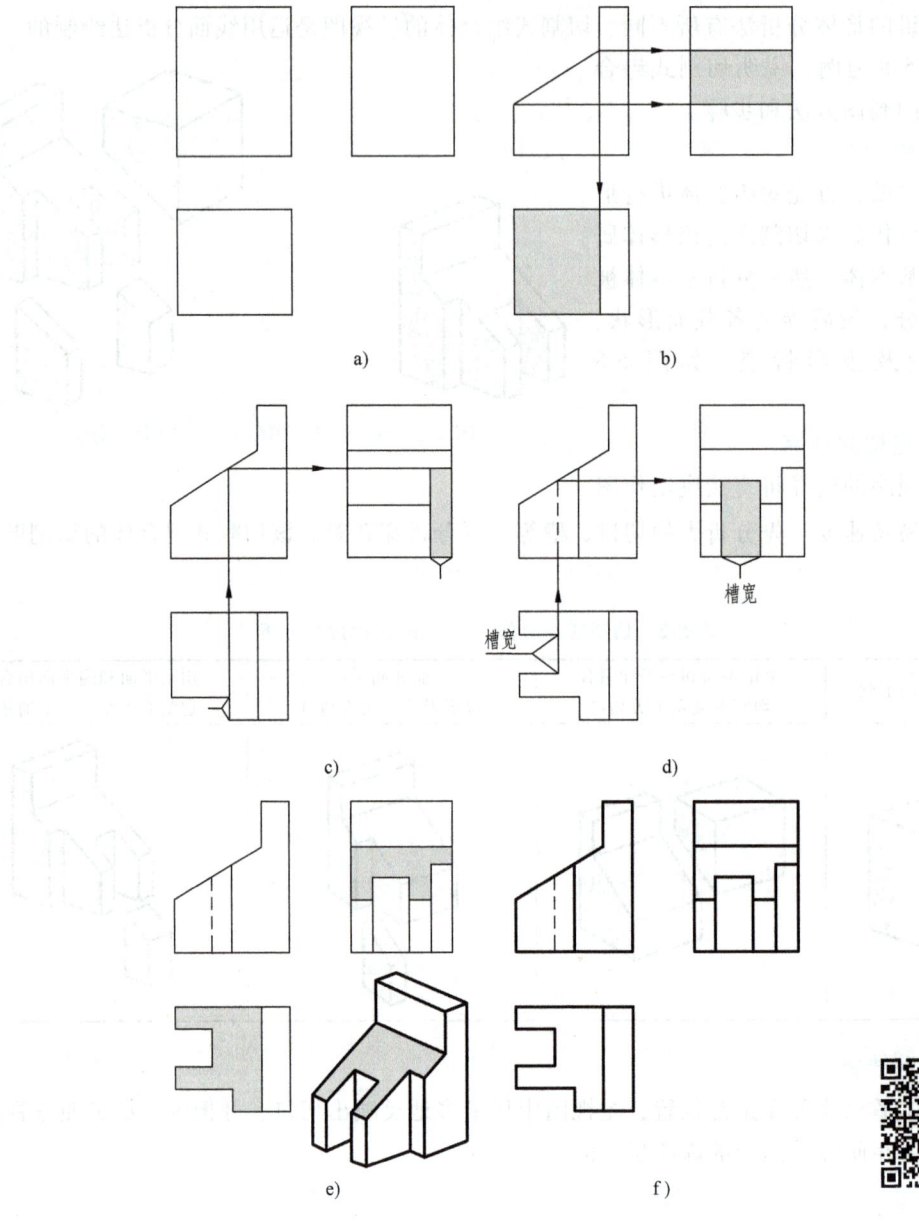

图 5-9　切割式组合体（一）的作图步骤

a）未切割之前的三视图　b）画出左上方切口　c）画出左前方切口　d）画出左方矩形通槽
e）对照实物，检查三视图　f）加深轮廓

2)画左上方切口。先画反映切口的主视图,再利用"长对正、高平齐"画其他两视图,如图 5-9b 所示。

3)画左前方切口。先画反映切口的俯视图,再利用"长对正、宽相等"画其他两视图,如图 5-9c 所示。

4)画左方矩形通槽。先画反映矩形槽口的俯视图,再利用"长对正、宽相等"画其他两视图,如图 5-9d 所示。

5)检查时,对照实物,重点检查投影面垂直面类似性的投影,如图 5-9e 中"F"形的正垂面,然后擦去多余的线条,加深轮廓,如图 5-9f 所示。

6. 检查、描深

对照模型或轴测图,检查各面的投影是否正确,关键检查各种垂直面的投影情况。同时检查轮廓线可见性判断是否正确。检查无误,描深全图。

例 5-1 如图 5-10 所示,由切割式组合体(二)的轴测图画三视图。

形体结构分析及切割顺序分析

1)结构分析:该形体未切割之前为四棱柱,经过各面切割,形成了左上方的切口、上方从左至右的 V 形通槽、左方从上至下的半圆形通槽。

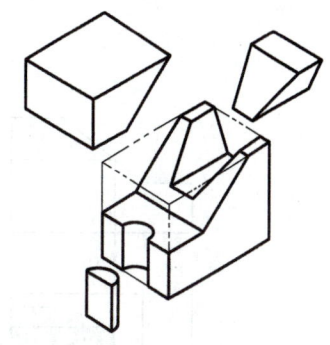

图 5-10 切割式组合体(二)的形体分析

2)切割顺序分析,见表 5-3。

表 5-3 切割式组合体(二)的切割过程分析

未切割前的形状	用正垂面和侧平面组合切割形成左上方切口	用水平面和侧垂面组合切割形成 V 形通槽	用半圆柱面切割形成左方半圆形通槽
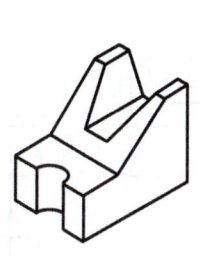			

作图步骤

1)画出未切割之前形体的三视图,如图 5-11a 所示。

2)画左上方切口。先画反映切口的主视图,再利用"长对正、高平齐"画俯、左视图,如图 5-11b 所示。

3)画上方 V 形通槽。先画反映 V 形槽开口的左视图,再利用"高平齐、长对正、宽相等"画主、俯视图,如图 5-11c 所示。

4)画左方半圆形通槽。先画反映半圆形槽口的俯视图,再利用"长对正、宽相等"画主、左视图,如图 5-11d 所示。

5）检查时，对照实物，重点检查投影面垂直面类似性的投影，如图 5-11e 中"凹"形的正垂面，然后擦去多余的线条，加深轮廓，如图 5-11f 所示。

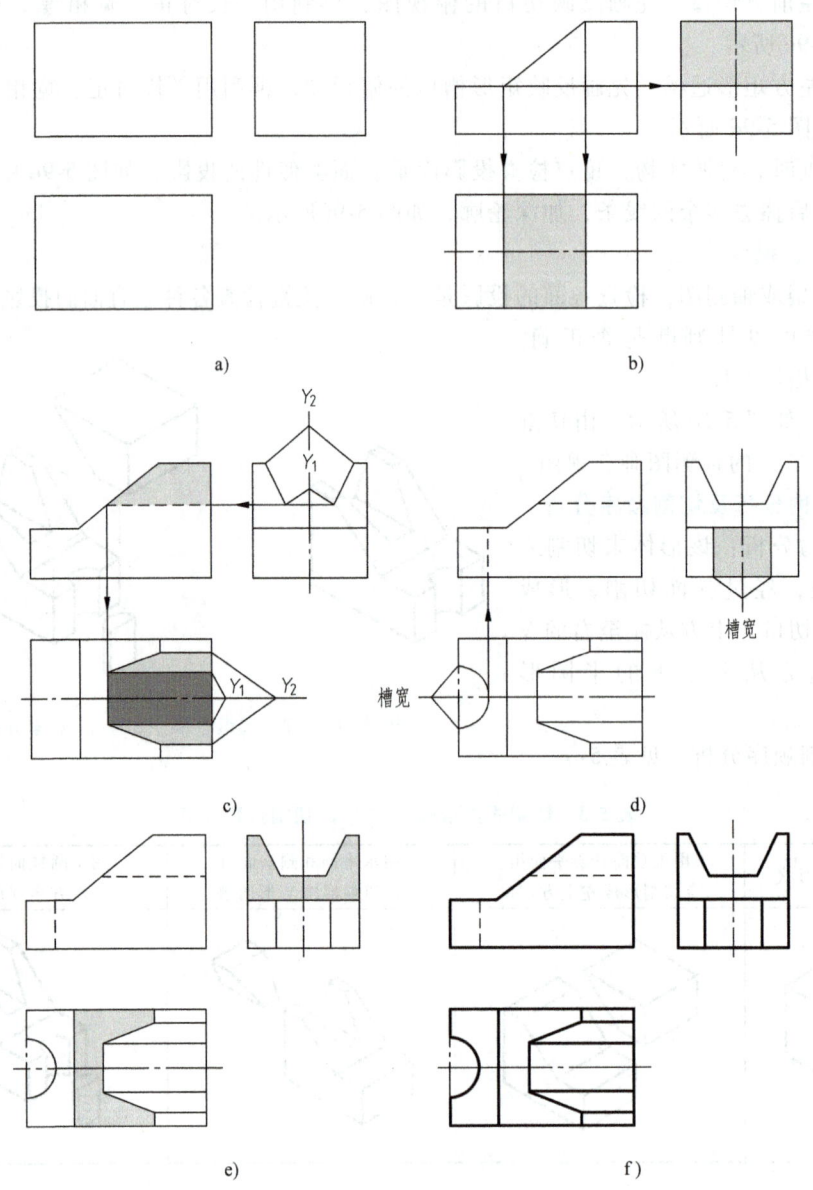

图 5-11 切割式组合体（二）的作图步骤
a) 画未切割之前的基本体的三视图　b) 画正垂面与水平面的投影　c) 画 V 形槽的投影
d) 画左方半圆形槽的投影　e) 对照实物，检查三视图　f) 加深轮廓

★学习指引　无论是叠加式组合体还是切割式组合体，在画三视图前均要进行形体分析。形体分析的第一步就是确定组合体的类型，然后依据类型再确定画图方法。

★关键点拨　叠加式组合体采用形体分析法画图，切割式组合体采用线面分析法画图，综合式组合体是先采用形体分析法按部分画出，然后采用线面分析法画出切割部分。

5.3 组合体的尺寸标注

视图能表达物体的形状结构，而物体的大小则要通过尺寸来反映。图样中机械零件的尺寸标注要做到如下四点要求：

正确：尺寸标注必须符合国家标准的有关规定。
完整：所注各类尺寸应齐全，不能重复，也不能遗漏。
清晰：尺寸布置要整齐清晰，便于看图。
合理：指尺寸标注要满足机件的设计要求和工艺要求（详见第8章）。

5.3.1 基本体、切割体及相贯体的尺寸注法

1. 基本体的尺寸注法

（1）平面体的尺寸注法

平面体一般标注长、宽、高三个方向的尺寸，如图 5-12 所示。

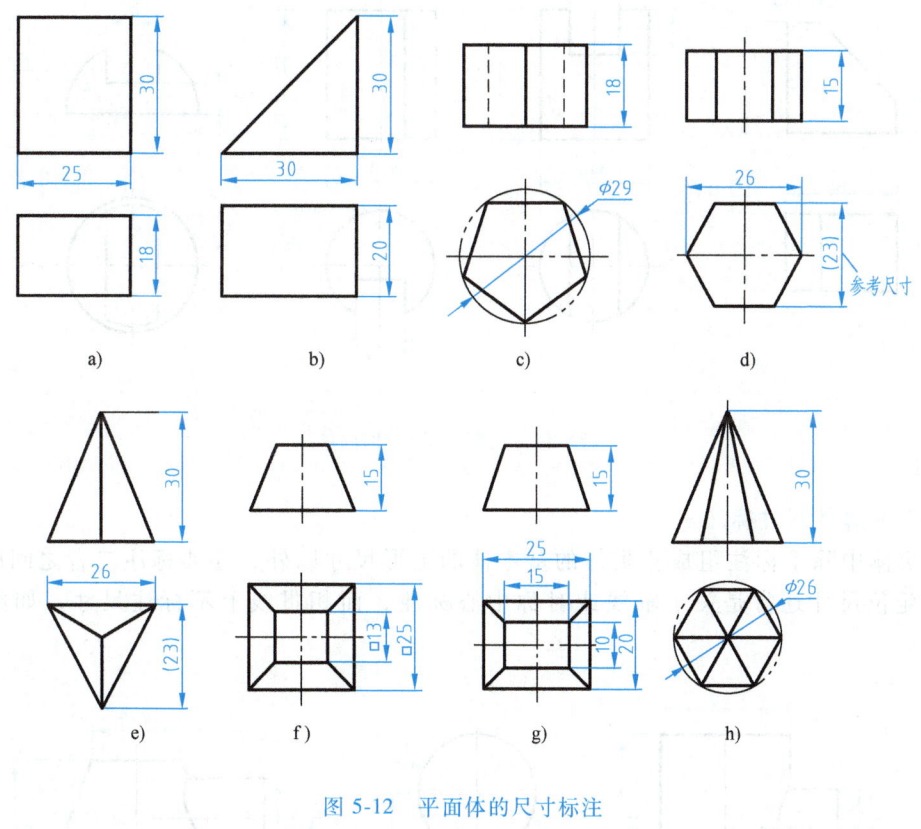

图 5-12 平面体的尺寸标注
a）四棱柱　b）三棱柱　c）正五棱柱　d）正六棱柱　e）正三棱锥
f）正四棱台　g）四棱台　h）正六棱锥

（2）回转体的尺寸注法

回转体通常在非圆视图上标注直径和高，如图 5-13 所示。

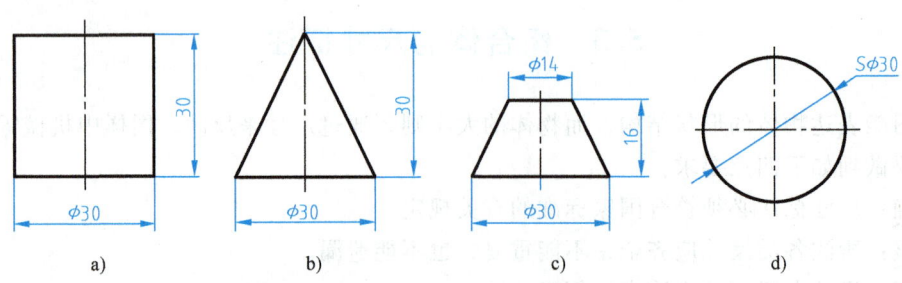

图 5-13 回转体的尺寸注法
a) 圆柱 b) 圆锥 c) 圆台 d) 圆球

2. 切割体的尺寸注法

切割体中不仅要标注基本体尺寸，还要标注各截面的定位尺寸，如图 5-14 所示。

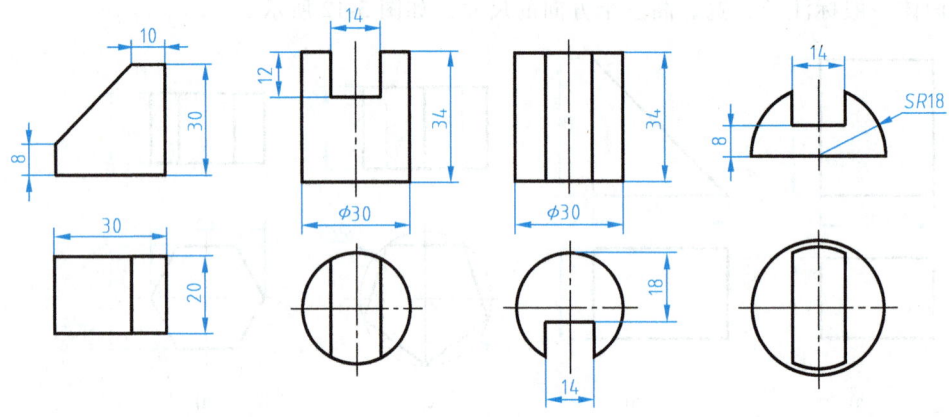

图 5-14 切割体的尺寸注法

3. 相贯体的尺寸标注

相贯体中除了标注组成相贯体的基本体的定形尺寸以外，还要标注二者之间的定位尺寸。定位尺寸通常是关于轴线或对称中心标注，而相贯线上不标注尺寸，如图 5-15 所示。

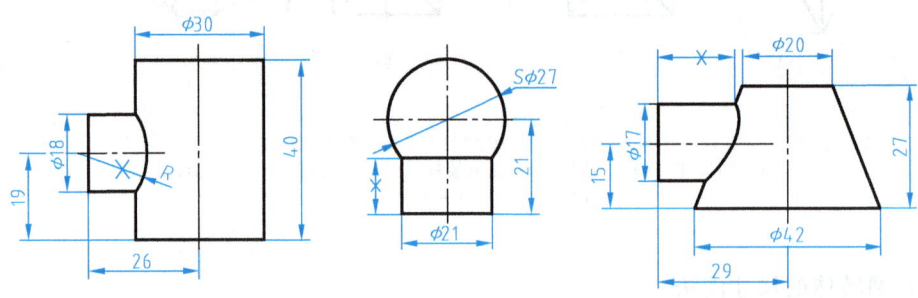

图 5-15 相贯体的尺寸注法

5.3.2 组合体的尺寸注法

1. 尺寸的种类

组合体的尺寸分为三类：

（1）定形尺寸：确定组合体中各组成部分形状大小的尺寸。

（2）定位尺寸：确定组合体中各组成部分的相对位置及各部分内部结构相对位置的尺寸。

（3）总体尺寸：确定组合体总长、总宽、总高的尺寸。

总体尺寸、定位尺寸、定形尺寸可能重合，这时需作调整，以免出现多余尺寸。

2. 尺寸基准

尺寸基准是指标注尺寸所选择的起点，可能是一个点或一条线，也可能是某一平面。

关于基准的确定，一般是以物体的对称中心面、底面、较重要的平面、端面及回转面的轴线等作为基准。

物体上有长、宽、高三个方向，因此需在物体上确定长、宽、高三个方向的尺寸基准。如图 5-16 所示，轴承座的尺寸基准是：以左右对称面作为长度方向的基准；以支承板的后端面作为宽度方向的基准；以形体底面作为高度方向的基准。基准选定后，各方向的主要尺寸应从相应的尺寸基准出发进行标注。

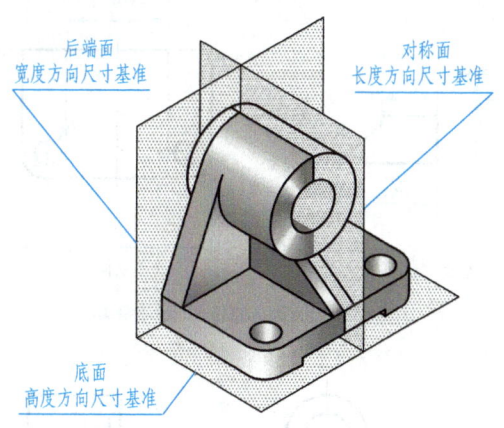

图 5-16 轴承座的尺寸基准

3. 组合体尺寸标注的方法及步骤

首先确定组合体上长、宽、高三个方向的尺寸基准，然后利用形体分析法将组合体分解为若干部分，逐一分析每一部分的定形尺寸和定位尺寸。再组合起来，分析各部分相对于基准的定位尺寸，以及组合体的总体尺寸。最后综合考虑组合体的各类尺寸进行标注。下面以轴承座为例说明组合体尺寸标注的方法及步骤。

具体步骤如下：

1）首先进行形体分析，将轴承座分解成四个部分，然后进行定形尺寸分析。分析各部分的定形尺寸，如图 5-17 所示。

2）分析各部分内部的定位尺寸，以及各部分相对于基准的定位尺寸，如图 5-18 所示。

3）综合考虑组合体的各类尺寸，根据尺寸标注的有关规定，正确标注组合体尺寸，如图 5-19 所示。

4. 组合体尺寸标注的注意事项

1）为了保证视图清晰，尺寸应尽量标注在视图之外，以免尺寸线、数字、轮廓线相交，如图 5-20b 中的尺寸 12。相邻视图的相关尺寸应尽量标注在两视图之间，以便看图，如图 5-20b 中的总体尺寸 40、20、30。

2）尺寸应布置在反映形状特征最明显的视图上，尽量避免在虚线上标注尺寸。如图 5-20b 主视图中的切口定位尺寸 22 和 12、槽口大小的定形尺寸 18 和 6。

3）同一方向的几个连续尺寸，应尽量放置在一条直线上；相互平行的尺寸应按"大尺寸在外，小尺寸在里"的方法布置，如图 5-20b 所示。

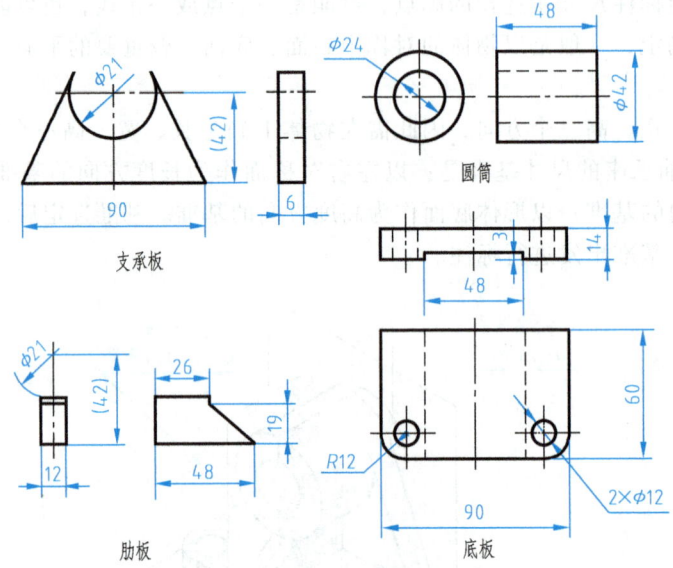

图 5-17 轴承座的定形尺寸分析

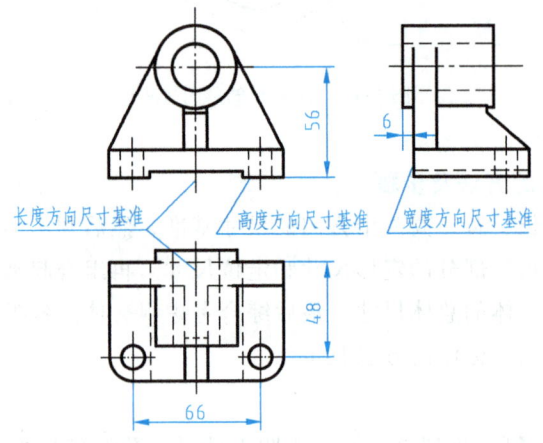

图 5-18 轴承座的定位尺寸分析

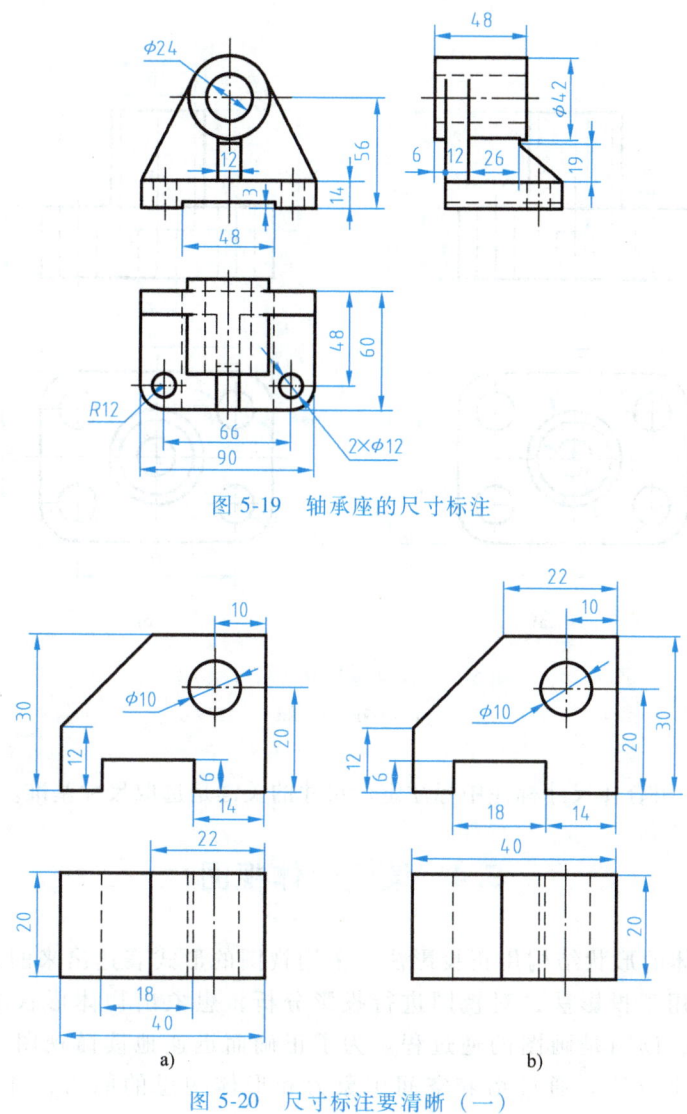

图 5-19　轴承座的尺寸标注

图 5-20　尺寸标注要清晰（一）
a）不好　b）好

4）同一结构的定形尺寸和定位尺寸尽量集中标注在一个视图上。如图 5-20b 中圆孔的定形尺寸 φ10、定位尺寸 10 和 20 均标注在主视图上，矩形槽的定形尺寸 18、6 和定位尺寸 14 均标注在反映槽口的主视图上，以及图 5-21b 中四个小圆孔定形尺寸 4×φ8 和定位尺寸 20、34 均标注在俯视图上。

5）半径尺寸应标注在反映圆弧实形的视图上，同轴圆柱和圆孔等回转面的直径尺寸应标注在非圆视图上，如图 5-21b 中的尺寸 φ8、φ16、φ20。

6）相同尺寸的孔集中在一处标注，同时需注明数量；相同尺寸圆弧只标注一处，且不写数量，如图 5-21b 所示四个小孔的尺寸 4×φ8、R8。

★学习指引　组合体尺寸标注中形体分析的方法和其画图方法相同，因此熟练运用形体分析法和线面分析法将有助于避免尺寸的重复标注和漏注的情况。

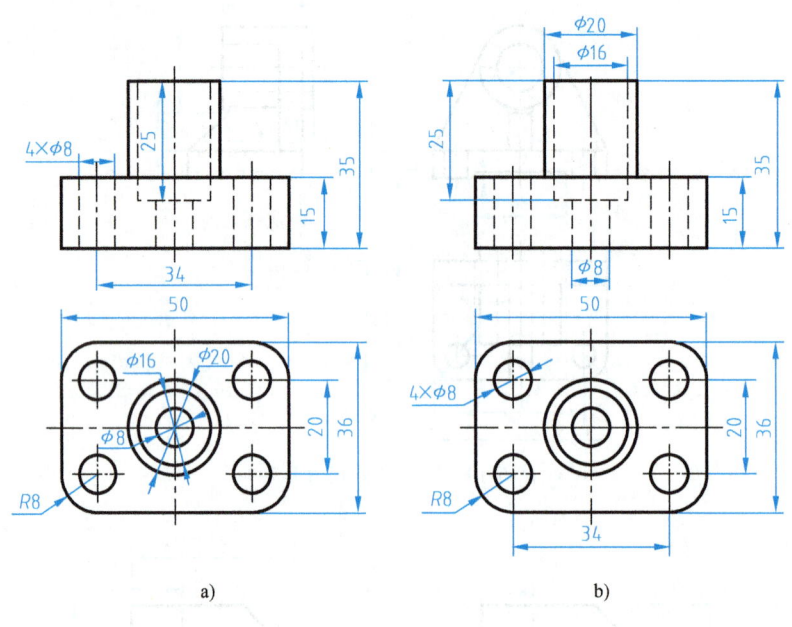

图 5-21 尺寸标注要清晰（二）
a）不好　b）好

★**关键点拨**　组合体尺寸标注中标注定位尺寸的关键是选取尺寸基准。

5.4 读组合体视图

画图是把物体的形状结构用正投影法，采用视图的形式表达出来的过程。读图是依据已知视图，运用正投影法，对视图进行投影分析，想象出物体形状结构的过程。二者是相辅相成的，读图是画图的逆过程。为了正确而迅速地读懂视图，必须掌握读图的基本要领和基本方法。通过培养空间想象力和形体构思的能力，并通过不断实践，逐步提高读图能力。

5.4.1 读图的基本要领

1. 几个视图联系起来看

通常，一个视图无法确定组合体的形状结构。如图 5-22 所示，四组视图的主视图完全相同，但它们的形状结构却不同。如图 5-23 所示，四组视图的俯视图完全相同，但它们的形状结构也不同。

有时，两个视图也无法完全确定物体的形状结构，如图 5-24 所示，三组视图中主视图完全相同、左视图完全相同，但它们的形状结构不同。如图 5-25 所示，主视图完全相同、俯视图完全相同，但它们的形状结构也不同。

因此，读组合体视图时，必须将几个视图联系起来，进行识读、分析和构思，这样才能想象出物体的形状结构。

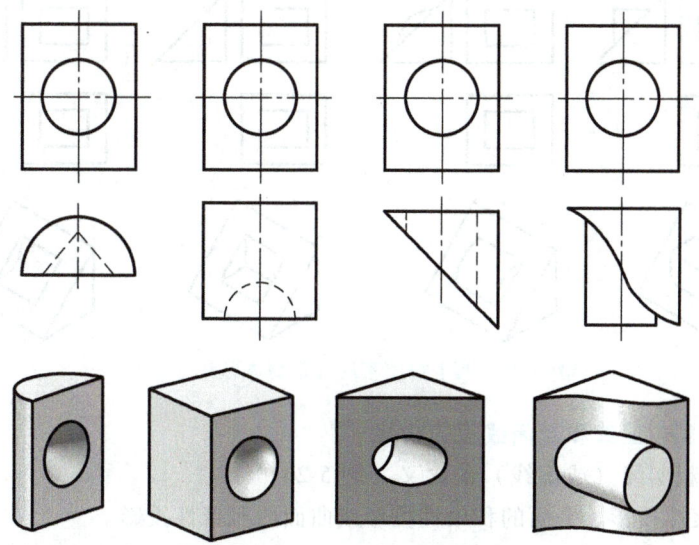

图 5-22 一个视图不能确定物体的形状（一）

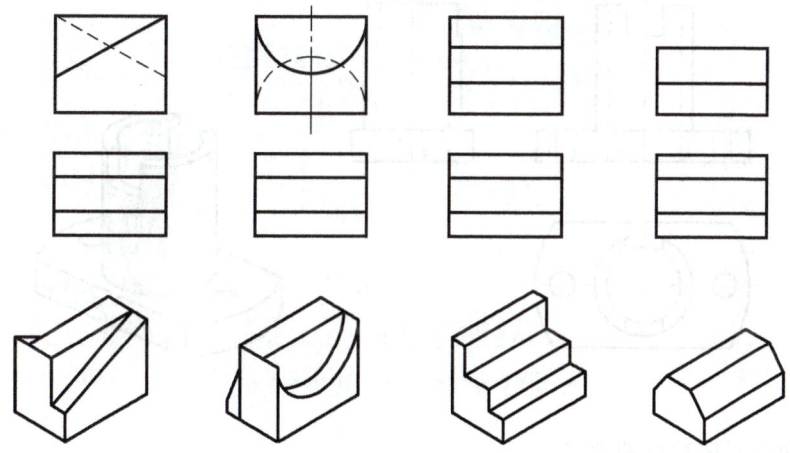

图 5-23 一个视图不能确定物体的形状（二）

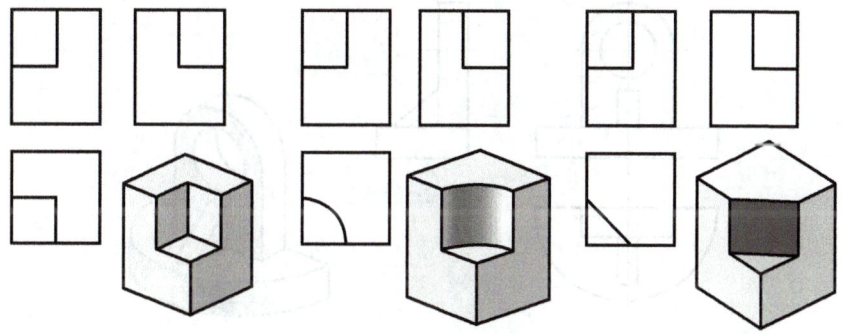

图 5-24 两个视图不能确定物体的形状（一）

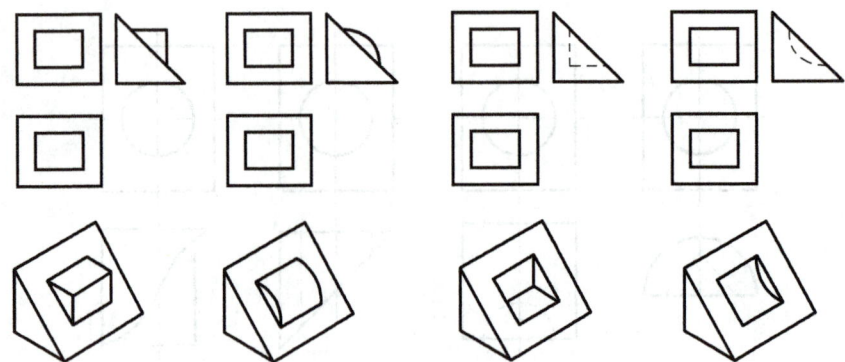

图 5-25 两个视图不能确定物体形状（二）

2. 应弄清视图中图线和封闭线框的含义

（1）视图中粗实线（或虚线）的含义（图 5-26）

1）面的积聚性投影。平面的积聚性投影或曲面的积聚性投影。

2）交线的投影。平面与平面的交线、平面与曲面的交线，或曲面与曲面的交线。

3）曲面转向轮廓线的投影。圆柱面、圆锥面、圆球面等回转面的转向轮廓线的投影。

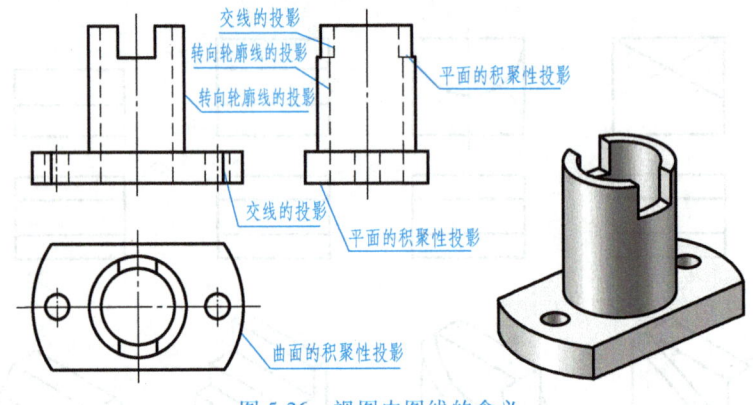

图 5-26 视图中图线的含义

（2）视图中封闭线框的含义

单个封闭线框的含义，如图 5-27 所示：

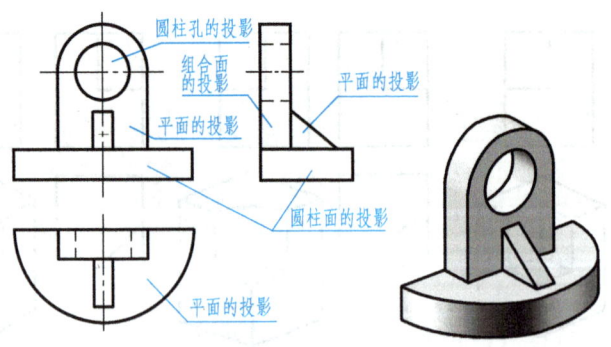

图 5-27 视图中单个封闭线框的含义

1）平面的投影。
2）曲面的投影。
3）平面与曲面相切后形成的组合面的投影。

相邻线框的含义，如图 5-28 所示：
1）同向错开两面的投影。
2）相交两面的投影。

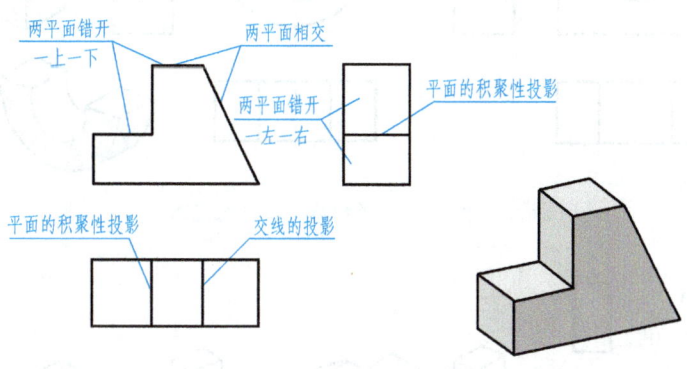

图 5-28　视图中相邻线框的含义

相邻内外线框的含义，如图 5-29 所示：

线框 1、线框 2、线框 3 属于大线框套小线框，即内外线框。外部的大线框为主体结构，内部的小线框为局部结构。"内"相对于"外"而言可能凸出，也可能凹下。图 5-29 中线框 2 相对于线框 1 而言凸出；线框 3 相对于线框 2 而言凹下。

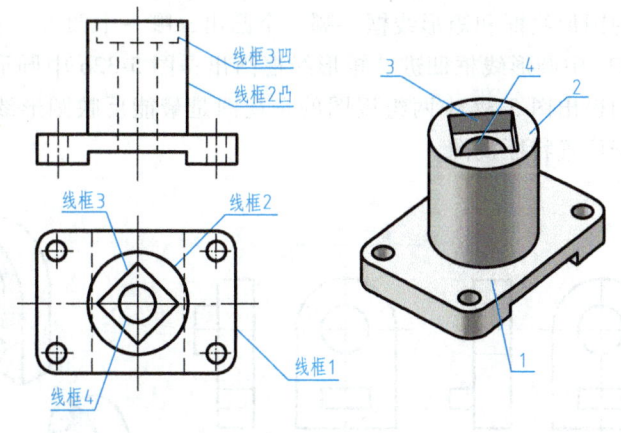

图 5-29　视图中相邻内外线框的含义

3. 找特征视图

特征是指物体的形状特征和构成组合体的各部分的相对位置特征。

简单立体的三视图中有能清楚反映立体形状特征的视图，称为形状特征视图。读图时要找到这个形状特征视图，然后配合其他视图想象物体的结构。如图 5-30 所示，两组视图的俯视图相同，左视图也相同，但联系主视图看时，物体的形状结构就是确定的。由此，可以看出这两组视图中主视图是反映物体形状特征的视图，属于形状特征视图。如图 5-31 所示，若只看俯、左视图，则形体结构是多样的，本书给出了五种结构，还有其他很多结构，读者可自行思考。

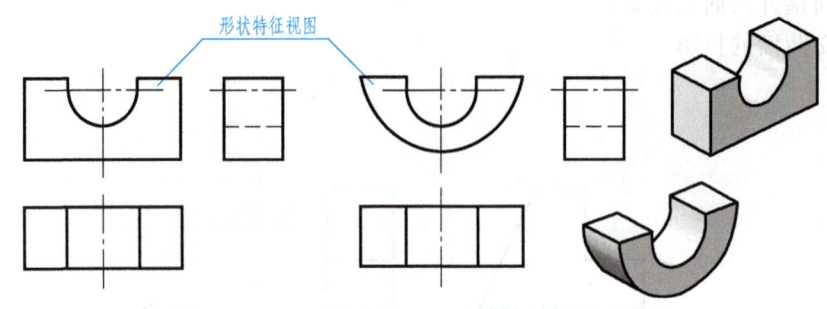

图 5-30　形状特征明显的视图

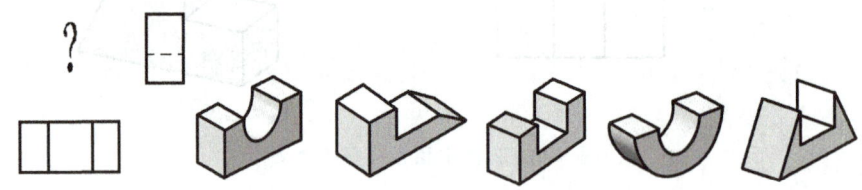

图 5-31　形体结构的多样性

组合体的三视图中能清楚反映各部分之间相对位置的视图，称为位置特征视图。如图 5-32 所示，两组视图的主视图反映了物体的形状特征，属于形状特征视图。若只看主、俯视图，两组视图的主视图相同，俯视图也完全相同，因此物体的形状结构不确定。因为我们不知道主视图中的圆形线框和矩形线框，哪一个凸出，哪一个凹入。若再联系它们的左视图，可以看出图 5-32a 中圆形线框凹进，矩形线框凸出；图 5-32b 中圆形线框凸出，矩形线框凹入。由此，我们得出图 5-32 中两组视图的左视图是最能反映圆形线框和矩形线框的相对位置的视图，属于位置特征视图。

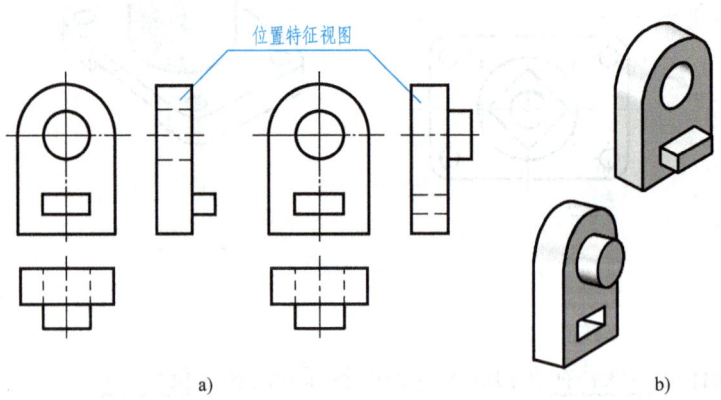

a)　　　　　　　　　　　　　　b)

图 5-32　位置特征明显的视图

看图时，若能通过视图分析，找到能清楚反映物体形状特征和各部分位置特征的视图，并依据特征构思，将有助于快速想象物体的结构。

5.4.2 叠加式组合体的读图方法

1. 形体分析法

形体分析法是读组合体视图的基本方法。读图时，一般从反映形状特征较明显的主视图入手，将主视图分成几个封闭的线框，利用"长对正、高平齐、宽相等"的投影关系找到每个封闭线框对应的其他封闭线框（视图），接着将几个线框（视图）联系起来，逐一想象出各部分的形状结构，然后找组合体的位置特征视图，分析各部分之间的相对位置及表面连接关系，最后综合想象出组合体的整体结构。这种方法，就称为形体分析法。

形体分析法中的"封闭线框"是基于把一个线框当作一个形体去看待，这种分析方法适用于叠加式组合体和综合式组合体。当我们看到视图中的封闭线框时，它实际上仅仅是一个面的投影，还是一个形体的投影，需要我们通过其他两面投影来确定。

形体分析法的看图步骤如下：

（1）找形状特征视图，分线框

通常从主视图入手，找各部分的形状特征视图，然后分线框。应注意，组合体中每一组成部分的形状特征视图并非都集中在主视图上。如图 5-33 所示，底板的形状特征视图在俯视图上，立板的形状特征视图在主视图上，肋板的形状特征视图在左视图上。

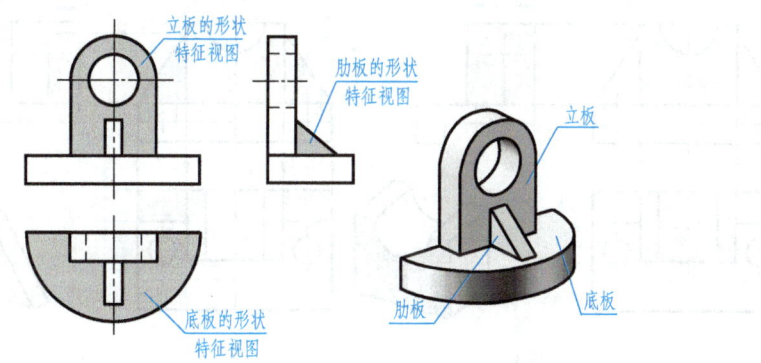

图 5-33　各部分形状特征视图的分布

（2）对投影，想象各部分的形状结构

从各部分的形状特征视图入手，利用三视图投影规律，找到每一部分对应的其他视图，将几个视图联系起来，逐一想象出各部分的形状结构。

（3）找位置特征视图，想象组合体的总体结构

分析组合体的三视图，找到位置特征视图，确定各部分的上下、左右、前后的相对位置关系，以及平齐、不平齐、相交或相切的表面连接关系，综合想象出组合体的总体结构。

下面以举例的方式说明形体分析法的读图步骤和方法。

例 5-2　如图 5-34a 所示，已知组合体的三视图，想象其立体结构。

分析　由组合体的三视图可以看出，该组合体属于叠加式组合体。读图时，主要运用形体分析法进行。

读图步骤

1）通过视图分析找到形状特征视图，并分线框，如图 5-34a 所示。

2）由"长对正、高平齐、宽相等"，从左视图出发找到线框 1 的其他两个视图，再由三视图想象 1 的形体结构，如图 5-34b 所示。

3）由"长对正、高平齐、宽相等"，从主视图出发找到线框 2 的其他两个视图，再由三视图想象 2 的形体结构，如图 5-34c 所示。

4）由"长对正、高平齐、宽相等"，从主视图出发找到线框 3 的其他两个视图，再由三视图想象 3 的形体结构，如图 5-34d 所示。

5）依据位置特征视图（主、左视图）和表面连接关系想象总体结构，如图 5-34e 所示。

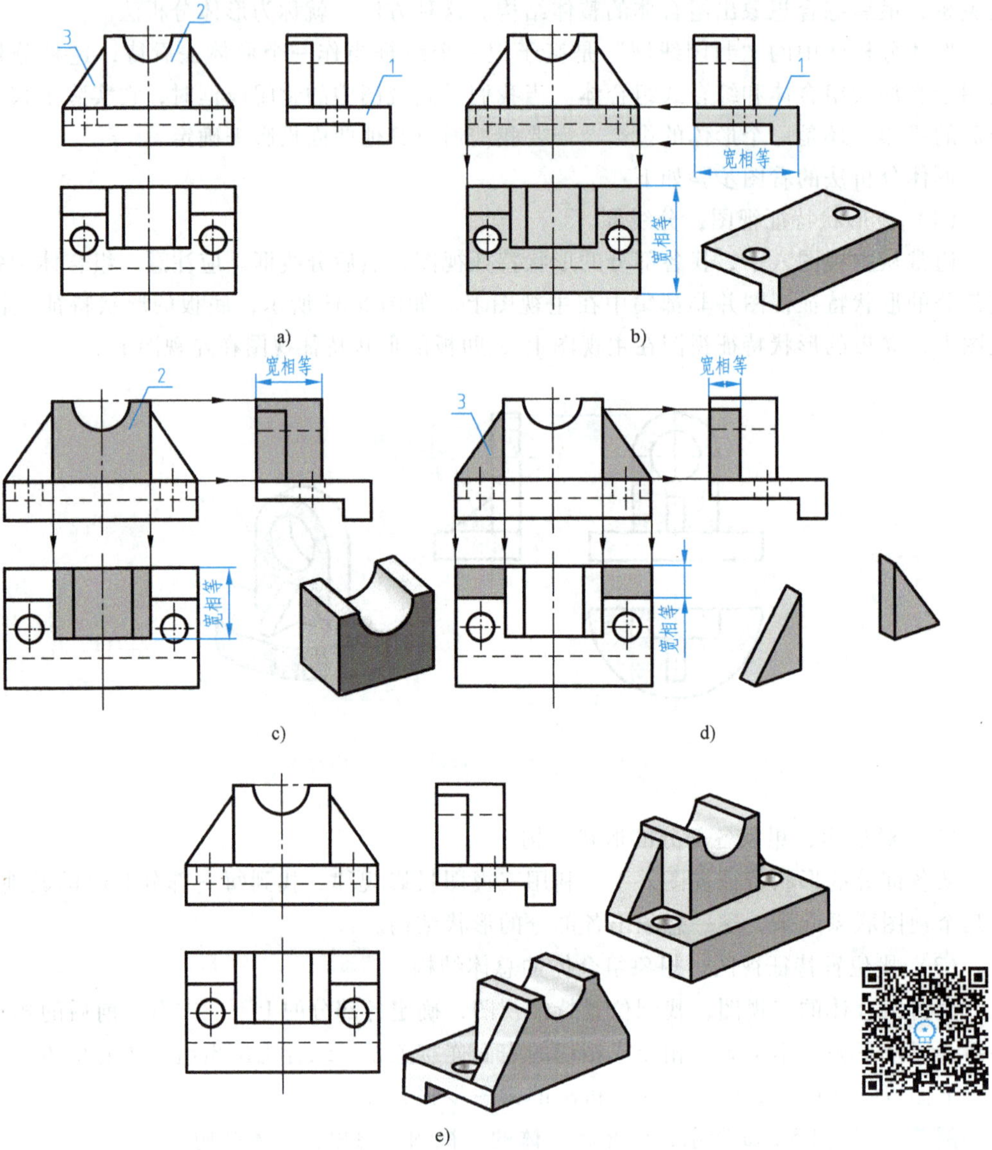

图 5-34 读组合体视图（一）
a) 分线框　b) 想象 1 的形体结构　c) 想象 2 的形体结构　d) 想象 3 的形体结构　e) 想象总体结构

例 5-3 如图 5-35a 所示，已知组合体的三视图，想象其立体结构。

读图步骤

1）找形状特征视图分线框，通过视图分析可以将物体分成三个线框，如图 5-35a 所示。

2）找到每个线框对应的另外两个视图，想象形状结构，逐一想象出每一部分的结构，如图 5-35b、图 5-35c 和图 5-35d 所示。

3）找位置特征视图，分析各部分的相对位置和表面连接关系，综合想象整体结构，组合体整体左右对称，1 和 2 后方平面平齐，3 共有两块，前后对称，如图 5-35e 所示。

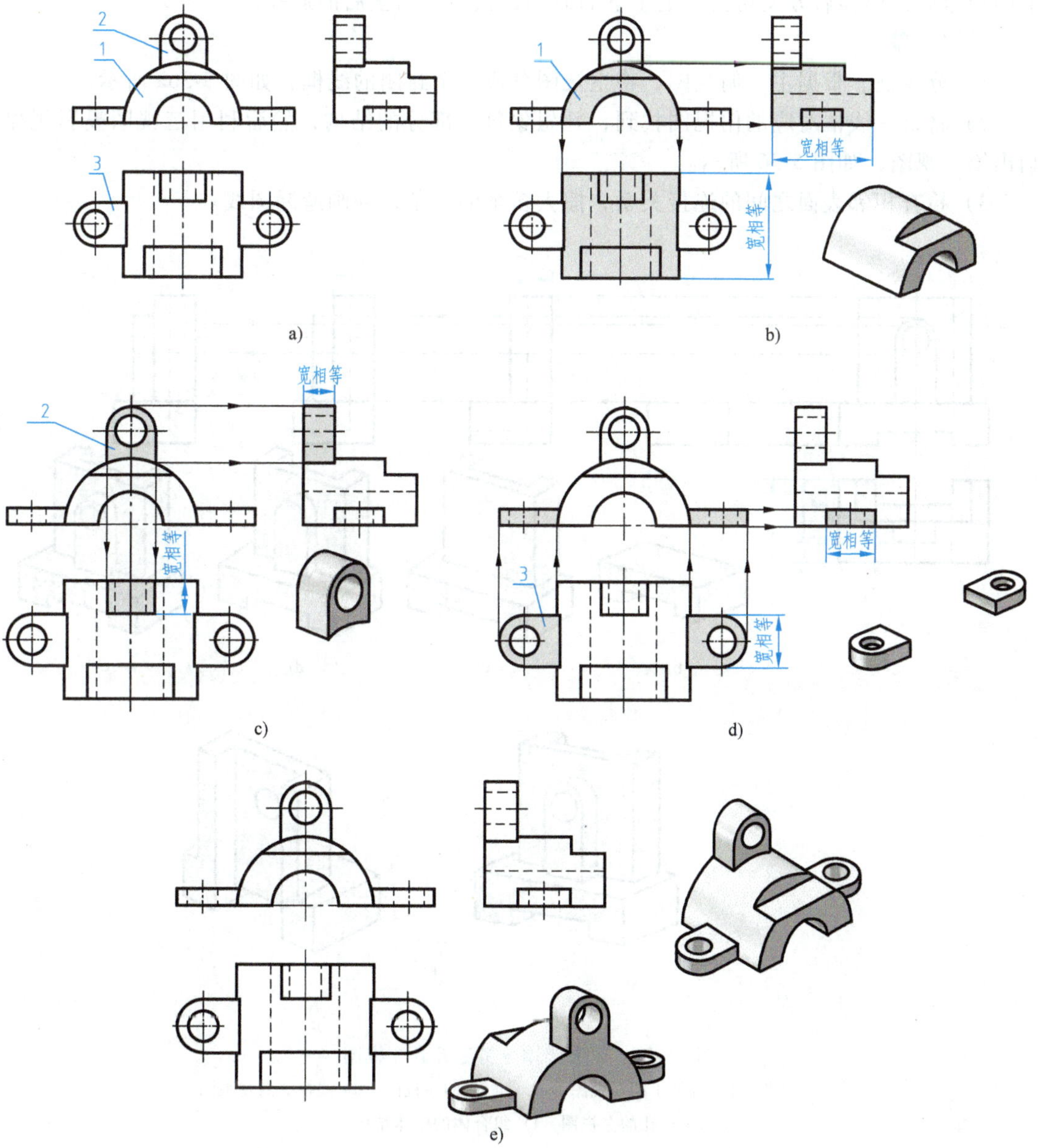

图 5-35 读组合体视图（二）

a）分线框 b）想象 1 的形体结构 c）想象 2 的形体结构 d）想象 3 的形体结构 e）想象总体结构

2. 运用形体分析法补画第三视图

已知两个视图补画第三个视图，是在读懂已知两视图的基础上，补画第三视图，也可以边画、边想、边看。作图时，按形体组成，先"大"后"小"，先整体后局部，一部分一部分地画出来，最后对照已知两视图检查相邻表面之间的连接关系，补出漏线并擦去多余的线条。

例 5-4 如图 5-36a 所示，已知组合体的主、俯视图，补画左视图并想象其立体结构。

形体分析 根据主、俯视图，按线框分析可以看出，该组合体是由开槽底板和立板以及半圆板组成，形体后方又切去从上至下的通槽，钻出从前至后的通孔。

作图步骤

1）分线框。根据主、俯视图，将主视图分成四个封闭的线框，如图 5-36a 所示。

2）将每一线框对应的俯视图找到，并想象每一部分的结构，然后利用三视图投影规律画出第三视图，如图 5-36 所示。

3）检查相邻表面之间的连接关系，擦去多余的线条，补画遗漏图线。

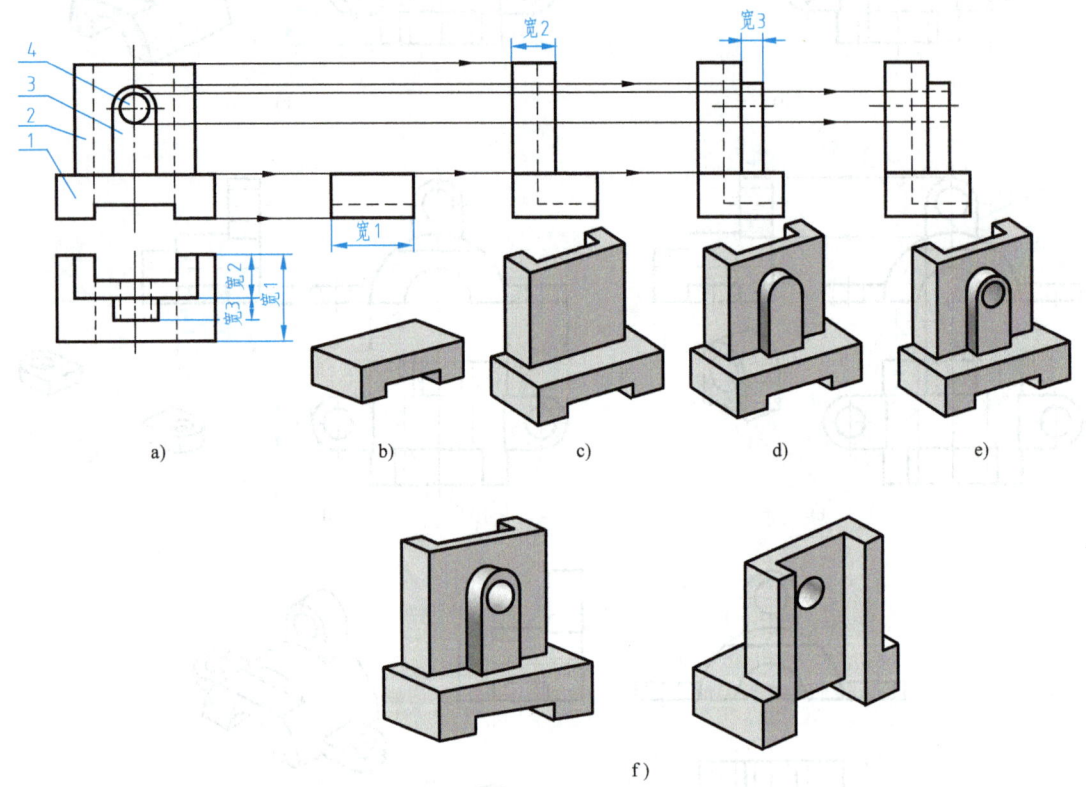

图 5-36 运用形体分析法补画左视图

a) 分线框　b) 线框 1 的左视图　c) 线框 2 的左视图　d) 线框 3 的左视图
e) 孔的左视图　f) 组合体的整体结构

例 5-5 如图 5-37 所示，已知组合体的主、左视图，补画俯视图并想象其立体结构。

形体分析 根据主、左视图，按线框分析可以看出，该组合体是由圆柱和四棱柱相切组合而成，圆柱前方上下对称切去，四棱柱前方从左至右被切去一块小四棱柱，然后钻出从前至后两通孔。

作图步骤

1）分线框。根据主、左视图，将主视图分成两个封闭的线框。

2）将每一线框对应的左视图找到，并想象每一部分的结构，然后利用三视图投影规律画出第三视图，如图5-37所示。

3）检查相邻表面之间的连接关系，擦去多余的线条，补画漏线。

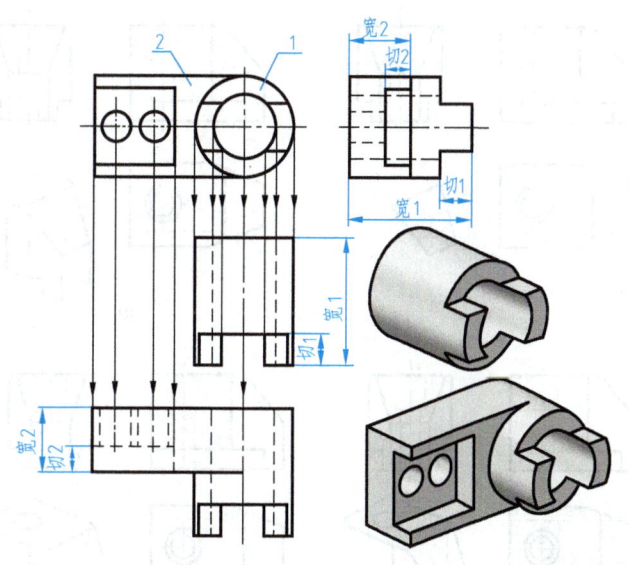

图5-37 运用形体分析法补画俯视图

5.4.3 切割式组合体的读图方法

通常，切割式组合体采用线面分析法读图。线面分析法就是运用正投影理论，分析组合体三视图中的线和线框的含义，来确定这些线和面的形状、投影特点，以及空间位置，然后想象出组合体的结构。

线面分析法主要用于切割式组合体的形体分析，以及综合式组合体中遇到的难点问题。

1. 运用线面分析法读图

下面以图5-38所示压块为例来说明线面分析法的读图过程，具体分析步骤如图5-39所示。

读切割式组合体三视图时，也可以通过分析组合体的切割顺序，画出轴测图草图来想象形体结构。

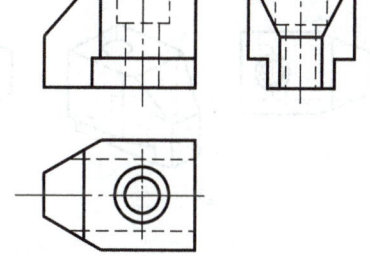

图5-38 压块三视图

2. 运用线面分析法补画第三视图

切割式组合体中已知两个视图补画第三个视图，需要在读懂已知两视图的基础上，分析切割顺序，弄清各个面的形状及投影，从而补画出第三视图，也可边看、边画、边想。补画切割式组合体第三视图的关键是找到某些投影面垂直面的第三面投影。

例5-6 如图5-40a所示，已知组合体的主、俯视图，补画左视图并想象其立体结构。

形体分析 将图5-40a和图5-40b进行比较，根据主视图可以看出，四棱柱上方的左、右角被切割；根据俯视图可以看出，四棱柱的前、后方被切割；再由主、俯视图可以看出四棱柱中间钻出圆柱通孔。

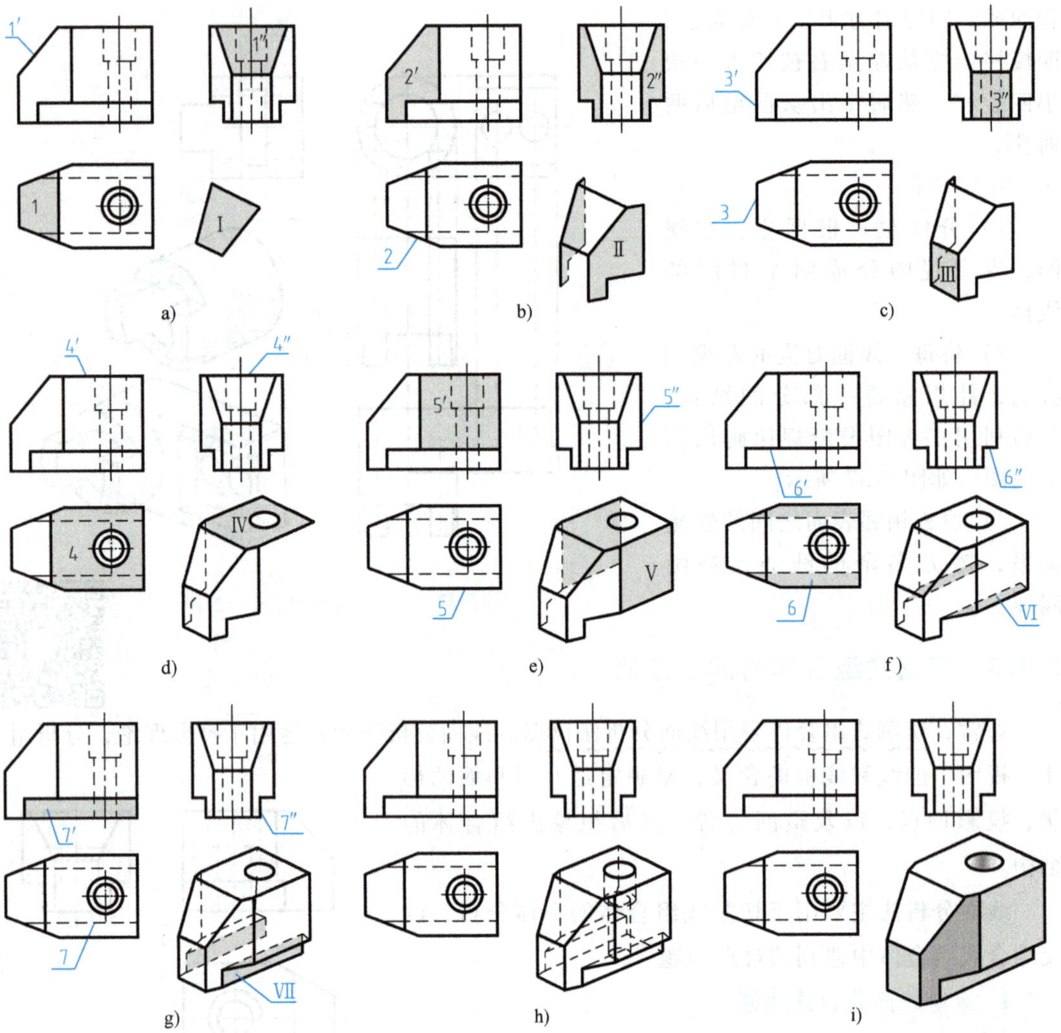

图 5-39 线面分析法的读图方法和步骤
a) 正垂面 I 的形状及投影　b) 铅垂面 II 的形状及投影　c) 侧平面 III 的形状及投影
d) 水平面 IV 的形状及投影　e) 正平面 V 的形状及投影　f) 水平面 VI 的形状及投影
g) 正平面 VII 的形状及投影　h) 圆柱孔的形状及投影　i) 综合想象组合体的立体结构

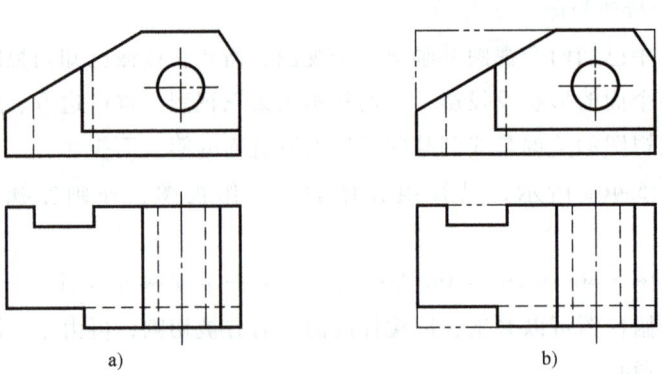

图 5-40 补画切割式组合体的第三视图

作图步骤

方法 1 按切割顺序,利用三视图投影规律,补画出第三视图,具体作图步骤如图 5-41 所示。

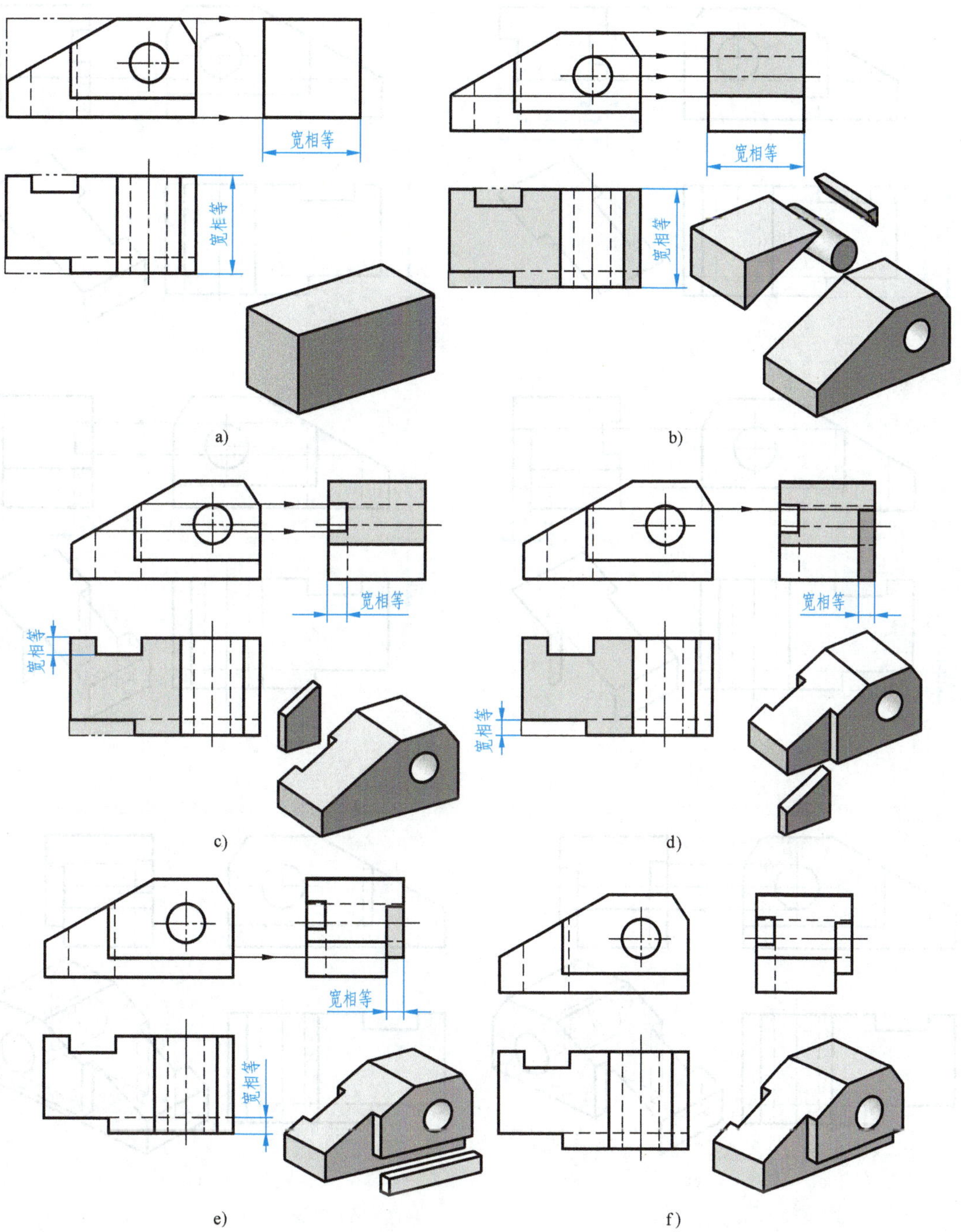

图 5-41 切割式组合体补视图的方法和步骤

a) 画出未切割前的左视图　b) 画出上方左、右切角和穿孔后的左视图　c) 画出后方通槽的左视图
d) 画出左前方切角后的左视图　e) 画出前下方切角后的左视图　f) 检查各面投影情况、加深

方法 2 按线面分析法，利用三视图投影规律逐一画出每个面的投影，具体作图步骤如图 5-42 所示。

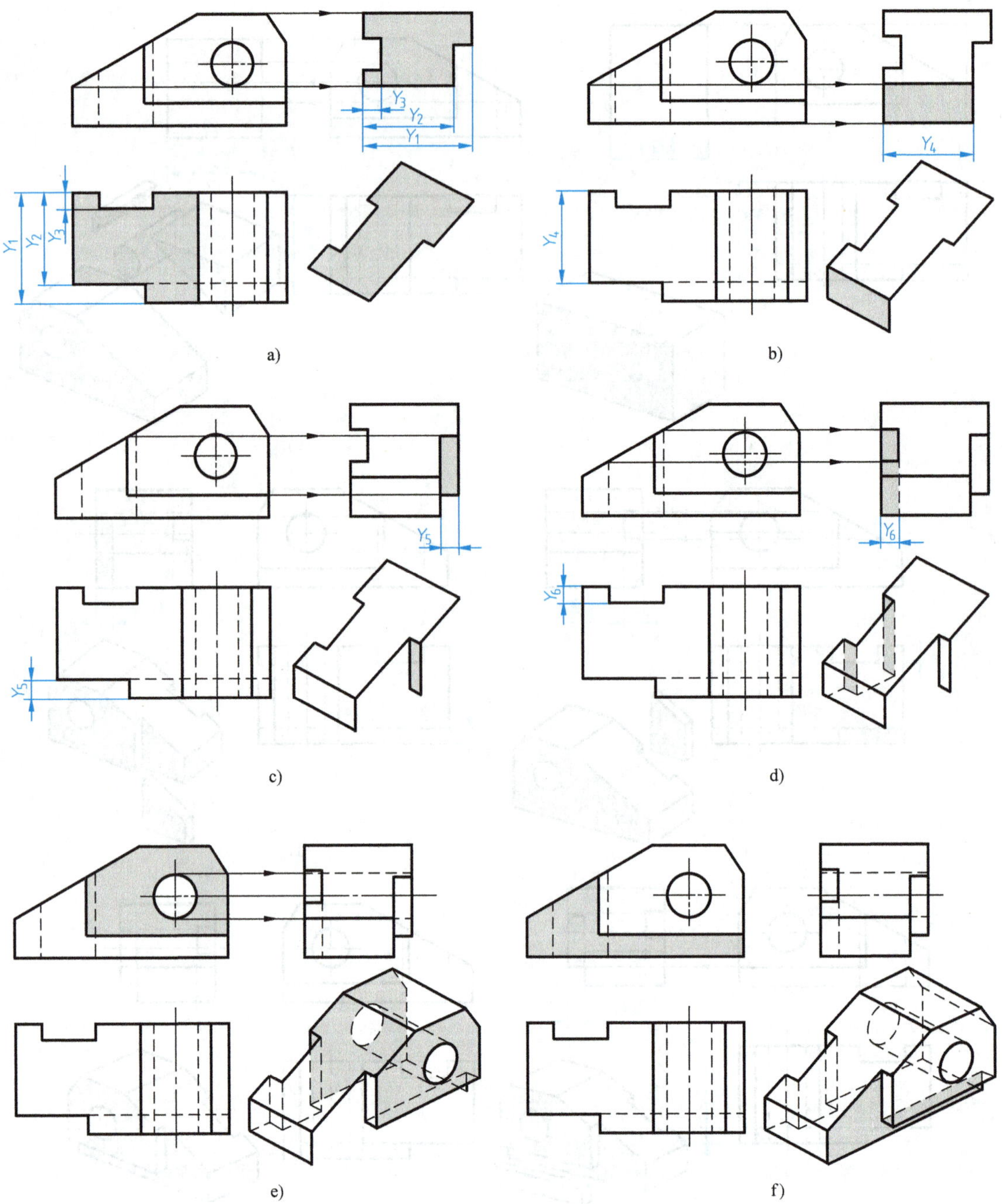

图 5-42 运用线面分析法补画切割式组合体的第三视图

a) 利用"类似性"画出正垂面的 W 面的投影　b) 画出左方侧平面的 W 面投影　c) 画出前方侧平面的 W 面投影
d) 画出槽侧面的 W 面投影　e) 画出前、后正平面和圆柱孔的投影　f) 找到剩余面的投影，想象组合体的立体结构

3. 补画视图中的漏线

补画视图中的漏线,即通过对已知的不完整的三视图进行分析,找到并画出视图中所缺图线的作图过程。补画三视图中的漏线,首先分析组合体的组合形式,分析视图中线和线框的含义,然后再运用形体分析法和线面分析法补画图线。

例 5-7　如图 5-43a 所示,分析视图,补画主、左视图中的漏线。

形体分析　由已知的三视图可知,该组合体由两个四棱柱叠加而成,二者左右对称,后方共面,前方和左、右方均不共面;由主、俯视图可以看出组合体后方切割半圆槽,上方半圆槽大于下方半圆槽,同时组合体中间从前向后开矩形通槽,矩形槽将上方半圆槽轮廓切去

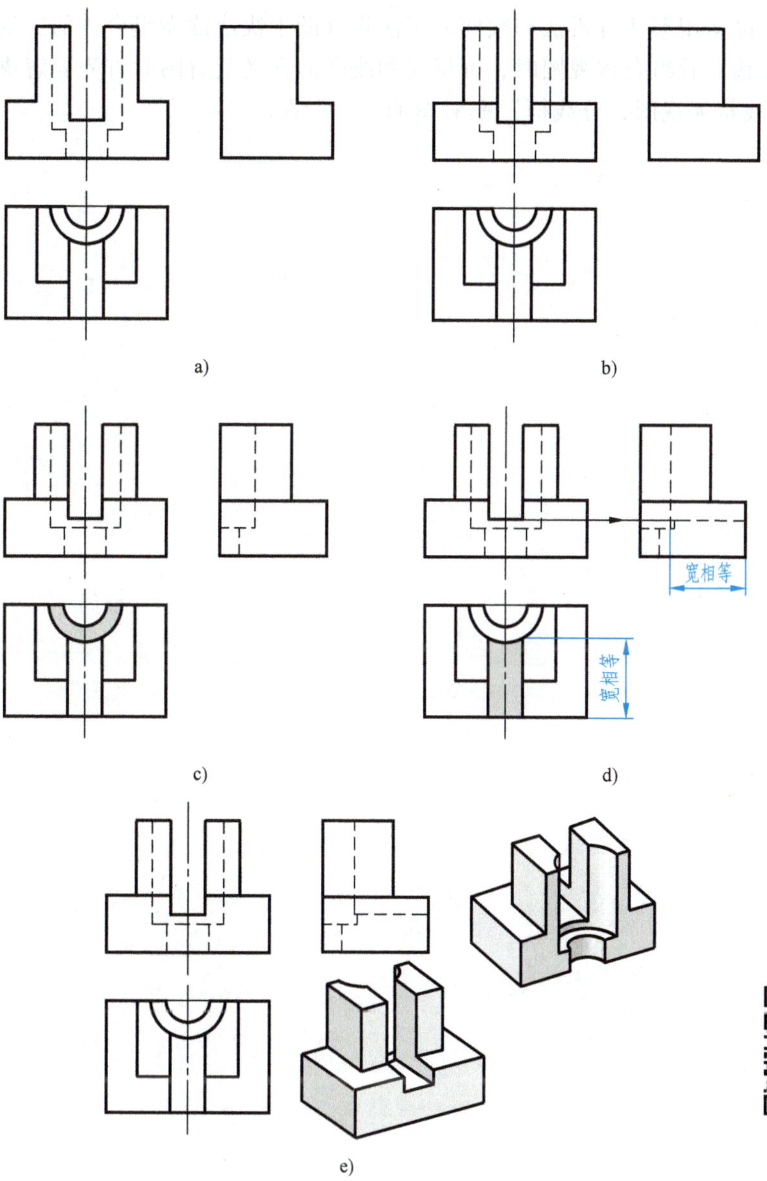

图 5-43　补画视图中的漏线

a) 已知条件　b) 不共面,补画图线　c) 补画两个半圆槽　d) 补画矩形槽　e) 想象组合体的结构

一部分。

作图步骤 因为上下四棱柱不共面，因此主、左视图上需补画图线，如图 5-43b 所示；两个半圆槽在左视图中需要画出，它们之间有一个平面，在主、左视图中积聚为直线，如图 5-43c 所示；中间矩形槽的"L"形的侧面和底面在左视图中的投影通过三视图投影规律可以画出，如图 5-43d 所示；最后检查各视图，并想象形体的结构，如图 5-43e 所示。

综合式组合体既含有若干基本体的叠加，又含有平面和曲面的切割。因此，读这一类形体的三视图时，既要运用形体分析法，又要运用线面分析法。通常先利用形体分析法将组合体三视图进行分解（分线框），再利用线面分析法分析视图中线和线框的含义。

★**学习指引** 熟悉基本体、切割体和相贯体的三视图是读懂组合体三视图的先决条件，在此基础上正确运用形体分析法和线面分析法将有助于快速读懂组合体的三视图。

★**关键点拨** 看组合体视图时，分析线和线框的含义是看图时首先要解决的问题。形体分析法中，"找特征视图，分线框"是看图的关键所在。

第6章
机件的表达方法

◆ **本章重难点**

重点：视图、剖视图、断面图。

难点：表达方法的综合应用。

◆ **能力目标**

1. 能够正确地绘制机件的视图（基本视图、向视图、斜视图、局部视图）。
2. 能够正确地绘制剖视图（全剖、半剖、局部剖）。
3. 能够正确地绘制断面图（移出断面图、重合断面图）。
4. 能够正确地选择合适的表达方法，对机件结构进行表达。

在工程实际中，机件的形状是多种多样的，有些机件外形不规则、有倾斜部分，有些机件的内、外形状都比较复杂，如果仅采用三视图表达，往往不能清晰反映机件的形状结构。为此，国家标准规定了视图、剖视图和断面图等基本表达方法。方便设计者完整、清晰地表达机件的形状结构。

6.1 视图（GB/T 17451—1998）

视图主要用于表达机件的外部结构形状，通常有基本视图、向视图、局部视图和斜视图。

6.1.1 基本视图

物体向基本投影面投射所得的视图，称为基本视图。

当物体的结构形状复杂时，为了完整、清晰地表达物体上各方面的形状，国家标准规定，在原有三投影面的基础上，再增加三个投影面，构成一个封闭的六面体，这六个面称为基本投影面，将物体向基本投影面投射所得的视图称为基本视图，如图6-1所示。

六个基本投影面展开的方法如图6-2所示，即正面保持不动，其他投影面按照箭头所示方向旋转至与正面处于同一平面。

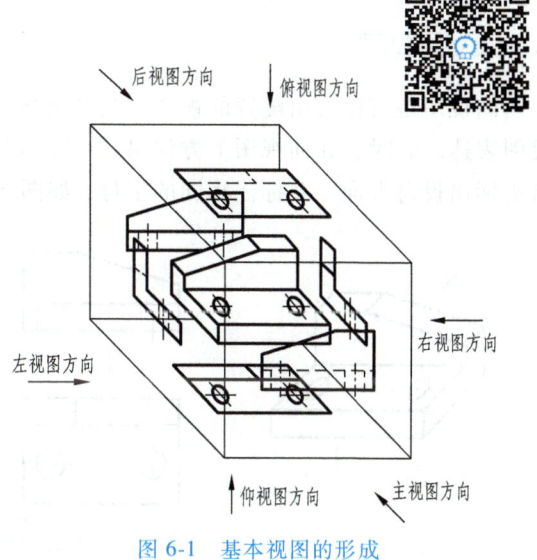

图6-1 基本视图的形成

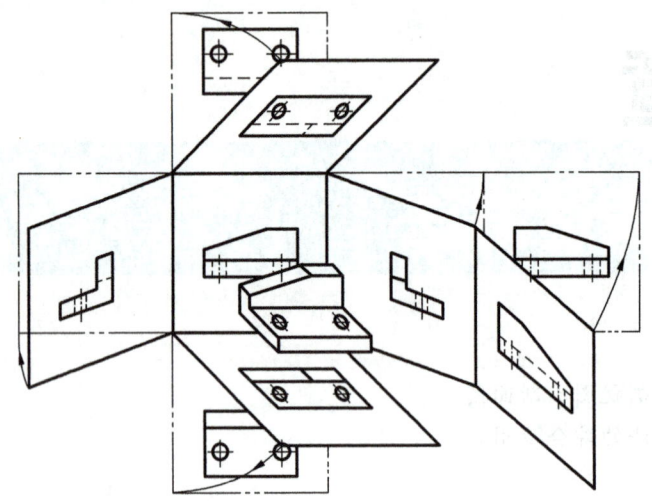

图 6-2　基本视图的展开

投影面展开后,六个基本视图配置关系如图 6-3 所示。在同一张图纸内,按图 6-3 配置视图时,可不标注视图名称。图 6-3 中,六个基本视图仍然保持"长对正、高平齐、宽相等"的投射关系。除后视图外,其他视图靠近主视图的一边为物体后方的投影,远离主视图的一边为物体前方的投影。

在绘制机械图样时,一般不需要将六个基本视图全部画出,而是根据物体的结构特点及复杂程度,绘制主视图和其他若干基本视图。在机件的视图表达中,优先选用主视图、俯视图和左视图。

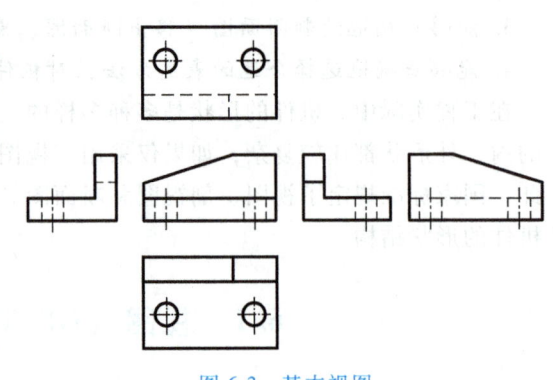

图 6-3　基本视图

6.1.2　向视图

向视图是可以自由配置的视图。当某视图无法按照图 6-3 所示的位置配置时,可采用向视图表达。此时,在向视图上方注出"×"("×"为大写拉丁字母),并在相应视图的附近用箭头标出投射方向,并标注相同的字母,如图 6-4 所示。

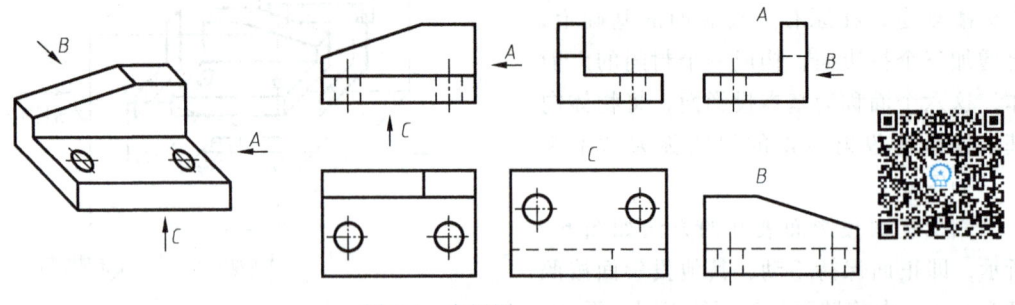

图 6-4　向视图

6.1.3 局部视图

局部视图是将机件的某一部分向基本投影面投射所得的视图。如图6-5所示的机件,用主、俯视图表达了机件的主体结构,如果左、右两边凸缘采用左视图、右视图表达其形状,则主体结构重复表达,且不能突出表达的重点。因此,采用两个局部视图来表达左、右凸缘形状,既简洁明了,又突出重点。

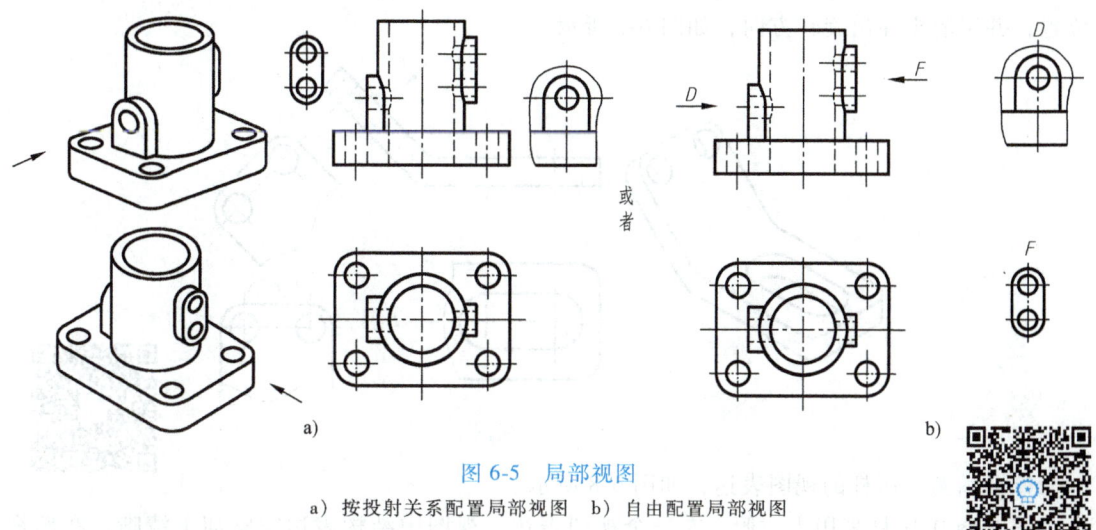

图 6-5 局部视图

a) 按投射关系配置局部视图 b) 自由配置局部视图

局部视图的配置,标注及画法:

局部视图可以按投射关系配置视图,二者之间若没有其他图形隔开,则不必标注,如图6-5a所示。

局部视图也可以自由配置,此时,局部视图需要进行标注,标注方式与向视图一样,如图6-5b图中的 D 向局部视图、F 向局部视图。

局部视图的断裂边界用波浪线和双折线表示。当所表示的局部结构属于相对独立,且外围轮廓呈封闭状态,则波浪线可省略不画,如图6-5b中的 F 向局部视图。

为节省绘图时间和图幅,对称机件的视图可只画一半或1/4,并在对称中心线的两端画两条与其垂直的平行细实线,如图6-6所示。这种用细点画线代替波浪线作为断裂边界线的画法,是局部视图的一种特殊画法。

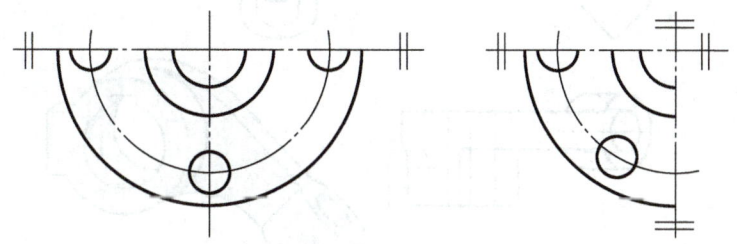

图 6-6 对称机件的简化画法

6.1.4 斜视图

斜视图是物体向不平行于基本投影面的平面投射所得的视图。

当机件上某局部结构不平行于任何基本投影面，在基本投影面上不能反映该部分的实形时，可增加一个新的辅助投影面（基本投影面的垂直面），使它与机件上倾斜结构的主要平面平行，然后将倾斜结构向辅助投影面投射，就得到反映倾斜结构实形的视图。

斜视图通常用于表达机件上的倾斜结构，画出倾斜结构的实形后，机件的其余部分可不必画出。可在适当位置用波浪线或双折线断开即可，如图 6-7 所示。

斜视图的配置和标注，一般与向视图相同，必要时，允许将斜视图旋转后配置在适当的位置，并用箭头注出旋转方向，如图 6-7 所示。

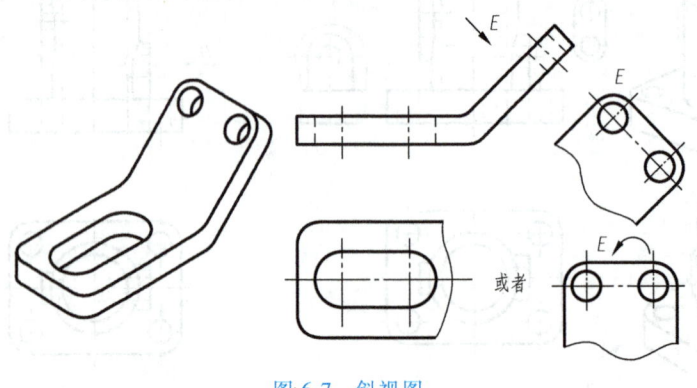

图 6-7　斜视图

综合举例：压杆的视图表达，如图 6-8 所示。

图 6-8a 中压杆采用主、俯、左三个视图表达，视图中结构表达完整却不清晰。在俯视图和左视图中，圆柱部分重复表达，倾斜部分的实际形状没有反映出来，且右侧凸缘采用虚线表示，造成表达不清晰。因此，压杆的表达方案需要重新选择。优化后的表达方案如图 6-8b 所示，图 6-8b 中压杆的形状结构通过主视图和俯视图（局部视图）反映主体结构，通过 C 向局部视图反映凸缘形状，通过 A 向斜视图反映倾斜部分的实形。整个视图表达简洁、清晰、明了，易于读者看懂物体结构。

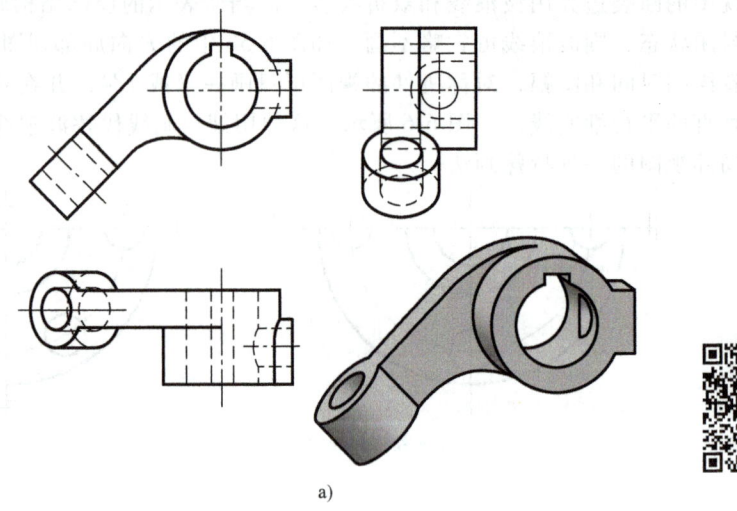

a)

图 6-8　压杆的表达方法

a）压杆的三视图

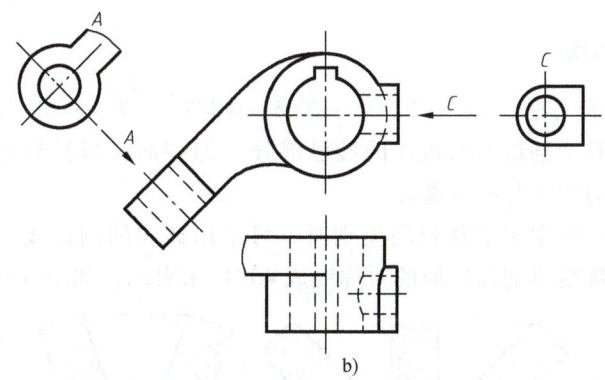

图 6-8 压杆的表达方法（续）
b）压杆表达方案优化

★**学习指引** 基本视图与向视图的区别是视图配置位置不一样，以及向视图需要标注。局部视图与斜视图的区别是：二者都是反映物体的局部结构，局部视图反映的是与基本投影面平行的局部结构的真实形状，而斜视图反映的是与基本投影面倾斜的局部结构的真实形状。

★**关键点拨** 绘制斜视图时，为了绘图方便，可以将其旋转摆正后绘制；但为了看图方便，通常绘制在倾斜结构的附近，并按投射关系配置。

6.2 剖视图

视图主要用来表达机件的外部形状，如图 6-9a 所示机件的内部结构比较复杂，视图上就会出现较多虚线而使图形不清晰，不便于看图和标注尺寸。为了清晰地表达机件的内部结构形状，常采用剖视这种表达方法。

6.2.1 剖视图的形成

假想用剖切面剖开机件，将处在观察者和剖切面之间的部分移去，将其余部分向投影面投射所得到的图形称为剖视图，简称剖视。剖视图的形成如图 6-9b 所示。

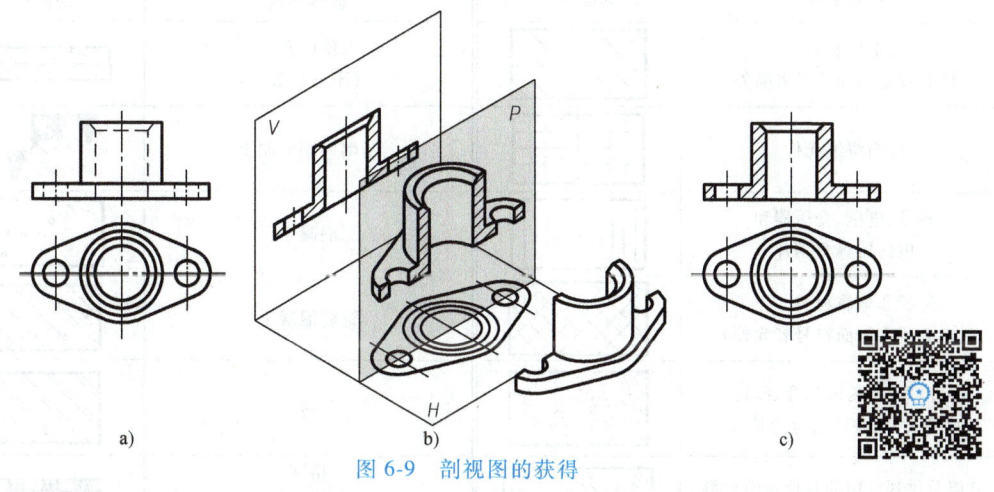

图 6-9 剖视图的获得
a）视图 b）剖视图的形成 c）剖视图

6.2.2 剖视图的画法

1. 剖面区域的表示方法（GB/T 17453—2005、GB/T 4457.5—2013）

国家标准规定，对于剖切面与机件的接触部分（即剖面区域）要画出与材料相应的剖面符号，以区分机件的实体与空腔部分。

当不需要在剖面区域中表示材料的类别时，可采用通用的剖面线（间隔相等的平行细实线，与图形主要轮廓线或剖面区域的对称线成45°）来表示，如图 6-10 所示。

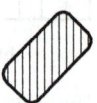
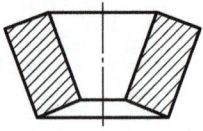

图 6-10 剖面线的方向

当图形中的主要轮廓线与水平线成45°时，该图形的剖面线应画成与水平线成 30°或 60°的平行细实线，其倾斜方向应与其他图形的剖面线一致，如图 6-11 所示。

同一物体的各个剖面区域的剖面符号应间隔相等、方向一致。

国家标准规定的各种材料类别的剖面符号见表 6-1。

2. 剖切位置的选择

剖切面一般应通过物体的对称面、基本对称面或孔、槽的轴线，并与投影面平行。

3. 画剖视图的要求

1）剖切是假想的，将一个视图画成剖视图后，其他视图仍应按完整机件画出，如图 6-12c 所示。

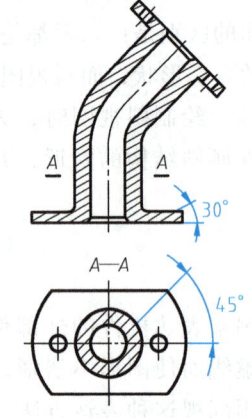

图 6-11 30°或 60°方向的剖面线

表 6-1 剖面区域表示法（GB/T 4457.5—2013）

材料类别	剖面符号	材料类别	剖面符号
金属材料 （已有规定剖面符号者除外）		木质胶合板 （不分层数）	
线圈绕组元件		基础周围的泥土	
转子、电枢、变压器和 电抗器等叠钢片		混凝土	
非金属材料 （已有规定剖面符号者除外）		钢筋混凝土	
型砂、填砂、粉末冶金、砂轮、 陶瓷刀片、硬质合金刀片等		砖	
玻璃及供观察用的其他透明材料		格网 （筛网、过滤网等）	

材料类别		剖面符号	材料类别	剖面符号
木材	纵断面		液体	
	横断面			

注：1. 剖面符号仅表示材料的类型，材料的名称和代号另行注明。
　　2. 叠钢片的剖面线方向，应与束装中叠钢片的方向一致。
　　3. 液面用细实线绘制。

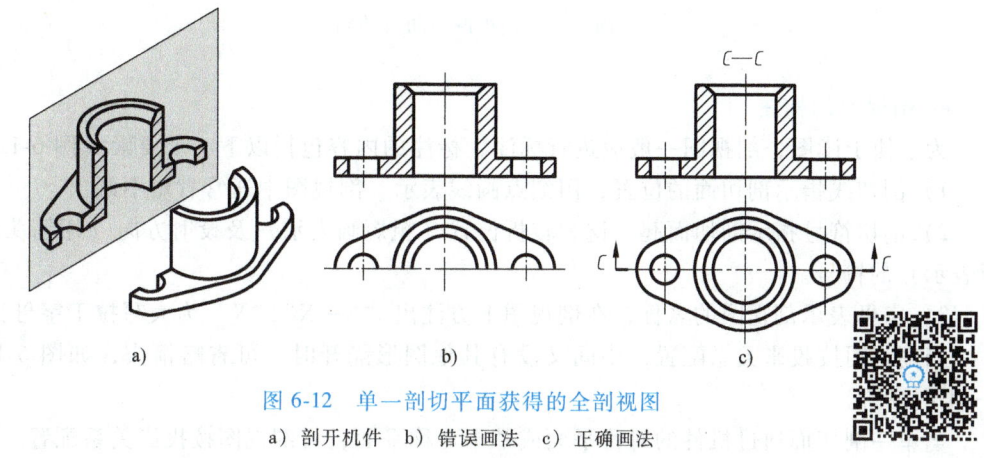

图 6-12　单一剖切平面获得的全剖视图
a）剖开机件　b）错误画法　c）正确画法

2）剖切面后面的可见部分要全部画出，不可遗漏，如图 6-13 所示；剖切面后面的不可见部分一般不画，未表达清楚的可用虚线表示，如图 6-14 所示。

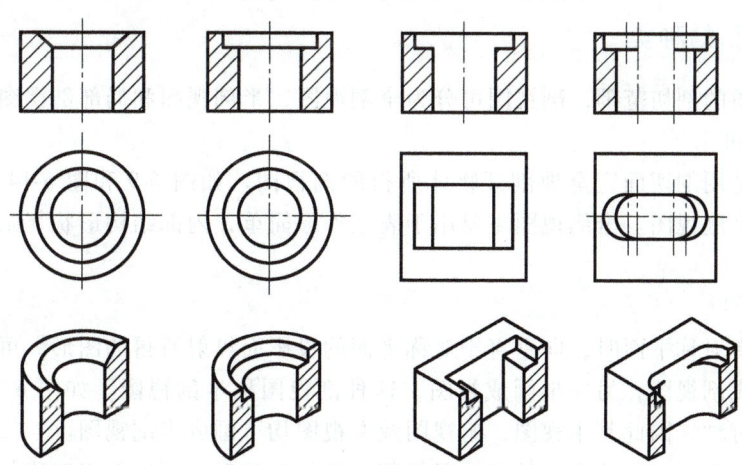

图 6-13　剖切面后可见部分的画法

3）对于机件的肋板、轮辐、薄壁等实心圆杆状及板状结构，如按纵向剖切，肋板不画剖面线，而用粗实线将它与其邻接部分分开，如图 6-14 所示。需要注意的是，剖开部分的肋板轮廓线以圆柱的转向轮廓线为边界。

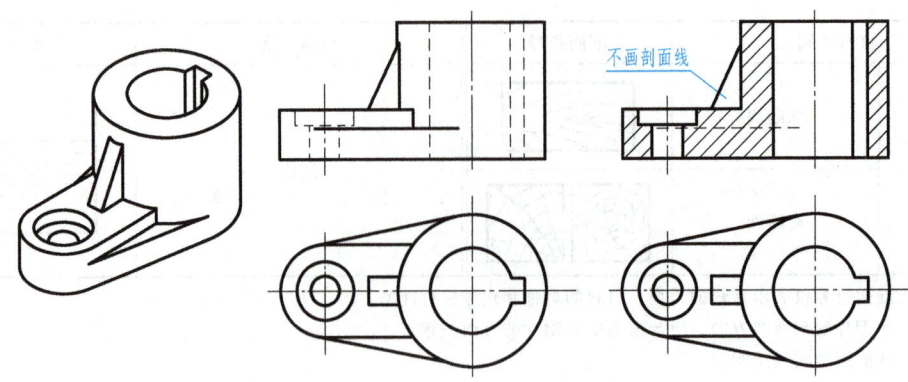

图 6-14　剖视图中肋板的画法

4. 剖视图的标注

为了便于读图，剖视图一般应进行标注，标注的内容包括以下三个要素（图 6-12）：

1）剖切线指示剖切面的位置，用细点画线表示。剖视图中通常省略不画出。

2）剖切符号指示剖切面起、讫和转折位置（粗短画表示）及投射方向（用箭头或粗短画表示）的符号。

3）字母表示剖视图的名称，在剖视图上方注出"X—X"（"X"为大写拉丁字母）。

当剖视图按投影关系配置，中间又没有其他图形隔开时，可省略箭头，如图 6-11 中的 $A—A$ 剖视图。

当单一剖切面通过机件的对称平面或基本对称平面，且剖视图按投影关系配置，中间又没有其他图形隔开时，不必标注，如图 6-13 中的主视图。

对于初学者，在画剖视图时，可先画出剖切面处的轮廓，再画剖切面以后的轮廓。

6.2.3　剖视图的种类

根据剖视图的剖切范围，剖视图可分为全剖视图、半剖视图和局部剖视图三种。

1. 全剖视图

全剖视图是用剖切面完全地剖开物体所得的剖视图。如图 6-9 和图 6-14 所示，机件的主视图采用了全剖视图。全剖视图主要用于表达外形简单，内部结构形状复杂而又不对称的机件。

2. 半剖视图

当物体具有对称平面时，向垂直于对称平面的投影面投射所得的图形，可以对称中心线为界，一半画成剖视图，另一半画成视图，这种剖视图称半剖视图。如图 6-15 所示，机件左右及前后都对称，因此其主视图、俯视图及左视图均可画成半剖视图。

半剖视图主要用于表达内、外结构形状都比较复杂的对称或近似于对称的物体。

必须注意，半个剖视图与半个视图的分界线为细点画线，不得画成粗实线；在半个剖视图中已经表达清楚的内部结构，在另外半个视图中不再画出虚线，但对于孔或槽等，应画出中心线的位置。

当机件的形状接近对称，且不对称部分已另有图形表达清楚时，也可画成半剖视图，如

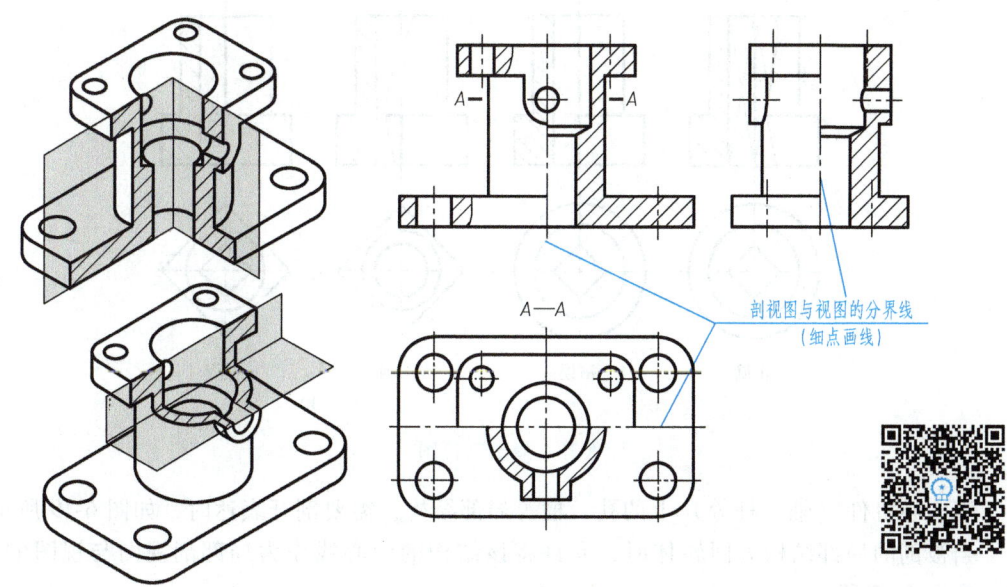

图 6-15 半剖视图（一）

图 6-16 所示。

3. 局部剖视图

局部剖视图是用剖切面局部地剖开物体所得的剖视图，如图 6-17 所示。局部剖视图适用于表达局部的内部结构形状。

局部剖视图的剖切位置及剖切范围应根据机件需要而定，是一种比较灵活的表达方法。

局部剖视图通常用于下列情况：

只需要表达机件上局部结构的内部形状，不必或不宜采用全剖视图时；某些不对称的机件，既需要表达其内部形状，又需要保留其局部外形，如图 6-17 所示。

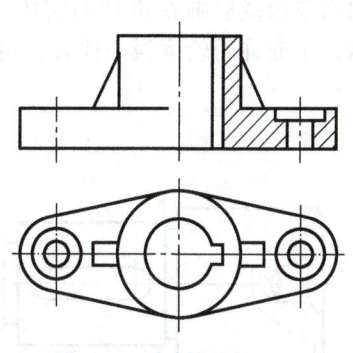

图 6-16 半剖视图（二）

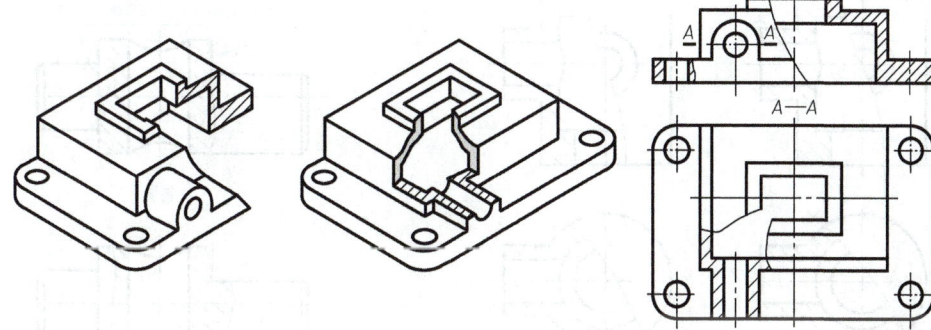

图 6-17 局部剖视图（一）

当对称机件的轮廓线与中心线重合，不宜采用半剖视图时，如图 6-18 所示。

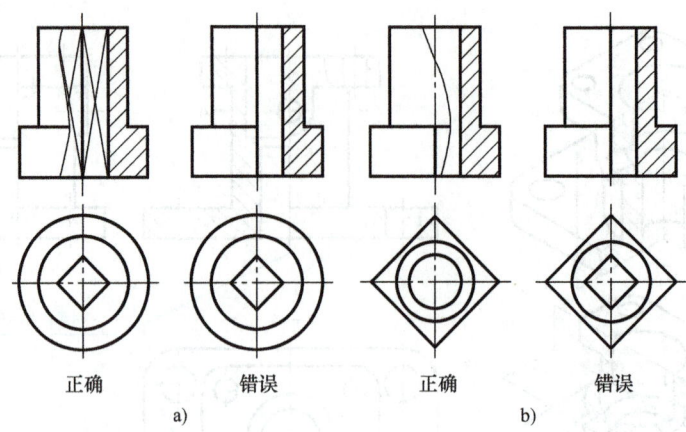

图 6-18　局部剖视图（二）

当实心机件（轴、杆等）上的孔、槽等局部结构，需要剖开表达时，如图 6-19 所示。

当被剖的局部结构为回转体时，允许将该结构的中心线作为局部剖视图与视图的分界线，如图 6-20 所示。

局部剖视图的剖开部分与视图之间的分界线用波浪线表示。波浪线表示机件断裂痕迹，因而波浪线应画在机件的实体部分，不能超出视图之外，也不能穿空而过，如图 6-21a 所示；不允许用轮廓线来代替，也不允许和图样上的其他图线重合，如图 6-21b 所示。

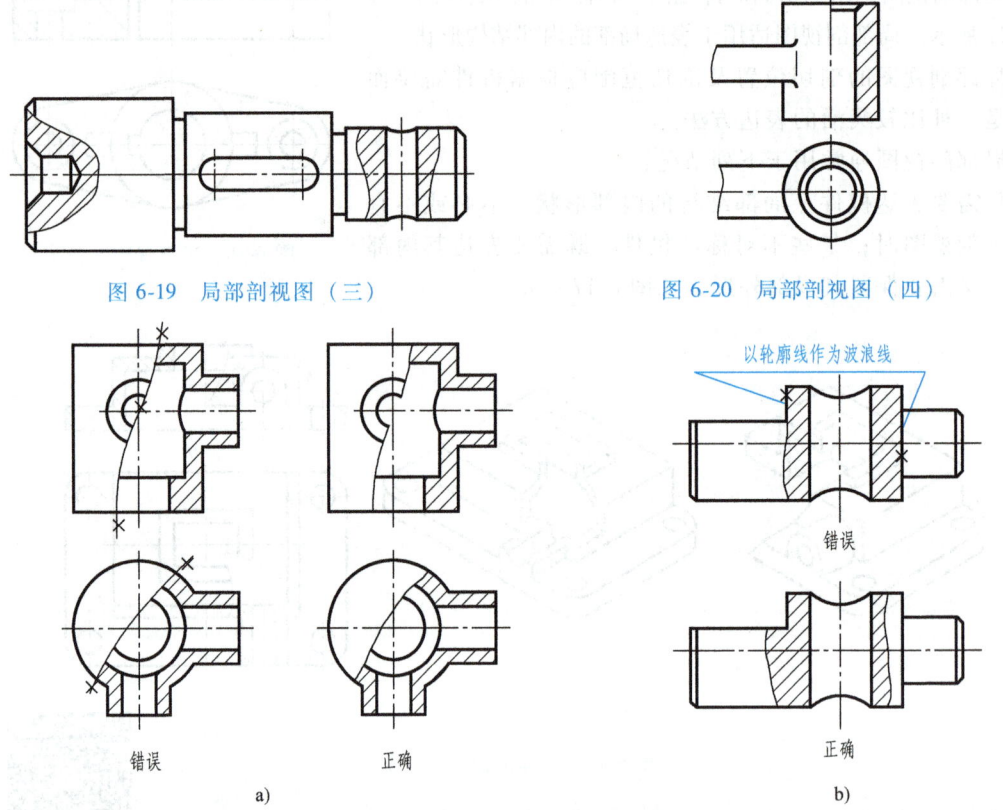

图 6-19　局部剖视图（三）　　　　图 6-20　局部剖视图（四）

图 6-21　局部剖视图中波浪线的画法

局部剖视图的剖切范围也可以用双折线代替波浪线分界。

当单一剖切平面的剖切位置明确时，局部剖视图不必标注，如图 6-18、图 6-20 所示。

6.2.4 剖切面的种类

国家标准（GB/T 4458.6—2002）规定，剖切面可以是平面，也可以是曲面，可以是单一剖切面，也可以是几个平行的剖切平面或几个相交的剖切面组成的组合面。

1. 单一剖切面

单一剖切面包含单一剖切平面、单一斜剖切面及单一剖切柱面。

（1）单一剖切平面（投影面平行面）

图 6-12 和图 6-14 中的剖视图都由单一剖切平面剖得。

（2）单一斜剖切面（投影面垂直面）

当机件需要表达具有倾斜结构的内部形状时，可以用一个不平行于基本投影面的投影面垂直面来剖切机件（也称为斜剖），如图 6-22 中 B—B 剖视图。

用这种平面剖得的图形是斜置的，在图形上方标注的图名 B—B 与斜视图类似。为便于看图，图形应尽量按投影关系配置。为方便画图，在不致引起误解的情况下，可将图形旋转后画出，并加注旋转符号，如图 6-22 所示。

（3）单一剖切柱面

如图 6-23 所示，用单一剖切柱面剖开机件，剖视图一般应展开绘制，在图名后加注"展开"两字（将柱面剖得的结构展开成平行于投影面的平面后再投射）。

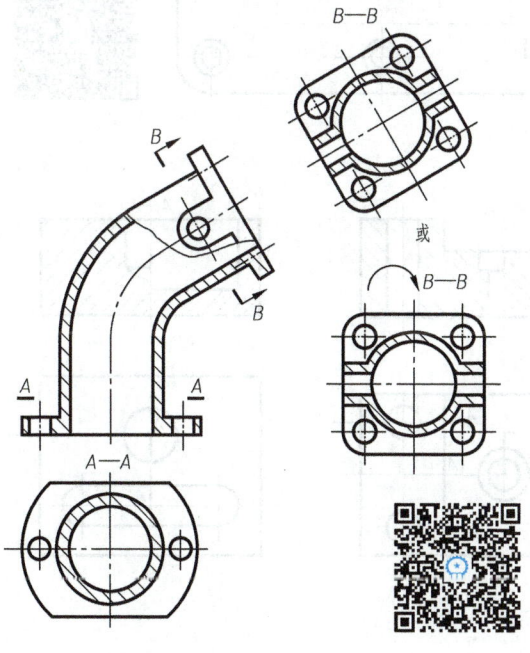

图 6-22　单一斜剖切面

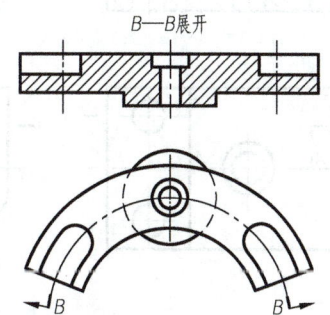

图 6-23　单一剖切柱面

2. 几个平行的剖切平面

当机件的内部结构分布在不同平面上时，用一个剖切平面不能将它们都剖到时，可采用几个平行的剖切平面来剖切机件。

如图 6-24 所示，机件上几个孔的轴线不在同一平面内，如果用一个剖切平面剖切，不能将内部形状全部表达出来。为此，采用两个互相平行的剖切平面沿不同位置孔的轴线剖切，这样就可在一个剖视图上把几个孔的形状表达清楚了。

这种剖视图的标注方法如图 6-24 所示。当剖切符号的转折处位置有限时，可省略字母，如图 6-25c 所示。

采用这种剖切平面画剖视图时应注意：

1) 因为剖切是假想的，所以在剖视图上不应画出剖切平面转折的界线，如图 6-25a 所示。

2) 在剖视图中不应出现不完整结构，如孔、槽等，如图 6-25b 所示。只有当两个结构要素在图形上具有公共对称中心线或轴线时，方可各画一半，如图 6-25c 中的 $A—A$ 剖视图。

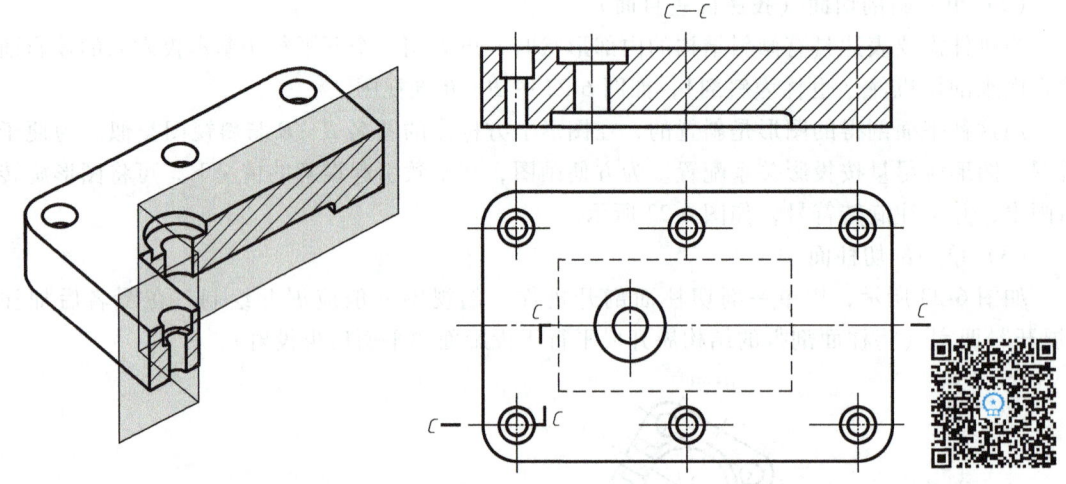

图 6-24　几个平行的剖切面（一）

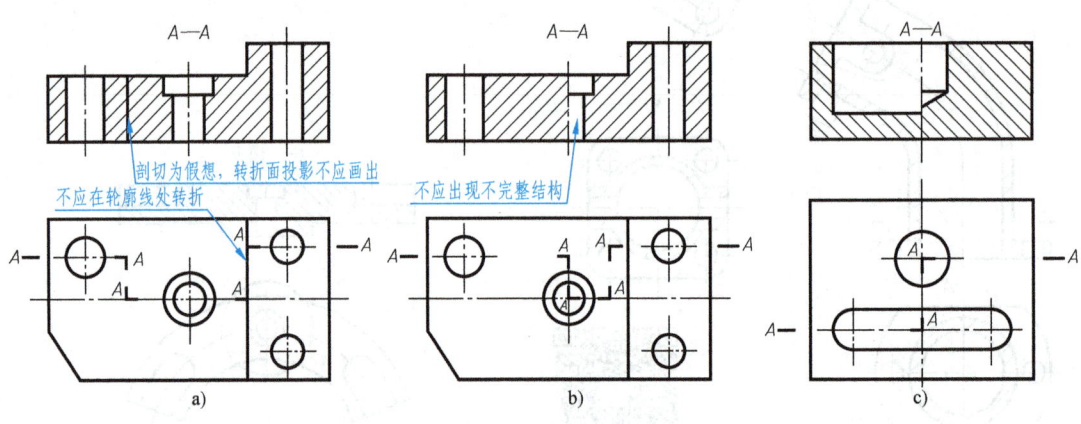

图 6-25　几个平行的剖切面（二）

3. 几个相交的剖切面

当机件的内部结构形状用单一剖切面不能完整表达时，可采用两个（或两个以上）相交的剖切面剖开机件。采用这种方法画剖视图时，先假想按剖切位置剖开机件，然后将被剖切平面剖开的结构及有关部分旋转到与选定的投影面平行后再进行投射，如图 6-26 所示。

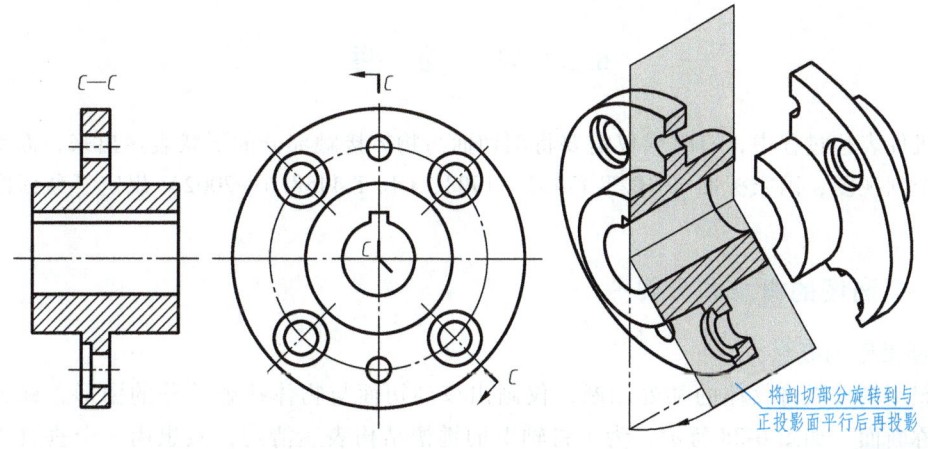

图6-26 几个相交的剖切面（一）

采用这种剖切方法画剖视图时应注意：

1）几个相交的剖切面的交线（一般为轴线）必须垂直于某一投影面。

2）应按先剖切旋转后投影的方法绘制剖视图，如图6-27所示，使剖开的结构及其有关部分旋转至与某一选定的投影面平行后再投射。此时旋转部分的某些结构与原图形不再保持投影关系，如图6-27所示，机件中倾斜部分的剖视图，而在剖切面后面的结构（如图6-27中的油孔），必须按照原来位置投射画出。

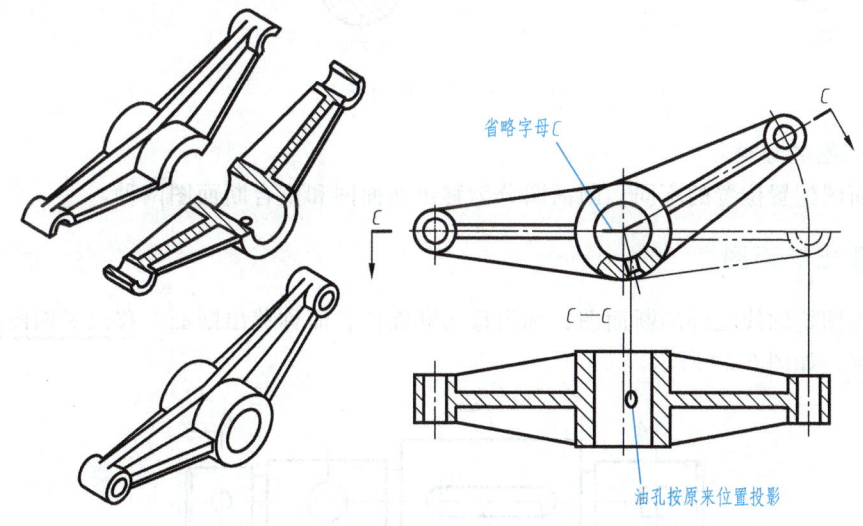

图6-27 几个相交的剖切面（二）

★**学习指引** 结合案例理解剖视图的画法，当剖开机件画剖视图时，注意内外表面的投影，对于剖切部分，只需画出内部结构和剖切面之后的可见部分。注意：画半剖视图时，不剖的一半只画外形可见轮廓线，而剖开的一半只画内孔和剖切面之后的可见轮廓线，分界线为细点画线。

★**关键点拨** 选择剖视图的种类时，应根据机件的实际形状和表达需要灵活选取。

6.3 断 面 图

在机件表达过程中，有时候仅需要将剖切面与物体接触部分的形状表达出来，而不需要绘制整个剖视图，国家标准（GB/T 17452—1998、GB/T 4458.6—2002）规定了断面图的表达方法。

6.3.1 断面图的概念和分类

1. 断面图的概念

假想用剖切面将物体的某处切断，仅画出该剖切面与物体接触部分的图形，称为断面图，简称断面。如图 6-28 所示，为了将轴上的键槽结构表达清楚，假想用一个垂直于轴线的剖切平面在键槽处将轴切断，只画出断面的图形，并画上剖面符号，即为断面图。

剖视图与断面图的区别是：断面图仅画出断面的形状，而剖视图除了画出断面形状外，还需画出剖切平面之后的可见轮廓。

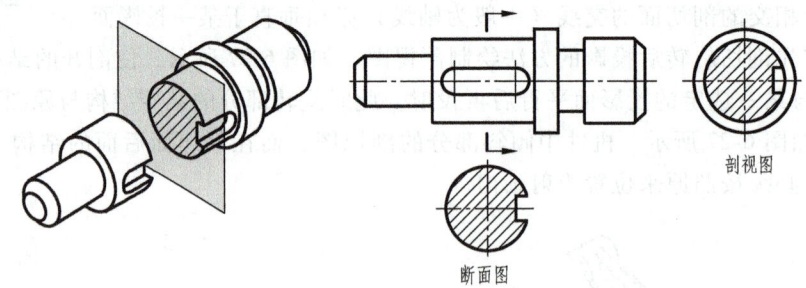

图 6-28　断面图的形成

2. 断面图的分类

按断面图配置位置的不同，断面图分为移出断面图和重合断面图两种。

6.3.2 移出断面图

画在视图轮廓线之外的断面图，称为移出断面图，简称移出断面。移出断面图的轮廓用粗实线绘制，如图 6-29 所示。

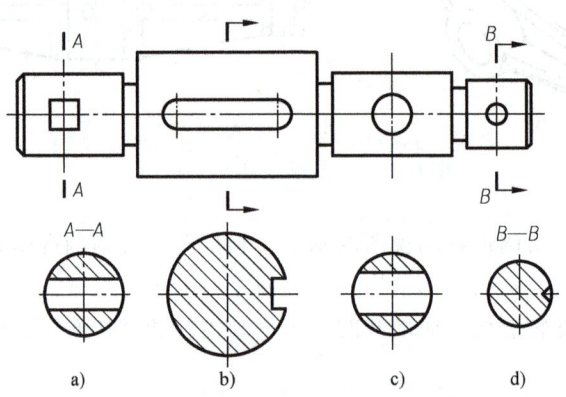

图 6-29　移出断面图的配置及标注

1. 移出断面图的画法

1)当剖切平面通过由回转面形成的孔或凹槽的轴线时,这些结构应按剖视图要求绘制,如图 6-30 所示。

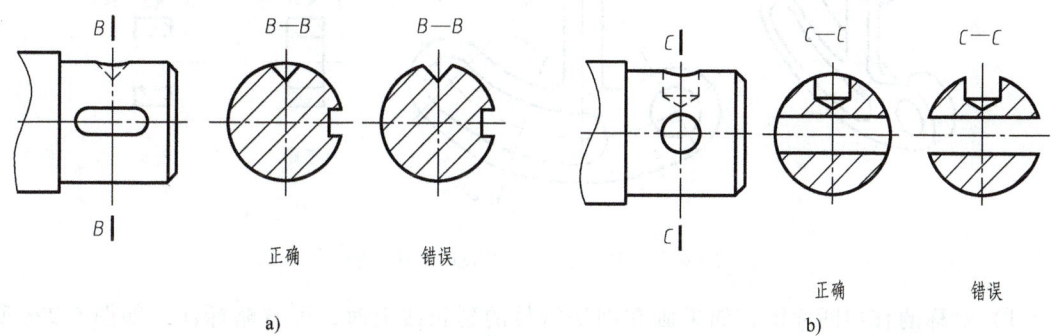

图 6-30 带有孔或凹槽的断面图

2)剖切平面应该与被剖切部分的主要轮廓线垂直。由两个或多个相交的剖切平面剖切所得到的移出断面图,中间应断开,如图 6-31 所示。

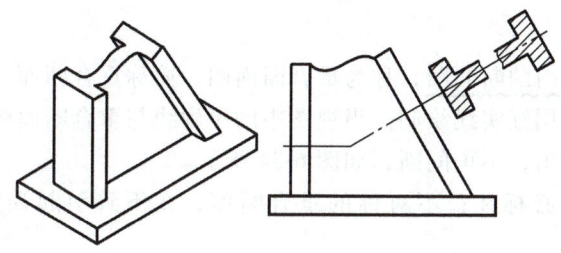

图 6-31 断开的移出断面图

3)当断面图的图形对称时,移出断面可配置在视图中断处,如图 6-32 所示。

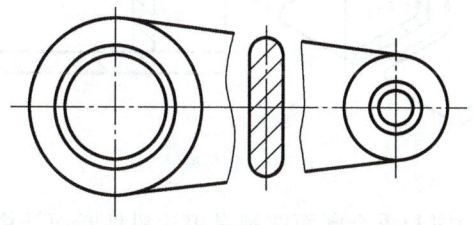

图 6-32 对称图形的移出断面图

4)当剖切平面通过非圆孔,会导致完全分离的两个断面时,这些结构也应按剖视图要求绘制,如图 6-33 所示。

2. 移出断面图的配置及标注

移出断面图应尽可能配置在剖切位置的延长线上,必要时也可配置在其他适当的位置,但需要标注,标注的形式与剖视图基本相同,如图 6-29 所示。

根据具体情况,标注时可简化或省略。

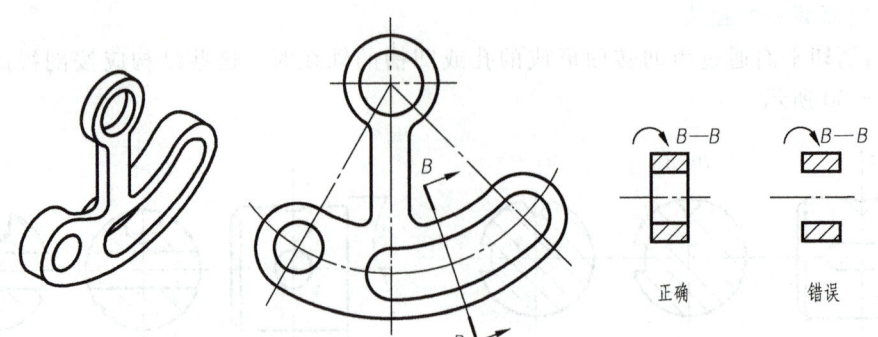

图 6-33 按剖视图绘制的移出断面图

1）对称的移出断面图，如果画在剖切符号的延长线上时，可省略标注，如图 6-29c 所示；如果画在其他位置时，可省略箭头，如图 6-29a 所示。

2）不对称的移出断面图，如果画在剖切符号的延长线上时，可省略字母，如图 6-29b 所示；如果按投影关系配置，则可以省略箭头，如图 6-30a 所示；如果画在其他位置时，要注明剖切符号、箭头和字母，如图 6-29d 所示。

6.3.3 重合断面图

画在视图轮廓线之内的断面图，称为重合断面图，简称重合断面。

重合断面图的轮廓用细实线绘制。当视图中的轮廓线与重合断面图的图形重合时，视图中的轮廓线仍应连续画出，不可间断，如图 6-34 所示。

对称的重合断面不必标注；不对称的重合断面，在不致引起误解时可省略标注，如图 6-34 所示。

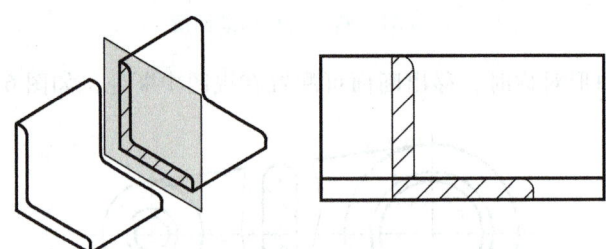

图 6-34 重合断面图

★**学习指引** 移出断面图和重合断面图都是表达机件断面结构的图形。移出断面图的轮廓线用粗实线绘制，画在视图的轮廓线之外（根据图形的结构需进行相应的标注，某些时候可省略标注），重合断面图的轮廓线用细实线绘制，画在视图轮廓线内（可省略标注）。

★**关键点拨** 断面图一般用于表达机件上的肋板或局部的断面结构形状。

6.4 其他表达方法

机件的表达方法，除了前面的视图、剖视图及断面图外，国家标准还规定了局部放大图、简化画法等其他的表达方法。

6.4.1 局部放大图

将机件的部分结构，用大于原图形的比例所绘出的图形，称为局部放大图，如图 6-35 所示。局部放大图可以画成视图、剖视图或断面图，与被放大部分的原表达方式无关。

当同一机件上有几处需要放大时，可用细实线圈出被放大的部位，用罗马数字依次标明被放大的部位，并在局部放大图的上方标注出相应的罗马数字和所采用的比例，如图 6-35 所示。

对于同一机件上不同部位，但图形相同或对称时，只需画出一个局部放大图，如图 6-36 所示。

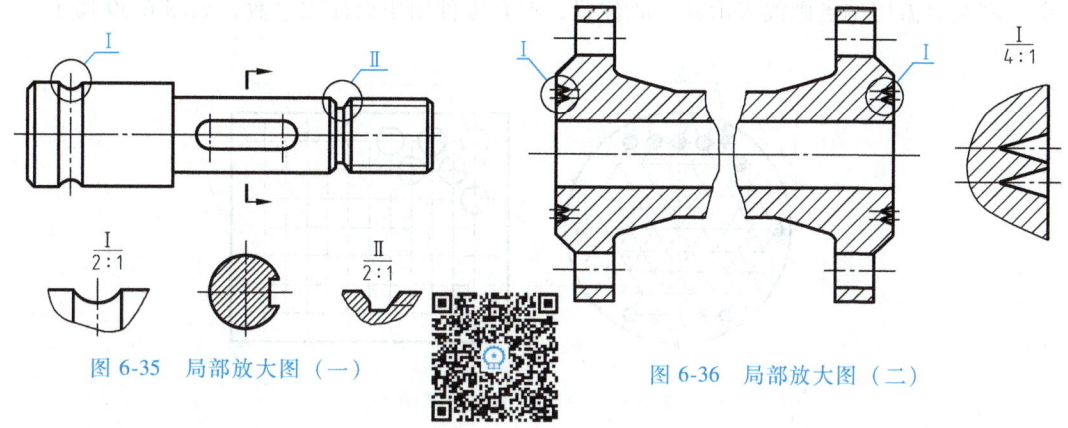

图 6-35　局部放大图（一）　　　　图 6-36　局部放大图（二）

6.4.2 常用简化画法

1. 均布结构的画法

当机件回转体上均匀分布的肋板、孔等结构不处于剖切平面上时，可将这些结构绕回转体轴线旋转到剖切平面上按对称画出，不加标注，相同的另一侧的孔可仅画出轴线，如图 6-37 所示。

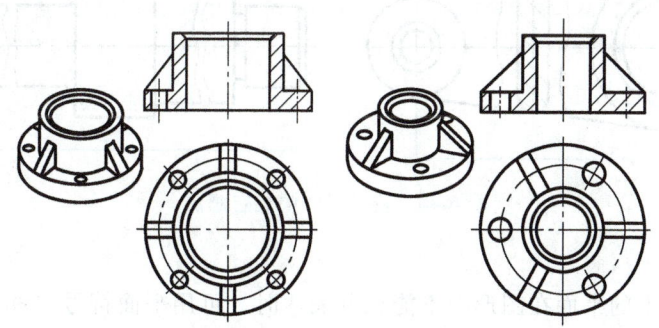

图 6-37　均布结构的画法

2. 重复结构要素的画法

1）机件上若干相同结构（齿、槽、孔等），按一定规律分布时，只需画出几个完整的结构，其余用细实线连接或画出中心线位置，但需反映其分布情况，并在零件图中注明重复结构的数量，如图 6-38 所示。

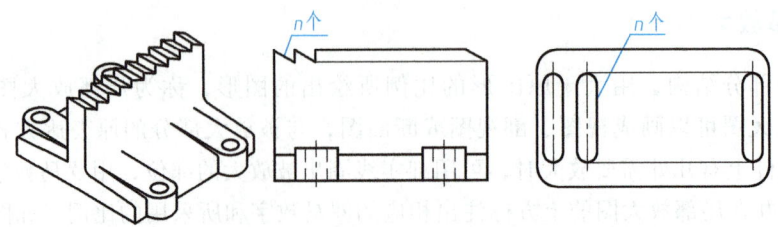

图 6-38 重复结构要素的画法

2）若干直径相同且有规律分布的孔（圆孔、螺孔、沉孔等），可以仅画一个或少量几个，其余只需用细点画线表示其中心位置，但在零件图中要注明总数，如图 6-39 所示。

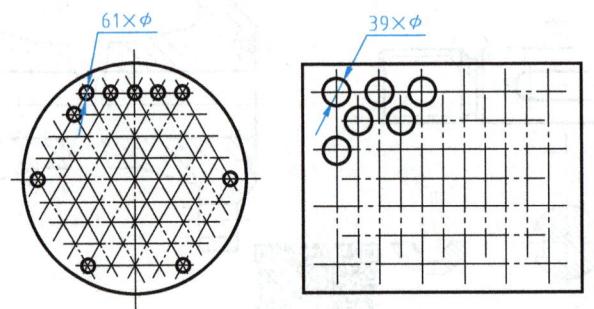

图 6-39 有规律分布的孔的画法

3. 断裂画法

较长机件（轴、杆、型材、连杆等）沿长度方向的形状一致或按一定规律变化时，可断开后缩短绘制，但尺寸仍按机件的设计要求标注，如图 6-40 所示。

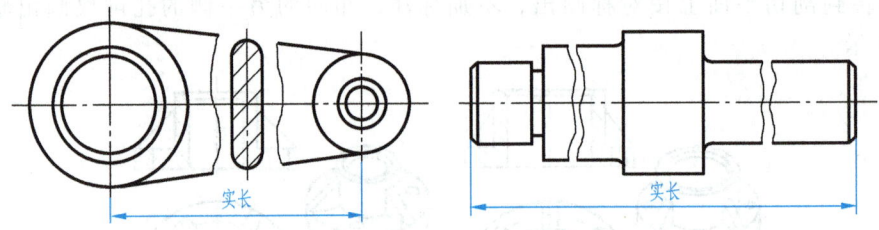

图 6-40 较长零件的规定画法

4. 平面画法

当回转体零件上的平面在图形中不能充分表达时，可用平面符号（相交的两条细实线）表示，如图 6-41 所示。

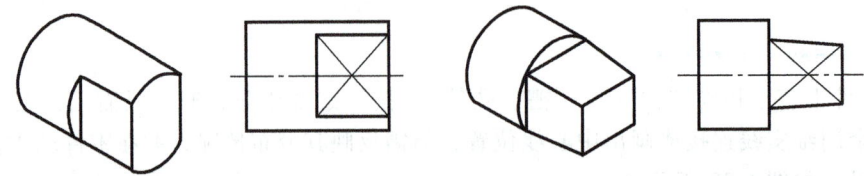

图 6-41 平面的规定画法

5. 简化画法

1）对于机件上的较小结构，如已有其他图形表示清楚，且又不影响读图时，可不按投影而按简化画法画出或省略，如图 6-42 所示。

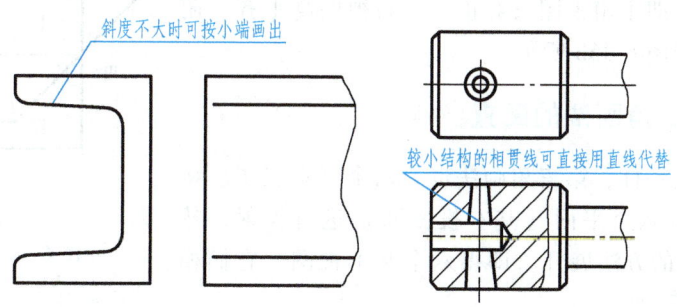

图 6-42　较小结构的简化画法

2）零件上的滚花（GB/T 6403.3—2008）、槽沟等网状结构，应用粗实线完全或部分地表示出来，如图 6-43 所示。

★**学习指引**　在采用视图和剖视图表达机件后，根据实际需要选择合适的其他表达方法（比如：对于零件上的局部细小结构，可采用局部放大图，既方便看图又便于标注尺寸），不可生搬硬套。

★**关键点拨**　表达方法在机件表达过程中是综合应用的，不是一定要将每一种方法都用到，需要结合工程实际多看多想。

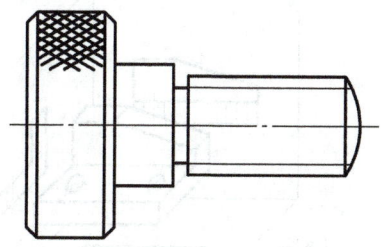

图 6-43　网状结构的简化画法

6.5　第三角画法

《技术制图 投影法》（GB/T 14692—2008）规定："技术图样应采用正投影法绘制，并优先采用第一角画法"。在工程制图领域，多数国家（如中国、英国、法国、德国、俄罗斯等）都是采用第一角画法，而美国、日本、加拿大、澳大利亚等国家则采用第三角画法。为了便于日益增多的国际技术交流和协作，我国在 1993 年就曾规定必要时（如按合同规定等）允许使用第三角画法。

6.5.1　第一、三分角的三视图的形成

如图 6-44 所示为三个互相垂直相交的投影面，将空间分为八个部分，每部分为一个分角，依次为 Ⅰ~Ⅷ 分角。

将机件放在第一分角内（H 面之上、V 面之前、W 面之左）而得到的多面正投影为第一角画法，如图 6-45a 所示；将机件放在第三分角内（H 面之下、V 面之后、W 面之左）而得到的多面正投影为第三角画法，如图 6-45b 所示。第一角画法是将机件置于观察者与投影面之间进行投射；第三角画法是将投影面置于观察者与机件之间进行投射（把投影面看作透明的）。

物体投影后，三视图随着投影面的展开放置在同一个平面内，展开的方法如图 6-46a 所示。

与第一角画法类似，采用第三角画法的视图符合多面正投影的投影规律，即主俯视图长对正、主右视图高平齐、俯右视图宽相等，如图 6-46b 所示。

6.5.2 第一、三角画法的配置

与第一角画法一样，第三角画法也有六个基本视图。将机件向正六面体的六个平面（基本投影面）进行投射，然后按图 6-47a 所示的方法展开，即得六个基本视图，它们相应的配置如图 6-47b 所示。

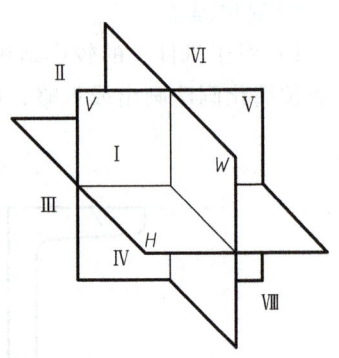

图 6-44　八个分角

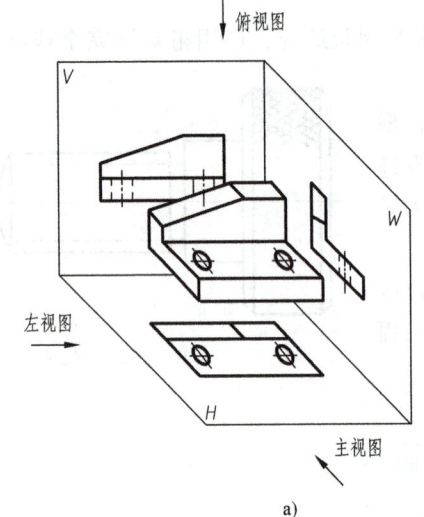

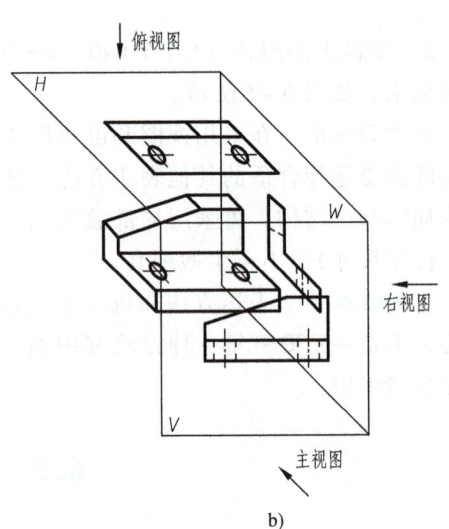

a)　　　　　　　　　　　　　　　　b)

图 6-45　第一角与第三角投影

a) 第一角投影　b) 第三角投影

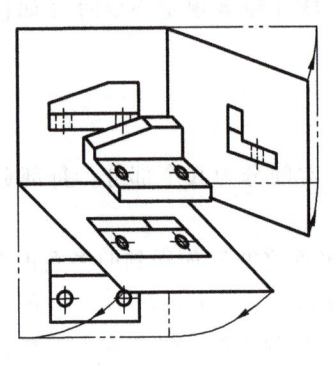

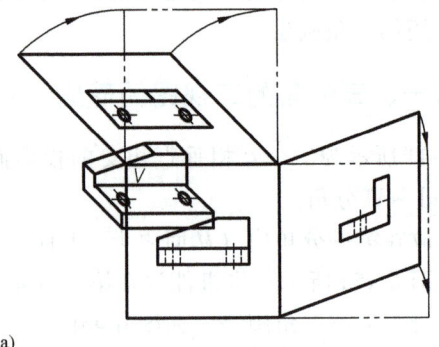

a)

图 6-46　第一、三角画法三视图配置关系的对比

a) 第一角画法和第三角画法的展开

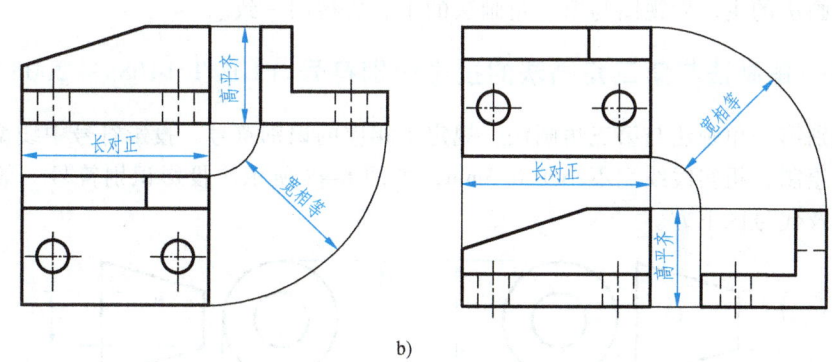

b)

图 6-46　第一、三角画法三视图配置关系的对比（续）
b）第一角投影和第三角投影的三视图

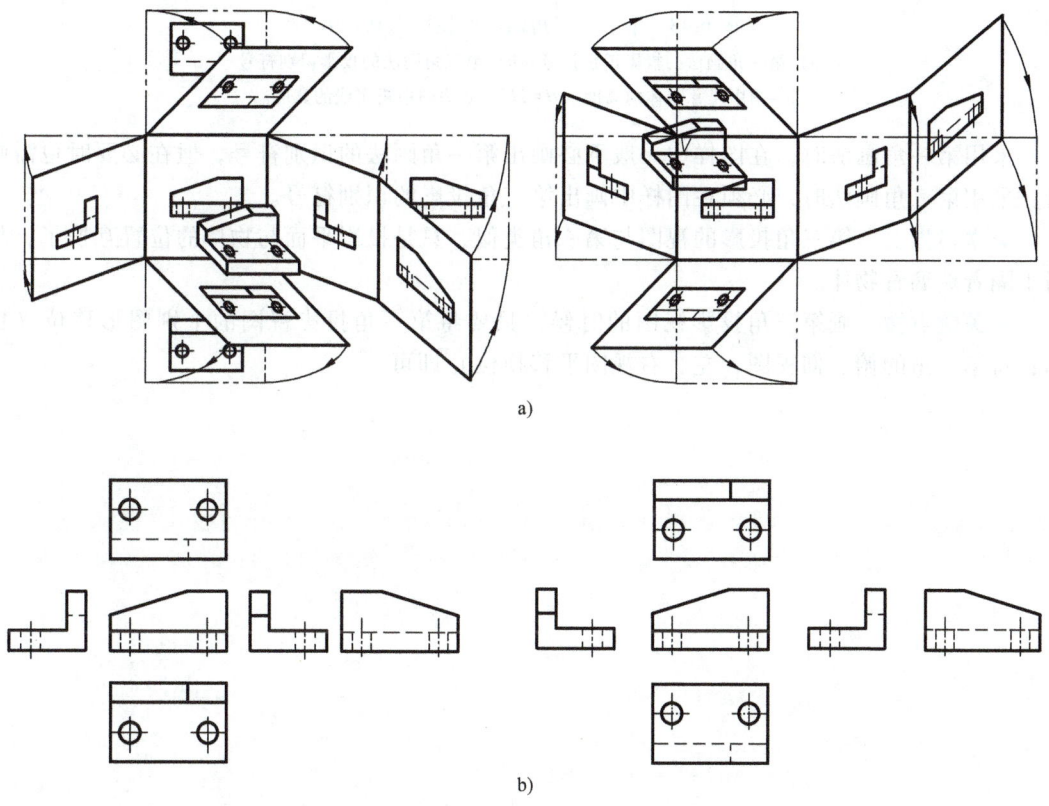

图 6-47　第一、三角投影基本视图配置关系的对比
a）第一、三角画法六个视图的展开　b）第一、三角投影的六个基本视图

第三角画法与第一角画法在各自的投影面体系中，观察者、机件、投影面三者之间的相对位置不同，决定了它们六个基本视图配置关系的不同。从图 6-47 所示两种画法的对比中，可以很清楚地看到：

第三角画法的俯视图和仰视图与第一角画法的俯视图和仰视图的位置对换。

第三角画法的左视图和右视图与第一角画法的左视图和右视图的位置对换。

第三角画法的主、后视图与第一角画法的主、后视图一致。

6.5.3　第一角画法与第三角画法的投影识别符号（GB/T 14689—2008）

为了识别第一角画法与第三角画法，规定了相应的识别符号。投影符号中线型用粗实线和细点画线绘制，粗实线线宽不小于 0.5mm，如图 6-48 所示。投影识别符号一般放置在标题栏中名称及代号区下方。

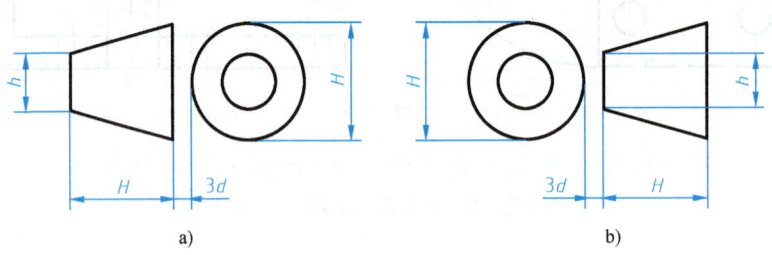

图 6-48　第一、三角画法的投影识别符号

a）第一角画法的投影识别符号　b）第三角画法的投影识别符号

h = 图中尺寸字体的高度（$H=2h$）；d 为图中粗实线的宽度。

采用第一角画法时，在图样中一般不必画出第一角画法的识别符号，但在必要时也需画出；采用第三角画法时，必须在图样中画出第三角投影的识别符号。

★学习指引　第三角投影的视图与第一角类似，只是投影平面与物体的位置互换了，相当于隔着玻璃看物体。

★关键点拨　画第三角投影视图的时候，只要将第一角投影视图的个别图形移位（比如：将第一角的俯、仰视图，左、右视图平移换位）即可。

第7章

标准件及常用件画法

◆ 本章重难点

重点：
1. 螺纹的画法、螺纹代号、标注方法及螺纹紧固件的联接画法。
2. 直齿圆柱齿轮及啮合的规定画法。
3. 键联接、销联接、滚动轴承及圆柱螺旋弹簧的规定画法和标记。

难点：
1. 螺纹紧固件的联接画法和标记。
2. 直齿圆柱齿轮啮合的规定画法。

◆ 能力目标
1. 正确识读螺纹标记，熟练掌握螺纹及螺纹紧固件的联接画法。
2. 能正确绘制直齿圆柱齿轮及其啮合图。
3. 正确识读键、销、滚动轴承、弹簧的标记。

7.1 螺纹及螺纹紧固件

螺纹是一种常见的设计结构，螺纹是在圆柱或圆锥表面上，具有相同牙型（如三角形、矩形、锯齿形等）、沿螺旋线连续凸起的牙体（牙体是指相邻牙侧间的材料实体，也称为牙），如图7-1所示。螺纹在螺钉、螺栓、螺母和丝杠上起联接或传动作用。

螺纹分为外螺纹和内螺纹，内、外螺纹一般要成对使用。在圆柱（或圆锥）外表面所形成的螺纹称为外螺纹；在圆柱（或圆锥）内表面所形成的螺纹称内螺纹。

各种螺纹都是根据螺旋线原理加工而成，螺纹加工大部分采用机械化批量生产。内、外螺纹均可采用车床加工，如图7-2a、b所示。也可用成形刀具（如板牙、丝锥）加工螺纹，如图7-2c、d所示。当加工直径比较小的内螺纹时，先用钻头钻出光孔，再用丝锥攻螺纹，因钻头的顶角为118°，所以不通孔的锥顶角应为118°，为方便作图，一般画成120°，如图7-2d所示。

图7-1 螺纹

7.1.1 螺纹的规定画法和标注

1. 螺纹的要素

螺纹有牙型、直径、线数、螺距和导程、旋向五个要素。五个要素完全相同时，内、外

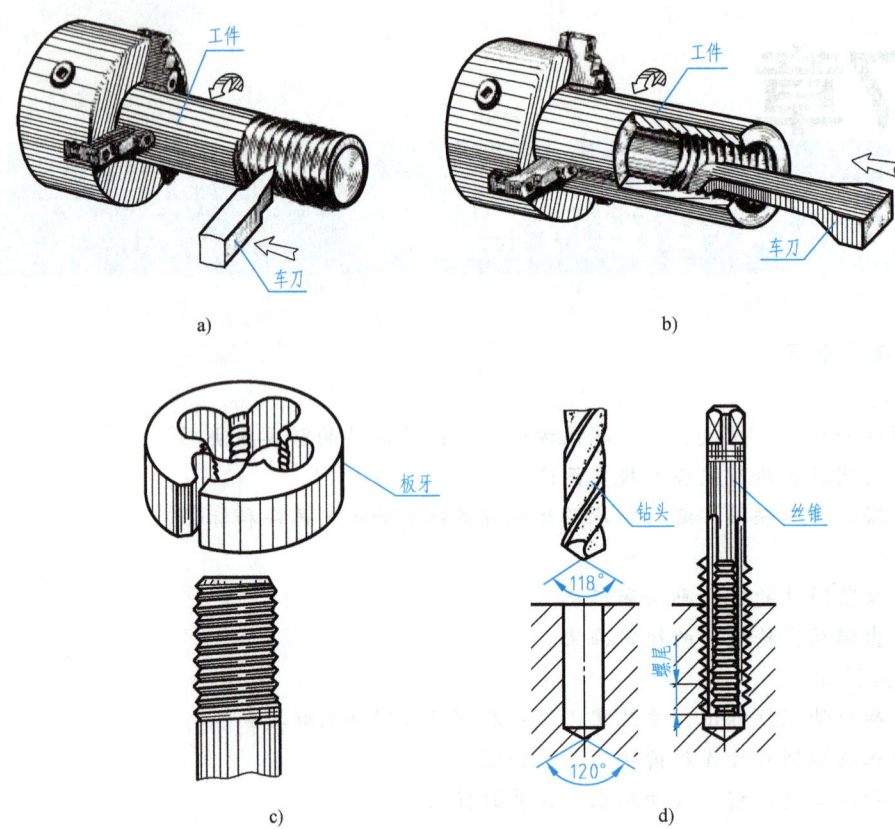

图 7-2 螺纹的加工方法
a) 车削外螺纹　b) 车削内螺纹　c) 板牙套外螺纹　d) 丝锥攻内螺纹

螺纹才能相互旋合，否则不能旋合。

(1) 牙型

螺纹的牙型是指在通过螺纹轴线剖切面上所得到的断面轮廓形状，螺纹的牙型标志着螺纹的特征。常见的螺纹牙型有三角形、矩形、梯形、锯齿形等。不同的牙型有不同的用途，常见标准螺纹的牙型及代号见表 7-1。

(2) 螺纹的直径

螺纹的直径有大径、小径、中径之分，如图 7-3 所示。

1) 大径 d (D) 是指与外螺纹的牙顶或内螺纹的牙底相切的假想圆柱或圆锥的直径。外螺纹的大径用 d 表示，内螺纹的大径用 D 表示。

2) 小径 d_1 (D_1) 是指与外螺纹牙底或内螺纹牙顶相切的假想圆柱或圆锥的直径。外螺纹的小径用 d_1 表示，内螺纹的小径用 D_1 表示。

3) 中径 d_2 (D_2) 是指一个假想的圆柱或圆锥直径，该圆柱或圆锥的母线通过牙型上沟槽和凸起宽度相等的地方。外螺纹的中径用 d_2 表示，内螺纹的中径用 D_2 表示。

顶径是指与螺纹牙顶相切的假想圆柱或圆锥的直径，即外螺纹的大径或内螺纹的小径。底径，是指与螺纹牙底相切的假想圆柱或圆锥的直径，即外螺纹的小径或内螺纹的大径。

表 7-1 常用螺纹的种类、牙型、代号和用途

螺纹的种类			特征代号	牙型图	功用
联接螺纹	普通螺纹	粗牙普通螺纹	M		最常用的联接螺纹,细牙普通螺纹的螺距较粗牙小,切深较浅,用于细小精密零件或薄壁零件上
		细牙普通螺纹			
	管螺纹	55°非密封管螺纹	G		用于水管、油管、煤气等薄壁管子上
		55°密封管螺纹 圆锥内螺纹	R_C		适用于密封性要求高的水管、油管、煤气管等中、高压的管路系统中
		圆柱内螺纹	R_P		
		圆锥外螺纹 与圆柱内螺纹相配合	R_1		
		与圆锥内螺纹相配合	R_2		
传动螺纹		梯形螺纹	Tr		用于传递运动和动力,各种机床上的丝杠多采用这种螺纹
		锯齿形螺纹	B		只能传递单向动力。例如,螺旋压力机的丝杠就采用这种螺纹

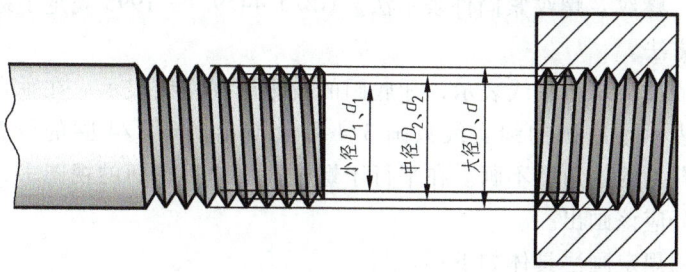

图 7-3 螺纹的直径

公称直径是代表螺纹尺寸的直径。对于紧固螺纹和传动螺纹,螺纹大径的公称尺寸即为螺纹的公称尺寸。对管螺纹,其管子的公称尺寸即为螺纹的公称尺寸。

(3) 线数

形成螺纹的螺旋线条数称为线数,线数用字母 n 表示。沿一条螺旋线形成的螺纹称为单线螺纹,沿两条以上螺旋线形成的螺纹称为多线螺纹,如图 7-4 所示。

(4) 螺距和导程

螺距:相邻两牙在螺纹基本中径线上对应两点间的轴向距离叫螺距,用 P 表示。

导程：同一条螺旋线上相邻两牙在螺纹基本中径线上对应两点间的轴向距离叫导程，用 Ph 表示。对单线螺纹，$Ph=P$；对于多线螺纹，导程=螺距×线数，即：$Ph=P×n$。

（5）旋向

螺纹分为左旋螺纹和右旋螺纹两种。顺时针旋转时旋入的螺纹是右旋螺纹（代号 RH）；逆时针旋转时旋入的螺纹是左旋螺纹（代号 LH），如图 7-5 所示。工程上常用右旋螺纹。

螺纹旋向的判定：将外螺纹轴线竖直放置，螺纹的可见部分是右高左低为右旋螺纹，左高右低为左旋螺纹，如图 7-5 所示。

国家标准对螺纹的牙型、大径和螺距做了统一规定。这三项要素均符合国家标准的螺纹称为标准螺纹；凡牙型不符合国家标准的螺纹称为非标准螺纹；只有牙型符合国家标准的螺纹称为特殊螺纹。

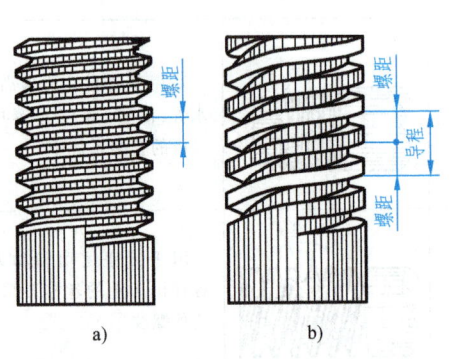

图 7-4 单线螺纹和双线螺纹

a）单线 b）双线

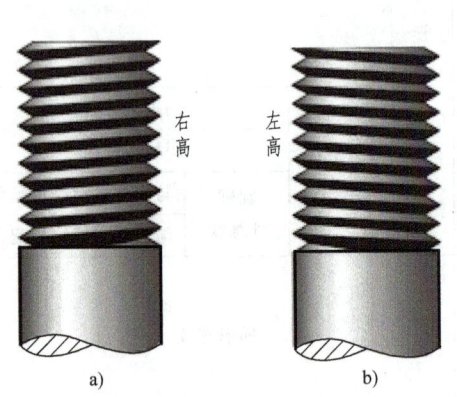

图 7-5 右旋螺纹和左旋螺纹

a）右旋 b）左旋

2. 螺纹的规定画法

由于螺纹的真实投影比较复杂，为了便于设计和制造，简化作图，提高工作效率，国家标准《机械制图 螺纹及螺纹紧固件表示法》GB/T 4459.1—1995 规定了螺纹及螺纹紧固件在图样中的表示方法。

螺纹牙顶圆的投影用粗实线表示，牙底圆的投影用细实线表示。在垂直于螺纹轴线的投影面的视图中，表示牙底圆的细实线只画 3/4 圈（空出的约 1/4 圈的位置不做规定），此时，螺杆或螺纹孔上的倒角圆不画。在平行于螺纹轴线的投影面的视图中，螺杆或螺纹孔的倒角和倒圆的部分应该画出。

内、外螺纹的规定画法具体如下：

（1）外螺纹的规定画法

1）外螺纹的大径和终止线用粗实线绘制，小径用细实线绘制，螺纹小径按大径的 0.85 倍绘制。画出螺杆的倒角或倒圆部分，并且小径的细实线应画入倒角内。螺尾部分一般不必画出，当需要表示螺纹收尾时，螺纹尾部的小径用与轴线夹角为 30°的细实线绘制，如图 7-6 所示。

2）在投影为圆的视图中，大径用粗实线画圆，小径用细实线画 3/4 圈圆，倒角圆省略不画，如图 7-6 所示。

3）在剖视图中，螺纹终止线只画出大径和小径之间的部分，剖面线应画到粗实线处，如图 7-7 所示。

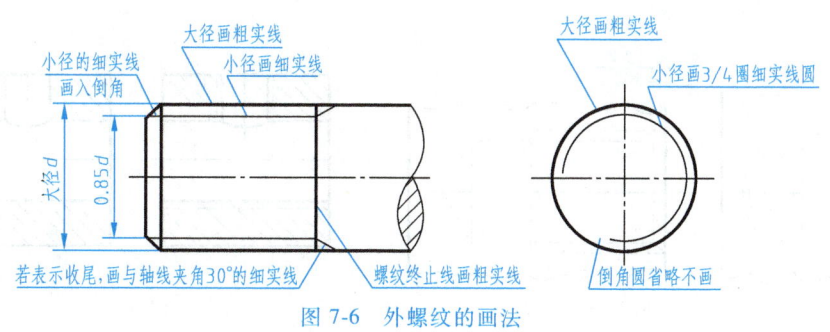

图 7-6 外螺纹的画法

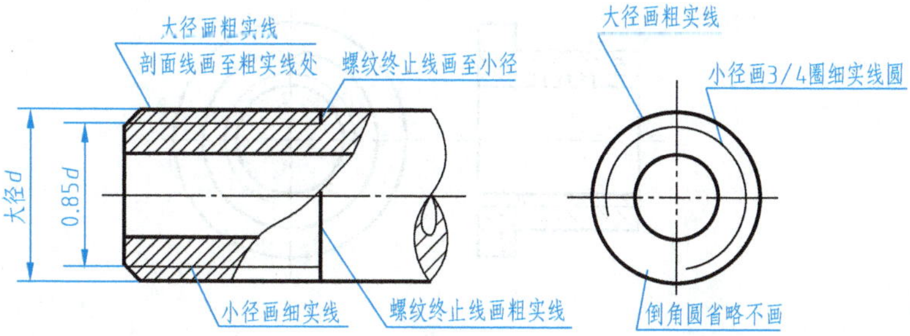

图 7-7 外螺纹的剖视图画法

（2）内螺纹的规定画法

1）内螺纹一般用剖视图表示，在剖视图中，内螺纹的大径用细实线来绘制，小径和螺纹终止线用粗实线来绘制，剖面线必须终止于粗实线。在投影为圆的视图中，小径圆用粗实线绘制，大径圆用细实线绘制，只画 3/4 圈圆，倒角圆省略不画，如图 7-8a 所示。

2）内螺纹未被剖切时，其大径、小径和螺纹终止线均用细虚线表示，如图 7-8b 所示。

3）绘制不通的螺纹孔时，一般应将钻孔深度与螺纹部分的深度分别画出，钻孔顶端应画成 120°，如图 7-8a 所示。

4）螺孔相交时，其相贯线的画法如图 7-8c 所示。

5）在垂直于螺纹轴线的投影面的视图中，需要表示部分螺纹的牙型时，表示牙底圆的细实线也应适当的空出一段，如图 7-8d 所示。

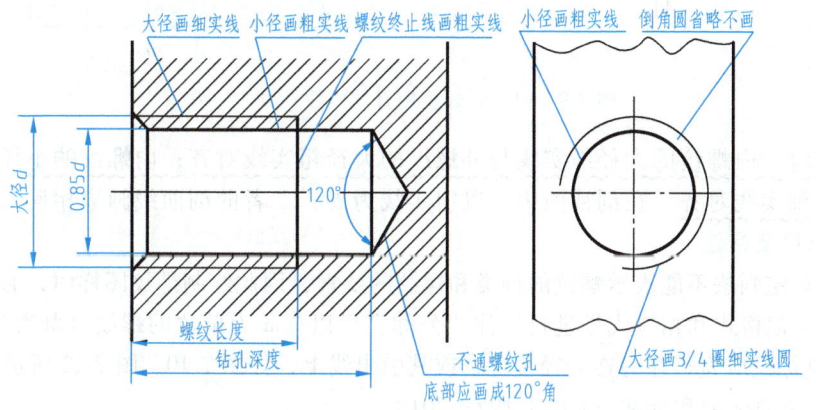

a)

图 7-8 内螺纹的画法

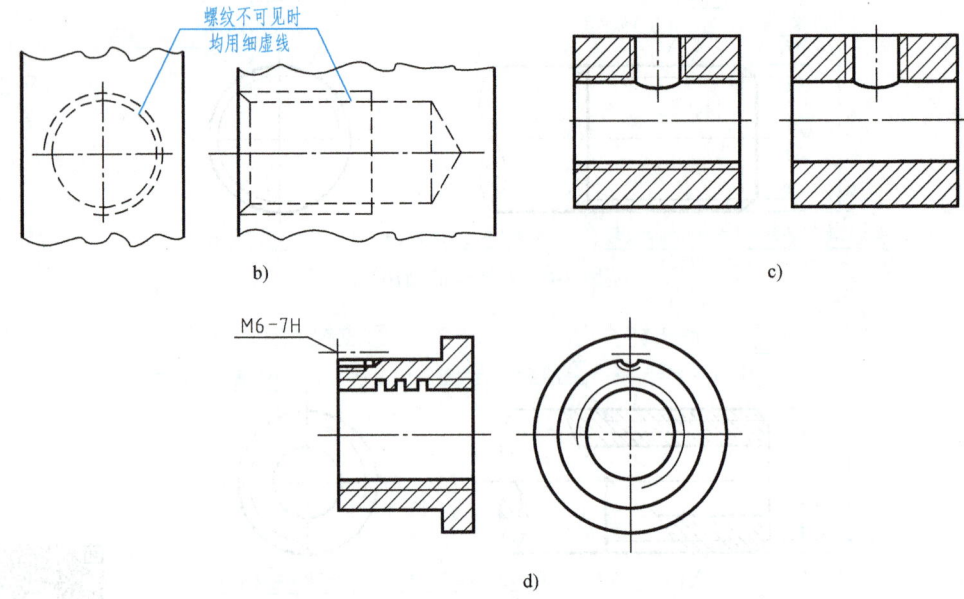

图 7-8 内螺纹的画法（续）

（3）内、外螺纹旋合的画法

用剖视图表示螺纹联接时，旋合部分按外螺纹的画法绘制，未旋合部分按各自原有的画法绘制，在剖切平面通过螺纹轴线的剖视图中，实心螺杆按不剖绘制，如图 7-9 所示。

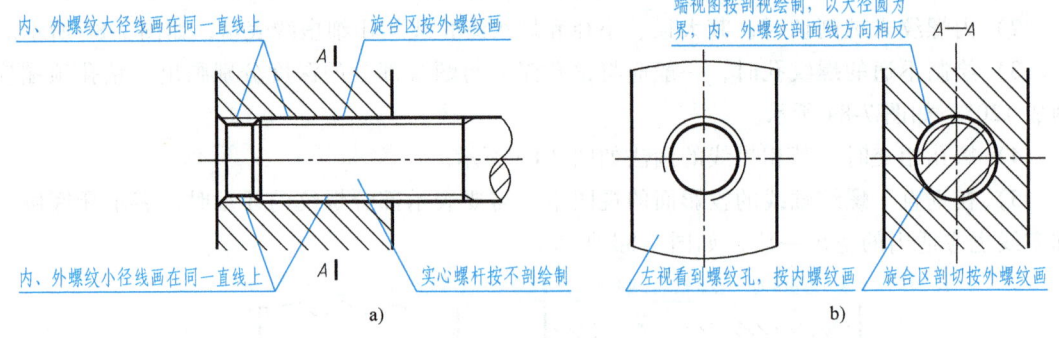

图 7-9 内、外螺纹旋合的画法

画螺纹联接时，内螺纹的大径细实线与外螺纹的大径粗实线对齐；内螺纹的小径粗实线与外螺纹的小径细实线对齐；在剖视图中，以粗实线为界，二者的剖面线画成相反。

3. 螺纹的标记及标注

由于螺纹的规定画法不能表示螺纹的种类和螺纹的要素，因此绘制螺纹图样时，必须按照国家标准规定的标记格式和相应代号进行标注。公称直径以 mm 为单位的螺纹（如普通螺纹、梯形螺纹等），其标记应直接注写在大径线上，或其引出线上，如图 7-10、图 7-12 所示。

（1）普通螺纹的标记和标注（GB/T 197—2018）

1）标记。普通螺纹的标记写在尺寸线或尺寸线的延长线上，尺寸线的箭头指在螺纹大径上，标记格式如下：

|螺纹特征代号| |尺寸代号| |公差带代号|–|旋合长度组代号|–|旋向代号|

螺纹特征代号　普通螺纹代号为 M。

尺寸代号　单线螺纹的尺寸代号为"公称直径×螺距"，粗牙普通螺纹不标注螺距。多线螺纹的尺寸代号为"公称直径×Ph 导程 P 螺距"。

公差带代号　公差带代号由中径公差带代号和顶径公差带代号组成。大写字母表示内螺纹，小写字母表示外螺纹。如果中径和顶径公差代号相同，则只注一个公差带代号。当螺纹公称直径小于或等于 1.4mm，中等公差精度（6h 和 5H）螺纹可不标注公差带代号；当螺纹公称直径大于或等于 1.6mm，中等公差精度（6g 和 6H）螺纹可不标注公差带代号。

旋合长度组代号　旋合长度组别分为短组（S），中等组（N），长组（L）。采用中等旋合长度组的螺纹省略旋合长度组代号（N）。

旋向代号　左旋螺纹标记"LH"表示，右旋螺纹旋向代号"RH"不标注。

例 7-1　解释"M16×1-5H"的含义。

解　公称直径为 16mm，螺距为 1mm 的细牙普通螺纹（内螺纹），中径和顶径公差带代号都为 5H，中等旋合长度组，右旋。

例 7-2　解释"M20-5g6g-L-LH"的含义。

解　公称直径为 20mm 的粗牙普通螺纹（外螺纹），中径公差带代号为 5g，顶径公差带代号为 6g，长旋合长度组，左旋。

例 7-3　解释"M20×Ph3P1.5-7g6g-L-LH"的含义。

解　公称直径为 20mm，导程为 3mm，螺距为 1.5mm 的双线细牙普通外螺纹，中径公差带代号为 7g，顶径公差带代号为 6g，长旋合长度组，左旋。

2）标注。普通螺纹的标注与线性尺寸的尺寸标注相同，如图 7-10 所示。无论内、外螺纹，尺寸界线均从大径线引出。图样中标注的螺纹长度，均指螺纹的有效长度，不包含螺尾。否则另加说明或按实际需要标注。

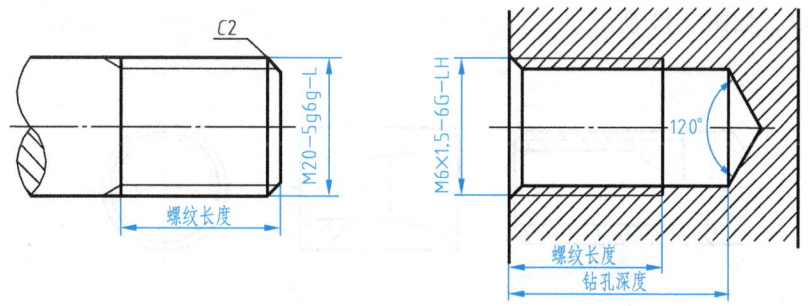

图 7-10　普通螺纹标注

（2）管螺纹的标记和标注

常用的管螺纹分为密封管螺纹和非密封管螺纹。管螺纹的尺寸代号并不是指螺纹大径，也不是管螺纹本身的真实尺寸，而是该螺纹所在钢管的公称通径。其大径和小径等参数可从有关标准中查出。

1）55°密封管螺纹标记（GB/T 7306.1—2000、GB/T 7306.2—2000）。55°密封管螺纹标记格式如下：

| 螺纹特征代号 | 尺寸代号 | 旋向代号 |

螺纹特征代号 用 Rc 表示圆锥内螺纹,用 Rp 表示圆柱内螺纹,用 R_1 表示与圆柱内螺纹相配合的圆锥外螺纹,用 R_2 表示与圆锥内螺纹相配合的圆锥外螺纹。内、外螺纹均只有一种公差。

尺寸代号 用½,¾,1,1½……表示,单位为英寸。

旋向代号 与普通螺纹的标记相同。

例 7-4 解释"Rc½"的含义。

解 表示圆锥内螺纹,尺寸代号为½英寸,右旋。

例 7-5 解释"R_2¾LH"的含义。

解 表示与圆锥内螺纹相配合的圆锥外螺纹,尺寸代号为¾英寸,左旋。

2)55°非密封管螺纹标记(GB/T 7307—2001)。55°非密封管螺纹标记格式如下:

| 螺纹特征代号 | 尺寸代号 | 公差等级代号 | - | 旋向代号 |

螺纹特征代号 用 G 表示 55°非密封管螺纹。

尺寸代号 用½,¾,1,1½……表示。

公差等级代号 对外螺纹分为 A、B 两级;内螺纹公差带只有一种,所以不加标记。

旋向代号 与普通螺纹的标记相同。

例 7-6 解释"G1A-LH"的含义。

解 表示 55°非螺纹密封的管螺纹,外螺纹,尺寸代号为 1 英寸,公差等级为 A 级,左旋。

例 7-7 解释"G½-LH"的含义。

解 表示 55°非螺纹密封的管螺纹,内螺纹,尺寸代号为 1/2 英寸,左旋。

3)管螺纹的标注:无论内外螺纹,管螺纹的标记必须标注在大径的指引线上,或由圆对称中心引出,如图 7-11 所示。

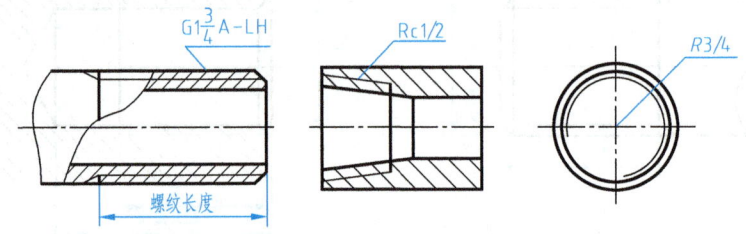

图 7-11 管螺纹的标注

(3)梯形螺纹的标记和标注(GB/T 5796.4—2022)

1)标记。格式如下:

| 螺纹代号 | - | 中径公差带代号 | - | 旋合长度组代号 | - | 旋向代号 |

螺纹代号 梯形螺纹特征代号为 Tr,单线梯形螺纹尺寸代号用"公称直径×螺距"来表示,多线梯形螺纹尺寸代号用"公称直径×导程 P 螺距"来表示。

公差带代号 梯形螺纹公差带代号只标注中径公差带代号。

旋合长度组代号　梯形螺纹旋合长度分为两组，中等组和长组，与普通螺纹的标记相同。

旋向　若为右旋，则省略标注；若为左旋，用"LH"来注明。

例 7-8　解释"Tr32×6-7e-LH"的含义。

解　公称直径为 32mm，螺距为 6mm 的梯形螺纹（外螺纹），中径公差带代号为 7e，中等旋合长度组，左旋。

例 7-9　解释"Tr36×12P6-8H-L-LH"的含义。

解　公称直径为 36mm，导程为 12mm，螺距为 6mm 的双线梯形螺纹（内螺纹），中径公差带代号为 8H，长旋合长度组，左旋。

2）标注。梯形螺纹的尺寸标注在内、外螺纹的大径上，与线性尺寸的标注相同，如图 7-12a 所示。

锯齿形螺纹和梯形螺纹都属于传动螺纹，二者标注与普通螺纹相同，如图 7-12b 所示。

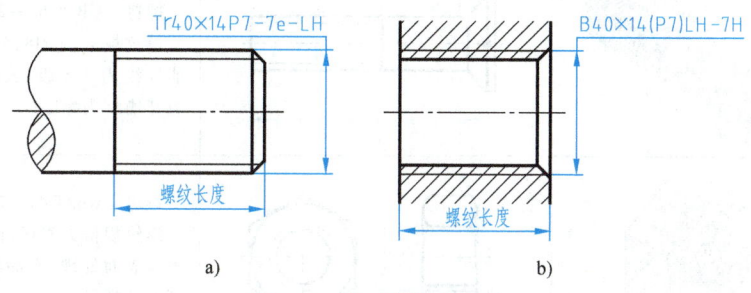

图 7-12　传动螺纹的标注
a）梯形螺纹的标注　b）锯齿形螺纹的标注

7.1.2　螺纹紧固件（GB/T 4459.1—1995）

用螺纹起联接和紧固作用的零件称为螺纹紧固件。螺纹紧固件的种类很多，常用的有螺栓、双头螺柱、螺母、螺钉、垫圈等，它们的结构形式及尺寸均已标准化，一般由标准件厂专业生产，可按需要根据有关标准选用。

1. 螺纹紧固件的标记

在国家标准中，螺纹紧固件均有相应规定的标记，其完整的标记由名称、标准编号、螺纹规格、性能等级或材料等级、热处理、表面处理组成，一般主要标记前四项。常用螺纹紧固件的简化标记及示例见表 7-2。

2. 螺纹紧固件的联接画法

螺纹紧固件联接的基本形式有螺栓联接、双头螺柱联接、螺钉联接。螺栓用于被联接件允许钻成通孔的情况。双头螺柱用于被联接零件之一较厚或不允许钻成通孔的情况，故两端都有螺纹，一端螺纹用于旋入被联接零件的螺孔内。螺钉则用于不经常拆开和受力较小的联接中，按其用途可分为联接螺钉和紧定螺钉。

（1）螺栓联接

螺栓联接由螺栓、螺母和垫圈组成，紧固件一般采用比例画法绘制。所谓比例画法就是以螺栓的公称直径（d、D）为主要参数，其余各部分结构尺寸均按与公称直径乘以一定比例关系绘制。螺栓联接装配图比例画法如图 7-13 所示。

表 7-2 常用螺纹紧固件及其标记

名称	轴测图	画法及规格尺寸	标记示例及说明
六角头螺栓			螺栓 GB/T 5782—2016 M16×100 螺纹规格为 M16、公称长度 l = 100、性能等级为 8.8 级、表面不经处理、产品等级为 A 级的六角头螺栓
双头螺柱			螺柱 GB/T 899—1988 M12×50 螺柱两端均为粗牙普通螺纹、螺纹规格为 M12、长度 l = 50、性能等级为 4.8 级、不经表面处理、B 型（B 省略不标）、b_m = 1.5d 的双头螺柱
开槽沉头螺钉			螺钉 GB/T 68—2016 M8×40 螺纹规格 d = M8、公称长度 l = 40、性能等级为 4.8 级、表面不经处理的 A 级开槽沉头螺钉
I 型六角螺母 C 级			螺母 GB/T 41—2016 M16 螺纹规格为 M16、性能等级为 5 级、不经表面处理、产品等级为 C 级的 I 型六角螺母
平垫圈			垫圈 GB/T 97.1—2002 16 标准系列、公称规格为 10mm、由钢制造的硬度等级为 200HV、不经表面处理、产品等级为 A 级的平垫圈

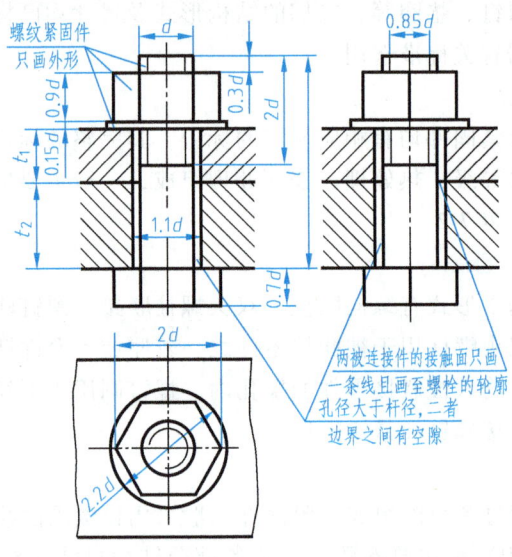

图 7-13 螺栓联接

画螺纹紧固件装配图时，应遵守下列基本规定：

1）两零件的接触面画一条线，不接触面画两条线，间隙过小时，应夸大画出。

2）相邻两零件的剖面线应方向相反或间隔不等。同一个零件在各视图中的剖面线方向和间隔应一致。

3）对于紧固件和实心零件（如螺钉、螺栓、螺母、垫圈、键、销及轴等），在剖视图中，若剖切面通过螺纹紧固件的轴线时，这些零件按不剖绘制。

螺栓公称长度 L 可按下式估算：

$$L = t_1 + t_2 + 0.15d(垫圈厚) + 0.9d(螺母厚) + 0.3d$$

根据上式的估算值，从有关手册中选取与估算值相近的标准长度作为 L 值。

（2）双头螺柱联接

用双头螺柱联接时，先将螺柱的旋入端（螺纹较短的一端）旋入零件的螺纹孔中，螺柱的紧固端（螺纹较长的一端）穿过上部零件的通孔后，套上垫圈，再用螺母旋紧。

双头螺柱联接的画法如图 7-14 所示。从图中可知，双头螺柱长度为：

$$L = t + h + m + a$$

式中　t——零件厚度（mm）；

　　　h——垫圈厚度（mm），$h = 0.15d$；

　　　m——螺母厚度（mm），$m = 0.9d$；

　　　a——螺柱伸出螺母的长度，$a = (0.2 \sim 0.3)d$。

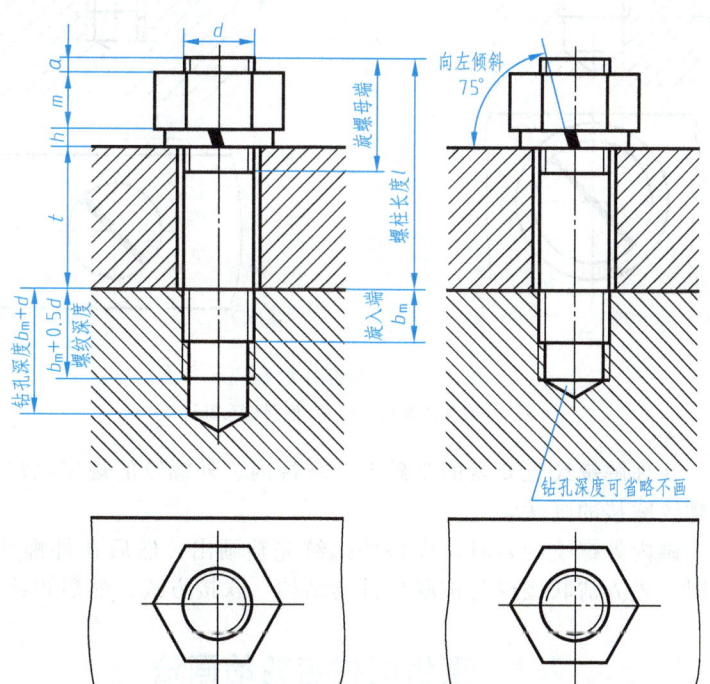

图 7-14　双头螺柱联接的画法

计算出螺柱长度后，还需从标准长度系列中选取与其相近的标准值。

绘制双头螺柱联接装配图时应注意以下几点：

1）螺柱旋入端 b_m 的长度与零件材料有关，被旋入零件的材料为钢或青铜时，可选用 $b_m = d$；

零件材料为铸锻时，可选用 $b_m = (1.25 \sim 1.5)d$；零件材料为铝合金时，可选用 $b_m = 2d$。

2) 螺柱的旋入端应全部旋入螺纹孔内，即旋入端的螺纹长度的终止线与两被联接零件的接触面应画成一条线。

3) 画弹簧垫圈时，应注意开口方向应向左倾斜（与水平方向成 75°）。

（3）螺钉联接

用螺钉联接两个零件时，螺钉穿过一个零件的通孔而旋入另一个零件的螺孔，将两个零件固定在一起。螺钉旋入螺纹孔的深度与双头螺柱旋入端长度 b_m 相同，与被旋入零件材料有关，开槽沉头螺钉与开槽圆柱头螺钉的画法如图 7-15 所示。

螺钉头部的一字槽宽 $0.25d$，当槽宽小于 2mm 时，可画成一条特粗实线（约为 2 倍粗实线宽）。俯视图中应画成向右倾斜，与水平线成 45°的斜线。

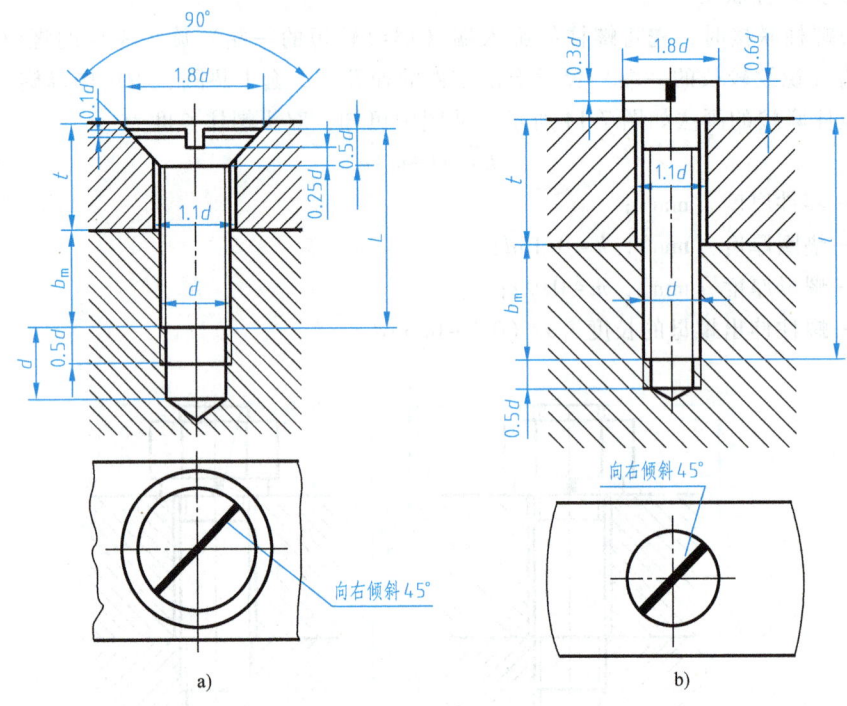

图 7-15　螺钉联接的画法
a) 开槽沉头螺钉　b) 开槽圆柱头螺钉

★学习指引　在理解螺纹五要素的基础上，掌握内、外螺纹的规定画法。了解螺纹联接方式，掌握三类螺纹联接的画法。

★关键点拨　画内外螺纹旋合时，先将外螺纹完整画出，然后在外螺纹之外画内螺纹。在画螺纹联接图时，先弄清联接件与被联接件的结构、联接方式，然后再绘制图形。

7.2　直齿圆柱齿轮的画法

齿轮是常用的传动零件，用于在机器中传递动力或改变转速和旋转方向。齿轮一般成对使用，其参数中只有模数和压力角已经标准化，在表达其结构时可采用简化画法。常见的齿轮传动形式有：

1) 圆柱齿轮。用于传递两平行轴之间的运动，如图 7-16a 所示。

2）锥齿轮。用于传递两相交轴之间的运动，如图7-16b所示。
3）蜗轮与蜗杆。用于传递两相错轴之间的运动，如图7-16c所示。

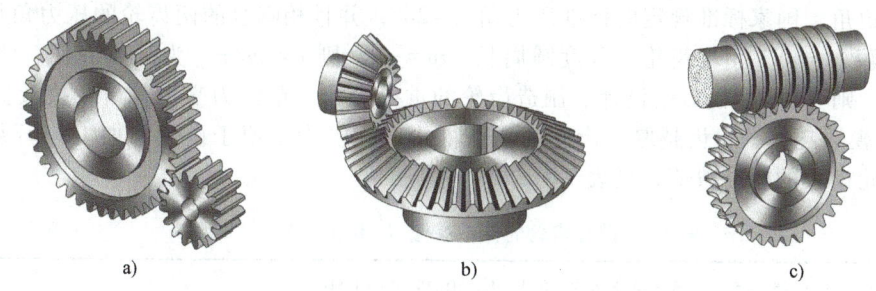

图7-16 齿轮传动
a）圆柱齿轮传动 b）锥齿轮传动 c）蜗杆传动

齿轮的齿形有渐开线、摆线、圆弧等形状，本书主要介绍渐开线标准齿轮的有关知识和规定画法。

1. 直齿圆柱齿轮各部分名称及参数

分度曲面为圆柱的齿轮称为圆柱齿轮，圆柱齿轮的轮齿有直齿、斜齿、人字齿等，其中最常见的是直齿圆柱齿轮。

直齿圆柱齿轮各部分名称及代号如图7-17所示。

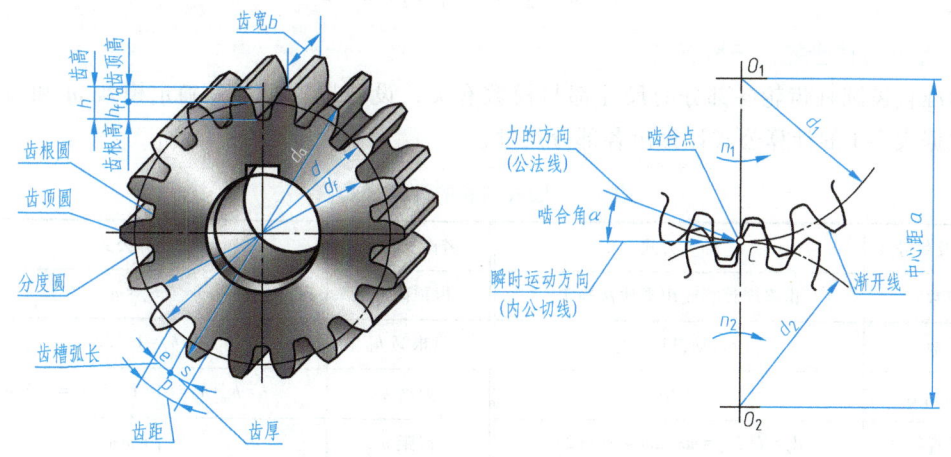

图7-17 齿轮各部分名称及代号

1）齿顶圆。过轮齿齿顶的圆柱面与端平面的交线称为齿顶圆，其直径以 d_a 表示。
2）齿根圆。过轮齿齿根的圆柱面与端平面的交线称为齿根圆，其直径以 d_f 表示。
3）分度圆。对于渐开线齿轮，齿厚弧长 s 与齿槽弧长 e 相等处的圆柱面称为分度圆柱面。分度圆柱面与端平面的交线称为分度圆，其直径以 d 表示。当一对齿轮啮合安装后，在理想状态下，两个分度圆是相切的，此时的分度圆也称为节圆。
4）齿高（h）。齿顶圆与齿根圆之间的径向距离。
5）齿顶高（h_a）。齿顶圆与分度圆之间的径向距离。
6）齿根高（h_f）。齿根圆与分度圆之间的径向距离（齿根高大于齿顶高）。
7）齿距（p）。分度圆上相邻两齿的对应点之间的弧长称为齿距，在标准齿轮中分度圆

上齿厚 $s=$ 槽宽 e，即 $p=s+e$。

8）压力角（α）。在端平面内，过端面齿廓与分度圆交点的径向直线与齿廓在该点的切线所夹的锐角，国家标准规定的标准压力角 $\alpha=20°$，并且相啮合的两齿轮的压力角相等。

9）模数（m）。由于齿轮的分度圆周长 $=zp=\pi d$，则 $d=zp/\pi$，为计算方便，将 p/π 称为模数 m，则 $d=mz$。模数是设计、制造齿轮的重要参数。单位为毫米，齿轮模数数值已经标准化，模数越大，轮齿越厚，齿轮的承载能力越大。为了便于设计和加工，国家标准中规定了齿轮模数的标准数值，见表 7-3。

表 7-3　圆柱齿轮的标准模数（GB/T 1357—2008）　　　　　　（单位：mm）

第一系列	1,1.25,1.5,2,2.5,3,4,5,6,8,10,12,16,20,25,32,40,50
第二系列	1.125,1.375,1.75,2.25,2.75,3.5,4.5,5.5,(6.5),7,9,11,14,18,22,28,36,45

说明：1. 对于渐开线圆柱斜齿轮是指法向模数
　　　2. 优先选用第一系列,括号内的模数尽可能不用

10）传动比（i）。主动齿轮转速与从动齿轮转速之比称传动比。由于转速与齿数成反比，因此，传动比亦等于主动齿轮齿数与从动齿轮齿数之反比，$i=n_1/n_2=z_2/z_1$

11）中心距（a）。两啮合齿轮轴线之间的距离称为中心距。在标准情况下：

$$a=d_1/2+d_2/2=(z_1+z_2)\times m/2$$

2. 直齿圆柱齿轮的尺寸计算

标准直齿圆柱齿轮各部分的尺寸都与模数有关，设计齿轮时，先确定模数 m 和齿数 z，然后根据表 7-4 的计算公式计算出各部分尺寸。

表 7-4　圆柱齿轮的计算公式

名称及代号	计算公式	名称及代号	计算公式
模数	由强度计算或用类比法确定	齿顶高 h_a	$h_a=m$
齿数	由运动设计确定	齿根高 h_f	$h_f=1.25m$
压力角 α	$\alpha=20°$	齿高 h	$h=h_a+h_f=(1+1.25)m=2.25m$
齿顶圆直径 d_a	$d_a=d+2h_a=mz+2m=m(z+2)$	齿距 p	$p=m\pi$
齿根圆直径 d_f	$d_f=d-2h_f=mz-2\times1.25m=m(z-2.5)$	齿厚 s	$s=p/2=m\pi/2$
分度圆直径 d	$d=mz$	槽宽 e	$e=p/2=m\pi/2$
中心距 a	$a=(d_1+d_2)/2=m(z_1+z_2)/2$	传动比 i	$i=n_1/n_2=z_2/z_1$

3. 直齿圆柱齿轮的规定画法（GB/T 4459.2—2003）

（1）单个直齿圆柱齿轮的规定画法

单个齿轮的画法如图 7-18 所示。齿顶圆和齿顶线用粗实线绘制，分度圆和分度线用细点画线表示，齿根圆或齿根线用细实线绘制（也可省略不画）。在剖视图中，齿根圆用粗实线绘制，无论剖切平面是否通过轮齿，轮齿一律按不剖绘制。除轮齿部分外，齿轮的其他部分结构按真实投影画出。

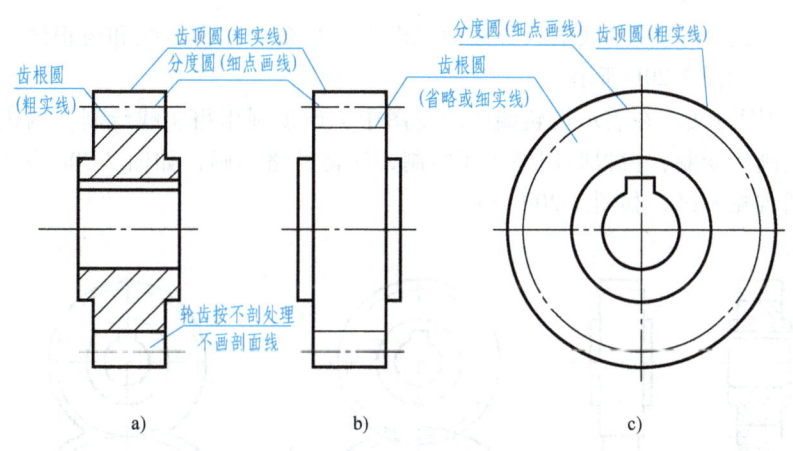

图 7-18 单个直齿圆柱齿轮的规定画法
a) 剖视画法　b) 视图画法　c) 端面视图画法

零件图中，轮齿的径向尺寸仅标注出分度圆直径和齿顶圆直径，轴向尺寸仅标注出齿宽和倒角，其他参数如模数、齿数等可在位于图纸右上角的参数表中给出，如图 7-19 所示。

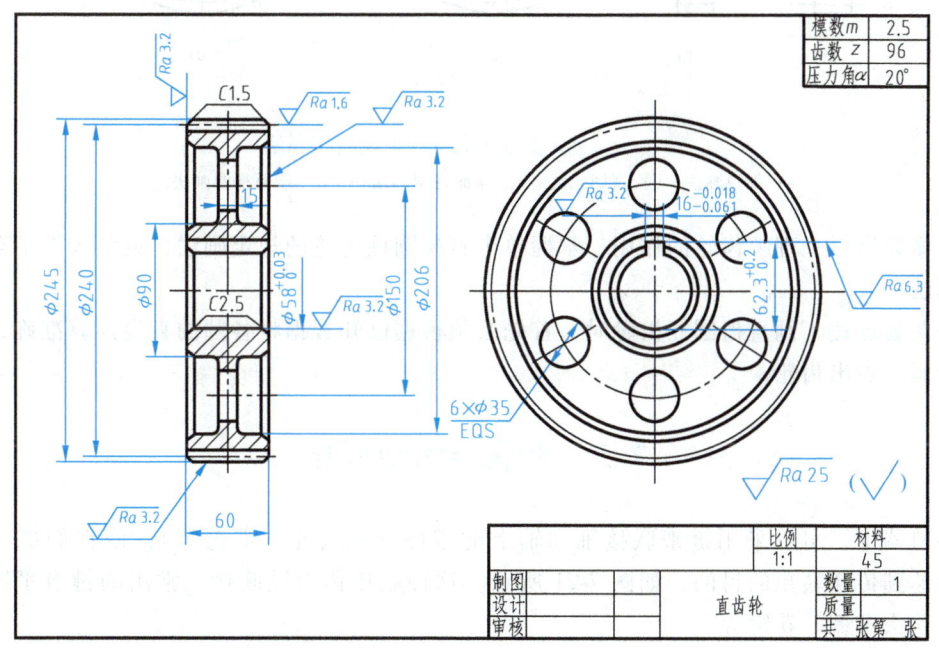

图 7-19 直齿圆柱齿轮零件图

（2）直齿圆柱齿轮啮合时的画法

1）剖视画法。直齿圆柱齿轮的啮合画法一般用两个视图表达。在平行于轴线的投影面的视图中做剖视，啮合区内标准安装的两标准齿轮的分度线重合，用细点画线绘制；主动齿轮的齿顶线和齿根线及其他部分轮齿用粗实线绘制；从动齿轮的轮齿被遮挡的部分（含齿顶线）用细虚线绘制，齿根线用粗实线绘制。非啮合区，按单个直齿圆柱齿轮的规定画法绘制，如图 7-20a 所示。

2）视图画法。平行于轴线的投影面的视图中，啮合区的齿顶线和齿根线均不画，节线用粗实线绘制，如图 7-20b 所示。

3）端面视图画法。在表示齿轮端面的视图中，齿顶圆用粗实线绘制，两齿轮的分度圆相切，用细点画线绘制，齿根圆用细实线绘制，通常省略不画，如图 7-20c 所示。也可将啮合区的齿顶圆省略不画，如图 7-20d 所示。

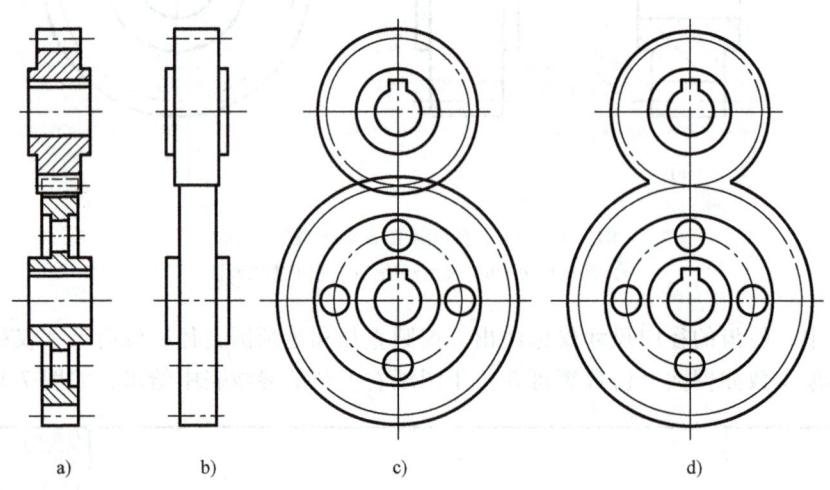

图 7-20　直齿圆柱齿轮啮合时的规定画法
a）剖视画法　b）视图画法　c）端面视图画法一　d）端面视图画法二

★学习指引　理解齿轮的作用，掌握单个直齿圆柱齿轮的规定画法，以及齿轮啮合处的规定画法。

★关键点拨　画直齿圆柱齿轮时，首先必须根据已知数据将各圆的直径计算准确，然后按规定画法画出齿轮。

7.3　键联接和销联接

在机器中，可以采用键来联接轴和轴上的零件（如齿轮、带轮等），使它们能一起转动，以达到传递转矩的目的，如图 7-21 所示。这种联接称为键联接。常用的键有平键、半圆键、钩头楔键、花键等。

7.3.1　键联接

1. 常用键及其标记

常用的键有普通平键、半圆键和钩头楔键等，普通平键根据其头部结构的不同可以分为普通 A 型平键、普通 B 型平键和普通 C 型平键三种形式。

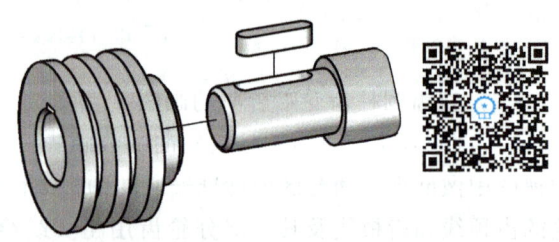

图 7-21　键联接

键的标记格式为：

标准编号　名称　形式　键宽 b × 键高 h × 键长 L

几种常见键的标准编号、形式和标记示例见表 7-5。

表 7-5　键及其标记示例

名称（标准编号）	图　例	标　记　示　例
普通型　平键 GB/T 1096—2003		$b=18,h=11,L=100$ 的圆头普通平键（A 型不需要标出，如为 B 或 C 型，应在标记中的尺寸前标记字母 B 或 C），标记为： GB/T 1096　键　18×11×100 $b=18,h=11,L=100$ 的方头普通平键（B 型）： GB/T 1096　键　B　18×11×100
普通型　半圆键 GB/T 1099.1—2003		$b=6,h=10,R=25,L=24.5$ 的半圆键： GB/T 1099　键　6×10×25
钩头型　楔键 GB/T 1565—2003		$b=18,h=11,L=100$ 的钩头楔键： GB/T 1565　键　18×100

2. 平键联接的画法及尺寸标注

键为标准件，选择平键时，应先根据轴的直径从标准中查取键的截面尺寸 $b×h$，再按轮毂宽度 B 选取键长 L，一般 $L=B-(5\sim10\text{mm})$，并取 L 为标准值。轴和轮毂上的键槽表达方法和尺寸标注如图 7-22a、图 7-22b 所示。轴上的键槽若在前面，局部视图可省略不画。

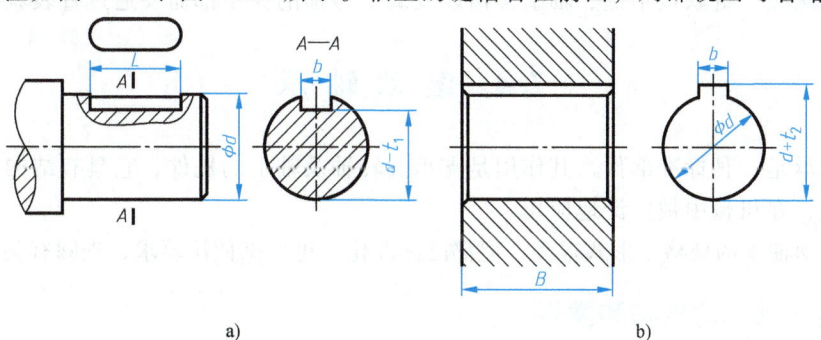

图 7-22　键槽的表达方法和尺寸标注

a) 轴上键槽的表达方法及标注　b) 轮毂上键槽的表达方法及标注

普通平键的两个侧面是工作面，上下两底面是非工作面。联接时，平键的两侧面与轴和轮毂的键槽侧面相接触，而上底面与轮毂键槽的顶面之间则留有间隙。因此，在平键联接的画法中，键两侧与轮毂键槽应接触，画成一条线，而键的顶面与孔上键槽底面不接触，有间隙，应画成两条线。

沿平键纵向剖切时，平键按不剖处理；横向剖切平键时，要画出剖面线，如图 7-23 所示。

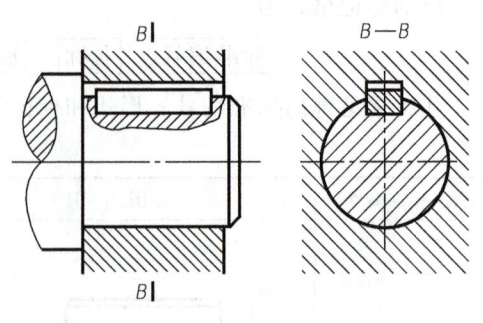

图 7-23 键的联接画法

7.3.2 销联接

销主要用来固定零件之间的相对位置，起定位作用，也可用于轴与轮毂的联接，传递不大的载荷，还可作为安全装置中的过载剪断元件。销的简化标记格式为：

| 名称 | 标准编号 | 类型 | 公称直径 × 长度 |

常用的销有圆柱销、圆锥销和开口销三种类型，它们的形式、标记见附录 C。

销联接画法如图 7-24 所示。

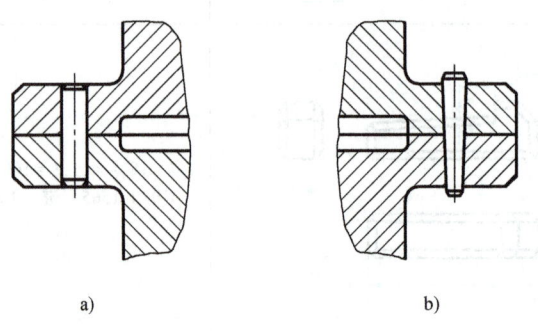

图 7-24 销联接的画法
a) 圆柱销联接 b) 圆锥销联接

★**学习指引**　键、销均为标准件，标准件的标记形式在国标中已有规定，本节重点掌握键、销联接的画法。

★**关键点拨**　键联接中键、轴上键槽以及毂上键槽的大小都需要通过查表获得。

7.4 滚动轴承

滚动轴承是一种标准部件，其作用是支承旋转轴及轴上的机件，它具有结构紧凑、摩擦力小等特点，在机械中被广泛地应用。

虽然滚动轴承的规格、形式很多，但都已标准化，可根据使用要求，查阅有关标准选用。

7.4.1 滚动轴承的结构和类型

滚动轴承的种类很多，但它们的结构相似，一般由外圈、内圈、滚动体和保持架所组成，如图 7-25 所示。一般情况下，轴承外圈装在机座的孔内，内圈套在轴上，外圈固定不动而内圈随轴转动。

常用的滚动轴承有：

向心轴承：主要承受径向载荷，如向心轴承和深沟球轴承。
推力轴承：只承受轴向载荷，如推力轴承和推力球轴承。
向心推力轴承：同时承受轴向和径向载荷，如圆锥滚子轴承。

7.4.2 滚动轴承的代号

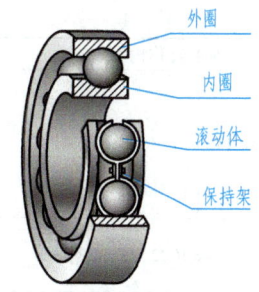

图 7-25 滚动轴承的结构

滚动轴承的类型和尺寸很多，为了便于设计、生产和选用，我国在 GB/T 272—2017 中规定，一般用途的滚动轴承代号由基本代号、前置代号和后置代号构成，其排列顺序为：

| 前置代号 | 基本代号 | 后置代号 |

其中，基本代号是轴承代号的基础，前置代号、后置代号是补充代号，其内容含义和标注见 GB/T 272—2017。

1. 基本代号

基本代号表示滚动轴承的基本类型、结构及尺寸，是滚动轴承代号的基础。基本代号由轴承类型代号、尺寸系列代号和内径代号构成（滚针轴承除外），类型代号用阿拉伯数字或大写拉丁字母表示；尺寸系列代号和内径代号用数字表示。其排列顺序如下：

| 类型代号 | 尺寸系列代号 | 内径代号 |

（1）类型代号

滚动轴承的类型代号用数字或大写拉丁字母表示，见表 7-6。

表 7-6 轴承类型代号

代号	轴承类型	代号	轴承类型
0	双列角接触球轴承	6	深沟球轴承
1	调心球轴承	7	角接触球轴承
2	调心滚子轴承和推力调心滚子轴承	8	推力圆柱滚子轴承
3	圆锥滚子轴承	N	圆柱滚子轴承，双列或多列用字母 NN 表示
4	双列深沟球轴承	U	外球面球轴承
5	推力球轴承	QJ	四点接触球轴承

（2）尺寸系列代号

尺寸系列代号用数字表示。轴承的尺寸系列代号由轴承宽（高）度系列代号和直径系列代号组合而成。组合排列时，宽度系列在前，直径系列在后，详细情况请查阅有关标准。

（3）内径代号

内径代号表示轴承公称内径的大小，其表示方法见表 7-7。

表 7-7 轴承内径代号

轴承公称内径/mm	内径代号	示例
0.6 到 10（非整数）	用公称内径毫米数直接表示，在其与尺寸系列代号之间用"/"分开	深沟球轴承 618/2.5 $d=2.5$mm
1 到 9（整数）	用公称内径毫米数直接表示，对深沟球轴承及角接触球轴承 7、8、9 直径系列，内径与尺寸系列代号之间用"/"分开	深沟球轴承 618/5 $d=5$mm 角接触球轴承 719/7 $d=7$mm

(续)

轴承公称内径/mm		内 径 代 号	示　　　例
10 到 17	10 12 15 17	00 01 02 03	深沟球轴承 6200　d = 10mm 推力球轴承 51103　d = 17mm
20 到 480（22、28、32 除外）		公称内径除以 5 的商数，商数为个位数，需在商数左边加"0"，如 08	调心滚子轴承 22308　d = 40mm 圆锥滚子轴承　30317　d = 85mm
大于或等于 500 以及 22、28、32		用公称内径毫米数直接表示，但在与尺寸系列代号之间用"/"分开	调心滚子轴承 230/500　d = 500mm 深沟球轴承 62/22　d = 22mm

2. 前置代号和后置代号

前置代号和后置代号是轴承在结构形状、尺寸、公差、技术要求等有改变时，在其基本代号左、右添加的补充代号。具体情况可查阅有关的国家标准。

例 7-10　滚动轴承 6205：

6——轴承类型代号，表示深沟球轴承。

2——尺寸系列代号为 02，宽度系列代号为"0"省略。

05——轴承内径代号，内径 d = 5×5 = 25mm。

例 7-11　滚动轴承 32210：

3——轴承类型代号，表示圆锥滚子轴承。

22——尺寸系列代号，宽度系列代号为 2，直径系列代号为 2。

10——轴承内径代号，内径 d = 5×10 = 50mm。

7.4.3　滚动轴承的画法

滚动轴承是标准部件，不需要单独画出。在装配图中，可根据国家标准（GB/T 4459.7—2017）所规定的画法或特征画法表示。采用规定画法绘制剖视图时，轴承滚动体不画剖面线，其各圈应画成方向和间隔一致的剖面线。轴承内径 d、外径 D、宽度 B 等几个主要尺寸根据轴承代号查有关手册确定。

表 7-8 中列举了三种常用滚动轴承的画法及有关尺寸比例。

表 7-8　常用滚动轴承的画法

轴承名称	主要尺寸	规定画法/通用画法	特征画法
深沟球轴承	D、d、B	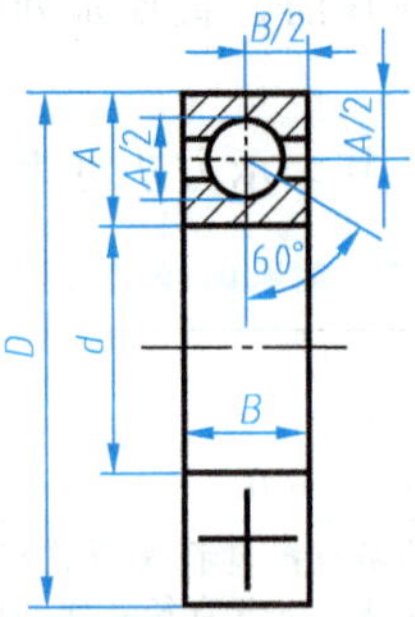	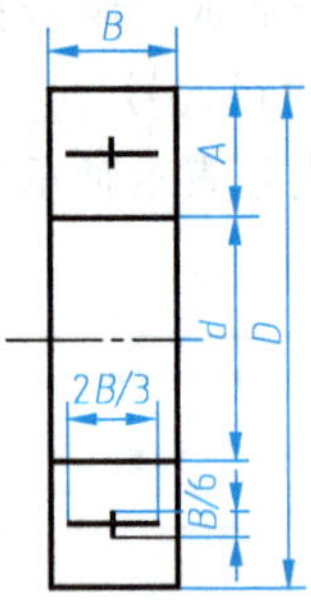

（续）

轴承名称	主要尺寸	规定画法/通用画法	特征画法
推力球轴承	D、d、H		
圆锥滚子轴承	D、d、T、B、C		

★**学习指引** 滚动轴承为标准部件，其标记形式在国标中已有规定，本节重点掌握滚动轴承的规定画法。

★**关键点拨** 滚动轴承的基本代号中的内径代号反映了轴承内径大小。

7.5 弹　　簧

弹簧是机械、电器设备中一种常用的零件，主要用于减振、夹紧、储存能量和测力等。弹簧的种类很多，使用较多的是圆柱螺旋弹簧，如图 7-26 所示。本节主要介绍圆柱螺旋压缩弹簧的尺寸计算和规定画法。

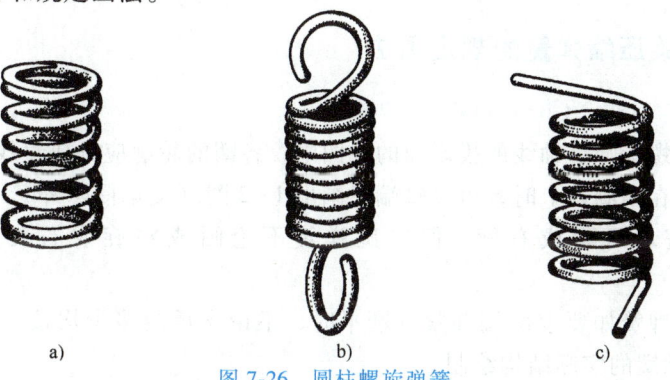

图 7-26　圆柱螺旋弹簧
a）压缩弹簧　b）拉伸弹簧　c）扭力弹簧

7.5.1 圆柱螺旋压缩弹簧各部分的名称

簧丝直径 d——制造弹簧所用金属丝的直径。

弹簧外径 D_2——弹簧的最大直径。

弹簧内径 D_1——弹簧的内孔直径,即弹簧的最小直径,$D_1 = D_2 - 2d$。

弹簧中径 D——弹簧轴剖面内簧丝中心所在柱面的直径,$D = (D_1 + D_2)/2 = D_1 + d = D_2 - d$。

有效圈数 n——保持相等节距且参与工作的圈数。

支承圈数 n_2——为了使弹簧工作平衡,端面受力均匀,制造时将弹簧两端的3/4至5/4圈压紧靠实,并磨出支承平面。这些圈主要起支承作用,所以称为支承圈。支承圈数 n_2 表示两端支承圈数的总和。一般有 1.5、2、2.5 圈三种。

总圈数 n_1——有效圈数和支承圈数的总和,即 $n_1 = n + n_2$。

节距 t——相邻两有效圈上对应点间的轴向距离。

自由高度 H_0——未受载荷作用时的弹簧高度(或长度),$H_0 = nt + (n_2 - 0.5)d$。

弹簧的展开长度 L——制造弹簧时所需的金属丝长度,$L \approx n_1 \sqrt{(\pi D)^2 + t^2}$。

旋向——与螺旋线的旋向意义相同,分为左旋和右旋两种。

7.5.2 圆柱螺旋压缩弹簧的标记

圆柱螺旋压缩弹簧是标准件,弹簧的标记由名称、端部型号、规格、精度、旋向、标准号组成,规定如下:

端部型号 YA 为两端圈并紧磨平的冷卷压缩弹簧;YB 为两端圈并紧制扁的热卷压缩弹簧。

精度 2 级精度制造不需标注,3 级精度应注明"3"。

旋向 左旋应注明为"左",右旋不需标注。

例 7-12 解释 弹簧 YA 3×20×80-3 GB/T 2089

解 普通圆柱螺旋压缩弹簧,两端并紧并磨平,弹簧簧丝直径为 3mm,弹簧中径为 20mm,自由高度为 80mm,按 3 级精度制造。

7.5.3 圆柱螺旋压缩弹簧的规定画法

1. 弹簧的规定画法(GB/T 4459.4—2003)

1)在平行于螺旋弹簧轴线的投影面的视图中,各圈的轮廓应画成直线。

2)有效圈数在四圈以上时,可以每端只画出 1~2 圈(支承圈除外),其余省略不画。

3)螺旋弹簧均可画成右旋,但左旋弹簧不论画成左旋或右旋,均需注写旋向"左"字。

4)螺旋压缩弹簧如要求两端并紧且磨平时,不论支承圈多少均按支承圈 2.5 圈绘制,必要时也可按支承圈的实际结构绘制。

圆柱螺旋压缩弹簧的画图步骤如图 7-27 所示。

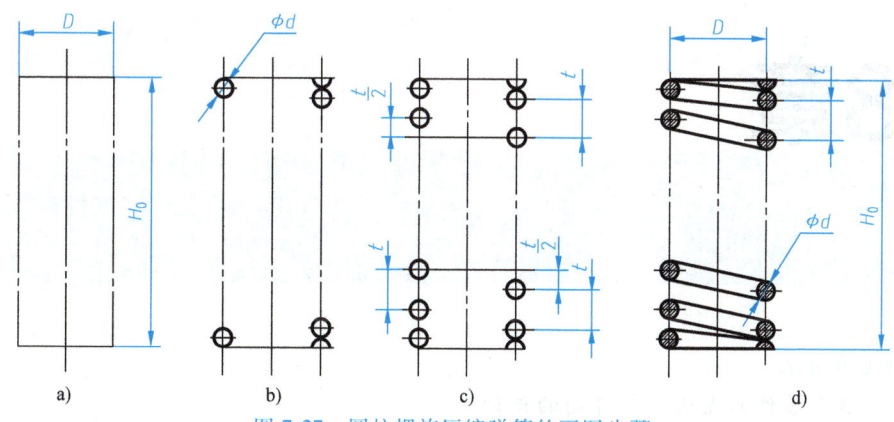

图7-27 圆柱螺旋压缩弹簧的画图步骤

弹簧的表示方法有剖视图、视图和示意图，如图7-28所示。

2. 装配图中弹簧的简化画法

在装配图中，弹簧被看作实心物体，因此，弹簧被挡住的结构一般不画出。可见部分应画至弹簧的外轮廓或弹簧的中径处，如图7-29a和图7-29b所示。当簧丝直径在图形上小于或等于2mm并被剖切时，其剖面可以涂黑表示，如图7-29b所示。也可采用示意画法，如图7-29c所示。

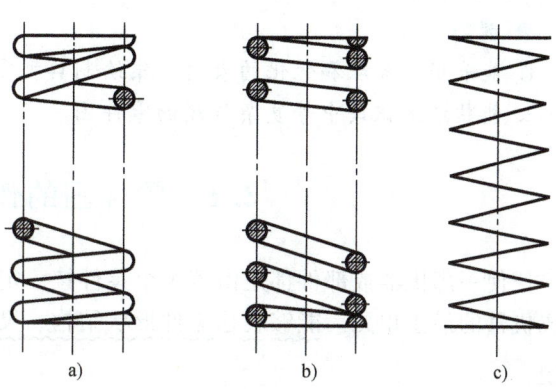

图7-28 圆柱螺旋压缩弹簧的表示法
a) 视图 b) 剖视图 c) 示意图

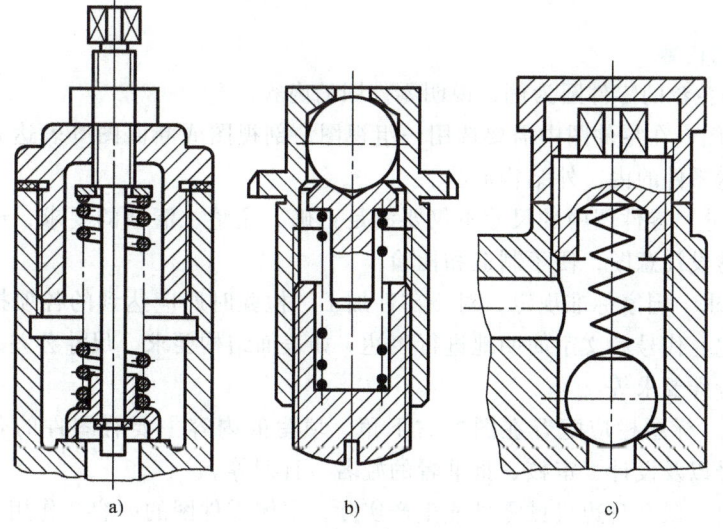

图7-29 装配图中弹簧的画法
a) 弹簧被遮挡处的画法 b) 簧丝断面涂黑 c) 簧丝示意画法

★ **学习指引** 了解弹簧的用途，掌握圆柱螺旋压缩弹簧的画法。
★ **关键点拨** 重点掌握弹簧在装配图中的画法。

第8章

零件图

◆ **本章重难点**

重点：典型零件的表达、零件图的识读。

难点：零件图的技术要求、零件图的尺寸标注。

◆ **能力目标**

1. 能采用较合理和优化的表达方案绘制典型零件的零件图。
2. 能熟练地识读中等复杂程度的零件图。

8.1 零件图的作用和内容

任何一部机器或部件都是由若干个零件按一定的装配关系和技术要求组装而成。零件是构成机器的最小单元。能够表达零件形状结构、尺寸大小以及相关技术要求的图样，称为零件图。

1. 零件图的作用

设计中，设计者通过零件图表达机械零件设计意图；生产中，零件图用来指导零件加工和检验。

2. 零件图的内容

以图 8-1 法兰盘的零件图为例，说明零件图的内容。

1）一组视图　在零件图中需要选用一组视图、剖视图或断面图等表达方法，正确、完整、清晰地表达零件的内、外结构形状。

2）全部尺寸　零件图中的尺寸不仅要满足正确、完整、清晰的要求，还要合理，以便能够清晰地表达设计意图，便于制造和检验。

3）技术要求　国家标准规定，对于零件加工、检验时所应达到的各项技术要求须用规定的符号、标记、代号和文字简明地进行表达。如表面结构要求、尺寸公差、几何公差、热处理以及其他特殊要求等。

4）标题栏　标题栏应配置在图框右下角。填写的内容主要有零件的名称、材料、数量、比例、图号以及设计、审核、批准者的姓名、日期等。

★**学习指引**　联系身边机械零件或生产实际，了解零件图的内容、作用。

★**关键点拨**　观察身边机械零件，提出加工该零件的前提要求，理解零件图的内容。

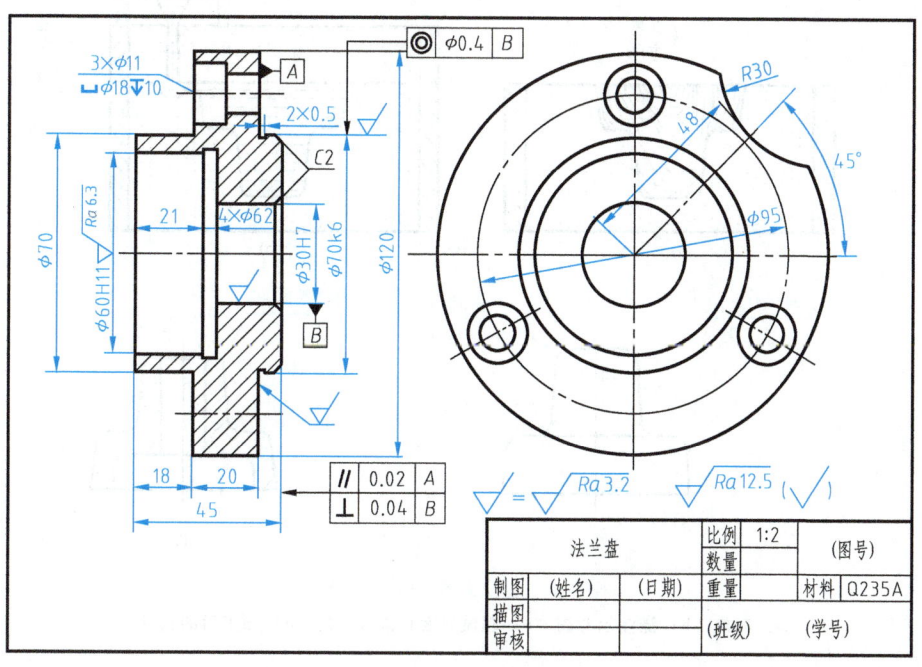

图 8-1 法兰盘零件图

8.2 零件上常见的工艺结构

在零件设计和加工制造中，既要满足零件在机器中的设计功能要求，又要考虑加工、测量、装配等一系列的工艺要求。本节重点讲解零件的铸造工艺要求和机械加工工艺要求。

8.2.1 铸造工艺结构

（1）起模斜度

在铸造零件毛坯时，为了方便木模顺利地从砂型中取出，常在木模表面上沿起模方向有一定的斜度，称为起模斜度。一般沿木模内、外壁的起模方向做成 1∶20 的斜度，也可按 1°~3°选取，如图 8-2 所示。铸造零件的起模斜度在图中一般不标注，必要时可在技术要求中进行说明。

（2）铸造圆角

为了便于起模和避免铁液冲坏转角，以及防止铁液冷却时转角产生缩孔和裂纹，常常将铸件两表面相交处做成圆角，如图 8-2 所示。圆角半径通常为 $R3 \sim R5$，零件图中一般应画出，也可省略不画，但半径尺寸必须标注。对于半径相同的圆角，可在技术要求中做统一说明。

（3）过渡线

由于铸造圆角的存在，使表面的交线变得不太明显，为区分不同表面，在原来交线的理论位置上画出<u>两端与轮廓线不相交的细实线，该线称为过渡线</u>，如图 8-3 和图 8-4 所示。

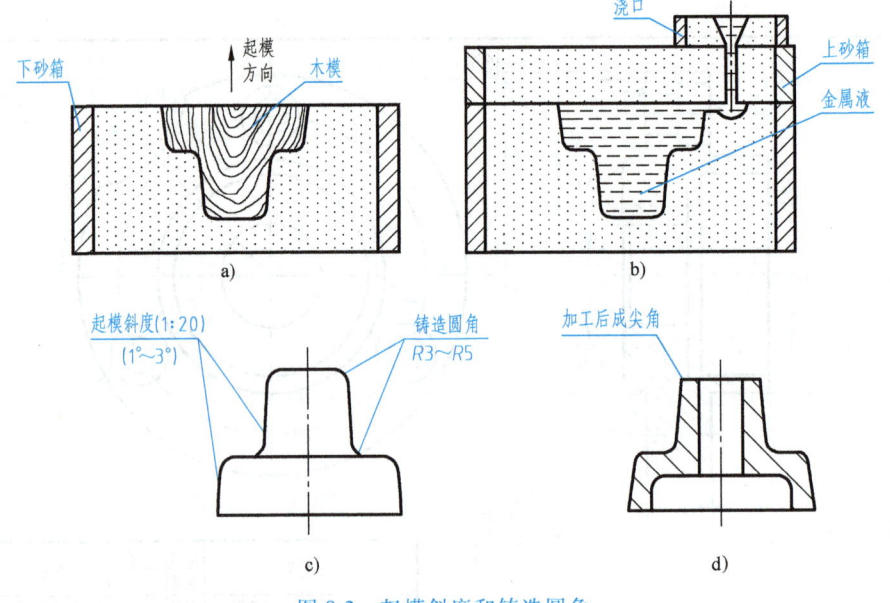

图 8-2 起模斜度和铸造圆角
a）起模　b）浇注示意图　c）起模斜度和铸造圆角　d）加工后的铸件

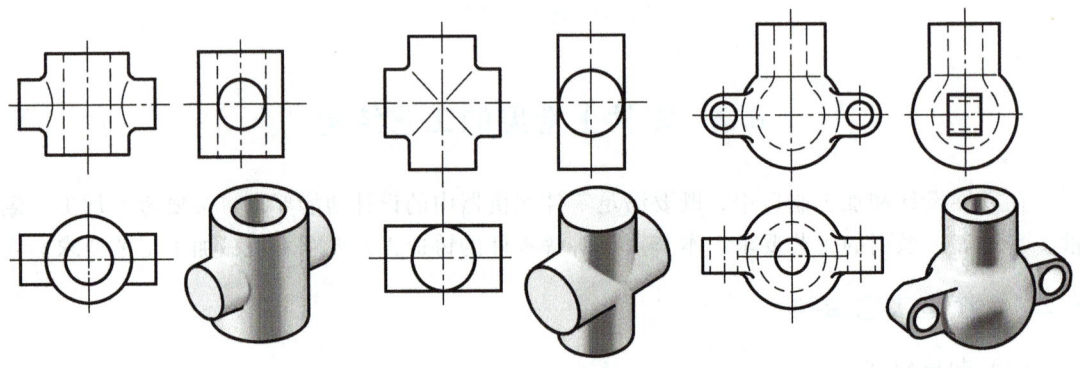

图 8-3　圆柱中过渡线

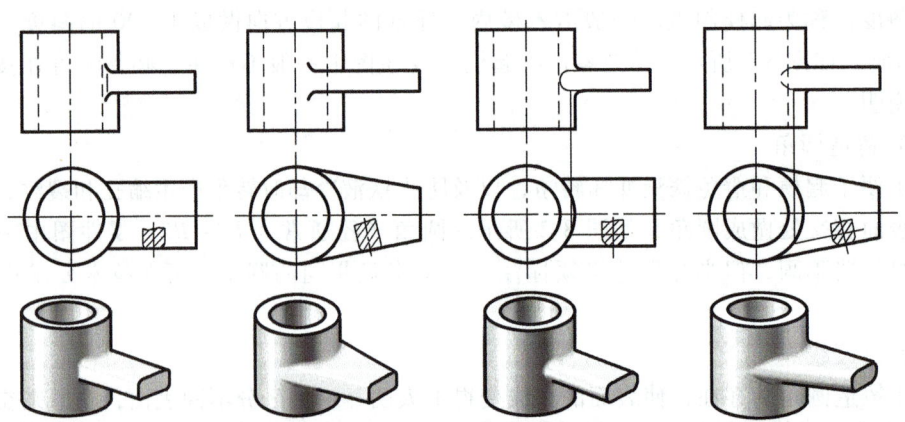

图 8-4　圆柱与肋板组合时过渡线的画法

（4）铸件壁厚

铸件壁厚应尽量均匀，避免因壁厚不均使铁液冷却速度不同，从而造成毛坯存在裂纹和缩孔，导致零件的力学性能降低。如需要有不同壁厚时，可逐渐过渡，如图8-5所示。

8.2.2 机械加工工艺结构

（1）退刀槽和砂轮越程槽

在车削螺纹和磨削轴、孔表面时，为了便于退出刀具或使砂轮稍微越过加工面，通常在零件待加工表面

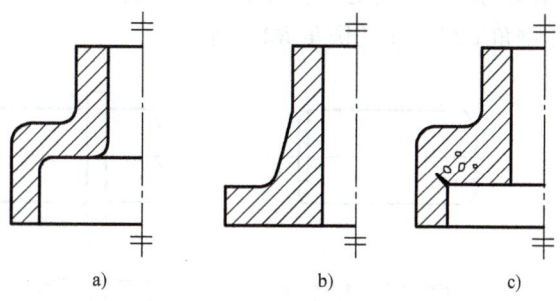

图8-5 铸件壁厚
a）壁厚均匀（结构合理） b）壁厚逐渐过渡（结构合理）
c）壁厚不均（结构不合理）

的轴肩或孔肩处预先加工出退刀槽或越程槽。这样既能满足加工面的加工技术要求，又能避免产生加工圆角，保证装配时零件表面之间接触良好。内、外螺纹退刀槽的尺寸标注方法为："槽宽×直径"或"槽宽×槽深"，如图8-6所示。相关尺寸可查阅GB/T 3—1997。磨外圆和磨内孔的砂轮越程槽的画法如图8-7所示，尺寸可查阅GB/T 6403.5—2008。

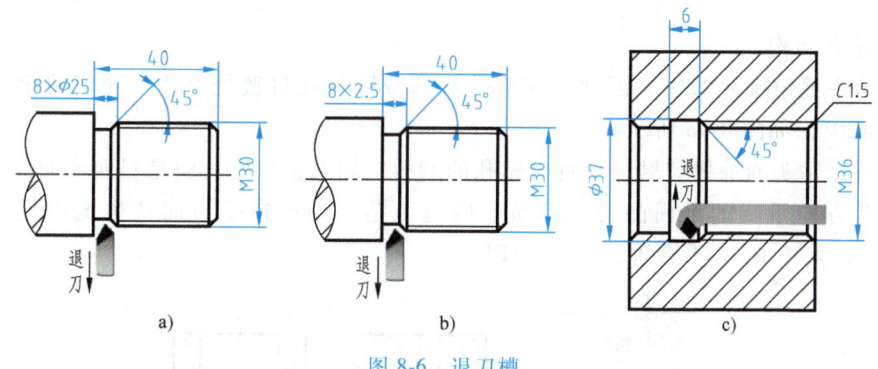

图8-6 退刀槽
a）槽宽×直径 b）槽宽×槽深 c）槽宽和直径分别标注

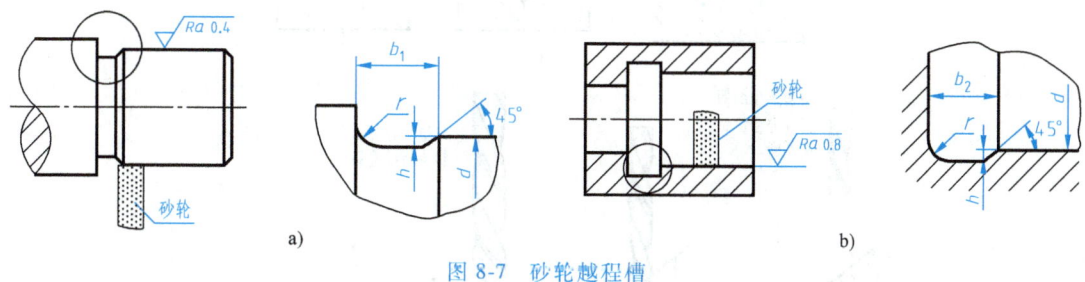

图8-7 砂轮越程槽
a）磨外圆砂轮越程槽 b）磨内孔砂轮越程槽

（2）倒角和倒圆

为了去除零件上因机械加工产生的毛刺、锐边，便于装配，一般在轴或孔的端部，加工出倒角。倒角有45°和非45°两种。为避免转角处因应力集中而产生裂纹，通常将轴肩或孔肩处加工成圆角过渡，称为倒圆。倒角和倒圆的标注方式如图8-8所示。若图中省略倒角、

圆角结构的画法，则必须标注其尺寸。若不在图中标注，则在技术要求中应加以说明，如"未注倒角 C2""未注圆角 R2"等。

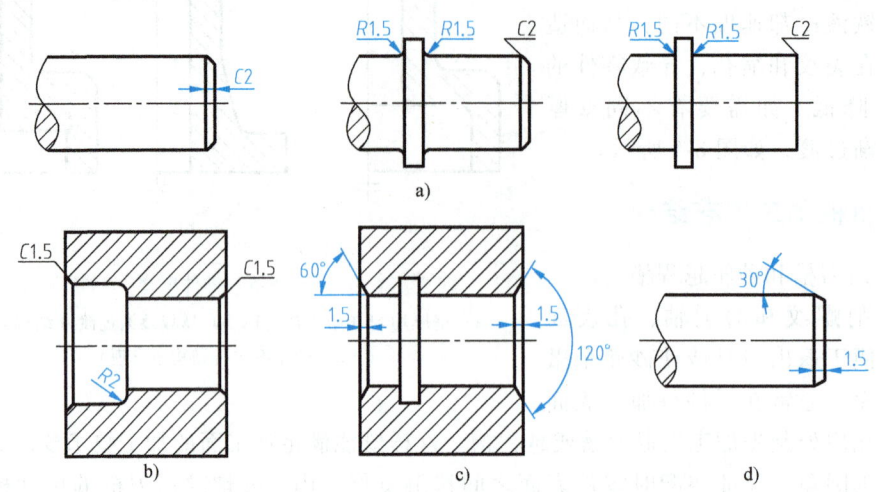

图 8-8 倒角和倒圆的尺寸标注
a) 45°倒角的标注和轴上倒圆的标注　b) 孔上 45°倒角和倒圆的标注
c) 孔上非 45°倒角的标注　d) 轴上非 45°倒角的标注

（3）钻孔结构

由于钻头顶角接近 120°，因此，在盲孔底部或阶梯孔过渡处产生一个圆锥面，画图时锥角画成 120°，如图 8-9a 所示。

钻孔时，钻头的轴线应尽量垂直于钻孔的端面，如果钻孔处表面是斜面或曲面，应预先设置与钻孔方向垂直的平面凸台或凹坑，应避免钻头因单边受力而产生偏斜或折断，如图 8-9 所示，其中 b、d 不合理，c、e 合理。

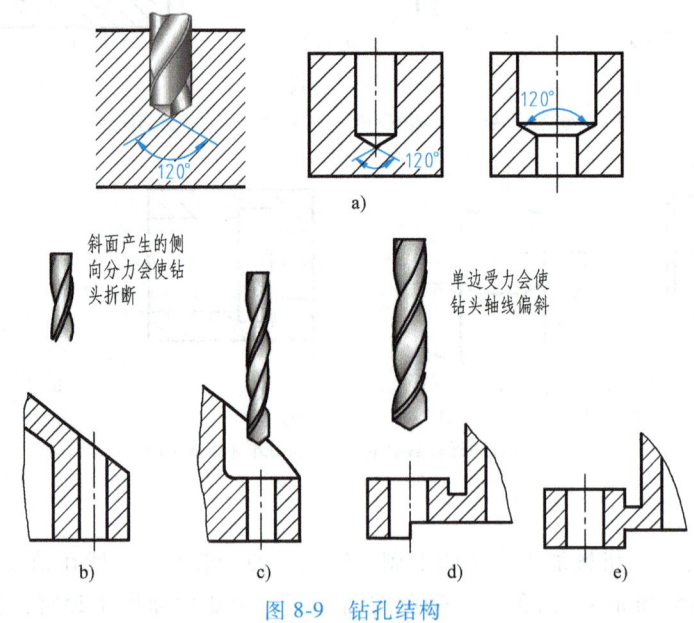

图 8-9 钻孔结构
a) 钻孔　b)、d) 不合理　c)、e) 合理

（4）凸台和凹坑

为保证装配时零件的装配面与相邻零件表面接触良好，并减少加工面积，常在铸件的接触部位铸造出凸台和凹坑，或锪平成凹坑，如图8-10所示，其中a、b、d、e、f结构合理，c、g、h结构不合理。

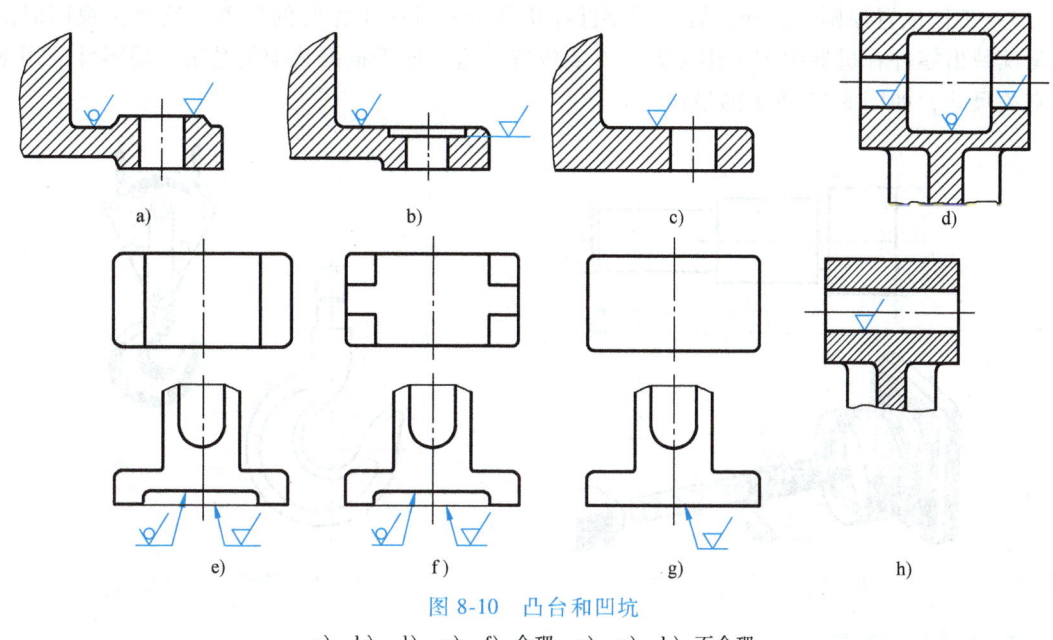

图8-10 凸台和凹坑

a)、b)、d)、e)、f) 合理　c)、g)、h) 不合理

★学习指引　了解生产实际，理解零件的工艺结构。

★关键点拨　过渡线的线型为细实线，且与两边轮廓留有间隙。螺纹退刀槽的槽深与直径在尺寸上相互关联。

8.3 典型零件的视图表达方法

零件图的视图选择应根据零件的结构特点、加工方法，以及零件在机器中所处的位置等因素综合考虑。视图表达方案的选择要能做到完整、清晰地表达零件结构形状，力求以最少数目的图形数量和最简明的表达方法将零件的形状和结构表达清楚，并便于快速看图和绘图。

零件图的视图选择要从以下两方面着手：

1. 主视图的选择

主视图是一组视图的核心，是表达零件结构形状最重要的一个视图。主视图选择是否合理将直接影响其他视图的表达方法和数量的选择，还关系到画图、看图是否方便，甚至影响到图幅的合理利用。一般来说，零件主视图选择包括零件的摆放位置和主视图的投影方向两个方面。选择零件的主视图应从以下几个方面考虑：

1）形状特征原则。主视图的投影方向要反映零件形状特征，即主视图应能较多地反映零件各组成部分的结构形状和相对位置，并尽可能减少主视图和其他视图上的虚线。

2）加工位置原则。加工位置是指零件在主要加工工序中的装夹位置。主视图应尽量表示零件在机床上加工时所处的位置，以便加工时图物对照，利于看图和测量尺寸。轴套、轮盘类零件在加工时，其主要工序是在车床或磨床上进行的，因此通常按加工位置（即轴线水平放置）画其主视图，如图 8-11 所示的轴。

3）工作位置原则。工作位置是指零件在机器或部件中工作时的位置。选择主视图时应尽量反映出零件在机器中的工作位置、安装位置，这样便于根据装配关系来考虑零件的用途及有关尺寸，如图 8-12 所示的吊钩。

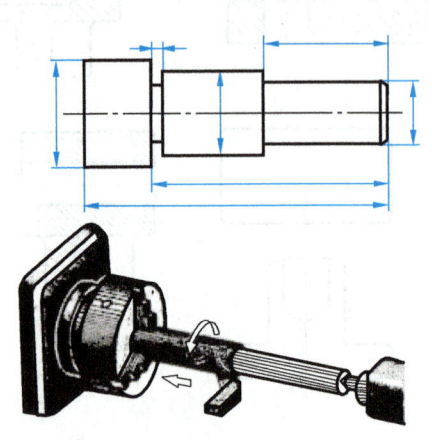

图 8-11　符合加工位置

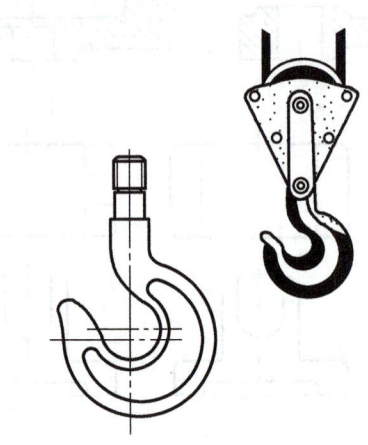

图 8-12　符合工作位置

2. 其他视图选择

主视图选定后，再运用形体分析法对零件进行分析，对于主视图没有反映清楚的部分选择其他视图进行完善。其他视图的选择原则是在完整、清晰表达零件结构形状的前提下，应尽量减少视图的数量，力求作图方便。具体选用时，应注意以下几点：

1）每个视图应具有独立存在的意义及明确的表达重点。对零件的内部与外部、主体与局部的表达要兼顾。选图时，"以物查图，以图对物"，避免遗漏细小结构或细节部分重复表达。

2）视图之间存在相互依赖、互为补充的关系。有关视图应尽量保持投影关系，配置在相关视图附近。

3）优先选用基本视图，零件有内部结构时应尽量在基本视图上作剖视，对尚未表达清楚的局部结构和倾斜部分结构，可增加必要的局部（剖）视图和局部放大图。

4）借助尺寸标注减少视图的数量，对于回转体类的结构，通常一个非圆视图并加注尺寸后，就能将结构表达清楚。

虽然零件结构形状千差万别，但根据零件在机器中的作用可以将零件分为轴套类、轮盘类、叉架类和箱壳类。

8.3.1　轴套类零件

轴类零件主要用来支承传动零件（如齿轮、皮带轮等）和传递动力；套类零件一般装在轴上或孔中，用来定位、支承、保护传动零件。

1. 结构特点

轴套类零件的主体结构是由几段直径不同的同轴圆柱体（或圆锥体）组成，且轴向尺寸远远大于径向尺寸。局部结构有键槽、轴肩、螺纹、挡圈槽、退刀槽、中心孔等结构。

2. 视图选择

（1）主视图选择

轴套类零件主要在车床或磨床上加工，为了加工时看图方便，选择主视图时按加工位置放置，一般轴线水平放置，对于轴类零件采用基本视图，对于套类零件采用剖视图。这样既可把各段形体的相对位置表示清楚，同时又能反映出轴上轴肩、退刀槽等结构。如图 8-13 和图 8-14 所示。

（2）其他视图的选择

由于轴上的各段形体的直径尺寸在其数字前加注符号"ϕ"表示，因此不必画出其左（右）视图。对于零件上的键槽、孔等结构，一般可采用局部视图、局部剖视图、移出断面，而零件上细小结构采用局部放大图表达，如图 8-13 和图 8-14 所示。

8.3.2 轮盘类零件

轮类零件一般通过键、销与轴联接来传递扭矩，例如，齿轮、带轮等。盘类零件可起支承、定位和密封等作用，如法兰盘、端盖、阀盖等。

1. 结构特点

轮盘类零件的主体结构是扁平盘状，由几段直径不同的同轴圆柱体（或圆锥体）组成，且轴向尺寸远远小于径向尺寸。局部结构有凸缘、凹坑、沉孔、键槽、螺孔、轮辐、肋等结构。

2. 视图选择

（1）主视图选择

轮盘类零件主要加工工序在车床上进行，选择主视图时按照加工位置选择，一般轴线水平放置，通常采用剖视图。但有些较复杂的盘盖，因加工工序较多，主视图也可按工作位置画出。

（2）其他视图的选择

轮盘类零件大多采用两个视图：除了采用全剖或半剖的主视图反映内部结构以外，还需要左视图，左视图采用基本视图反映零件的外形轮廓和零件上的凸缘、孔、肋、轮辐、键槽等结构。为反映清楚局部结构，通常采用局部视图、局部剖视图、局部放大图和断面图等，如图 8-1 和图 8-15 所示。

8.3.3 叉架类零件

叉架类零件包括拨叉、连杆、支架等，拨叉在机器中通常起到操纵和调速作用，支架主要起支承和连接作用。

1. 结构特点

叉架类零件的结构按作用可分为三个部分，即支承部分、工作部分、连接部分。连接部分通常由不同断面形状的连接板、肋板和实心杆组成，且形状弯曲、扭斜较多。支承部分和工作部分，细小部分结构较多，通常有圆孔、螺孔、油槽、凸台、凹坑等结构。

2. 视图选择

（1）主视图选择

叉架类零件结构复杂，形式多样，多为铸件或锻件。其加工工序较多，加工位置经常发生变化，有的零件工作位置也不固定。因此，在选择主视图时一般依据工作位置原则和形状特征原则。主视图中通常使其圆筒的轴线水平放置。

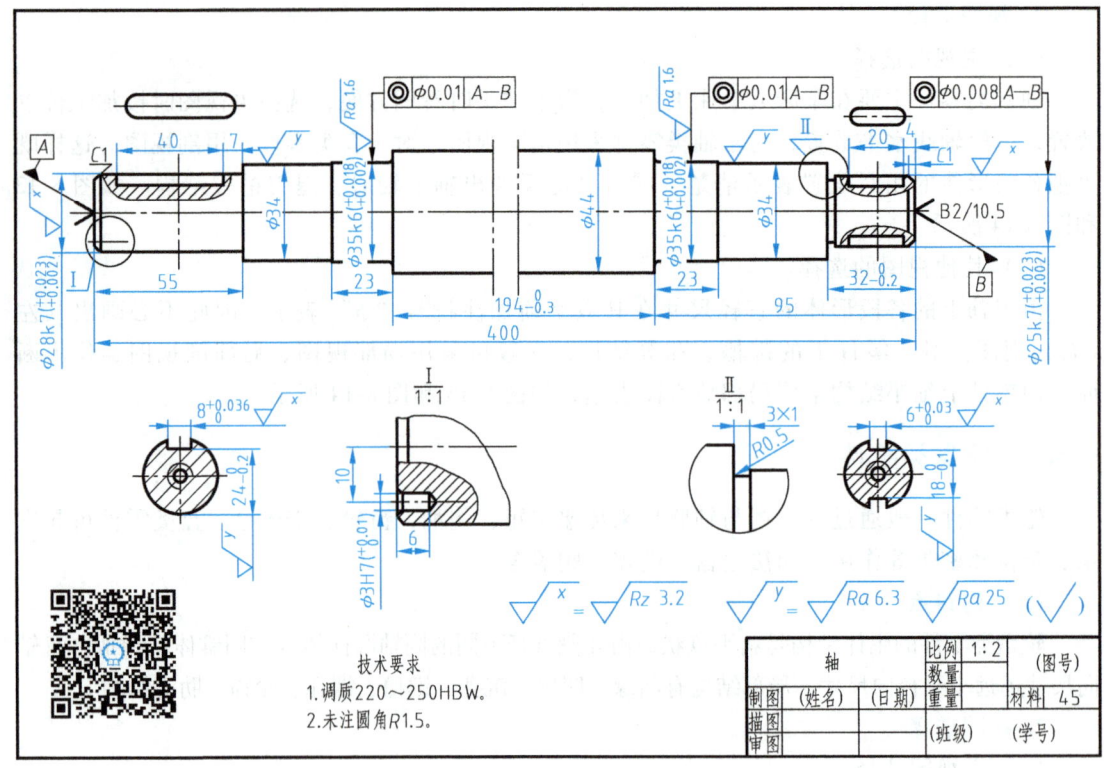

图 8-13 轴的零件图

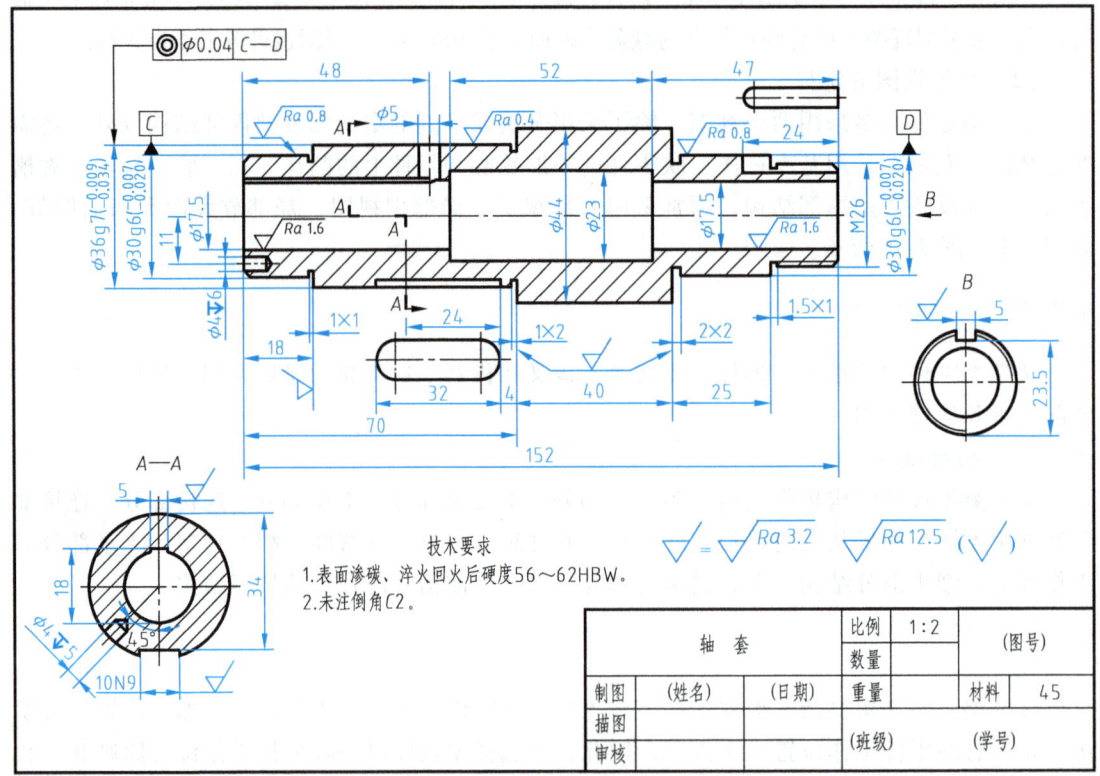

图 8-14 轴套的零件图

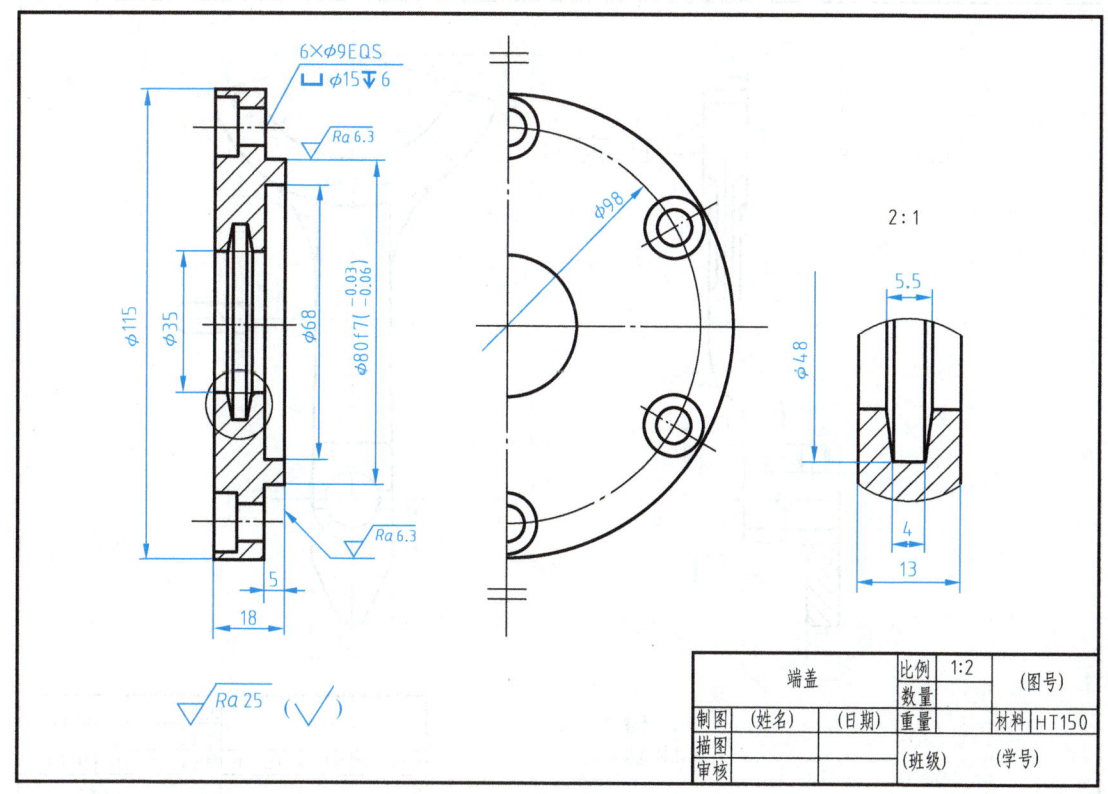

图 8-15 端盖的零件图

（2）其他视图的选择

除了主视图以外，还需要左视图及其他主要视图，对于局部结构采用局部视图、断面图等，如图 8-16 所示。

8.3.4 箱壳类零件

箱壳类零件主要包括箱体、壳体、泵体、阀体、减速器机体等零件，其作用是容纳、支承、定位、密封和保护体内零件。

1. 结构特点

箱壳类零件多为铸件，内、外结构都较复杂。通常内部是由薄壁围成的空腔，外部有与空腔相连用于安装的底板以及供安装轴承的圆筒或半圆筒；在箱体外壁有多个起加固作用的肋板。局部有凸台、凹坑、沉孔、螺孔、销孔、倒角等结构。

2. 视图选择

（1）主视图选择

由于箱壳类零件加工工序较多，加工位置多变，所以在选择主视图时，主要根据工作位置原则和形状特征原则来考虑，并采用剖视图来反映其内部结构。

（2）其他视图的选择

为了表达箱壳类零件的内、外结构，一般用三个或三个以上的主要视图，并根据结构特点在基本视图上取剖视图，对于局部结构采用局部视图、斜视图、断面图等，如图 8-17 所示。

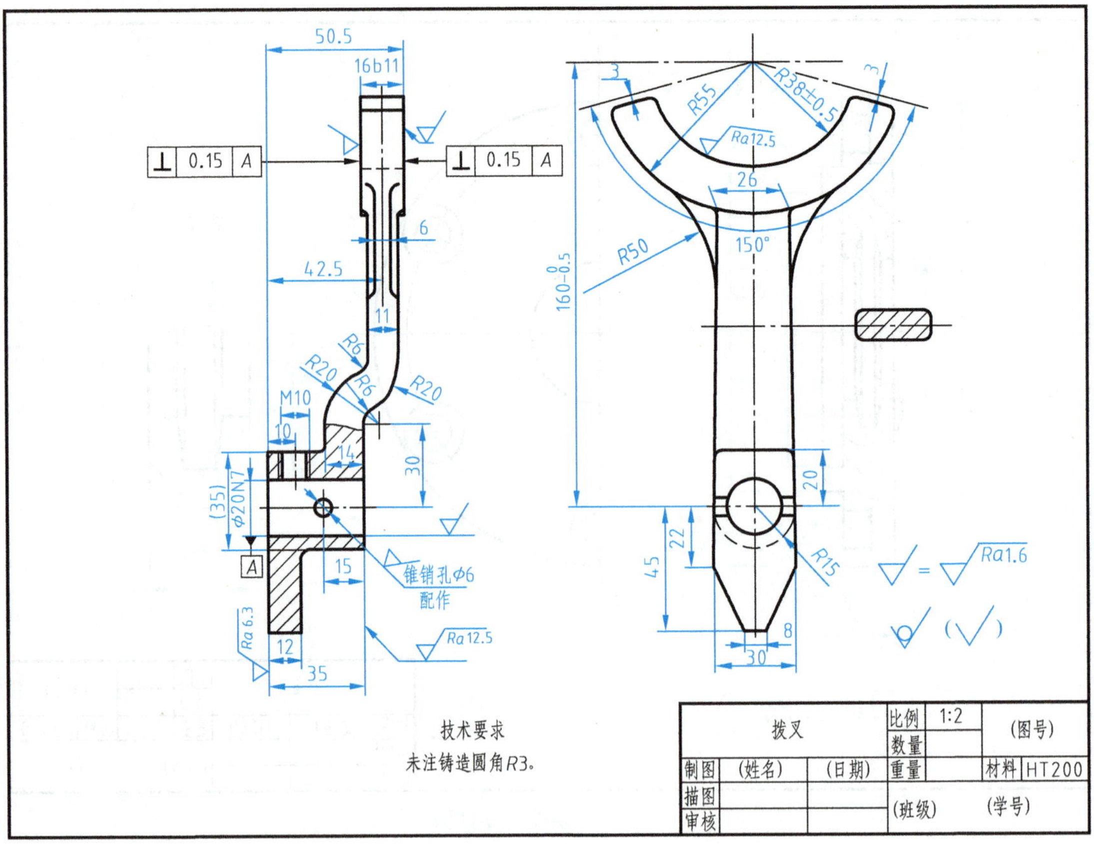

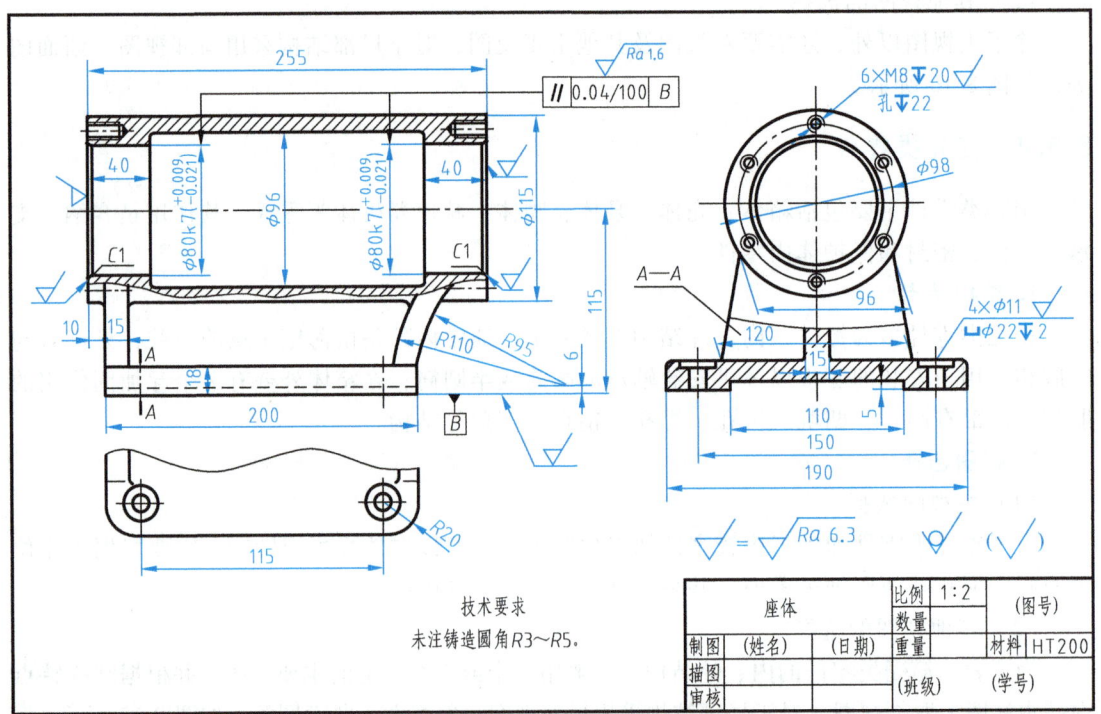

图 8-16 拨叉的零件图

图 8-17 座体的零件图

★**学习指引**　选择零件视图表达方案的能力，应通过看图和画图的实践，并在积累生产实际知识的基础上逐步提高。初学者应做到完整、正确地表达零件，同时力求视图简洁而明了。

★**关键点拨**　绘制零件图时，首先判断零件类型，然后再确定表达方案。绘图时可以参考同类零件的画法。

8.4　零件图的尺寸标注

零件图上所标注的尺寸是加工制造和检验零件的重要依据。零件图中的尺寸标注既要正确、完整、清晰，还要满足合理性要求。所谓合理，即标注的尺寸既要符合零件的设计要求，又要满足工艺要求（即便于加工、测量和检验）。本节主要介绍合理标注零件图中尺寸的一些基本知识。

1. 尺寸基准

（1）尺寸基准的分类

要合理地标注尺寸必须恰当地选择尺寸基准。选择尺寸基准既要符合设计要求，以确定零件在机器中的位置，又要符合工艺要求，便于零件的加工和测量。

1）根据基准的作用不同，基准可以分为设计基准和工艺基准。

根据机器的结构和设计要求，用以确定零件在机器或部件中位置和几何关系的一些点、线、面，称为设计基准。通常以零件上主要回转结构的轴线、零件的对称中心面、重要的支承面、两零件的结合面、重要加工面等作为设计基准。

为了便于零件加工、测量和装配而选定的基准，称为工艺基准。

2）根据重要性不同，基准分为主要基准和辅助基准。

一般而言，零件有长、宽、高三个方向，每个方向都有一个主要基准，以保证零件的加工质量，如图8-18所示。当同一方向有多个尺寸基准时，主要基准只能有一个，其余均为辅助基准，便于加工和测量。辅助基准与主要基准之间必须直接有尺寸相联系。

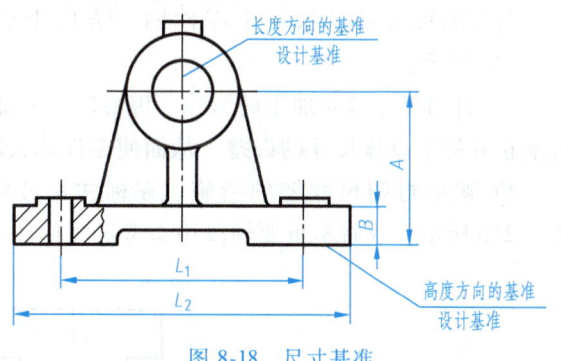

图 8-18　尺寸基准

通常，重要尺寸从设计基准出发进行标注，以满足设计要求，保证零件的功能要求；一般尺寸从工艺基准出发进行标注，便于零件的加工和测量。

（2）选择基准的原则

1）基准重合原则：尽可能使设计基准与工艺基准重合，以减少基准不重合而引起的尺寸误差。

2）设计基准优先原则：当设计基准与工艺基准不重合时，应优先选择设计基准，以符合设计要求。

2. 尺寸的配置形式

（1）坐标式

坐标式是指零件上同一方向的一组尺寸，都从同一基准出发标注尺寸，如图 8-19a 所示。

（2）链状式

链状式是指零件上同一方向的一组尺寸，彼此首尾相接，前一尺寸的终止处，即为后一尺寸的基准，如图 8-19b 所示。

（3）综合式

综合式是坐标式与链状式的组合标注形式，如图 8-19c 所示。

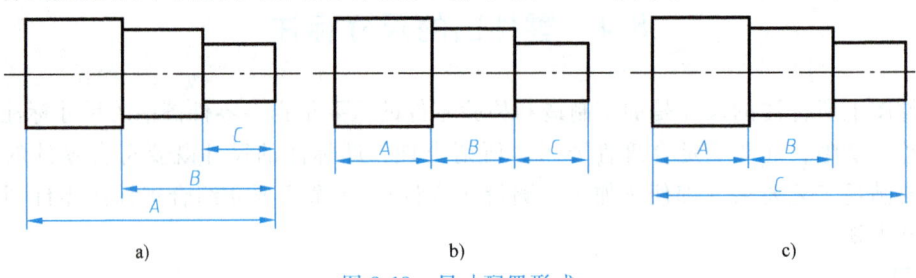

图 8-19　尺寸配置形式

a）坐标式　b）链状式　c）综合式

3. 合理标注尺寸应注意的问题

（1）重要尺寸直接注出

重要尺寸是指零件上与机器的使用性能和装配质量有关的尺寸，这类尺寸应从设计基准直接注出。例如零件的性能规格尺寸、零件间的配合尺寸、有装配要求的尺寸以及安装尺寸等，如图 8-20 所示。

（2）避免注成封闭尺寸链

封闭的尺寸链是指一个零件同一方向上的尺寸首尾相连，形成封闭环的情况，如图 8-21a 所示。

1）封闭尺寸链对加工的影响。因各段尺寸加工总有一定的误差，各段尺寸误差之和不可能正好等于总体尺寸的误差，从而使零件总长不符合设计要求。

2）避免封闭尺寸链的措施。在标注尺寸时，应将不重要的轴段尺寸空出不注，如图 8-21b 所示，或将不重要轴段用参考尺寸标注（在尺寸数字外加括号），如图 8-21c 所示。

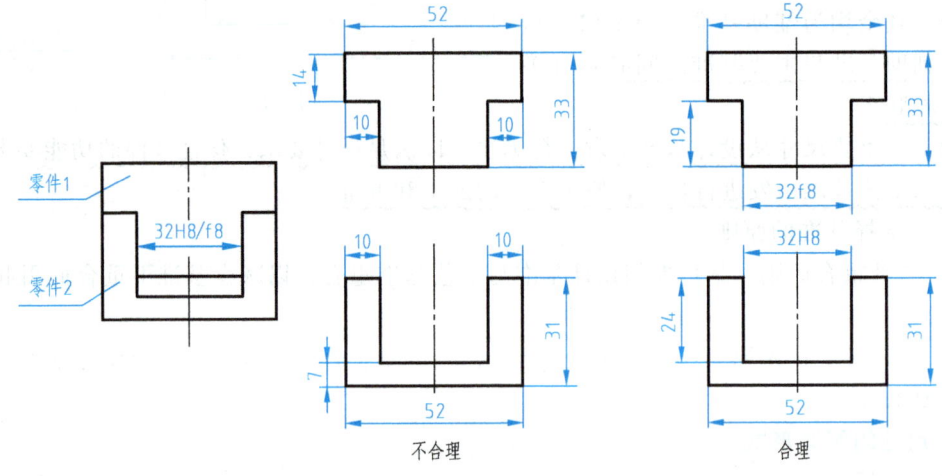

图 8-20　重要尺寸直接注出

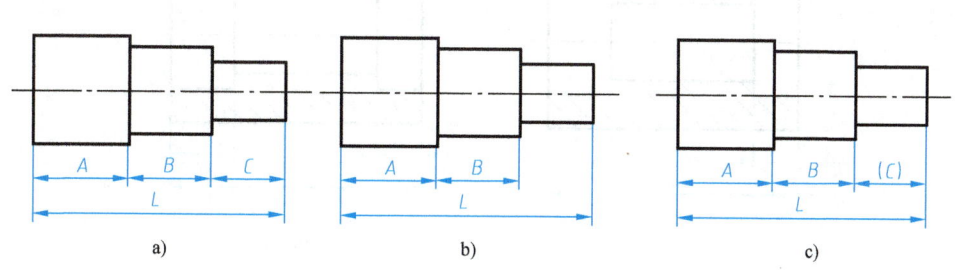

图 8-21　避免注成封闭尺寸链

（3）按加工要求标注尺寸

1）加工面与非加工面分两边标注，便于不同工种的工人看图，如图 8-22 所示。

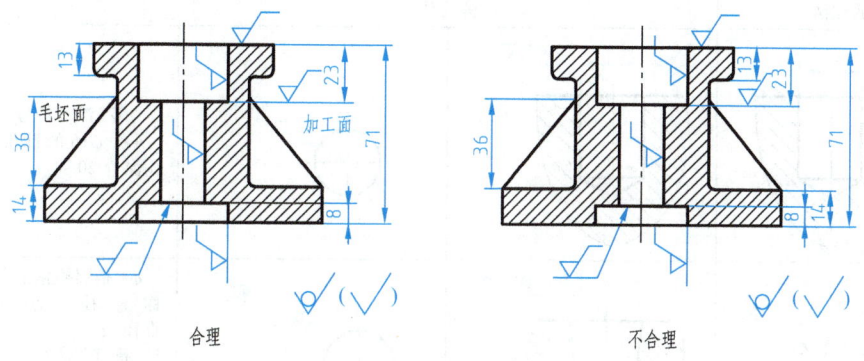

图 8-22　加工面与非加工面的尺寸注法

2）同一加工工序集中标注，便于加工时查找尺寸，如图 8-23 所示。

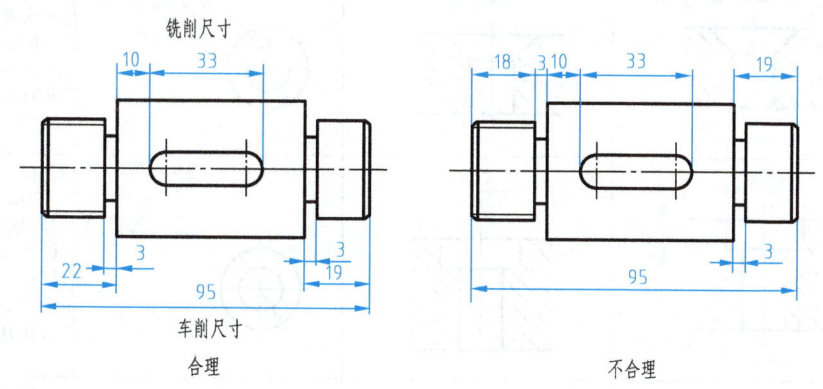

图 8-23　同一加工工序集中标注

（4）按便于加工、测量进行标注（图 8-24）

4. 零件上常见孔的注法

零件上常见孔的注法有普通注法和旁注法，见表 8-1。

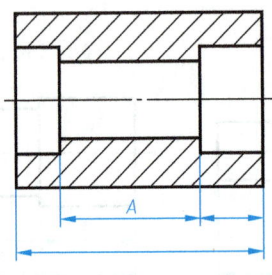
a)

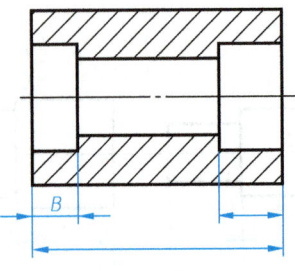
b)

图 8-24　尺寸标注要便于测量

a) 不易测量　b) 容易测量

表 8-1　零件上常见孔的注法

结构类型	标注方法			说明
	普通注法	旁注法		
光孔	（4×φ16，深20 剖视图）	4×φ16▽20 旁注	4×φ16▽20	"▽"深度符号 4个φ16的盲孔，孔深为20
	无普通注法	锥销孔φ4配作	锥销孔φ4配作	φ4是圆锥销的公称直径（小端直径）； "配作"是指与另一个零件的同位锥销孔一起加工
孔	90° φ13 6×φ6.6	6×φ6.6 ∨φ13×90°	6×φ6.6 ∨φ13×90°	"∨"埋头孔符号，该孔用于安装沉头螺钉 6个φ6.6带埋头孔的圆柱孔，埋头孔直径13，锥面顶角90°
	φ11 4 6×φ6.6	6×φ6.6 ⊔φ11▽4	6×φ6.6 ⊔φ11▽4	"⊔"沉头孔符号，该孔用于安装内六角圆柱头螺钉；6个φ6.6带沉头孔的圆柱孔，沉头孔直径11，深度4
	φ13 6×φ6.6	6×φ6.6 ⊔φ13	6×φ6.6 ⊔φ13	"⊔"锪平孔符号（与沉头孔相同），该孔用于放置垫圈；6个φ6.6带锪平孔的圆柱孔，锪平孔直径13，锪平孔不需标注深度，其深度为锪平到不见毛面为止

(续)

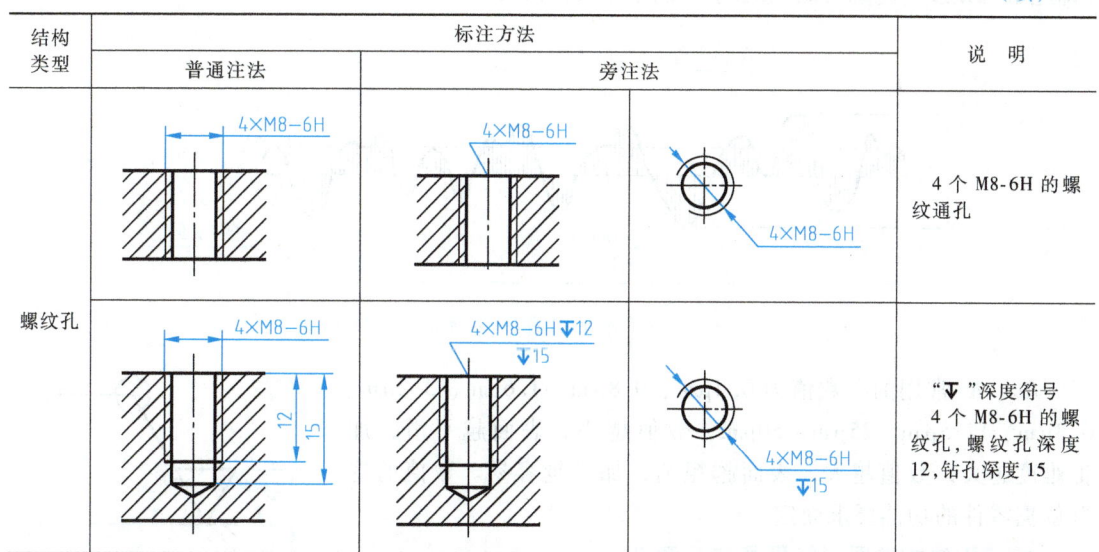

★ **学习指引** 运用形体分析法分析零件的尺寸，把每部分的定形尺寸和定位尺寸逐一标出，同时要了解生产实际，在满足设计要求的前提下，充分考虑加工、测量。

★ **关键点拨** 了解零件在机器中的作用，了解零件的加工和测量。

8.5 零件图中的技术要求

8.5.1 表面结构的表示法（GB/T 131—2006）

1. 表面粗糙度的概念

零件表面上具有的较小间距和峰谷所组成的微观几何形状特征，称为表面粗糙度。经过机械加工的零件表面，由于刀痕、金属材料的塑性变形等原因，在放大镜（或显微镜）下显现出许多高低不平的峰和谷，如图 8-25 所示。

表面粗糙度直接影响零件的配合质量、密封性、耐磨性、抗腐蚀性和抗疲劳等性能。

2. 表面结构的评定参数

零件表面结构状况可由三组参数加以评定：轮廓参数，图形参数，支承率曲线参数。其中轮廓参数是我国常用的评定参数。国家标准 GB/T 1031—2009 规定，表面粗糙度的高度评定参数为轮廓算术平均偏差 Ra 和轮廓的最大高度 Rz，并对常用参数值做出了规定。

1）轮廓算术平均偏差 Ra 指在一个取样长度内纵坐标值 $Z(x)$ 绝对值的算术平均值，如图 8-26 所示。

2）轮廓的最大高度 Rz 指在同一取样长度内，最大轮廓峰高和最大轮廓谷深之和的高度

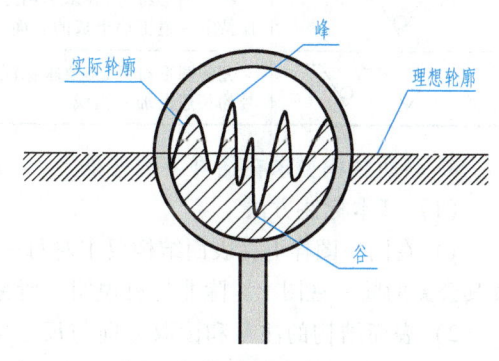

图 8-25 表面粗糙度示意图

（即轮廓峰顶线与轮廓谷底线之间的距离），如图 8-26 所示。

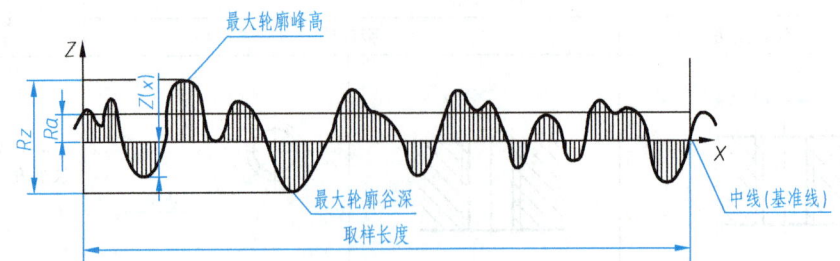

图 8-26　轮廓算术平均偏差 Ra 和最大高度 Rz

Ra、Rz 常用的参数值为 $0.4\mu m$、$0.8\mu m$、$1.6\mu m$、$3.2\mu m$、$6.3\mu m$、$12.5\mu m$、$25\mu m$、$50\mu m$，数值越小，表面越平滑，加工难度越大；数值越大，表面越粗糙，加工越容易。数值的选取依据零件的功能要求而定。

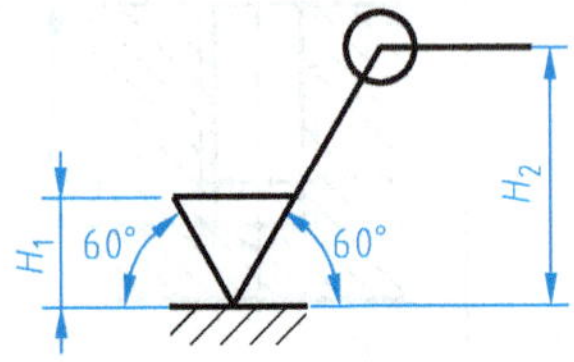

3. 表面结构的图形符号画法及意义

国家标准 GB/T 131—2006 对表面结构的图形符号画法及表面粗糙度的标注进行了规定。

图 8-27　表面粗糙度符号的画法

表面结构的图形符号的规定画法如图 8-27 所示。其中 $H_1 = 1.4h$、$H_2 = 3h$，h 为零件图中字体的高度。图形符号尺寸见表 8-2。

表 8-2　表面结构图形符号的尺寸　　　　　　　　　　（单位：mm）

数字与大写字母（或小写字母）的高度 h	2.5	3.5	5	7	10	14	20
符号的线宽 d'、数字与字母的笔画宽度 d	0.25	0.35	0.5	0.7	1	1.4	2
高度 H_1	3.5	5	7	10	14	20	28
高度 H_2	7.5	10.5	15	21	30	42	60

表面结构图形符号有基本图形符号、扩展图形符号、完整图形符号，其含义见表 8-3。

表 8-3　表面结构图形符号的含义

符号	含义
 ∨	基本图形符号，由两条不等长的与标注表面成 60° 夹角的直线构成，仅用于简化代号标注，没有补充说明时不能单独使用
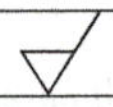 ∨ (带短横)	扩展图形符号，在基本图形符号上加一短横，表示指定表面是用去除材料的方法获得
 ∨ (带圆圈)	扩展图形符号，在基本图形符号上加一个圆圈，表示指定表面是用不去除材料方法获得或保持上一道工序形成的表面
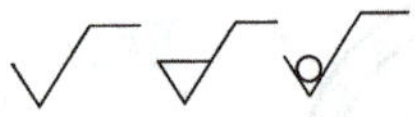 ∨ ∨ ∨ (带横线)	完整图形符号，当要求标注表面结构特征的补充信息时，应在基本图形符号或扩展图形符号的长边上加一横线

4. 表面结构要求在图样中的注法

（1）基本标注方法

1）在同一图样上，表面结构要求对每一表面一般只标注一次，并尽可能注在相应的尺寸及其公差的同一视图上。除非另有说明，所标注的表面结构要求是对完工零件的表面要求。

2）表面结构的注写和读取方向与尺寸的注写和读取方向一致。表面结构要求可标注在轮廓线上，也可以直接标注在延长线上，其符号应从材料外指向并接触表面，如图 8-28 所示。或用带箭头或黑点的指引线引出标注，如图8-29所示。

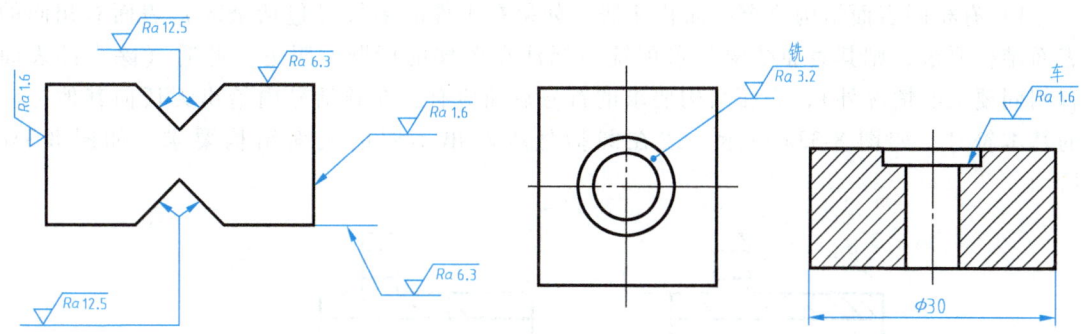

图 8-28　表面结构的注写　　　　　图 8-29　用带箭头或黑点的指引线引出标注

3）在不致引起误解时，表面结构要求和尺寸可以标注在尺寸线上，如图8-30所示。

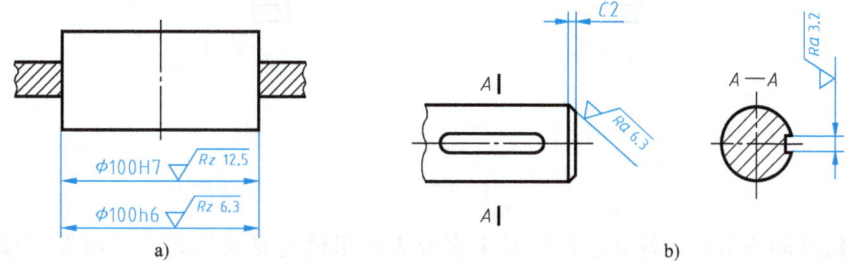

图 8-30　标注在尺寸线上

a）圆柱面的表面粗糙度标注　b）倒角和键槽两侧面表面粗糙度标注

4）表面结构要求可标注在几何公差框格的上方，如图8-31所示。

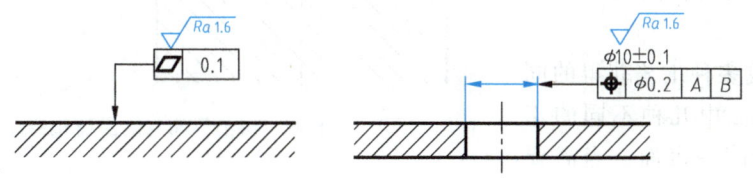

图 8-31　标注在几何公差框格的上方

5）圆柱和棱柱表面的表面结构要求只标注一次。如果每个棱柱表面有不同的表面结构要求，则应分别单独标注，如图8-32所示。

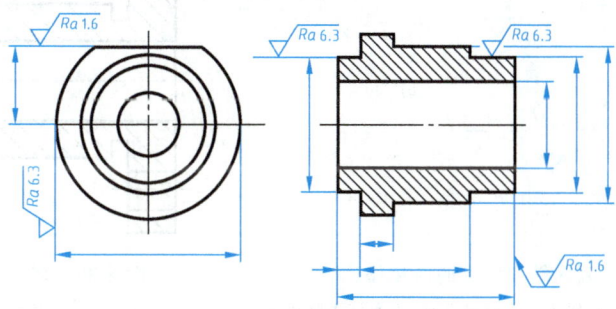

图 8-32　圆柱和棱柱表面的表面结构标注

(2) 简化注法

1) 有相同表面结构要求的简化注法。如果在工件的多数（包括全部）表面有相同的表面结构要求，则其表面结构要求可统一标注在图样的标题栏附近。此时（除全部表面有相同要求的情况外），表面结构要求的符号后面应有：在圆括号内给出无任何其他标注的基本符号，如图 8-33a 所示，或在圆括号内给出不同的表面结构要求，如图 8-33b 所示。

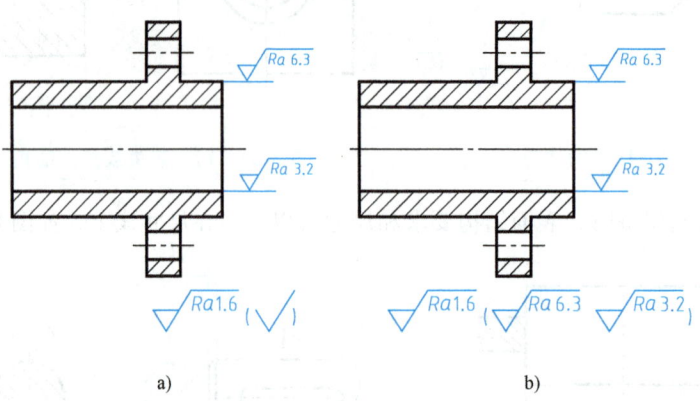

图 8-33　大多数表面有相同表面结构要求的简化标注

2) 图纸空间不够时的简化。如零件上多处表面粗糙度要求相同，可用带字母的完整符号的简化注法，再在图形或标题栏附近以等式的形式说明即可，如图 8-34 所示。

只用表面结构符号的简化注法，如图 8-35 所示，以等式的形式给出对多个表面相同的粗糙度要求。

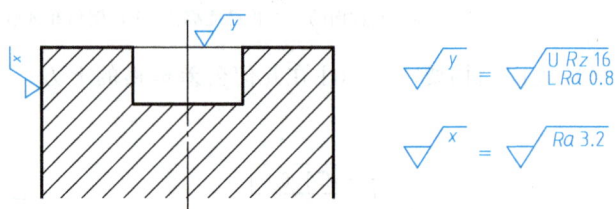

图 8-34　图纸空间有限的简化标注

3) 两种或多种工艺获得的同一表面的注法。由几种不同的工艺方法获得的同一表面，当需要明确每种工艺方法的表面结构要求时，可按图 8-36 所示进行标注，其中 Fe 表示基体材料为钢，Ep 表示加工工艺为电镀。

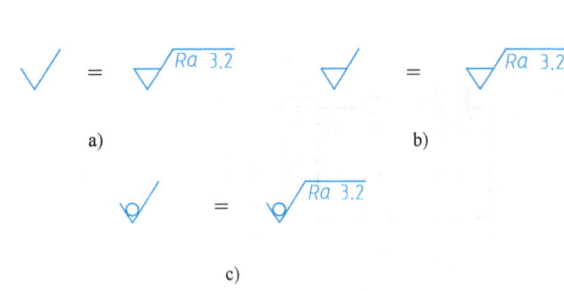

图 8-35　多个表面结构要求的简化注法
a) 未指定工艺方法　b) 要求去除材料　c) 不允许去除材料

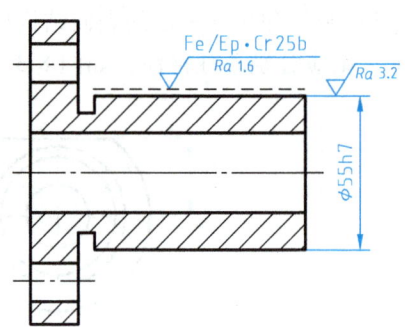

图 8-36　多种工艺获得的同一表面的注法

8.5.2 极限与配合

1. 互换性

在相同规格的一批合格零件或部件中,任取一个零件,无需选择或修配就能装在机器上,并达到规定的性能要求,零件的这种性质称为互换性。零件的互换性是现代化机械工业的重要基础。

2. 尺寸的术语(图 8-37)

1)公称尺寸:由设计确定的尺寸。

2)实际尺寸:通过测量获得的尺寸。

3)极限尺寸:允许零件尺寸变化的两个界限值称为极限尺寸,分上极限尺寸和下极限尺寸。

4)尺寸偏差:某一尺寸减去其公称尺寸所得的代数差称为尺寸偏差,简称偏差。上极限尺寸减去其公称尺寸所得的代数差称为上极限偏差,孔、轴的上极限偏差分别用 ES 和 es 表示。下极限尺寸减去其公称尺寸所得的代数差,称为下极限偏差,孔、轴的下极限偏差分别用 EI 和 ei 表示。上、下极限偏差统称为极限偏差。

5)尺寸公差:允许尺寸的变动量称为尺寸公差,简称公差。

公差=上极限尺寸-下极限尺寸=上极限偏差-下极限偏差。公差是一个没有正负号的绝对值。

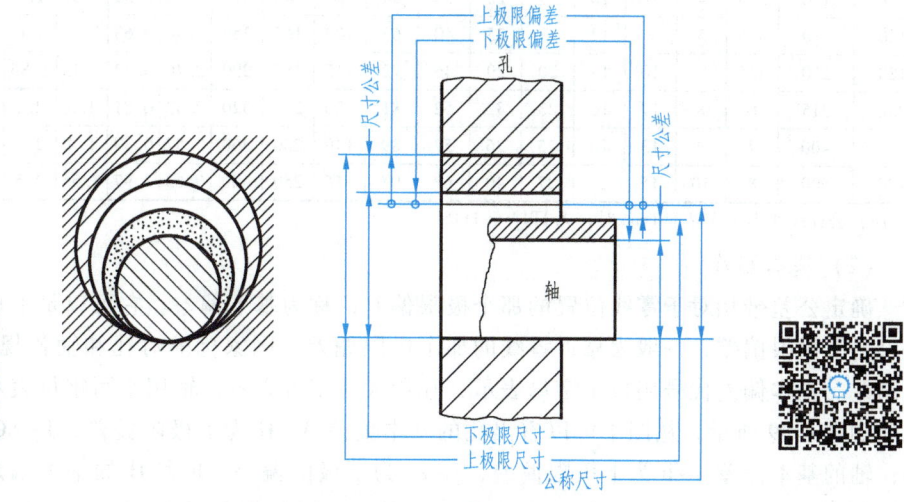

图 8-37 有关尺寸术语图解

6)公差带:由代表上、下极限偏差的两条直线所限定的一个区域称为公差带,确定偏差的一条基准线称为零线。一般情况下,零线代表公称尺寸,零线之上为正偏差,零线之下为负偏差,如图 8-38 所示。

3. 标准公差与基本偏差

国家标准 GB/T 1800.1—2020 中规定,公差带是由标准公差和基本偏差组成的,<u>标准公差决定公差带的高度(大小),基本偏差确定公差带相对于零线的位置</u>。

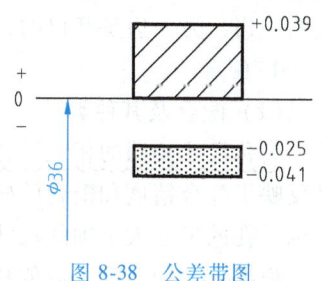

图 8-38 公差带图

(1) 标准公差（IT）

标准公差是由国家标准规定的公差值，其代号为 IT，大小由公差等级和公称尺寸两个因素决定。国家标准将公差等级划分为 20 个，分别为 IT01、IT0、IT1、IT2、…、IT18，从 IT01 至 IT18 公差等级依次降低，精度等级随之降低。公称尺寸 0~500mm 的标准公差数值见表 8-4，由表 8-4 可以总结出公称尺寸相同时，公差等级越低标准公差数值越大；公差等级相同时，公称尺寸越大，标准公差数值也越大。

表 8-4　公称尺寸至 500mm 标准公差数值（摘自 GB/T 1800.1—2020）

公称尺寸 /mm		标准公差等级																
		IT1	IT2	IT3	IT4	IT5	IT6	IT7	IT8	IT9	IT10	IT11	IT12	IT13	IT14	IT15	IT16	IT17	IT18
大于	至	标准公差数值																	
		μm											mm						
—	3	0.8	1.2	2	3	4	6	10	14	25	40	60	0.1	0.14	0.25	0.4	0.5	1	1.4
3	6	1	1.5	2.5	4	5	8	12	18	30	48	75	0.12	0.18	0.3	0.48	0.75	1.2	1.8
6	10	1	1.5	2.5	4	6	9	15	22	36	58	90	0.15	0.22	0.36	0.58	0.9	1.5	2.2
10	18	1.2	2	3	5	8	11	18	27	43	70	110	0.18	0.27	0.43	0.7	1.1	1.8	2.7
18	30	1.5	2.5	4	6	9	13	21	33	52	84	130	0.21	0.33	0.52	0.84	1.3	2.1	3.3
30	50	1.5	2.5	4	7	11	16	25	39	62	100	160	0.25	0.39	0.62	1	1.5	2.5	3.9
50	80	2	3	5	8	13	19	30	46	74	120	190	0.3	0.46	0.74	1.2	1.9	3	4.6
80	120	2.5	4	6	10	15	22	35	54	87	140	220	0.35	0.54	0.87	1.4	2.2	3.5	5.4
120	180	3.5	5	8	12	18	25	40	63	100	160	250	0.4	0.63	1	1.6	2.5	4	6.3
180	250	4.5	7	10	14	20	29	46	72	115	185	290	0.46	0.72	1.15	1.85	2.9	4.6	7.2
250	315	6	8	12	16	23	32	52	81	130	210	320	0.52	0.81	1.3	2.1	3.2	5.2	8.1
315	400	7	9	13	18	25	36	57	89	140	230	360	0.57	0.89	1.4	2.3	3.6	5.7	8.9
400	500	8	10	15	20	27	40	63	97	155	250	400	0.63	0.97	1.55	2.5	4	6.3	9.7

注：公称尺寸小于或等于 1mm 时，无 IT14 至 IT18。

(2) 基本偏差

确定公差带相对于零线位置的那个极限偏差，称为基本偏差。它可以是上极限偏差，也可以是下极限偏差，一般为靠近零线的那个极限偏差。国家标准对孔和轴各规定了 28 个基本偏差。基本偏差代号用拉丁字母表示，孔用大写字母表示，轴用小写字母表示。基本偏差系列如图 8-39 所示，从图中可以看出孔的基本偏差 A~H 为下极限偏差，J~ZC 为上极限偏差；轴的基本偏差 a~h 为上极限偏差，j~zc 为下极限偏差。h 和 H 的基本偏差均为零，JS 和 js 公差带对称地分布在零线两侧，孔和轴的上、下极限偏差分别为 +IT/2、−IT/2。基本偏差系列图仅表示公差带的位置，不表示公差带的大小。因此，公差带只画出了代表基本偏差的一边，另一边是开口的，即公差带的另一边由标准公差值确定。

4. 配合

(1) 配合及其种类

公称尺寸相同的相互结合的孔和轴公差带之间的关系称为配合。孔、轴公差带之间的关系反映了配合精度和配合的松紧程度，孔、轴的配合松紧程度可用"间隙"或"过盈"来表示。孔的尺寸大于轴的尺寸时产生间隙，当孔的尺寸小于轴的尺寸时产生过盈。

根据孔、轴在配合后的松紧程度，国家标准将配合分为三种：间隙配合——具有间隙（包括最小间隙等于零）的配合，其孔的公差带在轴的公差带之上；过盈配合——具有过盈

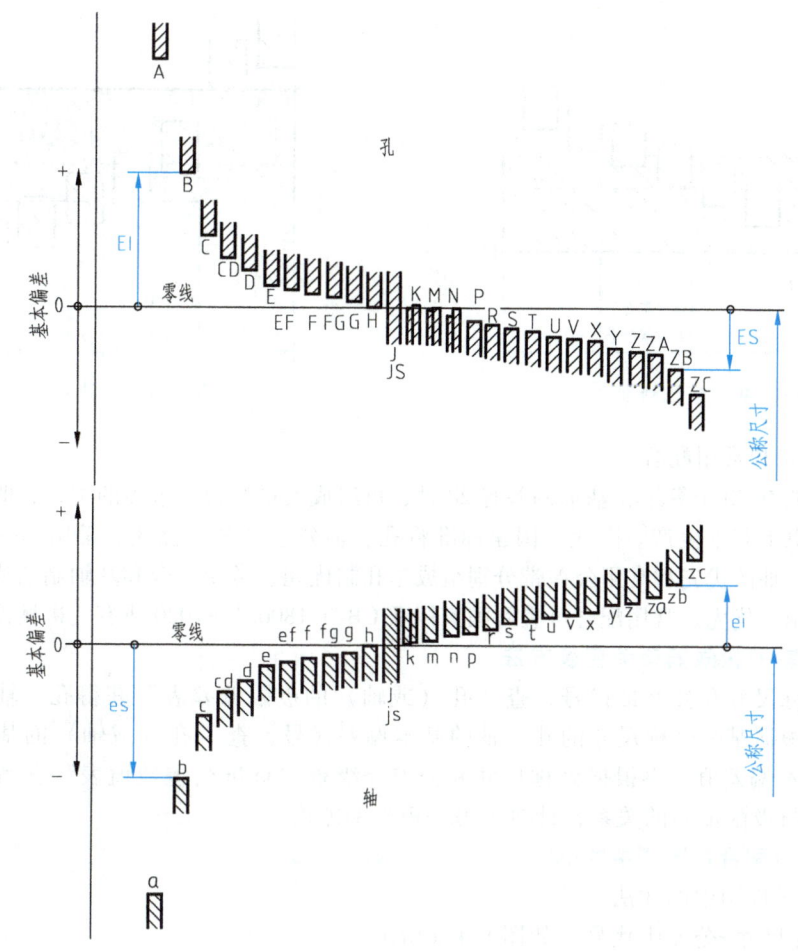

图 8-39 基本偏差系列

（包括最小过盈等于零）的配合，其孔的公差带在轴的公差带之下；过渡配合——可能具有间隙或过盈的配合，其孔、轴的公差带一部分互相重叠。

（2）配合基准制

公称尺寸相同的孔、轴公差带组合起来，就可以组成各种不同的配合。为了便于设计制造、降低成本，实现配合标准化，国标规定了两种基准制，即基孔制配合和基轴制配合。

1）基孔制是基本偏差为一定的孔的公差带与不同基本偏差的轴的公差带形成各种配合的一种制度，如图 8-40 所示，基孔制配合中的孔称为基准孔，其基本偏差为 H，下极限偏差 $EI=0$。

2）基轴制是基本偏差为一定的轴的公差带与不同基本偏差的孔的公差带形成各种配合的一种制度，如图 8-41 所示，基轴制的轴为基准轴，其基本偏差代号为 h，上极限偏差 $es=0$。

（3）配合代号

用孔、轴公差带代号的组合表示，写成分数形式。例如 $\phi 50H8/f7$，其中 $\phi 50$ 表示孔、轴公称尺寸，H8 表示孔的公差带代号，f7 表示轴的公差带代号，H8/f7 表示配合代号。在配合代号中，凡孔的基本偏差为 H 者，表示基孔制配合，凡轴的基本偏差为 h 者，表示基轴制配合。

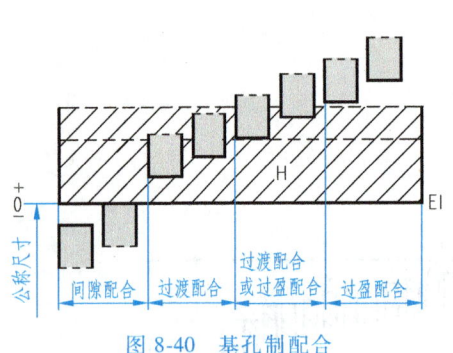
图 8-40 基孔制配合

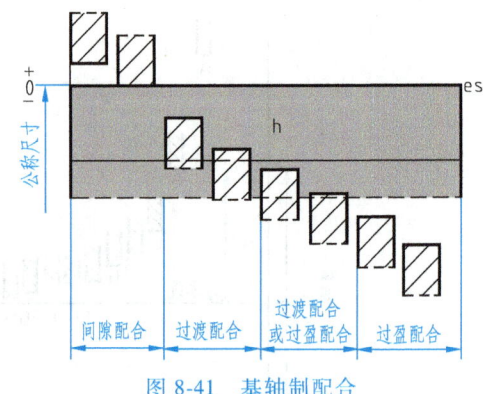
图 8-41 基轴制配合

（4）优先和常用配合

标准公差有 20 个等级，基本偏差有 28 种，可组成大量配合。过多的配合，既不能发挥标准的作用，也不利于生产。因此，国家标准将孔、轴公差带分为优先、常用和一般用途公带差，并由孔、轴的优先和常用公差带分别组成基孔制优先、常用配合和基轴制的优先、常用配合，以便选用。优先、常用配合可查阅国家标准 GB/T 1800.1—2020 或有关机械设计手册。

5. 孔和轴的极限偏差值查表方法

根据公称尺寸和公差带代号，查"孔（或轴）的极限偏差表"获得孔、轴的极限偏差数值。也可根据某一公称尺寸的孔、轴的基本偏差代号，查"孔（或轴）的基本偏差数值表"得到基本偏差值，再根据公称尺寸和公差等级查"标准公差数值表"获得公差值，最后由公差值与极限偏差的关系，计算出另一极限偏差值。

6. 公差与配合在图样中的标注（GB/T 4458.5—2003）

（1）在零件图中的注法

1）公称尺寸+公差带代号，如图 8-42a 所示。

2）公称尺寸+上、下极限偏差，如图 8-42b 所示。上极限偏差写在公称尺寸的右上方，下极限偏差应与公称尺寸注在同一底线上，偏差数字应比公称尺寸数字小一号。注意：上、下极限偏差前面必须标出正、负号；上、下极限偏差的小数点必须对齐，小数点后的位数也必须相同；当上极限偏差或下极限偏差为"零"时，用数字"0"标出，并与另一偏差的小数点前的个位数对齐；当上、下极限偏差数值相同时，偏差只需注写一个数字，并应在偏差与公称尺寸之间注出符号"±"，且两者字高相同。

3）公称尺寸+公差带代号+上、下极限偏差，这时上、下极限偏差必须加上括号，如图 8-42c 所示。

（2）在装配图中的注法

在公称尺寸右边，用分数的形式注出配合代号，分子为孔的公差带代号，分母为轴的公差带代号，通常注法如图 8-43a 所示。必要时允许按图 8-43b、图 8-43c 的形式标注。

8.5.3 几何公差

在实际生产中，经过加工的零件不但会产生尺寸误差，而且会产生几何误差。如图 8-44a 所示的轴，加工后的尺寸公差满足要求，但实际表面形状与理想表面形状（双点画线表示）产生了直线度误差。如图 8-44b 所示的轴，大、小轴理论上是同轴，加工后实际中两轴线之间产生了同轴度误差。

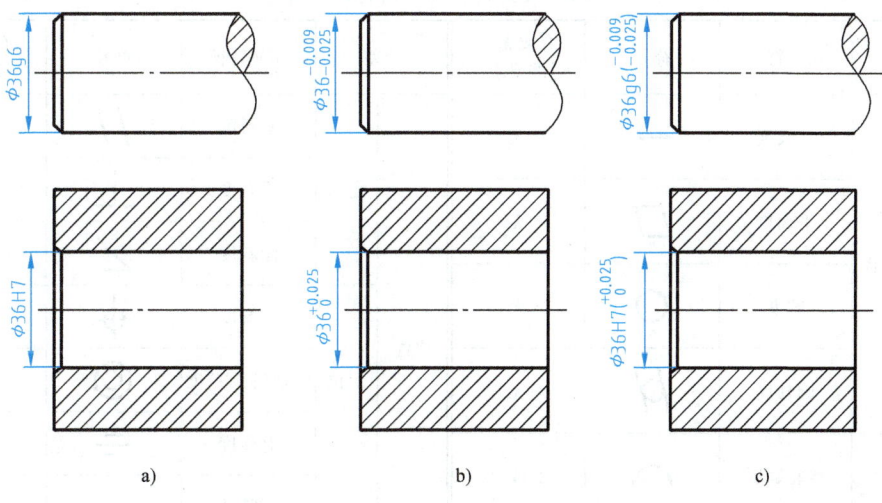

图 8-42 零件图中的注法

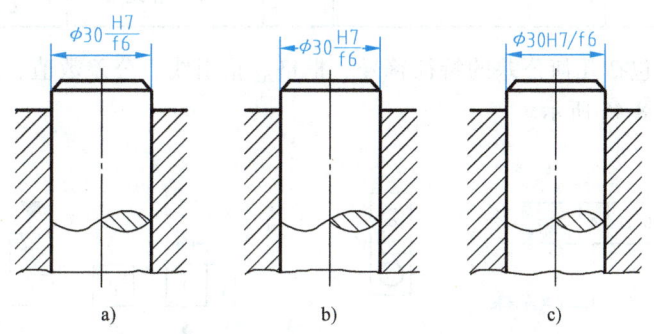

图 8-43 装配图中的注法

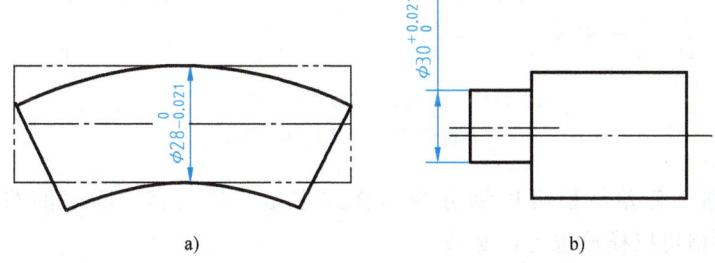

图 8-44 几何误差

几何误差过大会影响零件的装配和机器的质量。因此，对精度要求较高的零件，对于零件上的重要工作面和轴线，除了给出尺寸公差外，还要给出合理的几何误差的最大允许值。几何误差允许的变动量称为几何公差。

1. 几何公差的几何特征和符号

国家标准 GB/T 1182—2018 将几何公差分为形状公差、方向公差、位置公差和跳动公差四种。几何公差的几何特征和符号，见表 8-5。

表 8-5 几何公差的几何特征和符号

公差		几何特征	符号	有或无基准要求	公差		几何特征	符号	有或无基准要求
形状	形状	直线度	—	无	位置	定向	平行度	∥	有
		平面度	▱	无			垂直度	⊥	有
		圆度	○	无			倾斜度	∠	有
		圆柱度	⌭	无		定位	位置度	⌖	有或无
形状或位置	轮廓	线轮廓度	⌒	有或无			同轴（同心）度	◎	有
							对称度	⌯	有
		面轮廓度	⌓	有或无		跳动	圆跳动	↗	有
							全跳动	⌰	有

几何公差代号包括几何公差的特征符号、框格、指引线、公差数值，以及其他有关符号及基准符号，如图 8-45 所示。

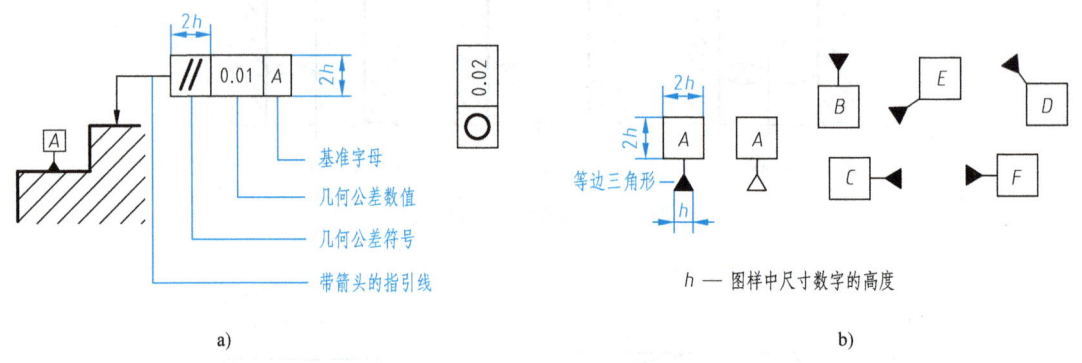

图 8-45 几何公差代号与基准符号
a) 几何公差代号 b) 基准符号

1) 公差框格。公差框格可以划分为两格或多格，其内容、顺序的写法及其画法如图 8-45 所示。框格可以横放也可以竖放。

2) 基准符号。基准只在方向公差、位置公差和跳动公差中出现。基准符号的画法如图 8-45 所示，基准符号中的三角形或涂黑或空白，含义相同，同一图样中只采用一种画法。基准符号中的基准字母采用大写的拉丁字母，且水平书写。

3) 指引线。指引线连接被测要素和框格，引自框格任意一侧，终端有一箭头。箭头指向被测要素的表面或其延长线，箭头的方向一般表示公差带的方向。

2. 几何公差在图样上的标注

(1) 被测要素

1) 当被测要素为轮廓线或轮廓表面时，指引线的箭头应指在该要素的轮廓线或其延长线上（应明显与尺寸线错开），如图 8-46a 所示；箭头也可指向引出线的水平线，引出线引自被测面，如图 8-46c 所示。

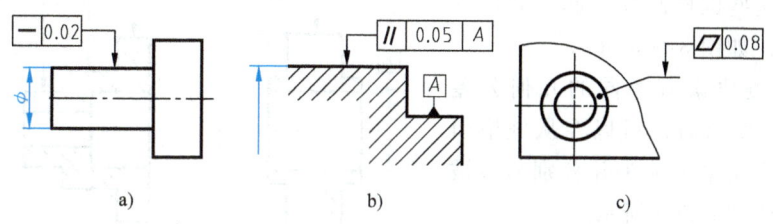

图 8-46 被测要素标注（一）

2）当被测要素为中心线、中心平面或中心点时，指引线的箭头应与该要素的尺寸线对齐，如图 8-47 所示。

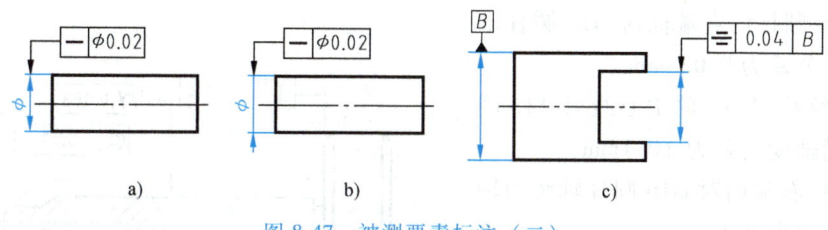

图 8-47 被测要素标注（二）

（2）基准

1）当基准要素为轮廓线或轮廓面时，基准符号的三角形应放置在该轮廓线或其延长线上，并明显与尺寸线错开，如图 8-48a 所示；也可放置在其引出线的水平线上，如图 8-48b 所示。

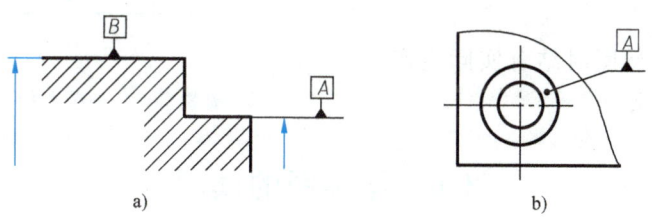

图 8-48 基准符号与尺寸线错开

2）当基准要素为轴线、中心平面或中心点时，基准符号应放置在该要素尺寸线的延长线上，与尺寸线对齐，如图 8-49a 所示；如果没有足够的位置放置基准要素尺寸的箭头，则可用基准符号的三角形代替其中一个箭头，如图 8-49 所示的基准 B。

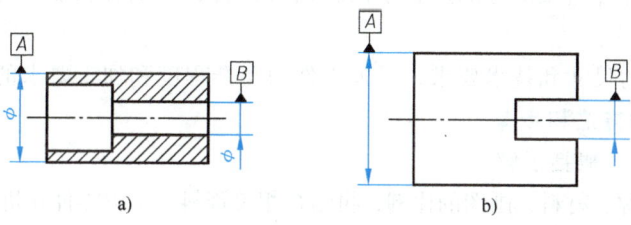

图 8-49 基准符号标注

（3）其他注意事项

当同一个被测要素有多项几何公差要求时，可以将这些框格画在一起，共用一根指引线箭头，如图 8-50a 所示。

若多个被测要素有相同的几何公差（单项或多项）要求时，可以从框格引出的指引线上绘制多个箭头并分别与各被测要素相连，如图 8-50b 所示。

3. 几何公差标注示例

根据下列文字描述，在图 8-51 中标注几何公差。

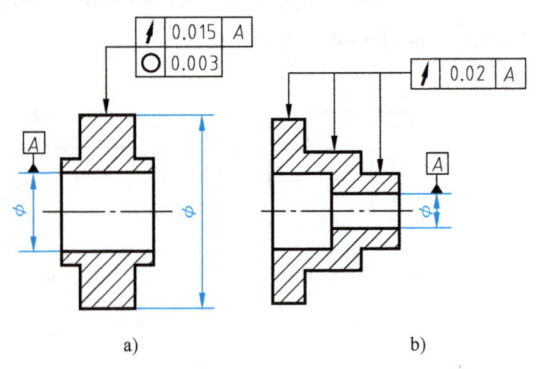

图 8-50　公共指引线

1) $\phi 16$ 圆柱面的圆柱度公差为 0.005mm。

2) $\phi 36$ 圆柱的右端面对 $\phi 16$ 圆柱轴线的垂直度公差为 0.025mm。

3) 螺纹孔 M8×1 的中心线对 $\phi 16$ 圆柱轴线的同轴度公差为 $\phi 0.1$mm。

4) 零件右端面对 $\phi 16$ 圆柱轴线的轴向圆跳动公差为 0.1mm。

★**学习指引**　零件图技术要求中重点掌握表面粗糙度的含义和标注、极限与配合的相关计算、几何公差的含义和标注。结合零件图理解图中技术要求的含义。

★**关键点拨**　看图时结合实际生产分析技术要求的含义。

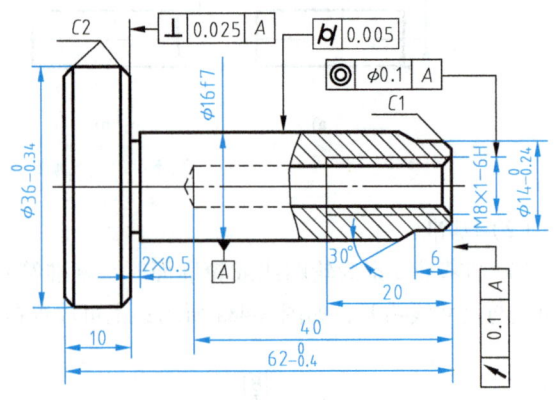

图 8-51　几何公差标注示例

8.6　零件图的读图

在零件的生产加工、技术改造中，都需要读零件图。因此，正确、熟练地识读零件图是技术工人和工程技术人员必须掌握的基本技能之一。

1. 读零件图的目的

1) 了解零件的名称和材料，以及它在机器或部件中的用途。

2) 想象出零件各组成部分的形状结构和相对位置，从而在头脑中建立起一个完整而具体的零件形象。

3) 分析零件的尺寸和技术要求，了解零件的复杂程度和加工要求的高低。

2. 读零件图的方法和步骤

（1）读标题栏，概括了解

了解零件的名称、材料、画图的比例，再结合相关资料，了解零件在机器或部件中的作用。

（2）分析视图，想象结构形状

看图想象结构的基本方法仍然是形体分析法和线面分析法。对于比较复杂的零件，首先根据主、俯、左视图，运用形体分析法，把零件的每一组成部分逐一想象出来，按先主后次、先整体后细节、先外后内、先易后难的步骤进行，必要时运用线面分析法分析难点问题。看视图时，几个视图要结合起来看，同时兼顾零件的尺寸和功用，以便帮助想象零件的形状。看视图的具体步骤如下：

1）明确视图数量。
2）找主视图，分析主视图的选择原则、表达方法及目的。
3）分析其他视图所采用的表达方法和表达目的。

（3）分析尺寸

1）分析尺寸基准，根据物体的结构特点和基准的几何形式，找出零件长、宽、高三个方向上的主要基准和辅助基准。
2）了解零件各部分的定形尺寸、定位尺寸和零件的总体尺寸，弄清零件的主要尺寸。

（4）看技术要求

分析尺寸公差和几何公差的含义，分析表面结构要求，符号的含义，以及其他技术要求，弄清加工表面的尺寸要求和精度要求。

（5）综合考虑

综合前面的分析，把视图、尺寸和技术要求等信息全面、系统地联系起来，并参阅相关资料，对零件的整体结构、尺寸大小、技术要求及零件的作用有全面的认识。

必须指出，在看零件图的过程中，上述步骤不是孤立进行，往往是交叉进行的，应根据情况灵活运用。

3. 读零件图举例

以壳体零件图（图 8-52）为例，说明读零件图的方法和步骤。

（1）读标题栏，概括了解

从标题栏可知，该零件名称为壳体，属于箱体类零件。其绘图比例为 1∶2，材料 HT200。

（2）分析视图，想象结构形状

壳体的零件图共有四个视图：主视图、俯视图、左视图，以及一个 B 向局部视图。主视图是采用单一剖切平面获得的全剖视图，剖切面为正平面，经过壳体的前后对称面，主要反映壳体内部各种孔（通孔、盲孔、螺纹孔）的结构。俯视图是采用两相互平行的水平剖切面获得的全剖视图 A—A，主要反映零件左边凹槽、底板、顶板下方的 U 形柱及其前方凸台的形状结构。左视图属于基本视图，主要反映壳体前方凸台的高度位置，以及左方螺纹孔和光孔的分布情况，同时为反映顶板上的锪平孔采用了局部剖视图。B 向局部视图主要反映顶板的外形及其内部各孔的分布情况。

将几个视图联系起来看，运用形体分析法，先分析出外形的组成部分：顶板、U 形柱、前方圆柱形凸台、底板，以及左下方 6mm 厚的肋板。然后分析内部结构，将主、俯视图联系起来看，主体结构为中间有 $\phi 48$ 和 $\phi 30$ 的通孔、左边有矩形通槽、2 个 M6 的螺纹孔、左边 $\phi 8$ 孔与竖孔 $\phi 12$ 相贯，同时前方 $\phi 20$、$\phi 12$ 的阶梯孔与竖孔 $\phi 12$ 相贯，右上方有 M6 的螺纹孔。局部结构，底板上有 4 个直径为 $\phi 7$ 的锪平孔；由左视图和 B 向视图可以看出顶板上有 6 个 $\phi 7$ 的锪平孔。

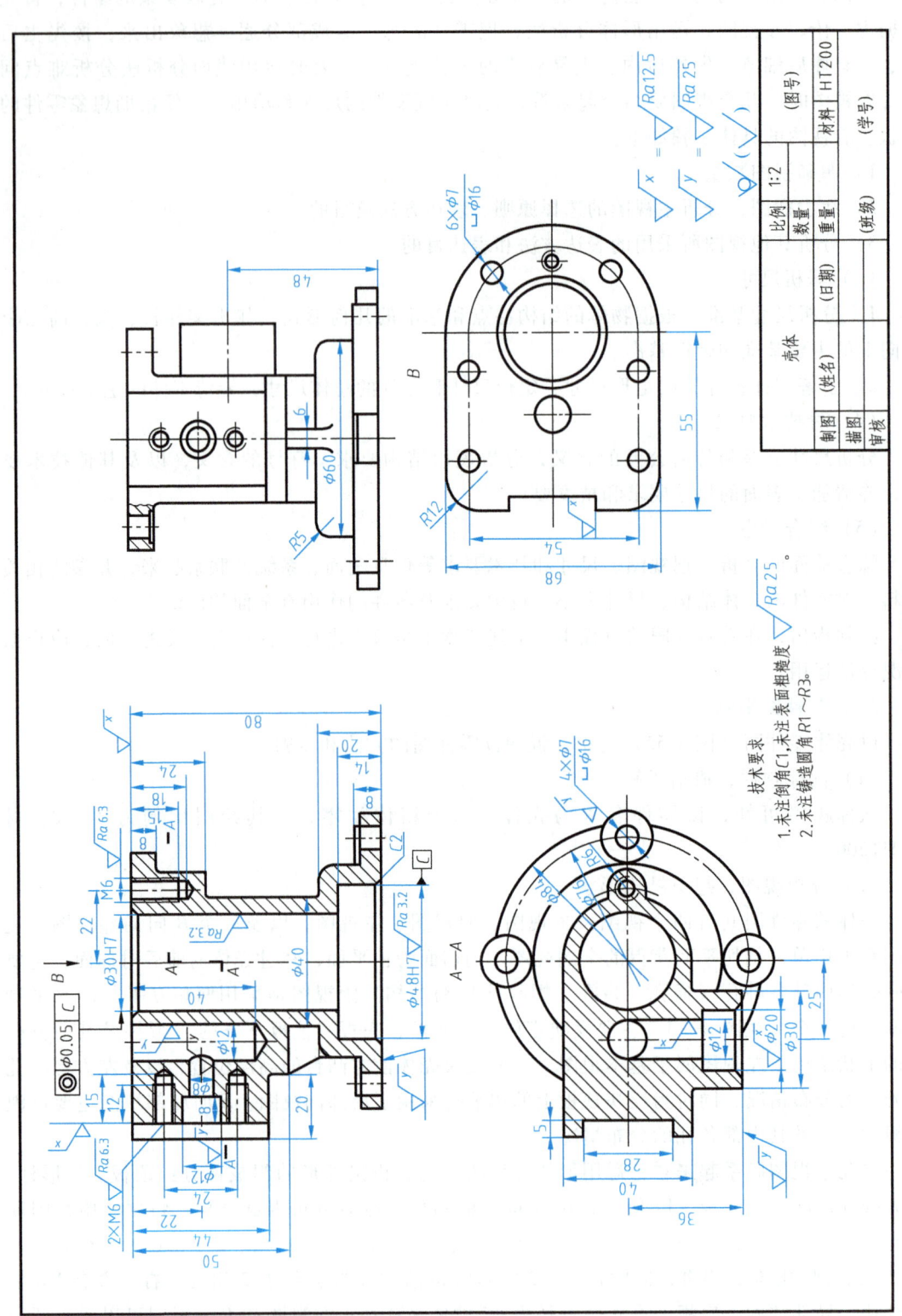

综合以上分析，在头脑中对壳体结构就会有具体的形象，如图 8-53 所示。

(3) 分析尺寸

由壳体的零件图可知，壳体的长度基准为通过壳体主轴线的侧平面，宽度基准为通过壳体主轴线的正平面，高度基准为零件的底面。从基准出发，进一步分析各部分的定形尺寸和定位尺寸。

(4) 分析技术要求

从零件图可以看出 $\phi 30$ 孔和 $\phi 48$ 孔有公差带代号 H7，表面粗糙度 Ra 值均为 3.2μm，说明这两个孔为配合面，加工时要保证。技术要求中对热处理、倒角、未注尺寸公差等也有相应的要求。

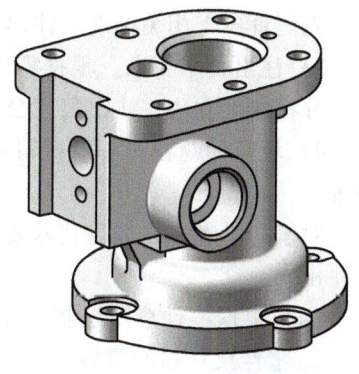

图 8-53　壳体的立体结构

(5) 综合考虑

通过上述分析，综合所有信息，从而对壳体有了较清楚的认识。

★学习指引　零件图的读图是对学生所学制图知识的一个全面检验。在掌握结构分析、尺寸分析、理解技术要求的前提下才能正确而快速地读懂图样。

★关键点拨　读零件图的关键是结构分析，联系尺寸分析视图将有助于更快地看懂结构。

8.7　零件的测绘

对实际零件经目测徒手画出视图，测量并标出尺寸，依据各部分作用提出技术要求完成草图，再根据草图画出零件图的过程，称为零件测绘。在产品设计中，对现有的同类产品进行测绘，作为设计产品的参考资料；在零件损坏、无配件无图样的情况下，画出零件图，作为制造该零件的依据。

1. 零件测绘的方法与步骤

(1) 了解和分析测绘对象

了解零件的名称、用途、材料以及它在机器（或部件）中的位置和作用，对零件进行结构分析和加工方法的分析。

(2) 确定视图表达方案

根据零件结构特点、加工位置或工作位置确定主视图，再依据零件的内外细部结构特点补充必要的其他视图。视图表达方案要求完整、清晰、简明，使零件形状唯一确定。

(3) 徒手绘制草图

徒手绘制草图是指不用绘图仪器和工具，而按目测比例徒手画出的图样。草图应基本做到：图形正确、线型粗细分明、比例匀称、字体工整、图面整洁。草图绘制要求速度快，但不是潦草的图形。结构简单的零件用一般的白纸，结构较复杂的零件草图可用坐标纸或方格纸。

1) 绘制图形。依据选定的表达方案，确定绘图比例，画出各视图作图基准，完成视图绘制。

2) 标注尺寸。视图完成后，通过形体分析和加工顺序，确定尺寸基准，画出所有的尺寸界线和尺寸线。然后依次测量，逐一标注在零件草图上。测量时，选择合适的量具，精确量出主要尺寸和有配合要求的尺寸，而一般结构的尺寸经测量后圆整标出。对于标准化的结构，先测量再查相关标准，注出标准值。

3）注出技术要求。根据零件在机器或部件中的位置和作用，及其与相关零件的装配关系，分析加工方法，注出尺寸公差、几何公差、表面粗糙度和热处理等。

4）填写标题栏。一般填写零件名称、绘图比例、材料，以及绘图者的姓名和完成日期等。

对于初学者，在进行技术要求的注写时，应参考同类产品的装配图和零件图，采用类比法注出。

（4）根据零件草图绘制零件图

2. 零件尺寸的测量方法

当画出所有的尺寸线和尺寸界线后，零件上全部尺寸应集中进行测量，以提高工作效率，避免错误和遗漏。测量零件尺寸时，应根据零件尺寸的精确度选用相应的量具。

（1）常用的测绘量具

常用的量具有钢尺、卡钳、游标卡尺和螺纹规、圆弧规等，如图 8-54 所示。

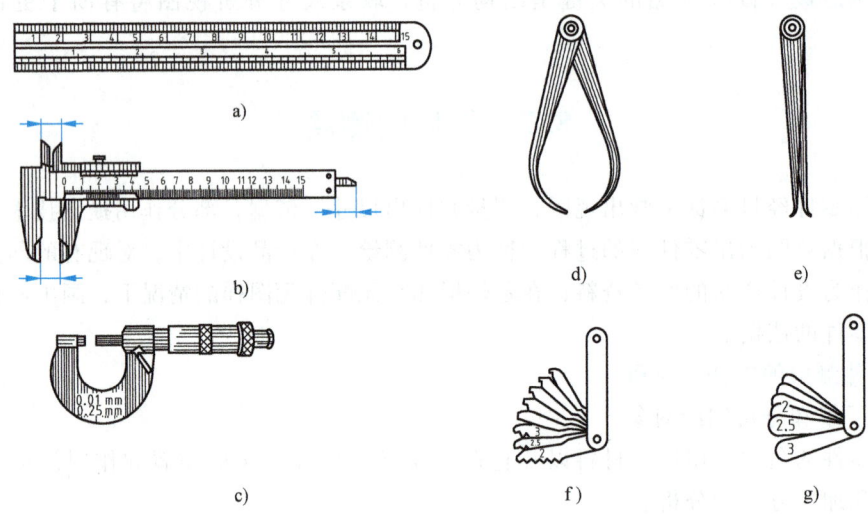

图 8-54　常用测绘工具

a）钢尺　b）游标卡尺　c）千分尺　d）外卡钳
e）内卡钳　f）螺纹规　g）圆弧规

（2）常用测量方法

1）测量直线（图 8-55）。

2）测量回转面直径（图 8-56）。

3）测量壁厚（图 8-57）。

4）测量孔间距（图 8-58）。

（3）螺纹的测绘

螺纹的主要参数有牙型、螺距、大径、线数和旋向。

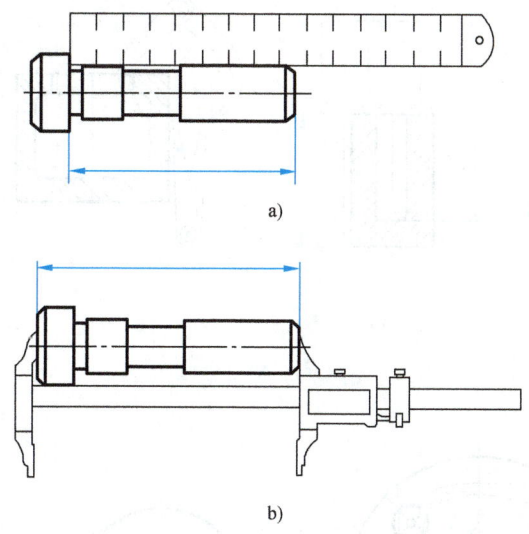

图 8-55 测量直线

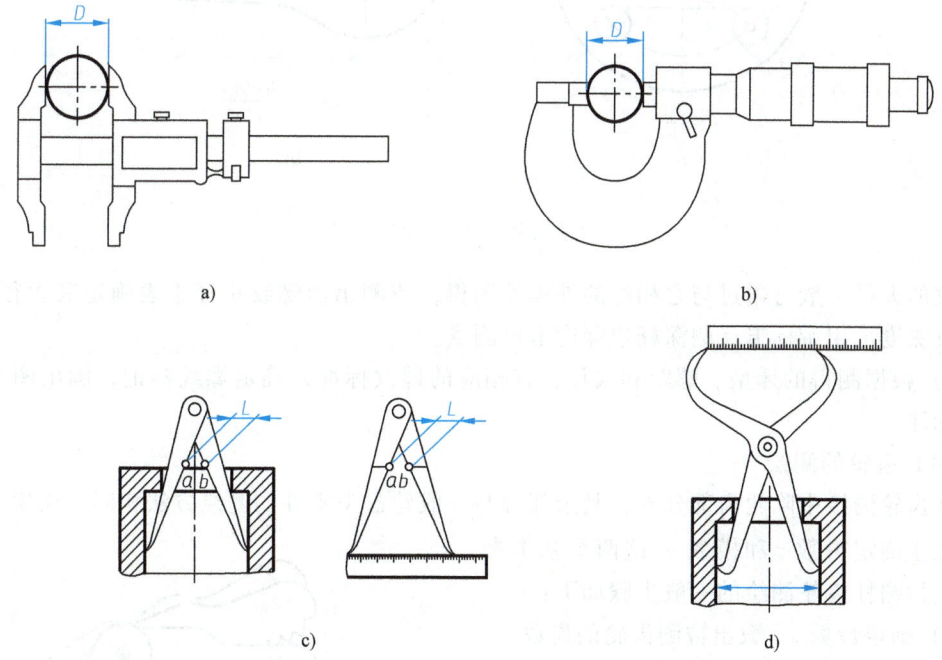

图 8-56 测量回转面直径

1）螺纹的线数和旋向，可目测。

2）传动螺纹的牙型，一般可直观确定，联接螺纹的牙型和螺距，可用螺纹规（60°、55°）测量：选择其中能与被测螺纹吻合的一片，由此确定该螺纹具有与吻合片相同的牙型；该片上的数值，即为所测螺纹的螺距，如图 8-59 所示。螺距也可用直尺测得。

3）确定大径和螺纹长度（或深度）。外螺纹的大径和螺纹长度可用游标卡尺直接测得。

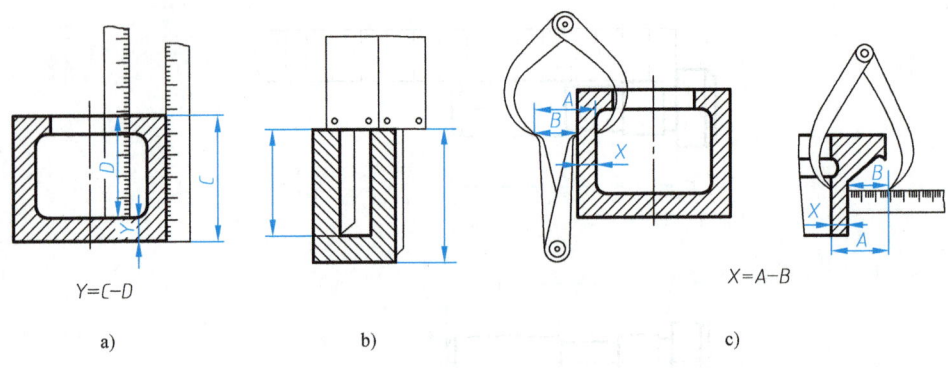

图 8-57 测量壁厚

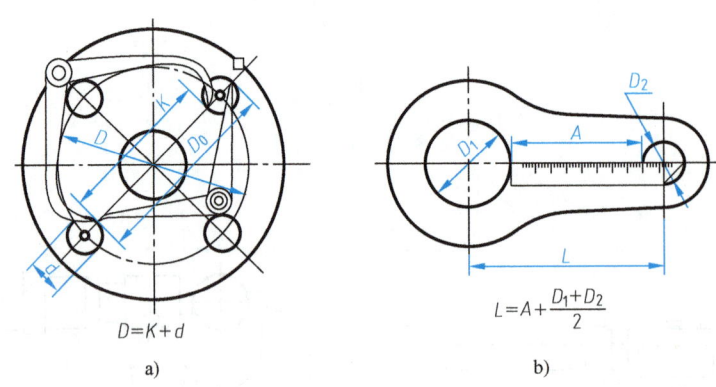

图 8-58 测量孔间距

内螺纹的大径一般可通过与之相配的外螺纹测得，或测出内螺纹小径查表确定其大径尺寸。内螺纹深度可用游标卡尺测深杆或深度卡尺测量。

4）根据测得的牙型、螺距和大径，查相应的螺纹标准，确定螺纹标记，画出图形，并进行标注。

（4）齿轮的测绘

在齿轮测绘中除轮齿部分外，其余部分与一般轮盘类零件的测绘方法相同，而轮齿部分主要在于确定齿数 z 和模数 m 这两个基本参数。直齿圆柱齿轮测绘的一般步骤如下：

1）确定齿数 z：数出被测齿轮的齿数。

2）测量齿顶圆直径 d'_a：当齿轮的齿数是偶数时，可直接量得 d'_a，如图 8-60a 所示；当齿数为奇数时，应通过测出轴孔直径 D 和孔壁至齿顶的径向距离 H，如图 8-60b 所示，然后按公式 $d'_a = D + 2H$ 算出 d'_a。

3）确定模数 m：根据 $d'_a = m(z+2)$ 算出模数 m，并对照模数表选取与其相近的标准

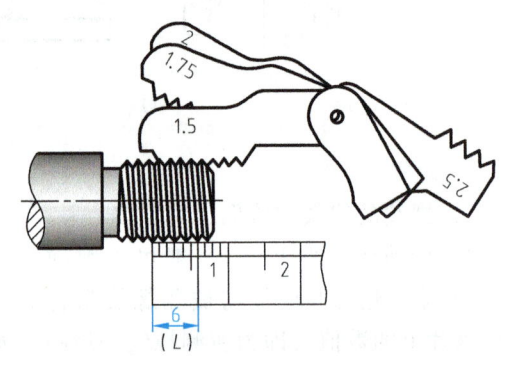

图 8-59 螺距的测量

模数值。

4）计算各公称尺寸：根据确定的标准模数，计算出 h_a、h_f、h、d、d_a、d_f 等公称尺寸（注意，当取标准模数后，应重新核算 d_a，以修正或确认所测之 d'_a 值）。

5）绘制齿轮零件图。

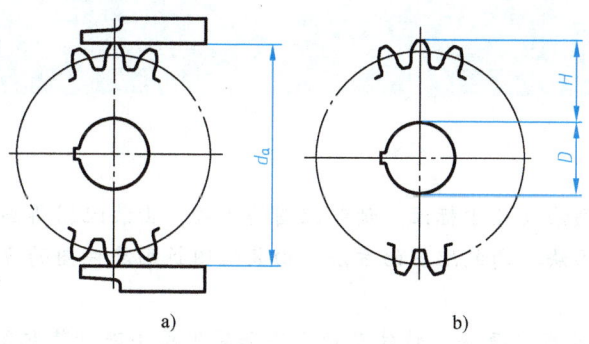

图 8-60 齿顶圆的测量

3. 零件测绘时的注意事项

1）测量尺寸时，应正确选择测量基准，以减小测量误差。零件上磨损部位的尺寸，应参考其配合零件的相关尺寸，或参考有关的技术资料予以确定。

2）零件间相配合结构的公称尺寸必须一致，应精确测量，查阅有关手册，给出恰当的尺寸偏差。

3）零件上的非配合尺寸，如果测得为小数，则应圆整为整数标出。

4）对于零件上的标准结构要素，如螺纹、键槽、轮齿等尺寸，以及与标准件配合或相关联结构（如轴承孔、螺栓孔、销孔等）的尺寸，应把测量结果与标准核对，圆整成标准数值。

5）要重视零件上的一些细小结构，如倒角、圆角、凹坑、凸台和退刀槽、中心孔等。如果是标准结构，在测得尺寸后，应参照相应的标准查出其标准值，注写在图纸上。

6）对于零件制造过程中产生的缺陷（如铸造时产生的缩孔、裂纹，以及该对称的不对称等）和使用过程中造成的磨损、变形等，画草图时应予以纠正。

★学习指引　绘制零件草图时，利用形体分析法将有助于准确而快速地进行图形绘制和尺寸标注。

★关键点拨　零件草图是绘制零件图的重要依据，草图的尺寸是否正确、完整将直接关系到零件图是否能够顺利完成。

第9章

装配图

◆ **本章重难点**

重点：装配图的画法及尺寸标注、读装配图的方法，由装配图拆画零件图的方法。

难点：装配图的画法、读装配图的方法，由装配图拆画零件图的方法。

◆ **能力目标**

1. 能使用装配图的规定画法、特殊表示方法和简化画法进行装配图绘制。
2. 能对装配图进行尺寸标注。
3. 能够进行装配体测绘。

9.1 装配图的作用和内容

装配图是用来表达机器或部件的工作原理、装配关系、结构形状和技术要求的图样。表示一台机器的图样，称为总装配图；表示一个部件的图样，称为部件装配图。

装配图是设计和绘制零件图的主要依据，也是装配生产过程中装配、调试、安装、维修的主要技术文件。

图 9-1 是铣刀头的装配轴测图。铣刀头是安装在铣床上的一个部件，用来安装铣刀盘（图中用细双点画线画出）。当动力通过 V 带轮带动轴转动时，轴带动铣刀盘旋转，对工件进行平面铣削加工。轴通过滚动轴承安装在座体内，底座通过底板上的四个沉孔安装在铣床上。

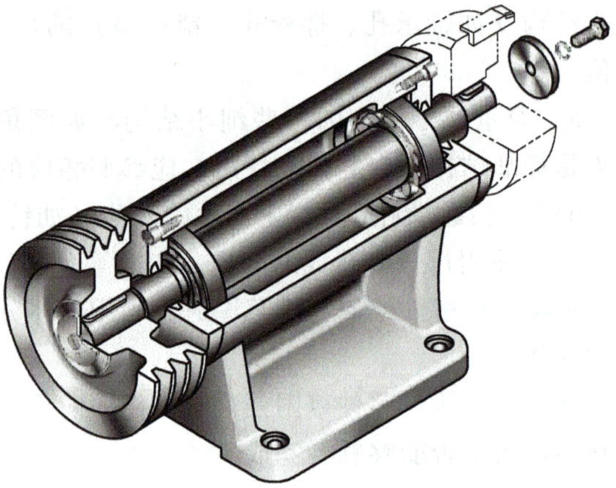

图 9-2 是铣刀头的装配图。由装配图可知，一张完整的装配图具备以下内容：

图 9-1 铣刀头装配轴测图

1. 一组视图

用一组视图表达机器或部件的工作原理、传动路线以及各零件间的相对位置、装配连接关系和主要零件的结构形状。

2. 必要的尺寸

表示机器或部件的性能、规格、外形大小及装配、检验、安装所需要的尺寸。

3. 技术要求

用符号、代号或文字说明机器或部件在装配、检验、调试和使用等方面应达到的技术指

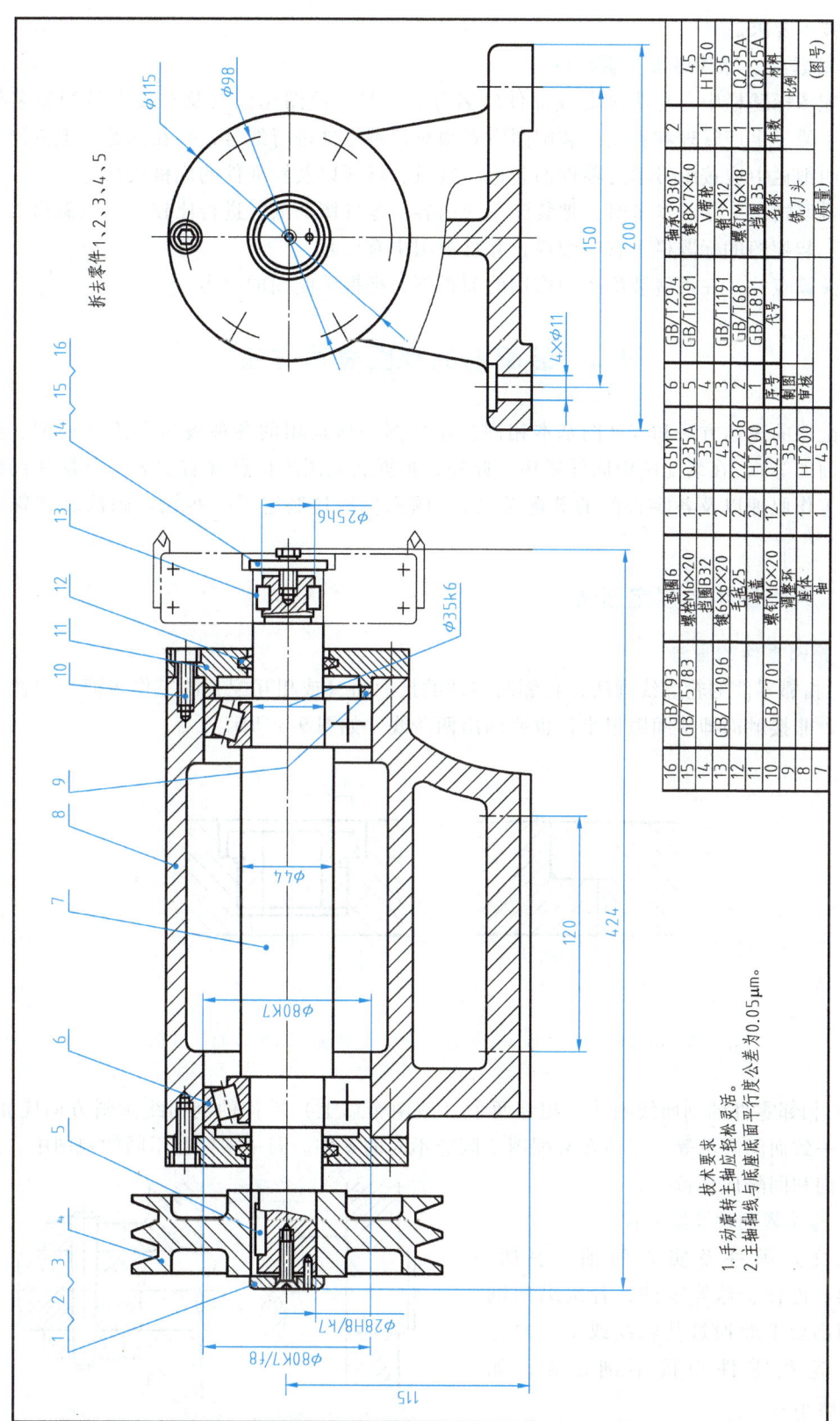

图 9-2 铣刀头装配图

标，即技术要求。

4. 标题栏、零件序号及明细栏

装配图标题栏中，写明机器或部件的名称、图号、绘图比例以及有关人员的签名等内容。为了便于生产管理和看图，装配图中必须对每种零件进行编号，并在标题栏上方绘制明细栏，明细栏中应按编号填写零件的名称、数量、材料以及标准件的规格尺寸等。

★学习指引　学习本节时，把装配图的内容与零件图的内容进行比较，可以看出二者区别在于：装配图的标题栏上有明细栏，并且视图中有序号。

★关键点拨　在理解装配图的作用的前提下，把握装配图的内容。

9.2　装配图的视图表达方法

装配图的表达方法和零件图基本相同，零件图中所运用的各种表达方法（视图、剖视图、断面图等），在装配图中同样适用。此外，根据装配图的特点（着重表达装配体的结构特点、工作原理以及各零件间的装配关系），国家标准还制定了一些规定画法和特殊表达方法。

9.2.1　装配图中的规定画法

1. 相邻零件的画法

1) 相邻零件的轮廓线画法，相邻两零件的接触面（或相互配合的工作表面）只画一条轮廓线，非接触面即使间隙很小，也要画出两条线，如图 9-3 所示。

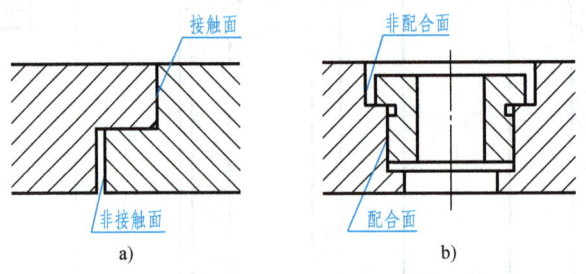

图 9-3　相邻零件接触面（配合面）与非接触面（非配合面）的画法

2) 相邻零件的剖面线画法，相邻两个（或两个以上）零件的剖面线倾斜方向应相反，或方向一致而间隔不等，以便在装配图中区分不同的零件。同一零件在不同的视图中，剖面线的方向和间隔应保持一致。

2. 螺纹紧固件及实心件的画法

螺纹紧固件及实心的轴、手柄、键、销、连杆、球等零件，若按纵向剖切，即剖切平面通过其轴线或基本对称面时，这些零件均按不剖绘制，如图 9-4 所示。

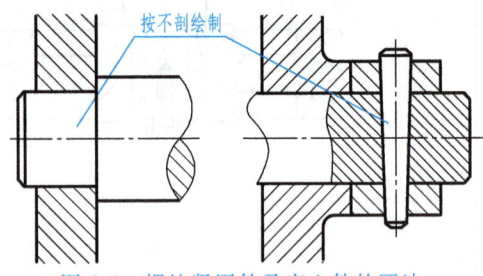

图 9-4　螺纹紧固件及实心件的画法

9.2.2 装配图中特有的表达方法

1. 沿零件结合面剖切和拆卸画法

在装配图中，当某些零件遮住了需要表达的结构和装配关系时，可假想沿着两个零件的结合面剖切，这时，零件的结合面不画线，其他被剖切到的零件则要画剖面线，如图9-5所示。

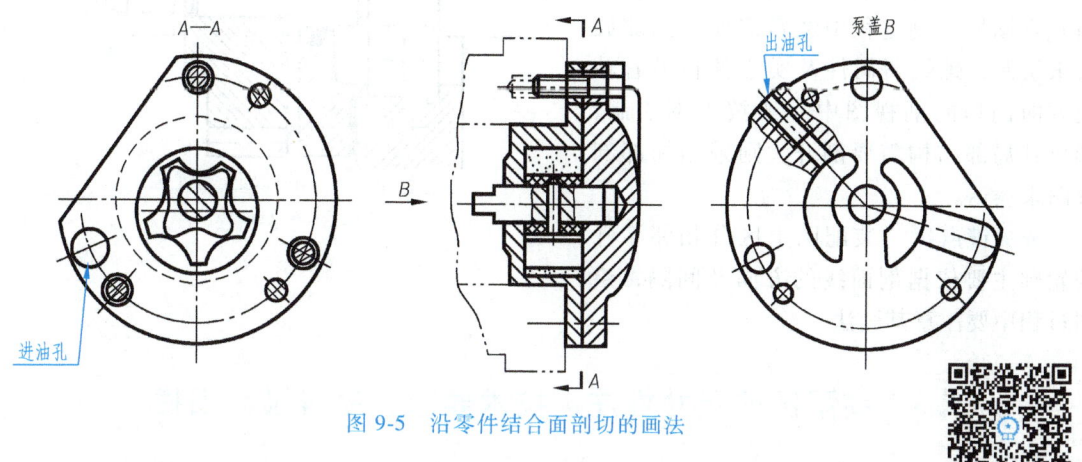

图9-5 沿零件结合面剖切的画法

也可以假想将某一个或几个零件拆卸后绘制，这种画法称为拆卸画法，图9-2中的左视图是拆去螺栓、挡圈、带轮、键、齿轮等零件后绘制的，这种画法需要加注"拆去××"，如"拆去零件1等"。

2. 假想画法

在装配图中，为了表达运动零件的极限位置，或表达与本零、部件有装配关系的其他零、部件，可用细双点画线画出该零、部件的外轮廓。用细双点画线表示手柄的另一个极限位置，如图9-6所示；铣刀头装配图主视图中的铣刀盘，如图9-2所示。

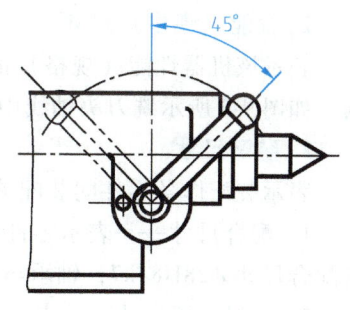

图9-6 假想画法

3. 夸大画法

在装配图中，对于薄片零件（如垫片）或微小间隙，以及较小的斜度和锥度，无法按其实际尺寸画出，或图线密集难以区分时，可采用夸大画法，即将垫片的厚度或零件的间隙不按原比例而夸大画出，如图9-7所示。

4. 单独表达某个零件的画法

在装配图中，可以单独画出某一零件的视图，但必须在所画视图的上方注写该零件的名称，在相应的视图附件用箭头指明投射方向，并注写同样的字母，如图9-5中的泵盖B。

5. 简化画法

1）相同规格的零件组简化画法。对于装配图中的螺栓联接等若干相同零件组，允许详细地画出一组，其余的用细点画线表示出中心位置即可。

2）零件工艺结构的简化画法。在装配图中，零件的工艺结构，如倒角、圆角、退刀槽等，允许省略不画。

3) 组合件的简化画法。在装配图中，当剖切平面通过某些标准产品的组合件（油杯、油标、管接头等）轴线时，允许只画出其外形轮廓。标准件（滚动轴承、螺栓、螺母等）可采用简化或示意画法。

★**学习指引**　非接触表面（非配合表面）在图形绘制过程中经常需要将间隙放大来绘制；螺纹紧固件及实心件在沿着轴线方向剖切的剖视图中一般按不剖绘制，如果其局部结构需要剖开，则采用局部剖视图来表达。

★**关键点拨**　装配图上区分相邻零件的轮廓主要依据剖面线的方向及间隔，绘图过程中要注意其画法。

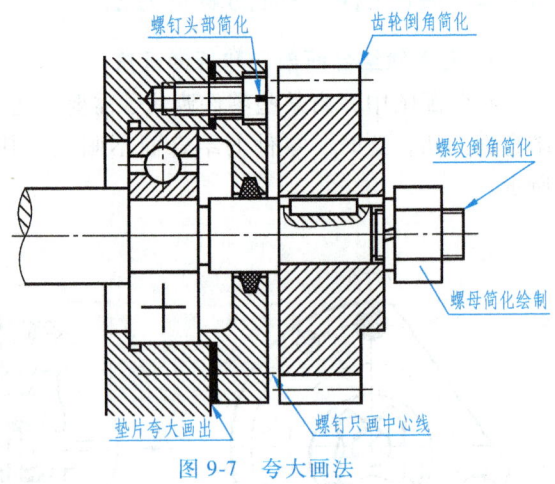

图 9-7　夸大画法

9.3　装配图的尺寸标注、技术要求、序号及明细栏

9.3.1　装配图的尺寸标注

装配图和零件图在生产中的作用不同，因此，在图上标注尺寸的要求也不同。装配图中需要注出一些必要的尺寸，这些尺寸按作用不同，可分为以下几类：

1. 性能（规格）尺寸

表示该机器性能（规格）的尺寸，称为性能（规格）尺寸，它是设计产品时的主要依据。如图 9-2 所示铣刀头轴线中心高度尺寸 115。

2. 装配尺寸

表示装配体各零件间装配关系的尺寸，包括：

1) 配合尺寸——表示零件配合性质的尺寸。如图 9-2 所示铣刀头装配图中 V 带轮与轴的配合尺寸 $\phi28H8/k7$，轴承与座体的配合尺寸 $\phi80K7/f8$ 等。

2) 相对位置尺寸——表示零件间比较重要的相对位置尺寸。如图 9-2 中表示端盖与座体之间螺钉中心位置的尺寸 $\phi98$ 等。

3. 安装尺寸

表示机器或部件安装时所需要的尺寸，称为安装尺寸。如图 9-2 所示铣刀头装配图中座体底板上四个沉孔的中心距 155、150 和安装孔 $4\times\phi11$ 等。

4. 外形尺寸

表示机器或部件外形轮廓的尺寸，即总长、总宽和总高，为包装、运输、安装时所需要的空间大小提供依据。如图 9-2 所示铣刀头装配图中总长 424、总宽 200。

5. 其他重要尺寸

其他重要尺寸是指根据装配体的特点和需要，必须标注的尺寸。如经过计算的重要设计尺寸、重要零件间的定位尺寸、运动零件的极限位置尺寸等。

装配图上的尺寸要根据情况具体分析，上述五类尺寸并不是每一张装配图都必须标注的，有时，同一尺寸具有几种含义。

9.3.2 技术要求

技术要求是指用文字或符号说明装配体在装配、安装、调试等方面应达到的技术指标。装配图上的技术要求，一般包括以下几方面内容：

1）装配体装配后应达到的性能要求。

2）装配体在装配过程中应注意的事项及特殊加工要求。例如，有的表面需装配后加工，有的孔则需要将有关零件装好后配作等。

3）有关机器检验、试验方面的要求。

4）使用要求，如对装配体的维护、保养方面的要求及操作使用时应注意的事项等。

技术要求一般注写在明细表的上方或图纸下部空白处，如果内容很多，也可另外编写成技术文件作为图纸的附件。

上述内容不是在每一张图上都要注全，而是根据装配体的需要来确定。

9.3.3 装配图的零件序号和明细栏

为了便于看图和管理图样，装配图中必须对每种零件进行编号，并根据零件编号绘制相应的明细栏。

1. 零件序号

1）装配图中的所有零件，均应按顺序编写序号，相同的零件只编一个序号。

2）零件序号应标注在视图周围，按顺时针或逆时针方向顺序编号，并沿水平或竖直方向排列整齐，如图9-2所示。

3）零件序号应填写在指引线一端的横线上（或圆圈内），指引线的另一端应自所指零件的可见轮廓线内引出，并在末端画一圆点，如图9-8a所示；若所指部分内不宜画圆点（零件很薄或涂黑的剖面）时，可在指引线一端画箭头指向该部分的轮廓，如图9-8b所示。

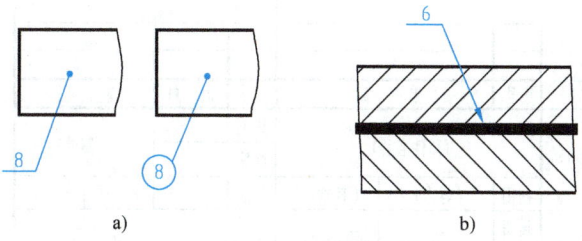

图9-8 单个指引线的画法

4）序号的字号应比图中尺寸数字大一号或大两号。

5）一组紧固件或装配关系明显的零件组，可采用公共指引线，如图9-9所示。

2. 明细栏

标题栏格式按国家标准GB/T 10609.1—2008的规定绘制，明细栏则按国家标准GB/T 10609.2—2009的规定绘制，如图9-10a所示。学生用简化明细栏可按图9-10b绘制。

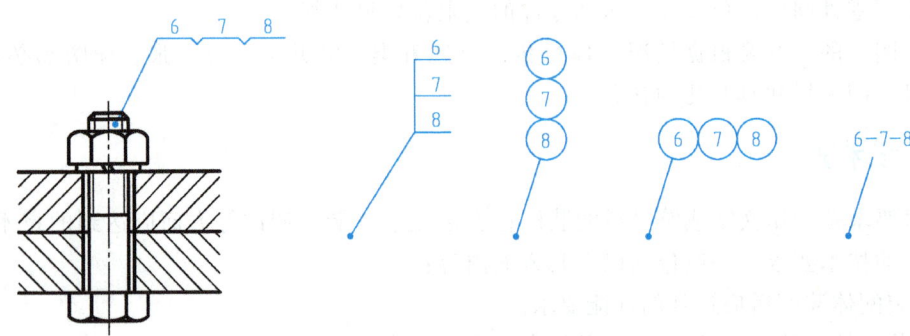

图 9-9 公共指引线的画法

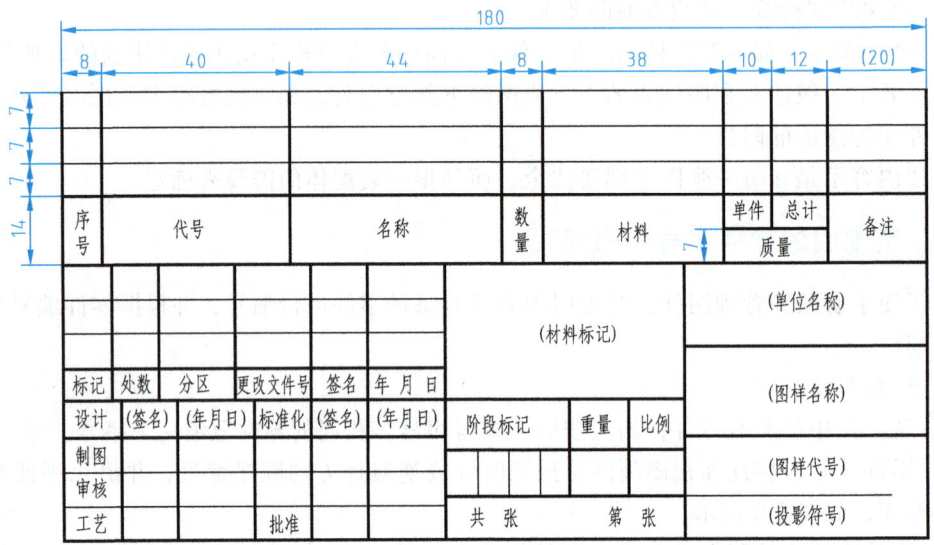

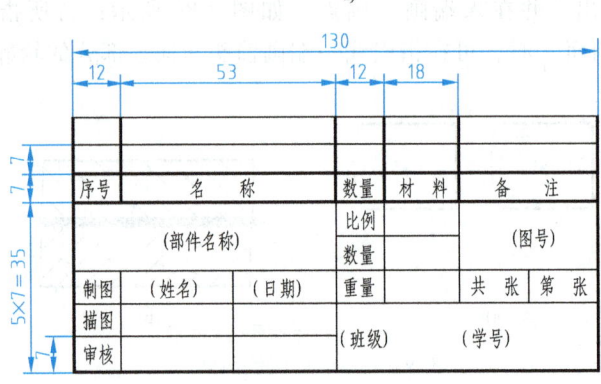

b)

图 9-10 装配图明细栏的画法
a）装配图标题栏和明细栏格式　b）简化的装配图明细栏格式

1）明细栏一般配置在装配图标题栏上方，按由下而上的顺序填写。当由下而上延伸位置不够时，可紧靠标题栏的左边自下而上延续，如图 9-2 所示。当装配图中的零、部件较多，位置不够时，可将明细栏作为装配图的续页，按 A4 幅面单独绘制，填写顺序由上而下延伸，若一页不够，可连续加页，但应在明细栏下方配置标题栏。

2）明细栏和标题栏的分界线是粗实线，明细栏的外框线和内部竖线是粗实线，明细栏的横线是细实线（包括最上方的横线）。

3）明细栏中的序号应与装配图上的零件编号一致。

4）标准件的规格需要写在标准件名称的后面，其标准编号要写入代号一栏，在简化明细栏中标准编号写入备注栏。

★学习指引　多看各类装配图，强化对装配图中尺寸类型的理解。

★关键点拨　装配图的尺寸类型不同于零件图的尺寸，标注尺寸时按需要进行标注；编写序号时，应先在视图中按一定的顺序给各零件编号，然后再将序号填入明细栏内。

9.4 常见装配工艺结构

在设计和绘制装配图的过程中，应考虑到装配结构的合理性，以保证机器和部件的性能要求，使连接可靠，便于拆装。

9.4.1 装配工艺结构

1. 接触面的数量

为了避免装配时不同的表面互相发生干涉，两零件之间在同一个方向上，应只有一个接触面和配合面，否则会给加工和装配带来困难，如图 9-11 所示。

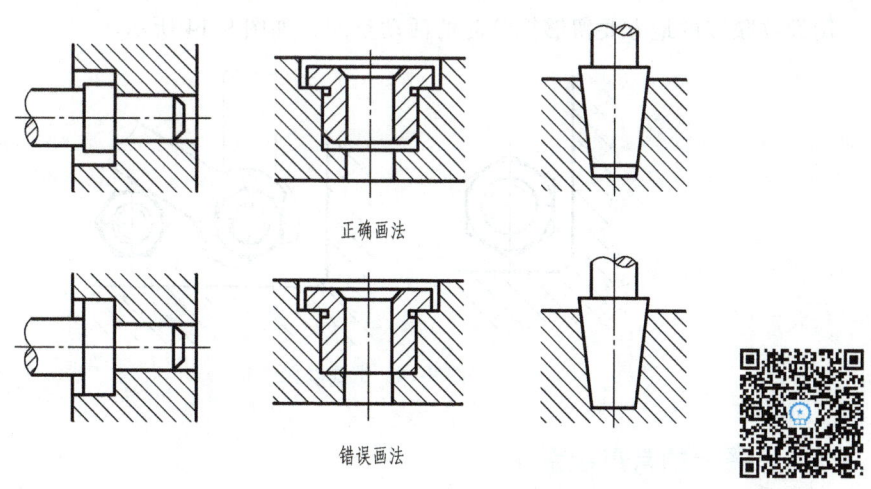

图 9-11　接触面的数量

2. 孔与轴的配合

为了保证轴肩端面与孔端面接触，应在两接触面的交角处（孔或轴的根部）加工出退刀槽，倒角或不同大小的倒圆，以保证两个方向的接触面接触均良好，确保装配精度，如图 9-12 所示。

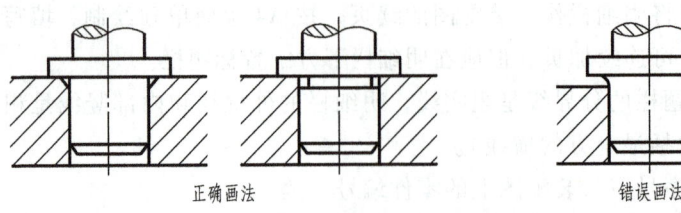

图 9-12　孔与轴的配合

3. 结构的拆装要求

零件的结构设计要考虑维修时拆卸方便，如图 9-13 所示。

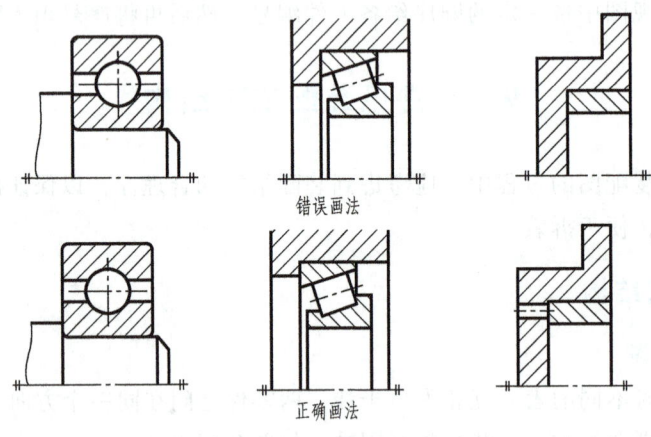

图 9-13　结构的拆卸

用螺纹联接的地方要留够拆装时的活动空间，如图 9-14 所示。

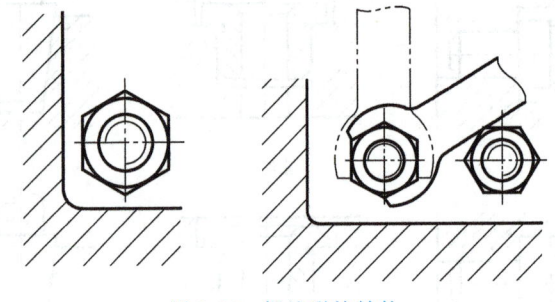

图 9-14　螺纹联接结构

9.4.2　机器上的常见装置

1. 螺纹防松装置

为了防止机器或部件中的紧固件由于冲击或振动而产生松动现象，在某些装置中需采用防松装置，如图 9-15 所示。

2. 密封装置

为了防止灰尘、杂屑等进入轴承，并防止润滑油的外溢以及阀门或管路中的气、液体的泄漏，通常要采用适当的密封装置，如图 9-16 所示。

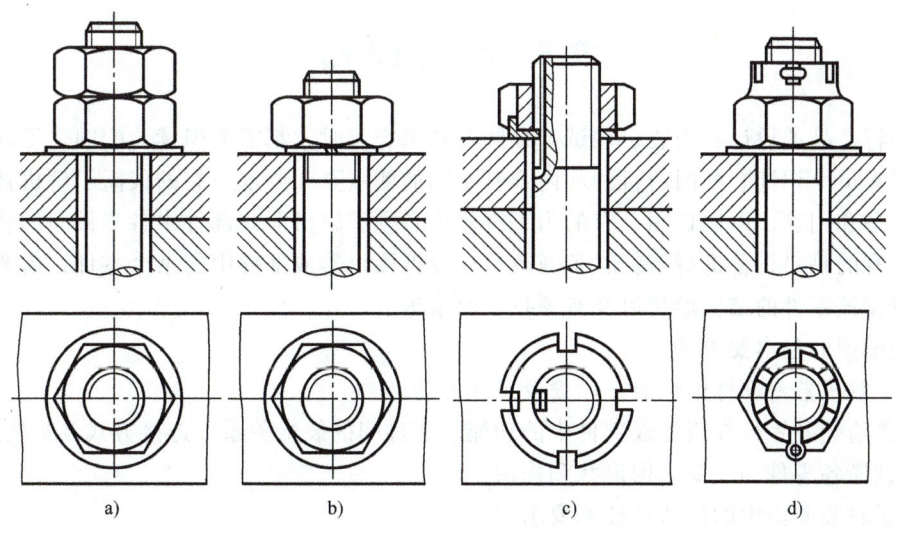

图 9-15 防松结构

a）双螺母防松　b）弹簧垫圈防松　c）止动垫圈防松　d）开口销防松

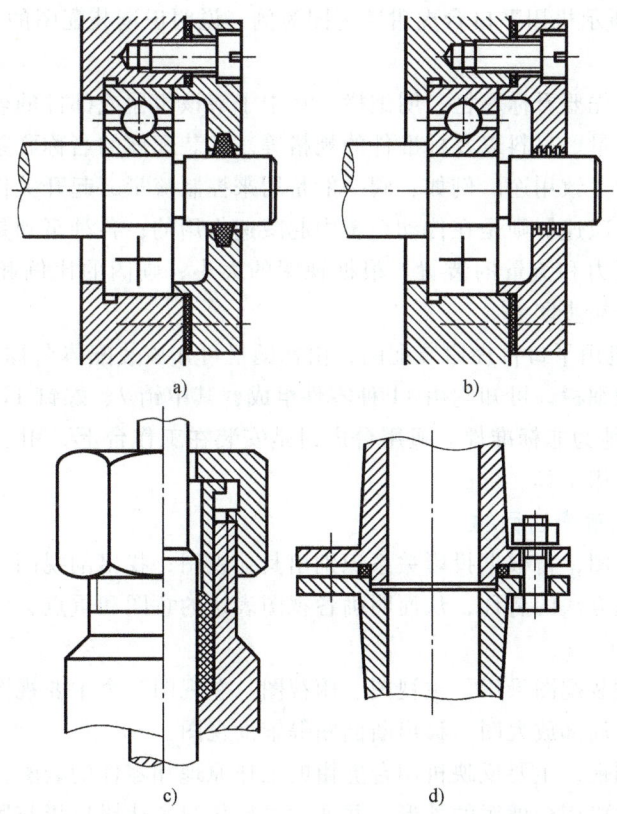

图 9-16 密封结构

a）毡圈密封　b）间隙密封　c）填料箱密封　d）密封圈密封

★**学习指引**　仔细分析零件之间的装配，了解常见的装配工艺结构。

★**关键点拨**　通过视图正误对照把握装配工艺结构。

9.5 读装配图

在进行产品的设计、安装、调试、维修及技术交流时，都需要识读装配图。不同工作岗位的技术人员，识读装配图的目的和内容有不同的侧重点和要求。有的仅需了解机器或部件的工作原理和用途，以便选用；有的为了维修而必须了解机器或部件中各零件间的装配和联接关系；有的是对设备进行修复、革新改造，要拆画机器或部件中的某个零件，需要进一步分析并看懂该零件的结构形状以及有关技术要求等。

读装配图的基本要求是：
1) 了解机器或部件的性能、用途及工作原理。
2) 弄清楚各零件在机器或部件中的功能、零件间的装配关系、连接方式及拆装顺序。
3) 读懂各零件的主要结构形状和作用。
4) 了解装配图中的尺寸及技术要求。

9.5.1 读装配图的方法和步骤

下面以图 9-17 所示机用平口台虎钳装配图为例，说明识读装配图的方法和步骤。

1. 概括了解

读装配图时，首先要看标题栏、明细栏，从中了解该机器或部件的名称，组成该机器或部件的零件名称、数量、材料以及标准件的规格等。从装配体的名称联系生产实践知识，往往可以知道装配体的大致用途。例如：阀一般是用来控制流量，起开关作用的；台虎钳一般是用来夹持工件的；减速器则是在传动系统中起减速作用的；各种泵则是在气压、液压或润滑系统中产生一定压力和流量的装置。根据视图的大小，画图的比例和装配体的外形尺寸等，对装配体有一个初步印象。

图 9-17 所示是机用平口台虎钳装配图，由标题栏可知该装配体名称为机用平口台虎钳，对照图上的序号和明细栏，可知它由 11 种零件组成，其中销 7、螺钉 11 是标准件（明细栏中有标准编号），其他为非标准件。机用台虎钳是安装在工作台上，用于夹紧工件，以便进行切削加工的一种通用工具。

2. 分析视图，明确表达目的

首先要找到主视图，再根据投影关系识别出其他视图；找出剖视图、断面图所对应的剖切位置，识别出表达方法的名称，从而明确各视图表达的意图和重点，为下一步深入看图做准备。

机用平口台虎钳装配图采用了主视图、俯视图、左视图三个主要视图，并采用了单独表达某个零件的画法、局部放大图、移出断面图等辅助视图。

主视图采用全剖视，主要反映机用台虎钳的工作原理和零件的装配关系。

俯视图主要表达机用台虎钳的外形，并通过局部剖视表达钳口板与固定钳身联接的局部结构。

左视图采用 B—B 半剖视，表达固定钳身 2、活动钳身 5 和螺母 10 三个零件之间的装配关系。

件 3 的 A 向视图表达了钳口板 3 的形状。

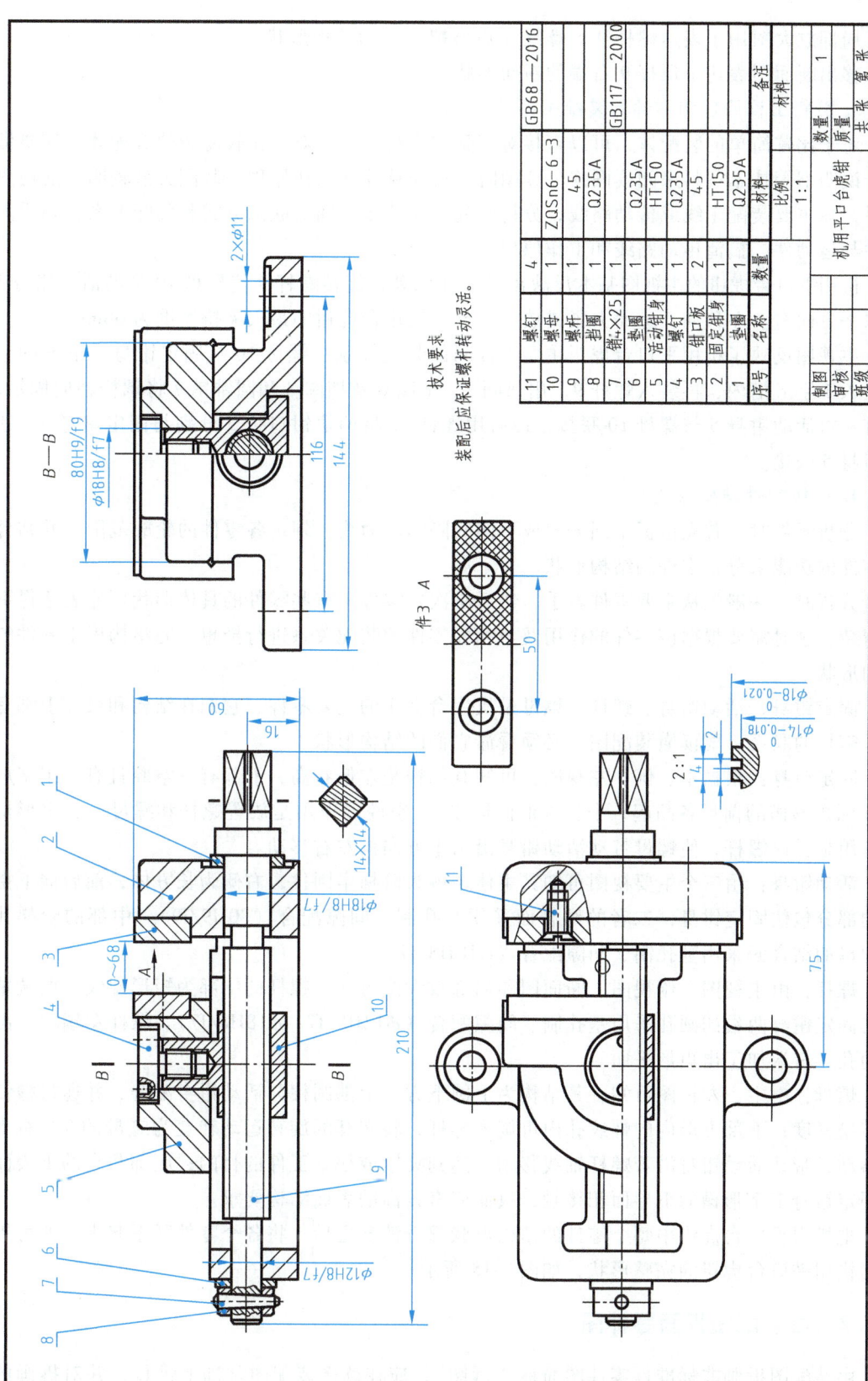

图 9-17 机用平口台虎钳装配图

局部放大图用于表达螺杆 9 上螺纹（矩形螺纹）的结构形状。

移出断面图表达了螺杆 9 右端的断面形状。

3. 分析工作原理和零件的装配关系

对于比较简单的装配体，可以直接对装配图进行分析。对于比较复杂的装配体，需要借助于说明书等技术资料来阅读图样。读图时，可先从反映工作原理，装配关系较明显的视图入手，抓主要装配干线或传动路线，分析研究各相关零件间的联系方式和装配关系，判明固定件与运动件，搞清传动路线和工作原理。

机用平口台虎钳的主视图基本反映出其工作原理：旋转螺杆 9 使螺母 10 带动活动钳身 5 在水平方向右、左移动，进而夹紧或放松工件。机用台虎钳的最大夹持厚度为 68mm。

主视图反映了机用平口台虎钳主要零件间的装配关系：螺母 10 从固定钳身 2 下方的空腔装入工字形槽内，再装入螺杆 9，用垫圈 1、垫圈 6 及挡圈 8 和圆锥销 7 将螺杆轴向固定；螺钉 4 将活动钳身 5 与螺母 10 联接，最后用螺钉 11 将两块钳口板 3 分别与固定钳身 2、活动钳身 5 联接。

4. 分析零件结构形状

分析零件时，首先依据不同方向或不同间隔的剖面线，划定各零件的轮廓范围，并结合该零件的功能来分析零件的结构形状。

分析时，一般先从主要零件着手，然后是次要零件。有些零件的具体形状可能表达得不够清楚，这时需要根据该零件的作用及与相邻零件的装配关系进行推想，完整构思出零件的结构形状。

固定钳身、活动钳身、螺杆、螺母是机用台虎钳的主要零件，它们在结构和尺寸上都有非常密切的联系，要读懂装配图，必须看懂它们的结构形状。

固定钳身：根据主、俯、左视图，可知其结构是左低右高，下部有一空腔且有一工字形槽（因矩形槽的前后各凸起一个长方形而形成）。空腔的作用是放置螺杆和螺母，工字形槽的作用是支撑螺杆，使螺母带动活动钳身沿水平方向作左右移动。

活动钳身：由三个主要视图可知其主体左侧为阶梯半圆柱，右侧为长方体，前后向下探出的部分包住固定钳身，二者的结合面采用基孔制、间隙配合（80H9/f9）。中部的阶梯孔与螺母的结合面采用基孔制、间隙配合（ϕ18H8/f7）。

螺杆：由主视图、俯视图、断面图和局部放大图可知，螺杆的中部为矩形螺纹，两端轴径与固定钳身两端的圆孔采用基孔制、间隙配合（ϕ12H8/f7、ϕ18H8/f7）。螺杆左端加工出锥销孔，右端加工出矩形平面。

螺母：由主、左视图可知，其结构为上圆下方，上部圆柱与活动钳身配合，并通过螺钉调节松紧度；下部方形内的螺纹孔内可旋入螺杆，将螺杆的旋转运动转变为螺母的左、右水平移动，带动活动钳身沿着螺杆轴线移动，达到夹紧或松开工件的目的；底部凸台的上表面与固定钳身工字形槽的下导面相接触，故而应有较高的表面结构要求。

把机用平口台虎钳中每个零件的结构形状都看清楚之后，将各个零件联系起来，便可想象出机用平口台虎钳的完整形状，如图 9-18 所示。

9.5.2 由装配图拆画零件图

由装配图拆画非标准件零件图简称"拆图"，应在读懂装配图基础上进行，并对拆画的零件结构形状作进一步分析。

分析零件的关键是将零件从装配图中分离出来，再通过对投影、想形体，弄清楚该零件的结构形状，并使尺寸、配合性质和技术要求等协调一致。

下面以固定钳身2为例，介绍拆画零件图的方法。

1. 分离零件

由装配图分离零件，主要有下列几种方法：

1）根据零件序号和明细栏，找到要分离零件的序号、名称，再根据序号指引线所指的部件，找到该零件在装配图中的位置。如固定钳身是2号零件，从序号指引线起始端的圆点，可找到固定钳身的位置和大致轮廓范围。

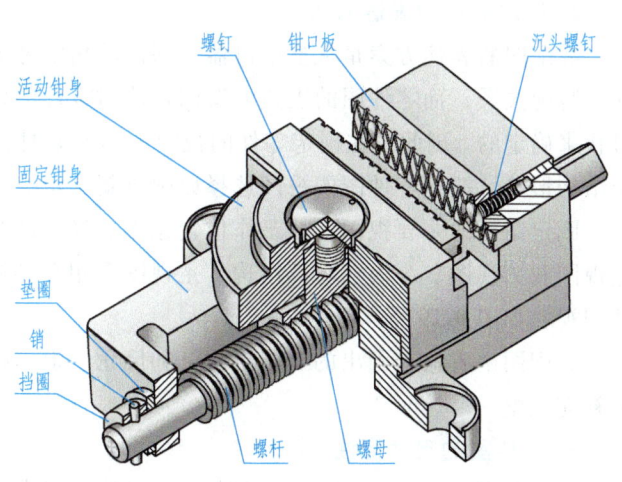

图 9-18 机用平口台虎钳轴测图

2）根据同一零件在剖视图中剖面线方向一致、间隔相等的规定，把所有分离的零件从有关的视图中区分出来。如果要分离的零件较复杂，而其他零件相对较简单，也可采用排除法，即先在装配图上将其他零件一一去掉，留下的就是要分离的零件。

先在机用平口台虎钳装配图上去掉螺杆装配线上的销、挡圈、垫圈、螺杆等（将被遮挡的图线补齐），然后去掉螺钉、钳口板、螺母，最后去掉活动钳身，余下即为固定钳身。根据零件各视图之间的投影关系，进行投影分析，进一步确定固定钳身的结构形状，如图 9-19 所示。

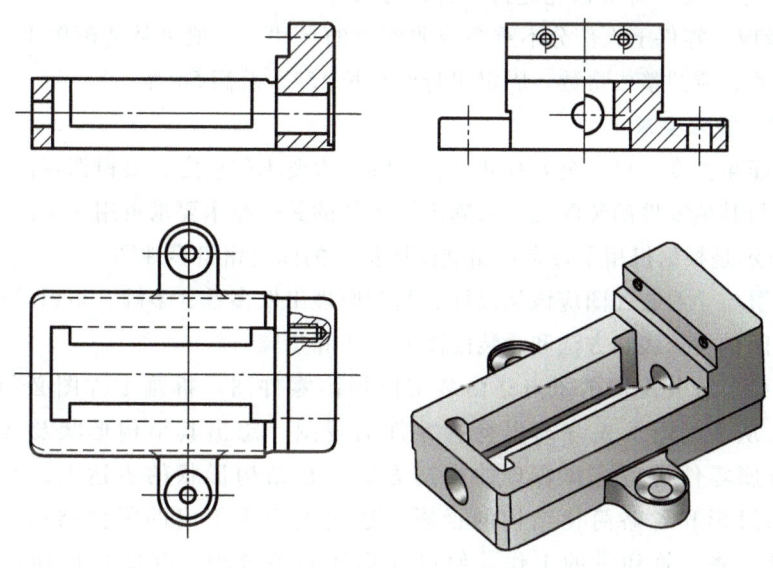

图 9-19 拆去其他零件后的固定钳身

2. 确定零件的表达方案

装配图的表达方案是从整个机器或部件的角度考虑的，重点是表达机器或部件的工作原理和装配关系，而零件图的表达方案则是从对零件的设计和工艺要求出发，根据零件的结构形状来确定的。因此，在确定零件的视图表达方案时，不能简单照搬装配图，而应根据零件的结构形状，按照零件图的视图选择原则重新选定。

固定钳身的主要视图应按工作位置原则选择，即与装配图一致。根据其结构形状，增加左视图和俯视图。为表达内部结构，主视图采用全剖视，左视图采用半剖视，俯视图采用局部剖视，如图 9-19 所示。

装配图中省略未画出的工艺结构，如倒角、退刀槽等，在拆画零件图时应按标准结构要素补充完整。

3. 零件图的尺寸标注

在零件图上正确、完整、清楚、合理地标注尺寸，是拆画零件图的一项重要内容。应根据零件在装配体中的作用，从零件设计、加工工艺等方面来选择尺寸基准。先确定长、宽、高三个方向的主要基准，再根据加工和测量的需要，适当选择一些辅助基准。装配图上的尺寸很少，零件图上必须将缺少的尺寸补全。确定零件图尺寸的方法有以下几种：

1）**直接移注** 对于装配图上已标注的尺寸和明细栏中注写的零件规格尺寸，可直接移注。如图 9-17 中固定钳身底部安装孔的尺寸 2×φ11，安装孔定位尺寸 116，左右孔的直径 φ12H8、φ18H8 等。

2）**查表确定** 对于零件上的标准结构，如螺栓通孔、倒角、退刀槽、键槽、沉孔等，可查有关标准确定。如图 9-17 中的沉孔尺寸及螺纹孔尺寸，需查表后确定。

3）**计算确定** 零件上比较重要的尺寸，可通过计算确定。如在拆画齿轮零件图时，需根据齿轮参数 z、m 等，计算齿轮轮齿的各部分尺寸。

4）**直接量取** 零件上大部分不重要或非配合的尺寸，一般可从装配图上按比例直接量取，量取的尺寸，应圆整成整数。固定钳身的总长 154、总高 58 等。

4. 零件图的技术要求

零件的表面粗糙度、尺寸公差和几何公差等技术要求的确定，要根据零件在装配体中的功能及该零件与其他零件的装配关系来确定。零件的其他技术要求可用文字注写在标题栏附近。图 9-20 所示是根据机用平口台虎钳装配图拆画的固定钳身零件图。

★**学习指引** 学习装配图应该从设计、装配原理出发多看、多画、多想。最重要的是理解、掌握装配图的特殊表达方法和看装配图的方法和步骤。

★**关键点拨** 看装配图的重点是由装配图拆画零件图。拆画零件图必须在看懂装配图的基础上。从装配图上先分离出待拆零件的视图，想出其结构形状及其在机器中的作用；再按所属零件类型选择合理的表达方案。在结构形状的表达上，必须添补上被遮盖的结构的投影和省略简化结构的投影，还要确定未给出的零件结构。在尺寸标注上，要做好抄、查、算和量的工作，使尺寸标注完整合理，并能根据功能确定其技术要求。

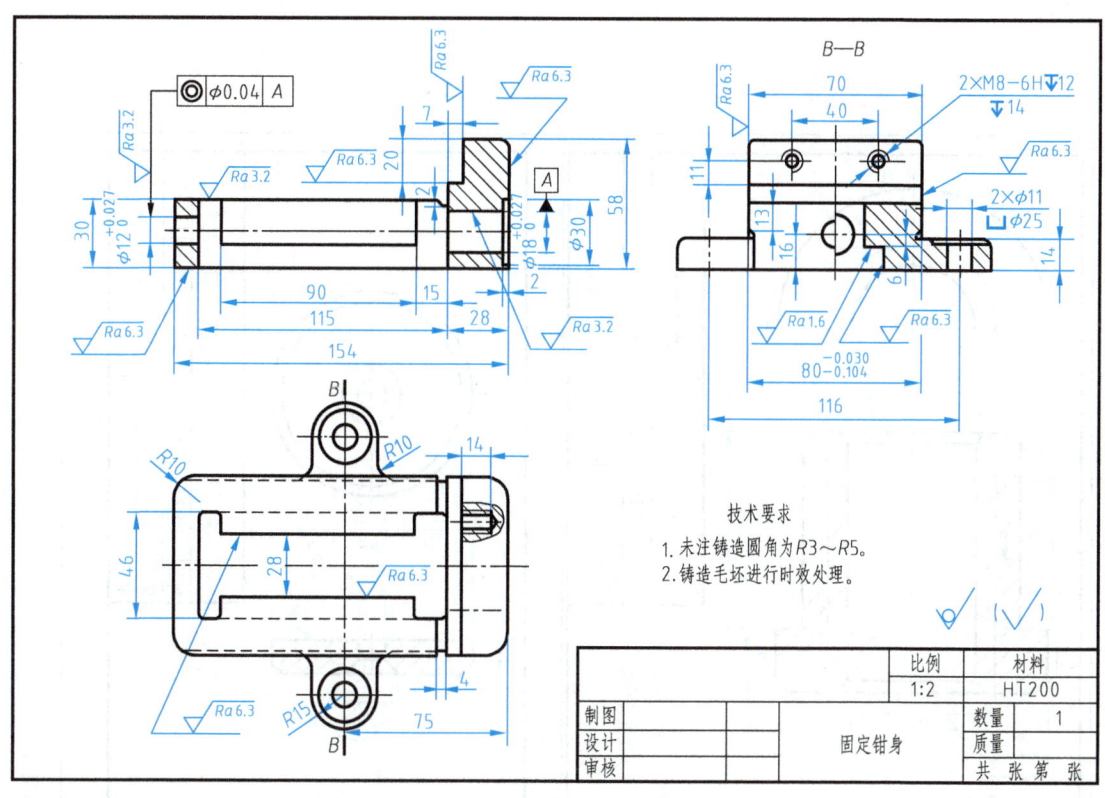

图 9-20　固定钳身零件图

9.6　画装配图的方法和步骤

设计机器或部件需要画出装配图，测绘机器或部件时先画出零件草图，再依据零件草图拼画成装配图。画装配图之前，首先要了解装配体的工作原理和零件的种类，每个零件在装配体中的功能和零件之间的装配关系等。然后看懂每个零件的零件图，想象出零件的结构形状。

下面以图 9-21 所示千斤顶为例，说明由零件图拼画装配图的方法和步骤。

9.6.1　了解装配体

图 9-21 所示千斤顶是机械安装或汽车修理时用来起重或顶压的工具，它利用螺旋传动来顶起重物，由底座、螺杆、顶垫、螺母、挡圈等八种零件组成，图 9-22 和图 9-23 是组成千斤顶的全部非标准件零件图。工作时，绞杠穿入螺杆上部的通孔中，转动绞杠而带动螺杆转动，通过螺杆和螺母之间的螺纹旋合传动使螺杆上升（或下降）

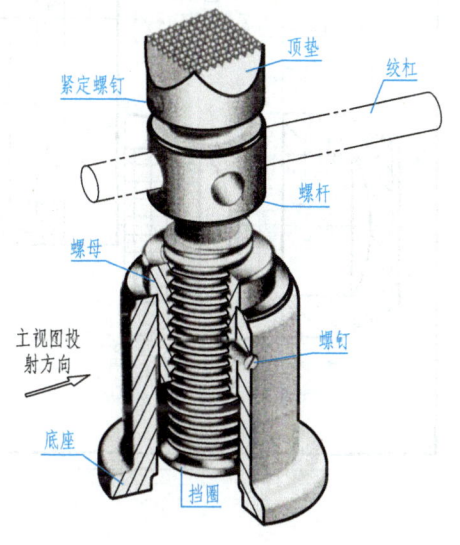

图 9-21　千斤顶轴测图

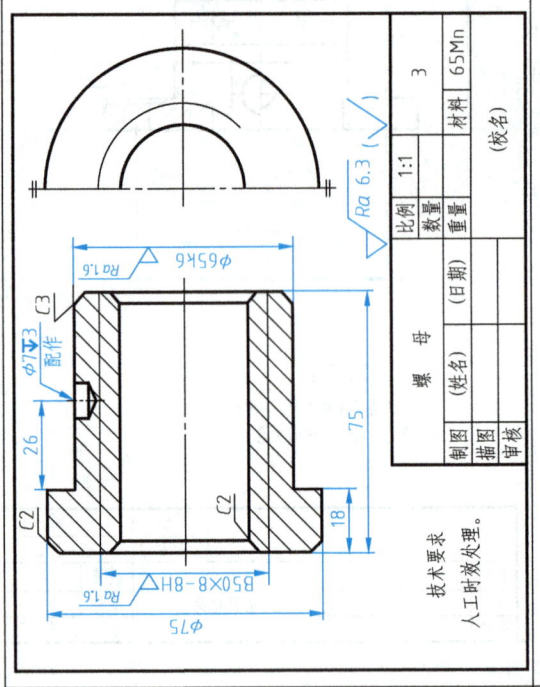
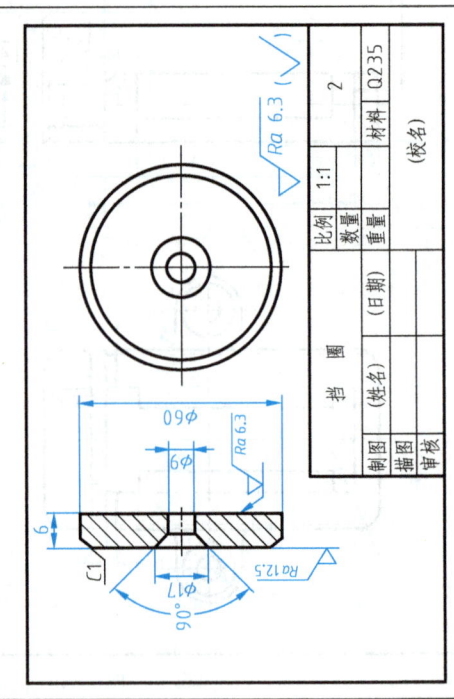
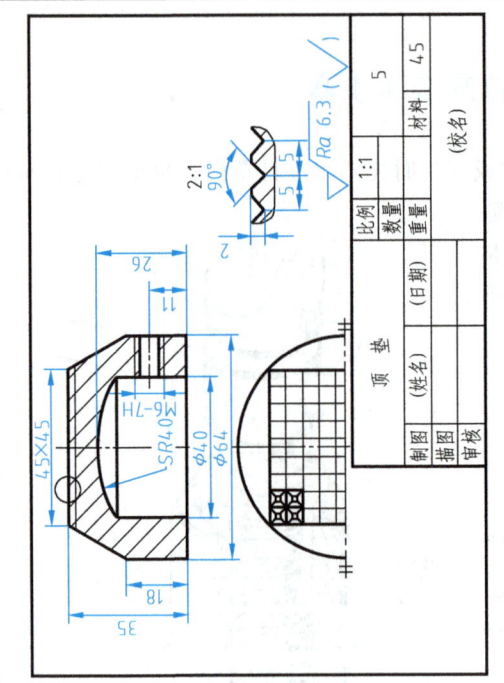
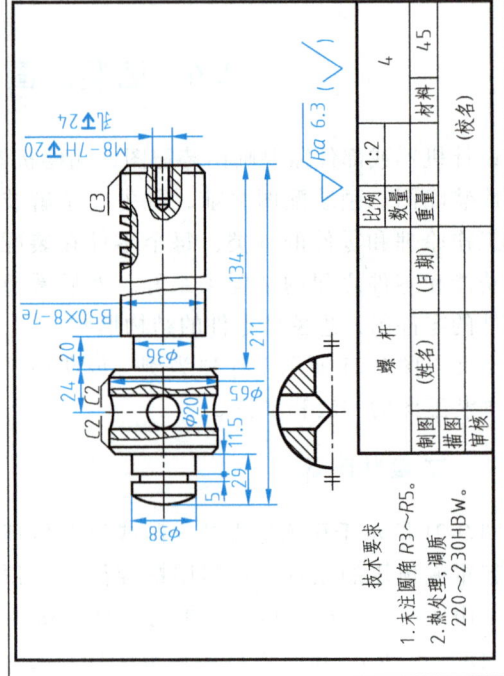

图 9-22 千斤顶零件图（一）

而顶起（或放下）重物。螺母装在底座的内孔中（两零件形成基孔制过渡配合），用螺钉紧定。在螺杆的球形顶部安装顶垫，顶垫内部是与螺杆顶部尺寸相同的球形面，为了防止顶垫随螺杆一起转动时从螺杆上脱落，在顶垫上的螺纹孔内旋入一个紧定螺钉，顶在螺杆顶部的环形槽内进行锁定。

9.6.2 确定表达方案

1. 选择主视图

机器或部件主视图的选择应符合装配体的工作位置或习惯放置位置，并尽可能反映机器或部件的工作原理、结构特点、主要零件之间的装配连接关系和主要零件的结构特点。主视图通常取剖视，以表达零件主要装配干线（如工作系统、传动路线）。

如图9-21所示的千斤顶，按箭头所示方向作为主视图的投射方向，并作剖视，可清楚表达各主要零件的结构形状、装配关系及其工作原理。

2. 选择其他视图

其他视图的选择应能补充主视图尚未表达或表达不够充分的部分，一般而言，每一种零件在视图中至少出现一次。

根据确定的主视图，考虑反映其他装配关系、局部结构和外形的视图。如图9-21所示的千斤顶，以俯视方向沿螺杆与螺母的结合面剖切，表示螺母和底座的外形，再补充两个辅助视图，反映顶垫的顶面结构和螺杆上部用于穿绞杠的两个通孔的局部结构。

9.6.3 画装配图的步骤

1. 确定比例，合理布局

根据装配体的大小和复杂程度，确定比例和图纸幅面，然后画出各视图的作图基准线

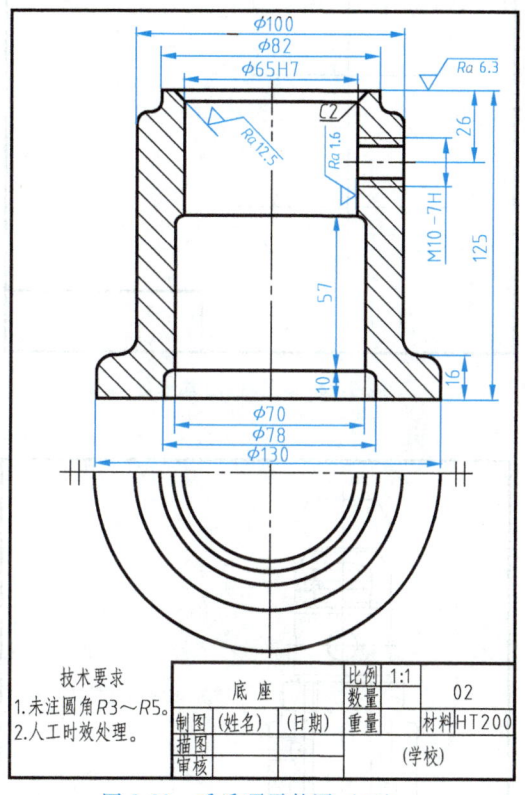

图9-23 千斤顶零件图（二）

（如对称中心线、主要轴线和主要零件的基准面等）。千斤顶各视图的基准线如图9-24所示。

2. 绘制底稿

一般从主视图画起，几个视图配合进行。先从画主要结构入手，由主到次；从装配干线出发，由内到外，逐个画出。

对于千斤顶的装配图，可先画出底座、螺母的轮廓线，如图9-25所示；再画出螺杆、顶垫、挡圈及螺钉等结构，如图9-26所示；然后画出两个辅助视图、序号指引线、剖面线、尺寸界线和尺寸线等，如图9-27所示。

3. 检查、描深，完成全图

检查底稿后，标注尺寸，编排零件序号，填写标题栏、明细栏和技术要求，最后将各类图线按规定描深，完成的千斤顶装配图，如图9-28所示。

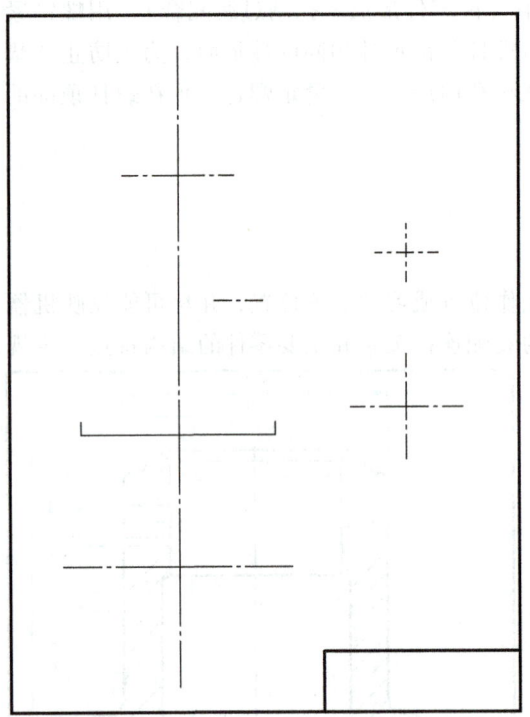

图 9-24 绘制作图基准线

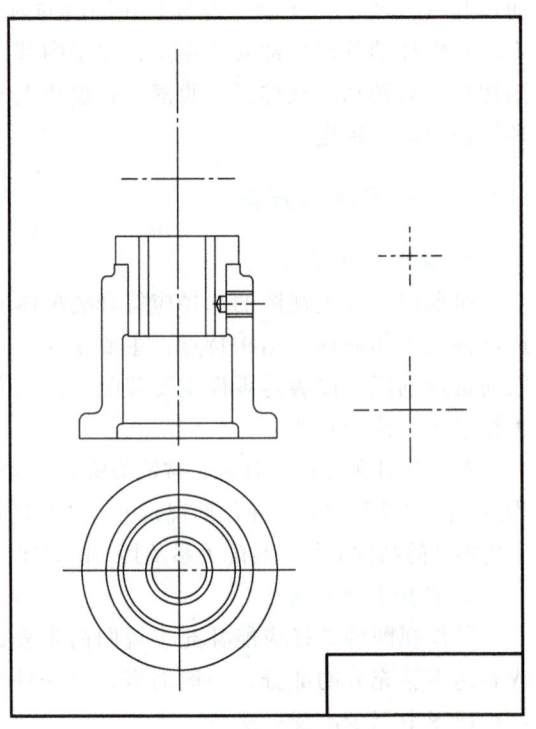

图 9-25 绘制底座及螺母的轮廓线

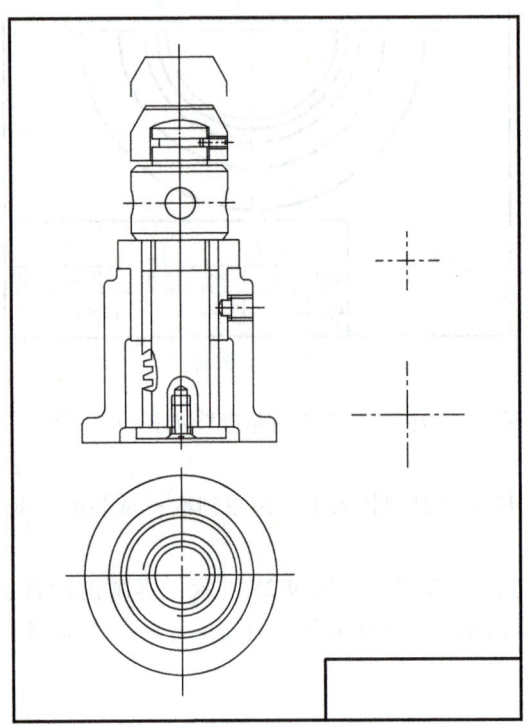

图 9-26 绘制螺杆、顶垫、挡圈及螺钉

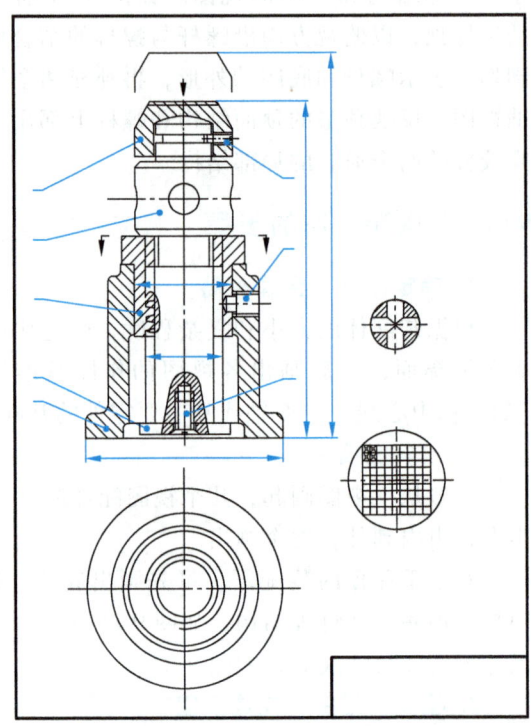

图 9-27 画出两个辅助视图、序号指引线、剖面线、尺寸界线和尺寸线

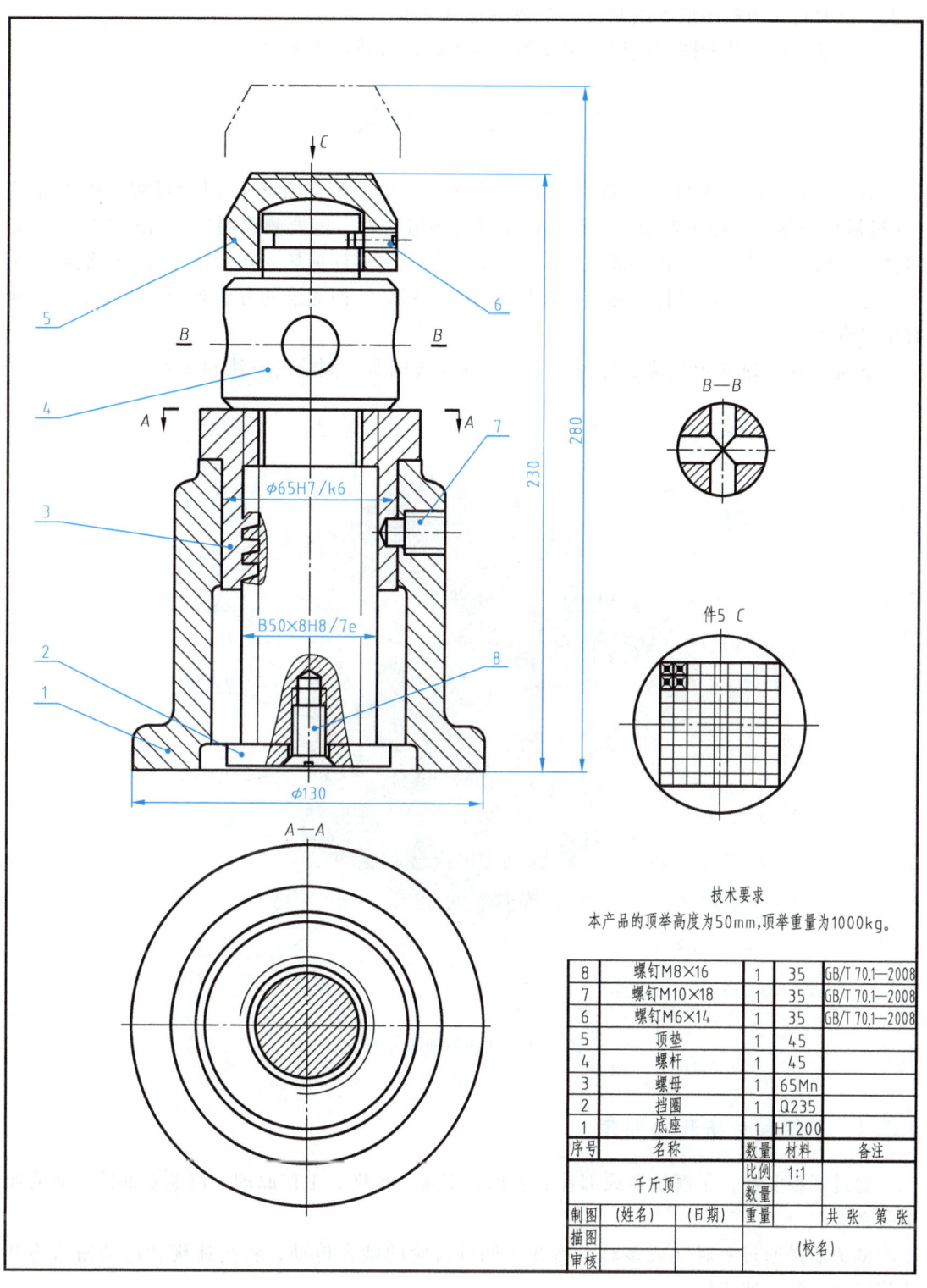

图 9-28 千斤顶装配图

★**学习指引** 装配图绘制前应明确装配顺序及传动路线,绘制时先定基准线,按照从主到次，由大到小的顺序依次绘制（几个视图对照完成）。

★**关键点拨** 装配图的底稿一定要用细线绘制，方便后面修改。

9.7 装配体测绘

对现有的部件（或机器）进行测量，并整理画出装配图和零件图的过程，称为部件（或机器）测绘。实际生产中，设计新产品（或仿造）时，需要测绘同类产品的部分或全部零件，以供设计时参考。机器或设备维修时，如果某一零件损坏，在无备件又无图纸的情况下，也需要测绘损坏的零件，画出图样作为加工依据。掌握测绘的方法对于工程技术人员具有重要意义。

下面以图 9-29 所示减速器为例，介绍部件（或机器）测绘的方法和步骤。

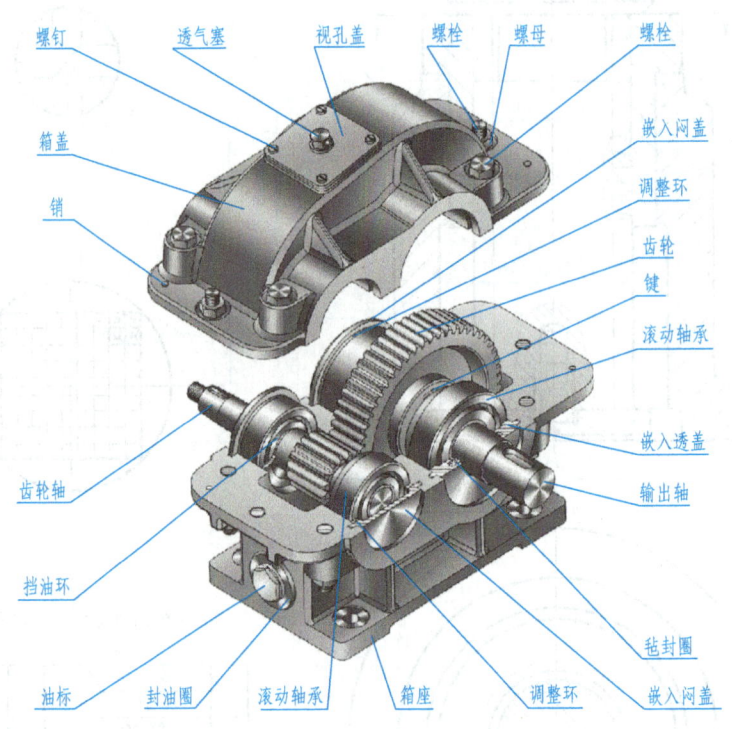

图 9-29 减速器轴测分解图

9.7.1 了解和分析测绘对象

通过观察实物，了解机器或部件的名称、用途、规格、工作原理，以及零部件之间的连接关系等。

减速器是通过一对（或多对）齿数不同的齿轮的啮合传动，将高速旋转运动输出为低速旋转运动的减速机构。

如图 9-29 所示为一级直齿圆柱齿轮减速器，通过一对齿数不同的齿轮啮合旋转，动力由齿轮轴的伸出端输入，小齿轮旋转带动大齿轮旋转，并通过普通平键联接，将动力传递到从动轴输出。由于主动齿轮轴的齿数比从动齿轮的齿数少，所以主动轴的高速旋转，经齿轮传动降为从动轴的低速旋转，从而达到减速的目的。

9.7.2 画装配示意图、拆卸装配体

在了解和分析测绘对象的基础上，为了记录零件间相对位置、工作原理和装配关系，并为后面绘制装配图做好准备，首先应画出装配示意图。

装配示意图是用线条和符号来表示零件间的装配关系和装配体的工作原理的一种工程简图，它主要表明部件中各零件的相对位置、装配连接关系和运转情况，以确保画装配图和重新装配工作的顺利进行。装配示意图也是绘制装配图时的重要参考资料。

目前，较为常见的有"单线+符号"和"轮廓+符号"两种画法。

"单线+符号"画法是将结构件用线条来表示，对装配体中的标准件和常用件用符号来表示的一种装配示意图画法。用这种画法绘制装配示意图时，两零件间的接触面应按非接触面的画法来绘制。

"轮廓+符号"画法是画出部件中一些较大零件的轮廓，其他较小的零件用单线或符号来表示。

如图 9-30 所示，减速器的装配示意图采用的是"轮廓+符号"画法。

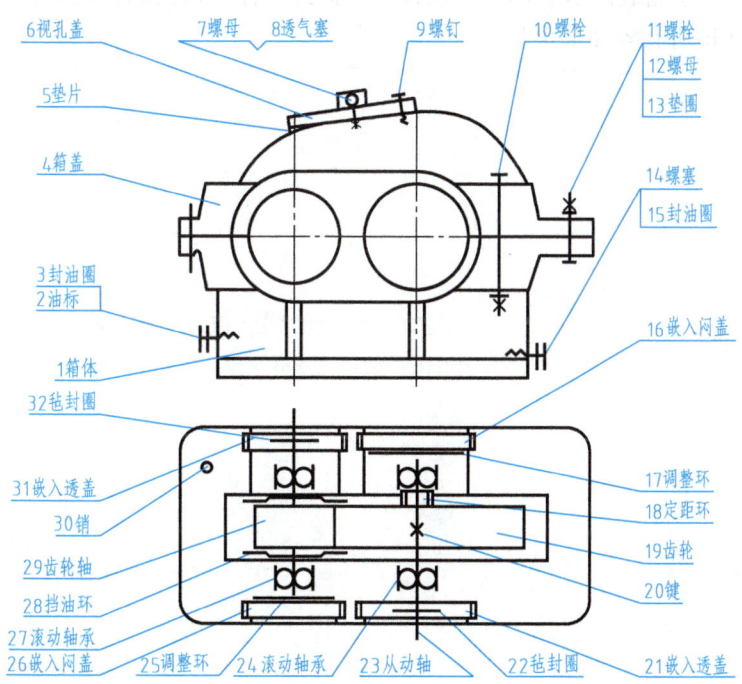

图 9-30 减速器装配示意图

拆卸零件前要研究拆卸方法和拆卸顺序，不可拆卸的部分尽量不拆，不可采取破坏性拆卸。拆卸前要测量一些重要尺寸，如运动零件的极限位置和装配间隙等。拆卸后要对零件进行妥善保管，以免丢失。

9.7.3　画零件草图

零件测绘一般在生产现场进行,因此不便于使用绘图工具和仪器画图,而以徒手目测比例绘制零件的草图。零件草图是绘制部件(或机器)装配图和零件工作图的主要依据,必须认真绘制。

绘制零件草图的要求是:图形正确、表达清晰、尺寸齐全,并注写技术要求等必要的内容。

对于所有的非标准件,都必须绘制零件草图。零件测绘的方法见教材 8.7 节。

9.7.4　画装配图

装配图的画法见教材 9.6 节。

9.7.5　画零件图

装配图绘制完成后,根据装配图绘出除标准件以外的全部零件的零件工作图。

★学习指引　在测绘装配体前一定要结合工程实际,弄懂测绘装配体的工作原理及传动顺序。

★关键点拨　绘制装配示意图时,应该一边拆卸零件一边绘制,同时将整个装配体看成透明体来绘制(即所有零件都可见)。

附　录

附录A　螺　纹

表 A-1　普通螺纹　直径与螺距系列（GB/T 193—2003）普通螺纹　基本尺寸（GB/T 196—2003）摘编

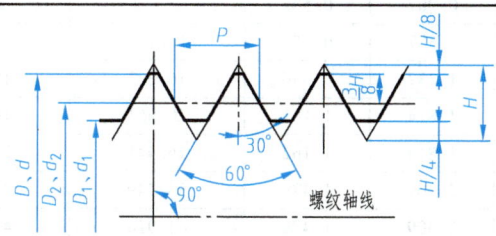

标记示例

公称直径 10mm，螺距 1.5mm，右旋，粗牙普通螺纹，其标记为：M10

公称直径 16mm，螺距 1.5mm，左旋，细牙普通螺纹，其标记为：M16×1.5-LH

（单位：mm）

公称直径 D、d		螺距 P		粗牙小径 D_1、d_1	公称直径 D、d		螺距 P		粗牙小径 D_1、d_1
第一系列	第二系列	粗牙	细牙		第一系列	第二系列	粗牙	细牙	
3		0.5	0.35	2.459		22	2.5	2,1.5,1,(0.75),(0.5)	19.294
	3.5	0.6		2.850	24		3	2,1.5,1,(0.75)	20.752
4		0.7	0.5	3.242		27	3		23.752
	4.5	0.75		3.688	30		3.5	(3),2,1.5,1,(0.75)	26.211
5		0.8		4.134		33	3.5	(3),2,1.5,(1),(0.75)	29.211
6		1	0.75,(0.5)	4.917	36		4	3,2,1.5,(1)	31.670
	7	1	0.75	5.197		39	4		34.670
8		1.25	1,0.75,(0.5)	6.647	42		4.5	(4),3,2,1.5,(1)	37.129
10		1.5	1.25,1,0.75,(0.5)	8.376		45	4.5		40.129
12		1.75	1.5,1.25,1,(0.75),(0.5)	10.106	48		5	(4),3,2,1.5,(1)	42.587
	14	2	1.5,(1.25),1,(0.75),(0.5)	11.835		52	5		46.587
16		2	1.5,1,(0.75),(0.5)	13.835	56		5.5	4,3,2,1.5,(1)	50.046
	18	2.5	2,1.5,1,(0.75),(0.5)	15.294					
20		2.5		17.294					

注：1. 优先选用第一系列，其次选择第二系列，括号内的螺距尽量避免使用。

　　2. 公称直径 D、d 第三系列未列入，中径 D_2、d_2 未列入。

　　3. M14×1.25 仅用于火花塞；M35×1.5 仅用于滚动轴承锁紧螺母。

表 A-2　55°非密封管螺纹（GB/T 7307—2001）摘编

标记示例

尺寸代号1/2,右旋圆柱内螺纹,其标记为：G1/2
尺寸代号3/4,左旋圆柱内螺纹,其标记为：G3/4 LH
尺寸代号1,左旋A级圆柱外螺纹,其标记为：G1A—LH
尺寸代号3,右旋B级圆柱外螺纹,其标记为：G3B

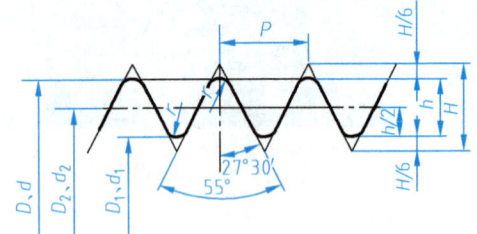

尺寸代号 /in	每25.4mm内所含的牙数 n	螺距 P /mm	牙高 h /mm	基本直径/mm 大径 $d=D$	中径 $d_2=D_2$	小径 $d_1=D_1$
1/8	28	0.907	0.581	9.728	9.147	8.566
1/4	19	1.337	0.856	13.157	12.301	11.445
3/8	19	1.337	0.856	16.662	15.806	14.950
1/2	14	1.814	1.162	20.955	19.793	18.631
3/4	14	1.814	1.162	26.441	25.279	24.117
1	11	2.309	1.479	33.249	31.770	30.291
1 1/4	11	2.309	1.479	41.910	40.431	38.952
1 1/2	11	2.309	1.479	47.803	46.324	44.845
2	11	2.309	1.479	59.614	58.135	56.656
2 1/2	11	2.309	1.479	75.184	73.705	72.226
3	11	2.309	1.479	87.884	86.405	84.926
4	11	2.309	1.479	113.030	111.551	110.072
5	11	2.309	1.479	138.430	136.951	135.472
6	11	2.309	1.479	163.830	162.351	160.872

表 A-3　55°密封管螺纹（GB/T 7306.1—2000，GB/T 7306.2—2000）摘编

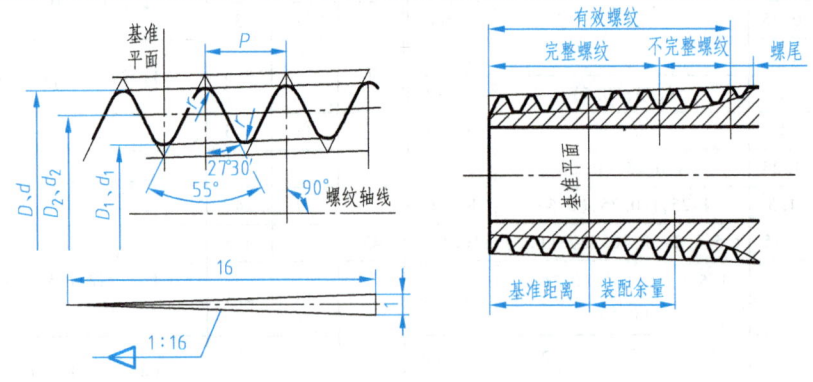

标记示例

尺寸代号3/4,左旋圆锥管螺纹,其标记为：Rc3/4 LH
尺寸代号1/2,右旋圆柱内螺纹,其标记为：Rp1/2
尺寸代号3/8,右旋圆锥外螺纹(与圆柱管螺纹配合使用),其标记为：R_1 3/8
尺寸代号3/4,左旋圆锥外螺纹(与圆锥内螺纹配合使用),其标记为：R_2 3/4 LH

（续）

尺寸代号 /in	每25.4mm内所含的牙数 n	螺距 P /mm	牙高 h /mm	基准平面内的基本直径/mm			基准距离 /mm	有效螺纹长度 /mm
				大径 $d=D$	中径 $d_2=D_2$	小径 $d_1=D_1$		
1/8	28	0.907	0.581	9.728	9.147	8.566	4.0	6.5
1/4	19	1.337	0.856	13.157	12.301	11.445	6	9.7
3/8	19	1.337	0.856	16.662	15.806	14.950	6.4	10.1
1/2	14	1.814	1.162	20.955	19.793	18.631	8.2	13.2
3/4	14	1.814	1.162	26.441	25.279	24.117	9.5	14.5
1	11	2.309	1.479	33.249	31.770	30.291	10.4	16.8
1 1/4	11	2.309	1.479	41.910	40.431	38.952	12.7	19.1
1 1/2	11	2.309	1.479	47.803	46.324	44.845	12.7	19.1
2	11	2.309	1.479	59.614	58.135	56.656	15.9	23.4
2 1/2	11	2.309	1.479	75.184	73.705	72.226	17.5	26.7
3	11	2.309	1.479	87.884	86.405	84.926	20.6	29.8
4	11	2.309	1.479	113.030	111.551	110.072	25.4	35.8
5	11	2.309	1.479	138.430	136.951	135.472	28.6	40.1
6	11	2.309	1.479	163.830	162.351	160.872	28.6	40.1

注：55°密封圆锥管螺纹的"基准平面内的基本直径"是指基准平面处的大径。圆锥内螺纹的端面向里 $0.5P$ 处即为基准平面，圆锥外螺纹的基准平面与小端端面相距为一个基准距离。

附录 B　螺纹紧固件

表 B-1　六角头螺栓（GB/T 5780—2016、GB/T 5782—2016）摘编

六角头螺栓—C级（GB/T 5780—2016)　　六角头螺栓—A级和B级（GB/T 5782—2016）

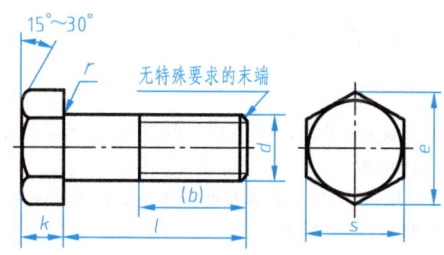
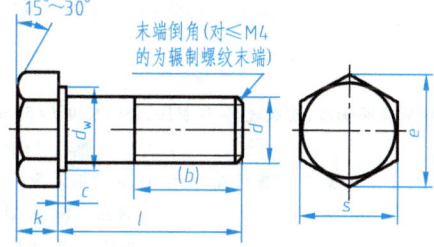

标记示例

螺纹规格为M12、公称长度 $l=80$ mm、性能等级为8.8级、表面不经处理、产品等级为A级的六角头螺栓：
螺栓 GB/T 5782 M12×80

（单位：mm）

螺纹规格 d		M5	M6	M8	M10	M12	M16	M20	M24	M30	M36	M42
b 参考	$l\leq 125$	16	18	22	26	30	38	46	54	66	—	—
	$l<125\leq 200$	22	24	28	32	36	44	52	60	72	84	96
	$l>125$	35	37	41	45	49	57	65	73	85	97	109

(续)

螺纹规格 d		M5	M6	M8	M10	M12	M16	M20	M24	M30	M36	M42
c		0.51	0.5	0.6	0.6	0.6	0.8	0.8	0.8	0.8	0.8	1
d_w	产品等级 A	6.88	8.88	11.63	14.63	16.63	22.49	28.19	33.61	—	—	—
	B、C	6.74	8.74	11.47	14.47	16.47	22	27.7	33.25	42.75	51.11	59.95
e	产品等级 A	8.79	11.05	14.38	17.77	20.03	26.75	33.53	39.98	—	—	—
	B、C	8.63	10.89	14.20	17.59	19.85	26.17	32.95	39.55	50.85	60.79	72.02
k(公称)		3.5	4	5.3	6.4	7.5	10	12.5	15	18.7	22.5	26
r		0.2	0.25	0.4	0.4	0.6	0.6	0.8	0.8	1	1	1.2
s(公称)		8	10	13	16	18	24	30	36	46	55	65
l(商品规格范围)		25~50	30~60	40~80	45~100	50~120	65~160	80~200	90~240	110~300	140~360	160~440
l 系列		12,16,20~50(5 进位),(55),60,(65),70~160(10 进位),180,220~500(20 进位)											

注：括号内的规格尽量不用。

表 B-2　双头螺柱

$b_m = 1d$(GB/T 897—1988)摘编　　　　$b_m = 1.25d$(GB/T 898—1988)摘编

$b_m = 1.5d$(GB/T 899—1988)摘编　　　$b_m = 2d$(GB/T 900—1988)摘编

A型　　　　　　　　　　　　　　　B型

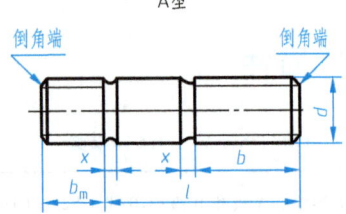
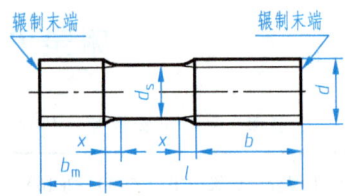

($d_s \approx$ 螺纹中径，仅适用于B型)

标记示例

两端均为粗牙普通螺纹，螺纹规格 $d = M10$、公称长度 $l = 50$mm、性能等级为 4.8 级、不经表面处理、B 型、$b_m = 1d$ 的双头螺柱：
　　　　螺柱　GB/T 897 M10×50

旋入端为粗牙普通螺纹，旋螺母端为 $P = 1$mm 的细牙普通螺纹，螺纹规格 $d = M10$、公称长度 $l = 50$mm、性能等级为 4.8 级、不经表面处理、A 型、$b_m = 1.25d$ 的双头螺柱：
　　　　螺柱　GB/T 898 AM10—M10×1×50

(单位：mm)

螺纹规格 d		M5	M6	M8	M10	M12	M16	M20	M24	M30
旋入端长度 b_m（公称）	GB/T 897	5	6	8	10	12	16	20	24	30
	GB/T 898	6	8	10	12	15	20	25	30	38
	GB/T 899	8	10	12	15	18	24	30	36	45
	GB/T 900	10	12	16	20	24	32	40	48	60
x(max)		2.5P								

（续）

螺纹规格 d		M5	M6	M8	M10	M12	M16	M20	M24	M30
$\dfrac{l}{b}$		$\dfrac{16\sim22}{10}$	$\dfrac{20\sim22}{10}$	$\dfrac{20\sim22}{12}$	$\dfrac{25\sim28}{14}$	$\dfrac{25\sim30}{16}$	$\dfrac{30\sim38}{20}$	$\dfrac{35\sim40}{25}$	$\dfrac{45\sim50}{30}$	$\dfrac{60\sim65}{40}$
		$\dfrac{25\sim50}{16}$	$\dfrac{25\sim30}{14}$	$\dfrac{25\sim30}{16}$	$\dfrac{30\sim38}{16}$	$\dfrac{32\sim40}{20}$	$\dfrac{40\sim55}{30}$	$\dfrac{45\sim65}{35}$	$\dfrac{55\sim75}{45}$	$\dfrac{70\sim90}{50}$
			$\dfrac{32\sim75}{18}$	$\dfrac{32\sim90}{22}$	$\dfrac{40\sim120}{26}$	$\dfrac{45\sim120}{30}$	$\dfrac{60\sim120}{38}$	$\dfrac{70\sim120}{46}$	$\dfrac{80\sim120}{54}$	$\dfrac{95\sim120}{60}$
					$\dfrac{130}{32}$	$\dfrac{130\sim180}{36}$	$\dfrac{130\sim200}{44}$	$\dfrac{130\sim200}{52}$	$\dfrac{130\sim200}{60}$	$\dfrac{130\sim200}{72}$
										$\dfrac{210\sim250}{85}$
l 系列		16,(18),20,(22),25,(28),30,(32),35,(38),40,45,50,(55),60,(65),70,(75),80,(85), 90,(95),100~260(10 进位),280,300								

注：1. P 表示粗牙的螺距。
2. 括号内的数值尽可能不采用。

表 B-3　I 型六角螺母（GB/T 6170—2015）、六角标准螺母（I 型）细牙（GB/T 6171—2016）摘编

I 型六角螺母—A 级和 B 级 摘自（GB/T 6170—2015）
I 型六角螺母—细牙—A 级和 B 级 摘自（GB/T 6171—2016）

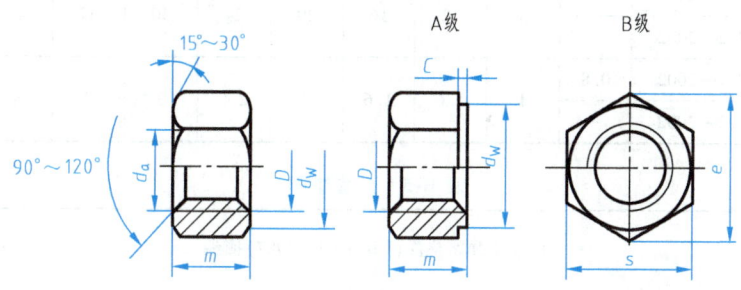

标记示例

螺纹规格为 M12、性能等级为 8 级、不经表面处理、A 级的 I 型六角螺母：
螺母 GB/T 6170　M12

螺纹规格为 M24、细牙螺距 $P=2$、性能等级为 10 级、不经表面处理、B 级的 I 型六角螺母：
螺母 GB/T 6171　M24×2

（单位：mm）

螺纹规格 D		M3	M4	M5	M6	M8	M10	M12	M16	M20	M24	M30	M36	M42
d_a	max	3.45	4.6	5.75	6.75	8.75	10.8	13	17.3	21.6	25.9	32.4	38.9	45.4
	min	3.00	4.0	5.00	6.00	8.00	10.0	12.0	16.0	20.0	24.0	30.0	36.0	42.0
d_w	min	4.6	5.9	6.9	8.9	11.6	14.6	16.6	22.5	27.7	33.2	42.7	51.1	60.6
e	min	6.01	7.66	8.79	11.05	14.38	17.77	20.03	26.75	32.95	39.55	50.85	60.79	72.02
s	max	5.50	7.00	8	10	13	16	18	24	30	36	46	55	65
m	max	2.40	3.2	4.7	5.2	6.8	8.4	10.8	14.8	18	21.5	25.6	31	34
C	max	0.4	0.4	0.5	0.5	0.6	0.6	0.6	0.8	0.8	0.8	0.8	0.8	1.0

注：1. A 级用于 $D\leqslant$M16；B 级用于 $D>$M16；C 级用于 M5～M64 的螺母，C 级六角螺母查阅 GB/T 41—2016。
2. 螺纹公差：A、B 级为 6H；机械性能等级 A、B 级为 6、8、10。

表 B-4 平垫圈

平垫圈—A 级（GB/T 97.1—2002）摘编　平垫圈　倒角型—A 级（GB/T 97.2—2002）摘编

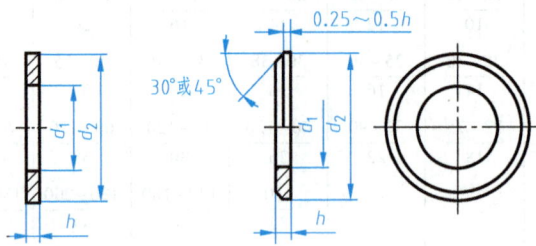

标记示例

标准系列、公称规格 10mm、由钢制造的硬度为 200HV、不经表面处理、产品等级为 A 级的平垫圈：
垫圈 GB/T 97.1 10

（单位：mm）

规格 d（螺纹大径）		4	5	6	8	10	12	16	20	24	30	36
d_1	GB/T 97.1—2002	4.3	5.3	6.4	8.4	10.5	12.5	17	21	25	31	37
	GB/T 97.2—2002	—										
d_2	GB/T 97.1—2002	9	10	12	16	20	24	30	37	44	56	66
	GB/T 97.2—2002	—										
h	GB/T 97.1—2002	0.8	1	1.6	1.6	2	2.5	3	3	4	4	5
	GB/T 97.2—2002	—										

表 B-5 弹簧垫圈

标准型弹簧垫圈（GB/T 93—1987）摘编

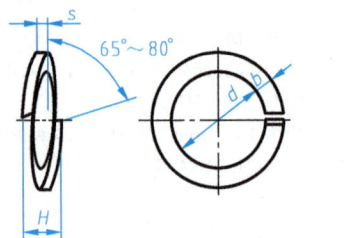

标记示例

规格 16mm、材料为 65Mn、表面氧化的标准型弹簧垫圈：
垫圈 GB/T 9316

（单位：mm）

规格（螺纹大径）		3	4	5	6	8	10	12	16	20	24	30
d	min	3.1	4.1	5.1	6.1	8.1	10.2	12.2	16.2	20.2	24.5	30.5
H	min	1.6	2.2	2.6	3.2	4.2	5.2	6.2	8.2	10	12	15
s（公称）		0.8	1.1	1.3	1.6	2.1	2.6	3.1	4.1	5	6	7.5
$m \leqslant$		0.4	0.55	0.65	0.8	1.05	1.3	1.55	2.05	2.5	3	3.75

注：m 应大于零。

表 B-6 紧定螺钉

开槽锥端紧定螺钉(GB/T 71—2018)摘编、开槽平端紧定螺钉(GB/T 73—2017)摘编、
开槽长圆柱端紧定螺钉(GB/T 75—2018)摘编

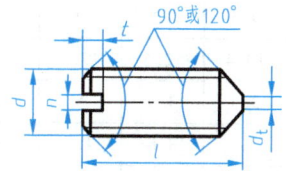 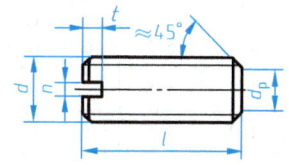 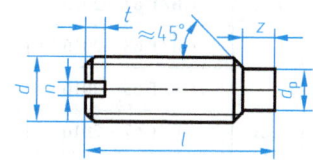

标记示例

螺纹规格为 M5、公称长度 $l=12$mm、钢制、硬度等级为 14H 级、表面不经处理、产品等级 A 级的开槽平端紧定螺钉：

螺钉 GB/T 73　M5×12

（单位：mm）

螺纹规格		M2	M2.5	M3	M4	M5	M6	M8	M10	M12
n		0.25	0.4	0.4	0.6	0.8	1	1.2	1.6	2
t		0.84	0.95	1.05	1.42	1.63	2	2.5	3	3.6
d_t	max	0.2	0.25	0.3	0.4	0.5	1.5	2	2.5	3
d_p	max	1	1.5	2	2.5	3.5	4	5.5	7	8.5
z	max	1.25	1.5	1.75	2.25	2.75	3.25	4.3	5.3	6.3
l(公称)	GB/T 71—2018	3~10	3~12	4~16	6~20	8~25	8~30	10~40	12~50	14~60
	GB/T 73—2017	2~10	2.5~12	3~16	4~20	5~25	6~30	8~40	10~50	12~60
	GB/T 75—2018	3~10	4~12	5~16	6~20	8~25	10~30	10~40	12~50	14~60
l 系列		2,2.5,3,4,5,6,8,10,12,(14),16,20,25,30,35,40,45,50,(55),60								

注：括号内的数值尽可能不用。

表 B-7　圆柱头螺钉　盘头螺钉　沉头螺钉

开槽圆柱头螺钉(GB/T 65—2016)摘编、开槽盘头螺钉(GB/T 67—2016)摘编、开槽沉头螺钉(GB/T 68—2016)摘编

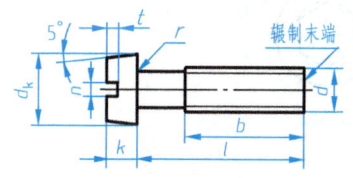 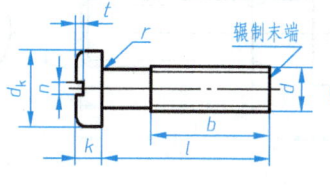 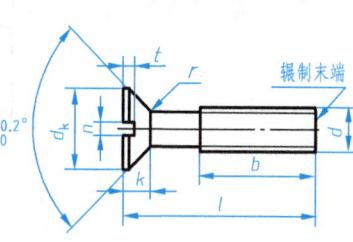

标记示例

螺纹规格为 M5、公称长度 $l=20$mm、性能等级为 4.8 级、表面不经处理的 A 级开槽圆柱头螺钉：

螺钉 GB/T 65　M5×20

螺纹规格为 M5、公称长度 $l=20$mm、性能等级为 4.8 级、表面不经处理的 A 级开槽盘头螺钉：

螺钉 GB/T 67　M5×20

螺纹规格为 M5、公称长度 $l=20$mm、性能等级为 4.8 级、表面不经处理的 A 级开槽沉头螺钉：

螺钉 GB/T 68　M5×20

（单位：mm）

(续)

螺纹规格			M1.6	M2	M2.5	M3	M4	M5	M6	M8	M10
d_k	max	GB/T 65—2016	3	3.8	4.5	5.5	7	8.5	10.	13	16
		GB/T 67—2016	3.2	4	5	5.6	8	9.5	12	16	20
		GB/T 68—2016	3.6	4.4	5.5	6.3	9.4	10.4	12.6	17.3	20
k	max	GB/T 65—2016	1.1	1.4	1.8	2	2.6	3.3	3.9	5	6
		GB/T 67—2016	1	1.3	1.5	1.8	2.4	3	3.6	4.8	6
		GB/T 68—2016	1	1.2	1.5	1.65	2.7	2.7	3.3	4.65	5
n	公称	GB/T 65—2016	0.4	0.5	0.6	0.8	1.2	1.2	1.6	2	2.5
		GB/T 67—2016									
		GB/T 68—2016									
t'	min	GB/T 65—2016	0.45	0.6	0.7	0.85	1.1	1.3	1.6	2	2.4
		GB/T 67—2016	0.35	0.5	0.6	0.7	1	1.2	1.4	1.9	2.4
		GB/T 68—2016	0.5	0.6	0.75	0.85	1.3	1.4	1.6	2.3	2.6
b	min		25					38			
r	min		0.1				0.2		0.25	0.4	
l 公称		GB/T 65—2016	2~16	3~20	3~25	4~30	5~40	6~50	8~60	10~80	12~80
		GB/T 67—2016	2~16	2.5~20	3~25	4~30	5~40	6~50	8~60	10~80	12~80
		GB/T 68—2016	2.5~16	3~20	4~25	5~30	6~40	8~50	8~60	10~80	12~80
l 系列			2,2.5,3,4,5,6,8,10,12,(14),16,20,25,30,35,40,45,50,(55),60,(65),70,(75),80								

注：1. 括号内的数值尽可能不采用。
2. 螺纹规格 d=M1.6~M3、公称长度 l≤30 和 M4~M10、公称长度 l≤40 的螺钉，制出全螺纹，（b=l-a）。

表 B-8 内六角圆柱头螺钉（GB/T 70.1—2008）摘编

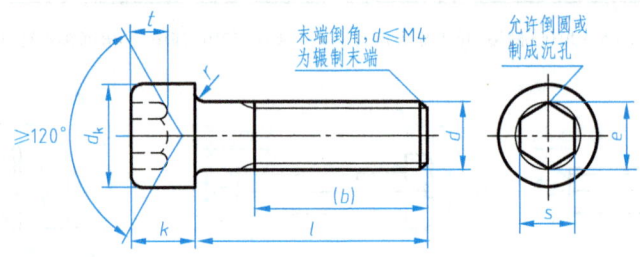

标记示例
螺纹规格 d=M5、公称长度 l=20、性能等级为 8.8 级、表面氧化的 A 级内六角圆柱头螺钉：
螺钉 GB/T 70.1 M5×20

（单位：mm）

螺纹规格 d	M4	M5	M6	M8	M10	M12	M16	M20	M24
螺距 P	0.7	0.8	1	1.25	1.5	1.75	2	2.5	3
b（参考）	20	22	24	28	32	36	44	52	60
d_k（max）（对光滑头部）	7	8.5	10	13	16	18	24	30	36

（续）

螺纹规格 d	M4	M5	M6	M8	M10	M12	M16	M20	M24
k(max)	4	5	6	8	10	12	16	20	24
t(min)	2	2.5	3	4	5	6	8	10	12
s(公称)	3	4	5	6	8	10	14	17	19
e(min)	3.44	5.48	5.72	6.86	9.15	11.43	16	19.44	21.73
l范围	6~40	8~50	10~60	12~80	16~100	20~120	25~160	30~200	40~200
l系列	6,8,10,12,(14),(16),20~50(5进位),(55),60,(65),70~160(10进位),180,200									

注：1. 括号内的数值尽可能不用。
2. 机械性能等级为 8.8、12.9。
3. 产品等级：A。

附录 C 键 与 销

表 C-1 普通型平键（GB/T 1096—2003）摘编

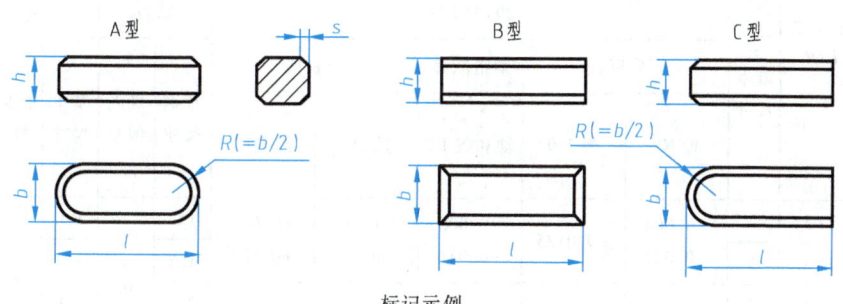

标记示例

$b=16$mm、$h=10$mm、$l=80$mm 的普通 A 型平键：GB/T 1096 键 16×10×80
$b=16$mm、$h=10$mm、$l=80$mm 的普通 B 型平键：GB/T 1096 键 B16×10×80
$b=16$mm、$h=10$mm、$l=80$mm 的普通 C 型平键：GB/T 1096 键 C16×10×80

（单位：mm）

普通平键的尺寸与公差

宽度 b 公称尺寸	2	3	4	5	6	8	10	12	14	16	18	20	22
高度 h 公称尺寸	2	3	4	5	6	7	8	8	9	10	11	12	14
倒角或倒圆 s	0.16~0.25				0.25~0.40			0.40~0.60				0.60~0.80	
长度 l	6~20	6~36	8~45	10~56	14~70	18~90	22~110	28~140	36~160	45~180	50~200	56~220	63~250
l系列	6,8,10,12,14,16,18,20,22,25,28,32,36,40,45,50,56,63,70,80,90,100,110,125,140,160,180,200,220,250,280,320,360,400,450,500。												

注：1. 宽度、高度和长度的极限偏差未列出，键宽 b 的极限偏差为 h8；键高 h 的极限偏差，矩形为 h11，方形为 h8；键长 l 的极限偏差为 h14。
2. 键的工作面的表面粗糙度参数 Ra 的推荐值为 1.6μm，上、下底面的表面粗糙度参数 Ra 的推荐值为 6.3μm，其余表面的表面粗糙度参数 Ra 的推荐值为 12.5μm。

表 C-2 平键、键槽的剖面尺寸（GB/T 1095—2003）摘编

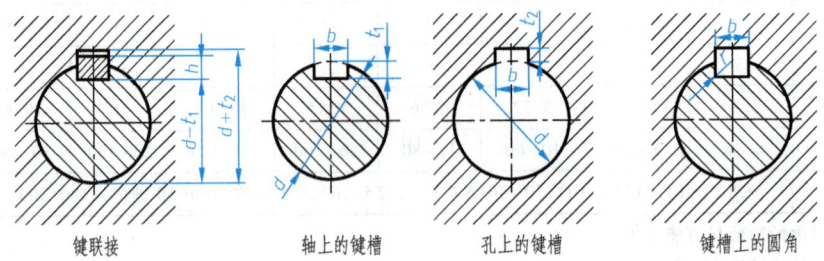

键联接　　　　　轴上的键槽　　　　孔上的键槽　　　　键槽上的圆角

（单位：mm）

轴的直径 d	键尺寸 $b \times h$	键槽 宽度 b 基本尺寸	极限偏差 正常联接 轴 N9	极限偏差 正常联接 毂 JS9	极限偏差 紧密联接 轴和毂 P9	极限偏差 松联接 轴 H9	极限偏差 松联接 毂 D10	深度 轴 t_1 基本尺寸	深度 轴 t_1 极限偏差	深度 毂 t_2 基本尺寸	深度 毂 t_2 极限偏差	半径 r min	半径 r max
6~8	2×2	2	−0.004 −0.029	±0.0125	−0.006 −0.031	+0.025 0	+0.060 +0.020	1.2	+0.1 0	1.0	+0.1 0	0.08	0.16
>8~10	3×3	3						1.8		1.4			
>10~12	4×4	4	0 −0.030	±0.015	−0.012 −0.042	+0.030 0	+0.078 +0.030	2.5		1.8			
>12~17	5×5	5						3.0		2.3		0.16	0.25
>17~22	6×6	6						3.5		2.8			
>22~30	8×7	8	0 −0.036	±0.018	−0.015 −0.051	+0.036 0	+0.098 +0.040	4.0		3.3			
>30~38	10×8	10						5.0		3.3			
>38~44	12×8	12	0 −0.043	±0.0215	−0.018 −0.061	+0.043 0	+0.120 +0.050	5.0	+0.2 0	3.3	+0.2 0	0.25	0.40
>44~50	14×9	14						5.5		3.8			
>50~58	16×10	16						6.0		4.3			
>58~65	18×11	18						7.0		4.4			
>65~75	20×12	20	0 −0.052	±0.026	−0.022 −0.074	+0.052 0	+0.149 +0.065	7.5		4.9			
>75~85	22×14	22						9.0		5.4		0.40	0.60
>85~95	25×14	25						9.0		5.4			
>95~110	28×16	28						10.0		6.4			

注：1. GB/T 1095—2003 中无轴的直径一列，本教材中列出仅供参考。
　　2. $(d-t_1)$ 和 $(d+t_2)$ 两组组合尺寸的极限偏差按相应的 t_1 和 t_2 的极限偏差选取，但 $(d-t_1)$ 极限偏差应取负号（−）。
　　3. 轴和轮毂上键槽宽度 b 两侧的表面粗糙度参数 Ra 的推荐值为 $1.6 \sim 3.2 \mu m$，槽底面的表面粗糙度参数 Ra 的推荐值为 $6.3 \mu m$。

表 C-3　圆柱销（GB/T 119.1—2000、GB/T 119.2—2000）摘编

圆柱销（GB/T 119.1—2000 摘编）——不淬硬钢和奥氏体不锈钢
圆柱销（GB/T 119.2—2000 摘编）——淬硬钢和马氏体不锈钢

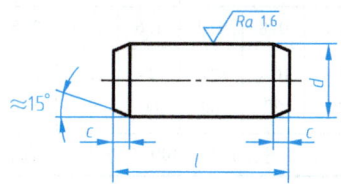

标记示例

公称直径 $d=6$mm、公差 m6、公称长度 $l=30$mm、材料为钢、不经淬火、不经表面处理的圆柱销：
销 GB/T 119.1 6 m6×30

（单位：mm）

公称直径 d		1.5	2	2.5	3	4	5	6	8
$c\approx$		0.3	0.35	0.4	0.50	0.63	0.8	1.2	1.6
长度 l	GB/T 119.1	4~16	6~20	6~24	8~30	8~40	10~50	12~60	14~80
	GB/T 119.2	4~16	5~20	6~24	8~30	10~40	12~50	14~60	18~80
公称直径 d		10	12	16	20	25	30	40	50
$c\approx$		2.0	2.5	3.0	3.5	4.0	5.0	6.3	8.0
长度 l	GB/T 119.1	18~95	22~140	26~180	35~200 以上	50~200 以上	60~200 以上	80~200 以上	95~200 以上
	GB/T 119.2	22~100 以上	26~100 以上	40~100 以上	50~100 以上	—	—	—	—
l 系列		3,4,5,6~32(2 进位)，35~100(5 进位)，公称长度>100 时，按 20 递增							

注：1. GB/T 119.2—2000 中淬硬钢按淬火的方法不同，分为普通淬火（A 型）和表面淬火（B 型）。
2. 公称直径 d 的公差：GB/T 119.1—2000 规定为 m6 和 h8；GB/T 119.2—2000 仅有 m6。为 m6 时，$Ra\leq 0.8\mu m$，为 h8 时，$Ra\leq 1.6\mu m$。

表 C-4　圆锥销（GB/T 117—2000）摘编

A 型（磨削）　　　　　　　B 型（切削或冷镦）

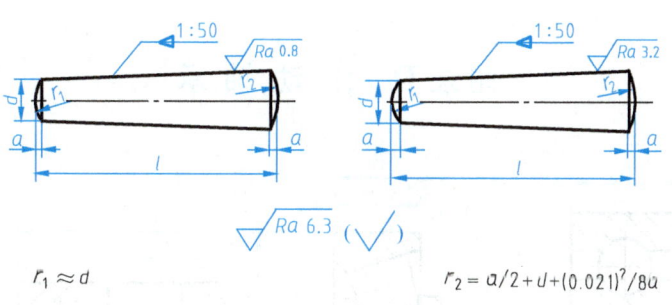

$r_1\approx d$　　　　　　　$r_2=a/2+d+(0.021)^2/8a$

标记示例

公称直径 $d=8$mm、公称长度 $l=60$mm、材料为 35 钢、热处理硬度 28~38HRC、表面氧化处理的 A 型圆锥销：
销 GB/T 117 8×60

（单位：mm）

（续）

公称直径 d	1.5	2	2.5	3	4	5	6	8	10	12	16	20	25	30	40	50
$a\approx$	0.2	0.25	0.3	0.50	0.63	0.8	1.2	1.6	2.0	2.5	3.0	3.5	4.0	5.0	6.3	8.0
l 范围	8~24	10~35	10~35	8~30	8~40	10~50	12~60	14~80	18~95	22~140	26~180	35~200	50~200	60~200	80~200	95~200
l 系列	2,3,4,5,6~32（2进位），35~100（5进位），公称长度>100时，按20递增															

表 C-5 开口销（GB/T 91—2000）摘编

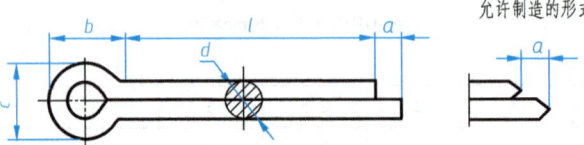

标记示例

公称直径 d=5mm、公称长度 l=50mm、材料为 Q215 或 Q235、不经表面处理的开口销：
销 GB/T 91 5×50

（单位：mm）

公称直径 d		0.6	0.8	1	1.2	1.6	2	2.5	3.2	4	5	6.3	8	10	13
d	max	0.5	0.7	0.9	1.0	1.4	1.8	2.3	2.9	3.7	4.6	5.9	7.5	9.5	12.4
	min	0.4	0.6	0.8	0.9	1.3	1.7	2.1	2.7	3.5	4.4	5.7	7.3	9.3	12.1
c	max	1	1.4	1.8	2	2.8	3.6	4.6	5.8	7.4	9.2	11.8	15	19	24.8
	min	0.9	1.2	1.6	1.7	2.4	3.2	4	5.1	6.5	8	10.3	13.1	16.6	21.7
$b\approx$		2	2.4	3	3	3.2	4	5	6.4	8	10	12.6	16	20	26
a_{max}		1.6	1.6	1.6	2.5	2.5	2.5	2.5	3.2	4	4	4	4	6.3	6.3
l（商品规格范围公称长度）		4~12	5~16	6~20	8~26	8~32	10~40	12~50	14~65	18~80	22~100	30~120	40~160	45~200	70~200
l 系列		4,5,6,8,10,12,14,16,18,20,22,25,28,32,36,40,45,50,56,63,71,80,90,100,112,125,140,160,180,200,224,250,280													

附录 D 滚动轴承

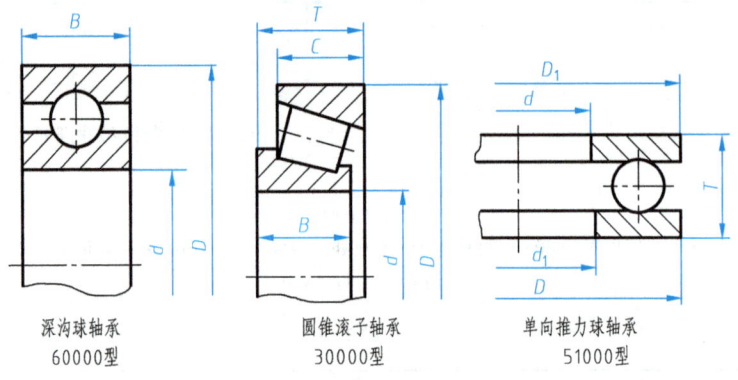

深沟球轴承 60000型　　圆锥滚子轴承 30000型　　单向推力球轴承 51000型

表 D-1　深沟球轴承外形尺寸（GB/T 276—2013）摘编

标记示例
内圈孔径 $d=60\text{mm}$、尺寸系列代号为(0)2 的深沟球轴承：
滚动轴承　6212 GB/T 276—2013

（单位：mm）

轴承代号	尺寸			轴承代号	尺寸		
	d	D	B		d	D	B
10 系列				03 系列			
6000	10	26	8	6300	10	35	11
6001	12	28	8	6301	12	37	12
6002	15	32	9	6302	15	42	13
6003	17	35	10	6303	17	47	14
6004	20	42	12	6304	20	52	15
6005	25	47	12	6305	25	62	17
6006	30	55	13	6306	30	72	19
6007	35	62	14	6307	35	80	21
6008	40	68	15	6308	40	90	23
6009	45	75	16	6309	45	100	25
6010	50	80	16	6310	50	110	27
6011	55	90	18	6311	55	120	29
6012	60	95	18	6312	60	130	31
6013	65	100	20	6313	65	140	33
6014	70	110	20	6314	70	150	35
02 系列				04 系列			
6200	10	30	9	6403	17	62	17
6201	12	32	10	6404	20	72	19
6202	15	35	11	6405	25	80	21
6203	17	40	12	6406	30	90	23
6204	20	47	14	6407	35	100	25
6205	25	52	15	6408	40	110	27
6206	30	62	16	6409	45	120	29
6207	35	72	17	6410	50	130	31
6208	40	80	18	6411	55	140	33
6209	45	85	19	6412	60	150	35
6210	50	90	20	6413	65	160	37
6211	55	100	21	6414	70	180	42
6212	60	110	22	6415	75	190	45
6213	65	120	23	6416	80	200	48
6214	70	125	24	6417	85	210	52

表 D-2　圆锥滚子轴承外形尺寸（GB/T 297—2015）摘编、推力球轴承外形尺寸（GB/T 301—2015）摘编

标记示例
内圈孔径 $d=35\text{mm}$、尺寸系列代号为 03 的圆锥滚子轴承：
滚动轴承　30307 GB/T 297—2015
内圈孔径 $d=30\text{mm}$、尺寸系列代号为 13 的推力球轴承：
滚动轴承　51206 GB/T 301—2015

（单位：mm）

(续)

轴承代号	尺寸					轴承代号	尺寸				
	d	D	T	B	C		d	D	T	d_1	D_1
02 系列						11 系列					
30203	17	40	13.25	12	11	51104	20	35	10	21	35
30204	20	47	15.25	14	12	51105	25	42	11	26	42
30205	25	52	16.25	15	13	51106	30	47	11	32	47
30206	30	62	17.25	16	14	51107	35	52	12	37	52
30207	35	72	18.25	17	15	51108	40	60	13	42	60
30208	40	80	19.75	18	16	51109	45	65	14	47	65
30209	45	85	20.75	19	16	51110	50	70	14	52	70
30210	50	90	21.75	20	17	51111	55	78	16	57	78
30211	55	100	22.75	21	18	51112	60	85	17	62	85
30212	60	110	23.75	22	19	51113	65	90	18	67	90
30213	65	120	24.75	23	20	51114	70	95	18	72	95
30214	70	125	26.25	24	21	51115	75	100	19	77	100
30215	75	130	27.25	25	22	51116	80	105	19	82	105
30216	80	140	28.25	26	22	51117	85	110	19	87	110
30217	85	150	30.5	28	24	51118	90	120	22	92	120
03 系列						12 系列					
30303	17	47	15.25	14	12	51204	20	40	14	22	40
30304	20	52	16.25	15	13	51205	25	47	15	27	47
30305	25	62	18.25	17	15	51206	30	52	16	32	52
30306	30	72	20.75	19	16	51207	35	62	18	37	62
30307	35	80	22.75	21	18	51208	40	68	19	42	68
30308	40	90	25.75	23	20	51209	45	73	20	47	73
30309	45	100	27.75	25	22	51210	50	78	22	52	78
30310	50	110	29.75	27	23	51211	55	90	25	57	90
30311	55	120	31.5	29	25	51212	60	95	26	62	95
30312	60	130	33.5	31	26	51213	65	100	27	67	100
30313	65	140	36	33	28	51214	70	105	27	72	105
30314	70	150	38	35	30	51215	75	110	27	77	110
30315	75	160	40	37	31	51216	80	115	28	82	115
30316	80	170	42.5	39	33	51217	85	125	31	88	125
30317	85	180	44.5	41	34	51218	90	135	35	93	135

附录 E 中 心 孔

表 E-1 中心孔（GB/T 145—2001）摘编

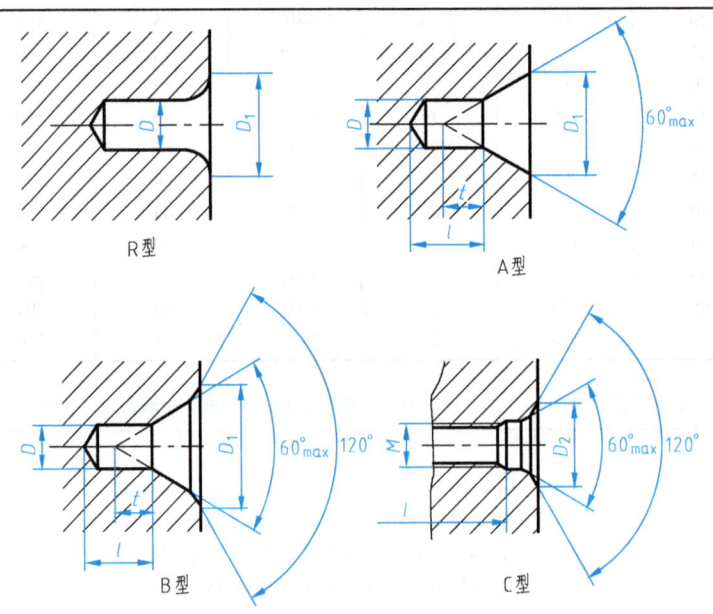

(单位：mm)

（续）

导向孔直径 D （公称尺寸）	R 型 锥孔直径 D_1	A 型 锥孔直径 D_1	A 型 t 参考	B 型 锥孔直径 D_1	B 型 t 参考	C 型 公称尺寸 M	C 型 锥孔直径 D_2
1.00	2.12	2.12	0.9	3.15	0.9	M3	5.8
(1.25)	2.65	2.65	1.1	4.00	1.1	M4	7.4
1.60	3.35	3.35	1.4	5.00	1.4	M5	8.8
2.00	4.25	4.25	1.8	6.30	1.8	M6	10.5
2.50	5.30	5.30	2.2	8.00	2.2	M8	13.2
2.15	6.70	6.70	2.8	10.00	2.8	M10	16.3
4.00	8.50	8.50	3.5	12.50	3.5	M12	19.8
5.00	10.60	10.60	4.4	16.00	4.4	M16	25.3
6.30	13.20	13.20	5.5	18.00	5.5	M20	31.3
8.00	17.00	17.00	7.0	22.40	7.0	M24	38.0
10.00	21.20	21.20	8.7	28.00	8.7		

注：1. A、B 型中心孔的尺寸 l 取决于中心钻的长度，不应小于 t 值。
2. 括号内的尺寸尽量不采用。

表 E-2 中心孔表示法（GB/T 4459.5—1999）摘编

（单位：mm）

型式	R 型	A 型	B 型	C 型
标记示例	GB/T 4459.5—R3.15/6.7 （D=3.15 D_1=6.7）	GB/T 4459.5—A4/8.5 （D=4 D_1=8.5）	GB/T 4459.5—B2.5/8 （D=2.5 D_1=8）	GB/T 4459.5—CM10L20/16.3 （D=M10 L=30 D_2=6.3）
用途	通常用于需要提高加工精度的场合	通常用于加工后可以保留的场合（此种情况占绝大多数）	通常用于加工后必须保留的场合	通常用于一些需要带压紧装置的零件

中心孔的表示法

要求	符号	规定表示法	简化表示法
在完工零件上要求保留中心孔		GB/T 4459.5-B2.5/8	B2.5/8
在完工零件上可以保留中心孔		GB/T 4459.5-A4/8.5	A4/8.5
在完工零件上不允许保留中心孔		GB/T 4459.5-A1.6/3.35	A1.6/3.35

注：1. 对于标准中心孔，在图样中可以不绘制其详细结构。
2. 简化标注时可以省略标准编号。

附录 F 极限

表 F-1 尺寸 ≤500mm 的轴的基本

公称尺寸 /mm		基本偏差														
		上极限偏差, es												j			k	
大于	至	a	b	c	cd	d	e	ef	f	fg	g	h	js	IT5 和 IT6	IT7	IT8	IT4 至 IT7	≤IT3 >IT7
		所有公差等级																
—	3	−270	−140	−60	−34	−20	−14	−10	−6	−4	−2	0		−2	−4	−6	0	0
3	6	−270	−140	−70	−46	−30	−20	−14	−10	−6	−4	0		−2	−4		+1	0
6	10	−280	−150	−80	−56	−40	−25	−18	−13	−8	−5	0		−2	−5		+1	0
10	14	−290	−150	−95		−50	−32		−16		−6	0		−3	−6		+1	0
14	18																	
18	24	−300	−160	−110		−65	−40		−20		−7	0		−4	−8		+2	0
24	30																	
30	40	−310	−170	−120		−80	−50		−25		−9	0		−5	−10		+2	0
40	50	−320	−180	−130														
50	65	−340	−190	−140		−100	−60		−30		−10	0		−7	−12		+2	0
65	80	−360	−200	−150														
80	100	−380	−220	−170		−120	−72		−36		−12	0	偏差 = ±IT/2	−9	−15		+3	0
100	120	−410	−240	−180														
120	140	−460	−260	−200		−145	−85		−43		−14	0		−11	−18		+3	0
140	160	−520	−280	−210														
160	180	−580	−310	−230														
180	200	−660	−340	−240		−170	−100		−50		−15	0		−13	−21		+4	0
200	225	−740	−380	−260														
225	250	−820	−420	−280														
250	280	−920	−480	−300		−190	−110		−56		−17	0		−16	−26		+4	0
280	315	−1050	−540	−330														
315	355	−1200	−600	−360		−210	−125		−62		−18	0		−18	−28		+4	0
355	400	−1350	−680	−400														
400	450	−1500	−760	−440		−230	−135		−68		−20	0		−20	−32		+5	0
450	500	−1650	−840	−480														

与配合

偏差数值（GB/T 1800.1—2020）摘编

/μm

					下极限偏差,ei								
m	n	p	r	s	t	u	v	x	y	z	za	zb	zc
所有公差等级													
+2	+4	+6	+10	+14		+18		+20		+26	+32	+40	+60
+4	+8	+12	+15	+19		+23		+28		+35	+42	+50	+80
+6	+10	+15	+19	+23		+28		+34		+42	+52	+67	+97
+7	+12	+18	+23	+28		+33		+40		+50	+64	+90	+130
							+39	+45		+60	+77	+108	+150
+8	+15	+22	+28	+35		+41	+47	+54	+63	+73	+98	+136	+188
					+41	+48	+55	+64	+75	+88	+118	+160	+218
+9	+17	+26	+34	+43	+48	+60	+68	+80	+94	+112	+148	+200	+274
					+54	+70	+81	+97	+114	+136	+180	+242	+325
+11	+20	+32	+41	+53	+66	+87	+102	+122	+144	+172	+226	+300	+405
			+43	+59	+75	+102	+120	+146	+174	+210	+274	+360	+480
+13	+23	+37	+51	+71	+91	+124	+146	+178	+214	+258	+335	+445	+585
			+54	+79	+104	+144	+172	+210	+256	+310	+400	+525	+690
+15	+27	+43	+63	+92	+122	+170	+202	+248	+300	+365	+470	+620	+800
			+65	+100	+134	+190	+228	+280	+340	+415	+535	+700	+900
			+68	+108	+146	+210	+252	+310	+380	+465	+600	+780	+1000
+17	+31	+50	+77	+122	+166	+236	+284	+350	+425	+520	+670	+880	+1150
			+80	+130	+180	+258	+310	+385	+470	+575	+740	+960	+1250
			+84	+140	+196	+284	+340	+425	+520	+640	+820	+1050	+1350
+20	+34	+56	+94	+158	+218	+315	+385	+475	+580	+710	+920	+1200	+1550
			+98	+170	+240	+350	+425	+525	+650	+790	+1000	+1300	+1700
+21	+37	+62	+108	+190	+268	+390	+475	+590	+730	+900	+1150	+1500	+1900
			+114	+208	+294	+435	+530	+660	+820	+1000	+1300	+1650	+2100
+23	+40	+68	+126	+232	+330	+490	+595	+740	+920	+1100	+1450	+1850	+2400
			+132	+252	+360	+540	+660	+820	+1000	+1250	+1600	+2100	+2600

表 F-2　尺寸 ≤500mm 的孔的基本

公称尺寸 /mm		下极限偏差，EI							基本偏 上极限						
		所有标准公差等级							IT6	IT7	IT8	≤IT8	>IT8	≤IT8	>IT8	≤IT8	>IT8
大于	至	A	B	C	D	E	F	G	H	JS	J			K		M		N	
—	3	+270	+140	+60	+20	+14	+6	+2			+2	+4	+6	0	0	−2	−2	−4	−4
3	6	+270	+140	+70	+30	+20	+10	+4			+5	+6	+10	−1+Δ		−4+Δ	−4	−8+Δ	0
6	10	+280	+150	+80	+40	+25	+13	+5			+5	+8	+12			−6+Δ	−6	−10+Δ	0
10	14	+290	+150	+95	+50	+32	+16	+6			+6	+10	+15			−7+Δ	−7	−12+Δ	0
14	18																		
18	24	+300	+160	+110	+65	+40	+20	+7			+8	+12	+20			−8+Δ	−8	−15+Δ	0
24	30																		
30	40	+310	+170	+120	+80	+50	+25	+9			+10	+14	+24	−2+Δ		−9+Δ	−9	−17+Δ	0
40	50	+320	+180	+130															
50	65	+340	+190	+140	+100	+60	+30	+10	0	偏差= $\pm\dfrac{IT}{2}$	+13	+18	+28			−11+Δ	−11	−20+Δ	0
65	80	+360	+200	+150															
80	100	+380	+220	+170	+120	+72	+36	+12			+16	+22	+34	−3+Δ		−13+Δ	−13	−23+Δ	0
100	120	+410	+240	+180															
120	140	+460	+260	+200	+145	+85	+43	+14			+18	+26	+41			−15+Δ	−15	−27+Δ	0
140	160	+520	+280	+210															
160	180	+580	+310	+230															
180	200	+660	+340	+240	+170	+100	+50	+15			+22	+30	+47			−17+Δ	−17	−31+Δ	0
200	225	+740	+380	+260															
225	250	+820	+420	+280															
250	280	+920	+480	+300	+190	+110	+56	+17			+25	+36	+55	−4+Δ		−20+Δ	−20	−34+Δ	0
280	315	+1050	+540	+330															
315	355	+1200	+600	+360	+210	+125	+62	+18			+29	+39	+60			−21+Δ	−21	−37+Δ	0
355	400	+1350	+680	+400															
400	450	+1500	+760	+440	+230	+135	+68	+20			+33	+43	+66	−5+Δ		−23+Δ	−23	−40+Δ	0
450	500	+1650	+840	+480															

偏差数值（GB/T 1800.1—2020）摘编

差数值 偏差, ES										Δ 值					
≤IT7			标准公差等级 >IT7							标准公差等级					
P 至 ZC	P	R	S	T	U	V	X	Y	Z	ZC	IT3	IT4	IT5	IT6	IT7	IT8
在大于IT7的相应数值上增加一个Δ值	−6	−10	−14		−18		−20		−26	−60	0	0	0	0	0	0
	−12	−15	−19		−23		−28		−35	−80	1	1.5	1	3	4	6
	−15	−19	−23		−28		−34		−42	−97	1	1.5	2	3	6	7
	−18	−23	−28		−33		−40		−50	−130	1	2	3	3	7	9
						−39	−45		−60	−150						
	−22	−28	−35		−41	−47	−54	−63	−73	−188	1.5	2	3	4	8	12
				−41	−48	−55	−64	−75	−88	−218						
	−26	−34	−43	−48	−60	−68	−80	−94	−112	−274	1.5	3	4	5	9	14
				−54	−70	−81	−97	−114	−136	−325						
	−32	−41	−53	−66	−87	−102	−122	−144	−172	−405	2	3	5	6	11	16
		−43	−59	−75	−102	−120	−146	−174	−210	−480						
	−37	−51	−71	−91	−124	−146	−178	−214	−258	−585	2	4	5	7	13	19
		−54	−79	−104	−144	−172	−210	−254	−310	−690						
	−43	−63	−92	−122	−170	−202	−248	−300	−365	−800	3	4	6	7	15	23
		−65	−100	−134	−190	−228	−280	−340	−415	−900						
		−68	−108	−146	−210	−252	−310	−380	−465	−1000						
	−50	−77	−122	−166	−236	−284	−350	−425	−520	−1150	3	4	6	9	17	26
		−80	−130	−180	−258	−310	−385	−470	−575	−1250						
		−84	−140	−196	−284	−340	−425	−520	−640	−1350						
	−56	−94	−158	−218	−315	−385	−475	−580	−710	−1550	4	4	7	9	20	29
		−98	−170	−240	−350	−425	−525	−650	−790	−1700						
	−62	−108	−190	−268	−390	−475	−590	−730	−900	−1900	4	5	7	11	21	32
		−114	−208	−294	−435	−530	−660	−820	−1000	−2100						
	−68	−126	−232	−330	−490	−595	−740	−920	−1100	−2400	5	5	7	13	23	34
		−132	−252	−360	−540	−660	−820	−1000	−1250	−2600						

参 考 文 献

[1] 金大鹰. 机械制图 [M]. 5版. 北京：机械工业出版社，2020.
[2] 吕思科，周宪珠. 机械制图 [M]. 5版. 北京：北京理工大学出版社，2022.
[3] 胡建生. 机械制图 [M]. 5版. 北京：机械工业出版社，2023.
[4] 钱可强，丁一. 机械制图 [M]. 6版. 北京：高等教育出版社，2022.
[5] 王其昌，翁民玲. 机械制图 [M]. 4版. 北京：人民邮电出版社，2014.
[6] 王冰. 机械制图及测绘实训 [M]. 3版. 北京：高等教育出版社，2015.